司馬遷評傳

張大可文集

第七卷

创于1897
商務印書館
The Commercial Press

图书在版编目(CIP)数据

司马迁评传/张大可著．—北京:商务印书馆,2013
(张大可文集)
ISBN 978-7-100-09394-1

Ⅰ.①司…　Ⅱ.①张…　Ⅲ.①司马迁(前145～)-评传　Ⅳ.①K825.81

中国版本图书馆CIP数据核字(2012)第202548号

司马迁评传
张大可　著

商务印书馆出版
(北京王府井大街36号　邮政编码100710)
商务印书馆发行
北京德富泰印务有限公司
ISBN 978-7-100-09394-1

2013年5月第1版　　开本 640×980　1/16
2013年5月北京第1次印刷　　印张 26 1/2

定价:107.00元

内容提要

本卷《司马迁评传》，编列文集为第七卷。《史记》是我国第一部五体俱备的纪传体历史巨著；司马迁是一个集史学家、文学家和思想家于一身的文化巨人。在总结前人和作者本人以往研究成果的基础上，本书着重从中国思想文化发展史的角度，深入分析了《史记》赖以产生的历史、社会、家世、师承以及个人经历等主观条件；具体评述了司马迁在其“究天人之际，通古今之变，成一家之言”的治学纲领下所形成的哲学、史学和文学成就，进而分析了在这些成就中所体现的司马迁的哲学、政治、经济、史学、战争等等，以及对人才、民族的思想。在传主生平事迹资料缺乏的情况下，全书通过对传主的业绩，即《史记》蕴含的思想评述中，写活人物，这是本书的一个极大的特点。此外，本书结合《史记》传播的历史和“史记学”的形成和发展，阐明了《史记》不朽的价值，勾画传主的精彩人生，亦占相当的比重。本书原版收入匡亚明主编的“中国思想家评传丛书”中，南京大学出版社 1994 年出版。本次收入个人文集，增设“附录”收录了学术界的四篇书评。

(一) 司马迁像

——采自明王圻辑《三才图会》

（二）司马迁祠、墓（据清乾隆《韩城县志》临摹）

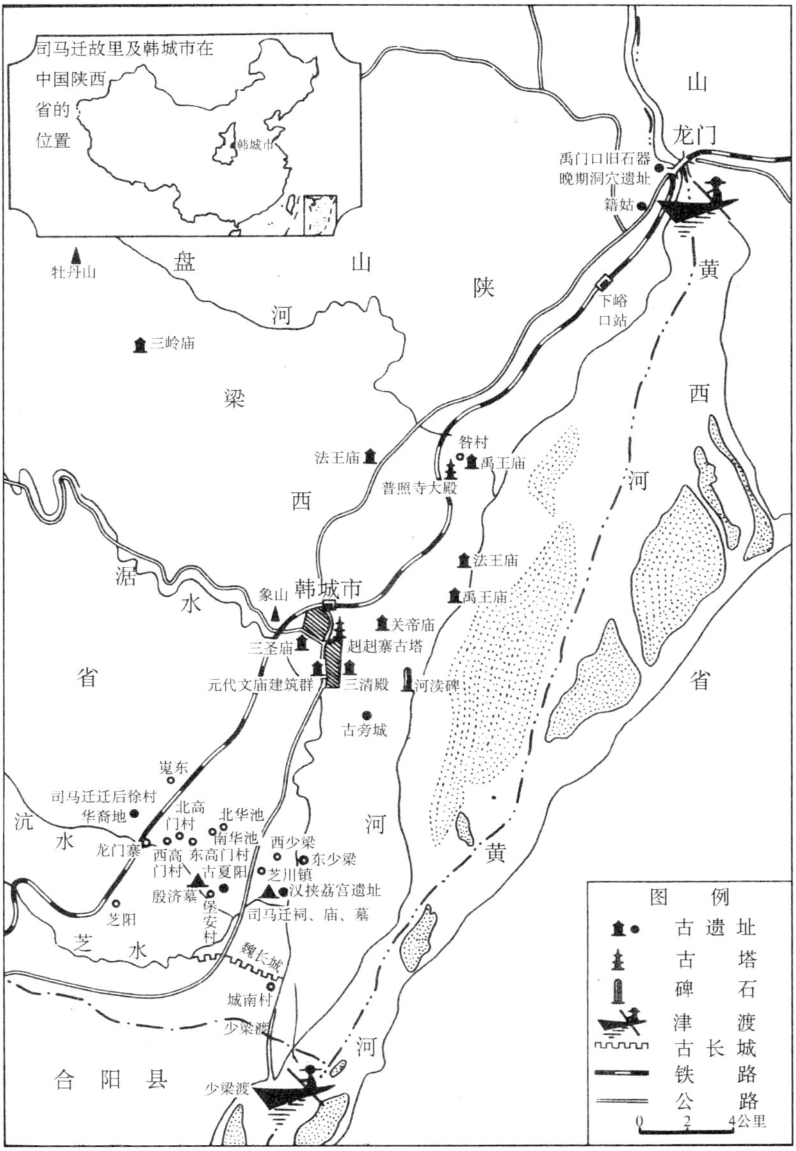

（三）司马迁故里及韩城市古迹分布图

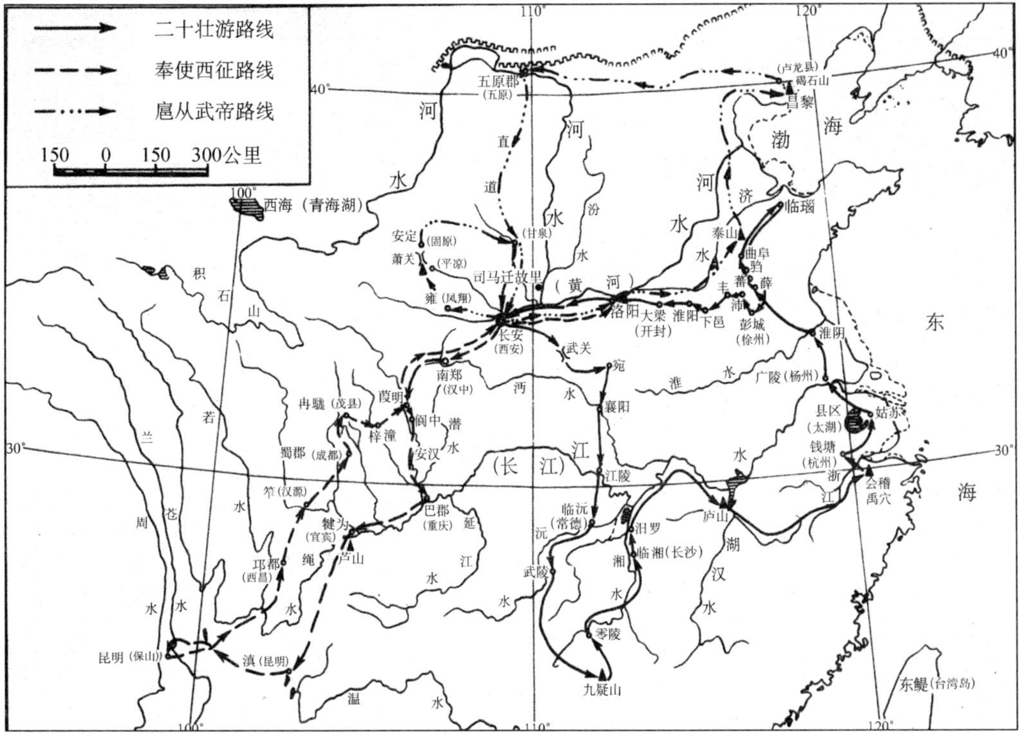
二十壮游路线
奉使西征路线
扈从武帝路线
150 0 150 300公里
五原郡
(五原)
(卢龙县)
碣石山
昌黎
西海（青海湖）
安定
(固原)
萧关
(平凉)
(甘泉)
司马迁故里
雍(凤翔)
长安
(西安)
武关
宛
洛阳
大梁
(开封)
淮阳
下邑
彭城
(徐州)
丰
沛
蕃
薛
驺
曲阜
泰山
临淄
淮阴
广陵(杨州)
县区
(太湖)
姑苏
钱塘
(杭州)
会稽
禹穴
南郑
(汉中)
葭明
阆中
梓潼
安汉
冉駹(茂县)
蜀郡(成都)
笮(汉源)
巴郡
(重庆)
僰为
(宜宾)
芦山
邛都
(西昌)
滇(昆明)
昆明(保山)
襄阳
江陵
临沅
(常德)
武陵
汨罗
临湘(长沙)
零陵
九疑山
庐山
东鳀(台湾岛)
渤
海
东
海
(黄 河)
(长 江)

(四) 司马迁旅行路线图

目　录

第一章　故里、家世及少年时代

一、司马迁故里

古老的黄河，源远流长。它是中华民族的摇篮，是五千年华夏悠久历史的见证。黄河之水天上来，在它穿行的黄土地上，不知诞生了多少灿若星辰的人物。我国西汉时期的伟大历史学家、文学家和思想家司马迁，就是诞生在黄土高原、黄河之滨的一颗文化巨星。司马迁的诞生地——陕西韩城市，是一座有着悠久文化历史的古城。这里几乎村村有文物，单是保存到今天的元代建筑群，如戏楼、牌楼等，就有一百四十四处之多，使人目不暇接。司马迁故里在这古城西南十八里的高门原；司马迁祠墓岿然屹立在高门原东南八里处、距韩城二十里的芝川镇南二里司马坡上。1982 年 2 月 23 日，国务院批准司马迁祠为全国重点文物保护单位。司马迁生前凄凄惨惨，死后冷冷清清的局面已成为历史。如今，司马迁研究已成为学术界的热门课题，《史记》日益走向普及。司马迁故里已成为旅游胜地，每年都吸引着成千上万的中外游人来此观瞻。现在就让我们到司马迁故里去作一番巡礼吧。

1. 韩城形胜

1958年春，我国当代著名文史学家郭沫若欣闻司马迁祠修整竣工，激情满怀，挥毫泼墨，写了一首五律赞颂司马迁。诗云：

龙门有灵秀，钟毓人中龙。
学殖空前富，文章旷代雄。
怜才膺斧钺，吐气作霓虹。
功业追尼父，千秋太史公。

这首五律，对司马迁的学识、文章、人格、事业，作了高度评价。郭老手迹潇洒奔放，刻成诗碑，立于太史祠，给司马迁故里增添了无限神韵。“龙门有灵秀，钟毓人中龙”，即是“人杰地灵”的生动写照。一代历史伟人，由多种因素铸成。不容否认，地理环境也是其中的一个重要因素。因为“人杰地灵”，是一个综合的文化观念。韩城形胜，为关中奥区，历史悠久，代有杰人。司马迁诞生于斯，就让我们来观览一番杰人之生地，回溯它的悠久历史，缅怀杰人之往昔云。

韩城市领地，“西高东倾，其形略似仰缶。山峪占十之七八，平原不过十之二三”[①]。著名的梁山，山势绵亘，逶迤韩城市西境。梁山主峰，在韩城西南四十里合阳县境内，名曰巍山，有谚语曰：“华山高，只值巍山腰。”由此可见，梁山之巍峨雄峻。韩城东北六十里，横跨黄河两岸，地连山、陕两省的龙门山，乃是梁山支脉。龙门，既是山名，又为津渡之名。津渡之龙门，又名禹门，相传为大禹导水所凿。在禹门两岸，历代建有禹王庙。明代万历年间所建禹王庙，历经风霜数百年，在20世纪40年代抗日战争中被日军炮火所毁。在龙门石崖上刻有“禹王锁蛟”图。画面上镌刻大禹头戴黑帽，身穿长袍，用一只有力的巨手将铁链锁住蛟龙的神话故事。据康熙年间《韩城县志》记载，在禹门水中石上刻有斗大的“龙门”二字，荒年水落石出，人始见之。龙

① 樊厚甫：《韩城县乡土教材》。该书完成于20世纪60年代，小32开铅印本数十页。作者当年是韩城县象山中学教师，已作古。

门两岸山壁如削，天工造物就真如人工斧削一般。古代地志，如《山海经》、《括地志》、《三秦记》等均载有神话传说。《山海经》谓，禹门凿成，因有神龙来察看，故于门上加“龙”字而称“龙门”。《三秦记》载，每年三月冰化雪消之时，有几千条鲤鱼、神龟，集于龙门之下，竞相跳跃，登上龙门的便成龙升天；登不上的，就点额曝鳃，碰壁而返。这就是“鲤鱼跳龙门”的神话故事。这种传说给人们的想象增添了驰骋的翅膀，使龙门成了神圣之地，其名悠久，载于《尚书·禹贡》。所以司马迁引为桑梓之重，在《太史公自序》中称曰：“迁生龙门”。

河水奔泻龙门而出，由北而南流向的这一段黄河，古称西河。西河东岸，古称河东；西河西岸，古称河西。河西地沿黄河成一条狭长的川原地带，这就是韩城市东境一片平川，古称韩原。韩原西枕梁山，东带黄河，南有少梁渡，北有禹门津，是关中的北门，亦是山、陕交通的咽喉要道，故在古代列国纷争或群雄割据中，这里是兵家必争的形胜要地。公元前 645 年，秦晋韩原大战，秦虏晋惠公。公元前 205 年，汉将韩信以木罂渡少梁而擒魏王豹。公元 618 年，唐高祖起兵太原，南下渡龙门而取关中，奠定了唐室基业。公元 1126 年，金将娄宿越龙门冰桥取陕西。公元 1644 年，李自成则从陕西出龙门直捣北京，推翻了明王朝。在司马迁诞生之前的春秋战国时期，晋取少梁而兴，魏献西河而衰。秦晋、秦魏在这里进行了长期的拉锯战。《史记》记载的大战役就有六次。第一次即前述公元前 645 年秦晋韩原之战，秦虏晋惠公。晋惠公归国，献河西地于秦。在韩原南段，即司马迁故里，今高门原、芝川镇一带，又称少梁原，临河有少梁津。少梁原，古为嬴姓梁国。梁伯以女妻晋惠公，为晋属国。晋惠公献河西地于秦，公元前 641 年秦遂灭梁国，更名曰少梁。取少梁之名，乃与中原之大梁，即今河南省开封市相对应。公元前 620 年，晋中军随会奔秦，司马迁之祖先入居少梁。第二次为公元前 617 年，晋伐秦，取少梁。三家分晋，河西地归于魏，魏筑长城以御秦。魏长城遗址，至今犹存。第三次为公元前 418 年，秦击魏，战于少梁，企图阻止魏筑长城。秦败魏胜。于是秦取战略包围形势，补庞，城籍姑，加强对少梁的对抗。补庞，即加固庞城。城籍姑，是新筑籍姑城。据谭其骧《中国历史地图集》，庞城在今韩城东，其地城固村有古城遗址。籍姑在禹门口附近，扼守要津。第四次为公元前362年，秦攻少梁，赵救魏，秦破赵魏联军，虏魏太子及魏将公孙痤。此役又为战国时期大战役之一。第五次为公元前354年，秦击魏，战元里（今陕西澄城南），取少梁。但魏河西地未尽失。此役亦为战国时期大战役之一。第六次为公元前330年，秦伐魏，围焦、曲沃，主战场已移于河东，此役魏尽纳河西地于秦。公元前327年，秦惠王十一年，更名少梁曰夏阳。公元前316年，司马迁八世祖司马错始用事于秦，击蜀，灭之。司马错为秦名将。司马氏由晋入秦居少梁，处在秦晋、秦魏争雄的战场区，经受战争暴风雨的洗礼，使司马氏家族产生名将，司马迁承传家学，记述战争有声有色，这当然不是偶然的。

韩原之名因韩城而得名。韩城古为韩国，为西周武王之子的封国。“韩城”二字，始见于《诗经·大雅·韩奕》，曰“溥彼韩城”。此诗首句：“奕奕梁山，维禹甸之”。郑玄笺：“梁山，今左冯翊夏阳县西北。韩，姬姓之国也，后来为晋所灭。故大夫韩氏以为邑名焉。”诗序称，此诗为周宣王时名臣尹吉甫所作，为咏韩侯受命为侯伯之诗。学术界有人认为韩侯在周初封于河北，近燕，在今河北固安县东南之韩寨营。周宣王中兴周室，为了加强周王室北门之屏障，故受命韩侯为侯伯，移封韩原，筑韩城。也就是说，韩城筑于周宣王时，距今已有三千多年历史。后来，周王室东迁，韩国为晋所灭。春秋时，韩原为晋大夫韩武子采邑。但韩侯故城和韩武子采邑，今不可考。韩城置县始于隋文帝开皇十八年，即公元598年。“有县斯有城”，或沿旧，或创始，奠定了今日韩城之规模，历唐宋元明清而至于今，已有近一千四百年的历史。

2. 司马迁故里华池高门

按中华民族的传统习俗，叶落归根，人死归葬故里。司马迁祖茔在韩城西南十八里的嵬东乡华池、高门两村①，故此为司马

① 华池距韩城十七里，高门距韩城十八里。华池、高门两村相距一里。

迁故里，即入秦少梁的司马氏所定居之地。《太史公自序》云："自司马氏去周适晋，分散，或在卫，或在赵，或在秦。""在秦者名错……错孙靳……葬于华池。""靳孙昌，昌为秦主铁官……昌生无泽，无泽为汉市长。无泽生喜，喜为五大夫，卒，皆葬高门。"

华池、高门两地紧邻相连，同在高门原。如今华池有南北两村，高门有东西北三村。司马迁祠墓在韩城南二十二里的司马坡上，如今属芝川镇，在镇南二里。《括地志》云："夏阳故城东南有司马迁冢，在高门原上也。"可见，司马坡在古代也泛称高门原。司马坡与华池、高门相距约八里，古夏阳城在两地之间。《水经注》记载甚悉。陶渠水（即今芝水）注云："水出西北梁山，东南流径汉阳太守殷济精庐南，俗谓子夏庙。陶渠水又南径高门南……又东南径华池南，池方三百六十步，在夏阳城西北四里许。……溪水又东南径夏阳故城南，又东南径司马子长墓北。"又崌谷水（即今涺水）注云："溪水又东南径夏阳县故城北少梁也。秦惠王十一年，更从今名矣。"更名，实为新筑。少梁旧邑经过大战而残破，秦从魏手中夺回少梁后更名而另筑新城。在今司马迁祠正北约八里有西少梁村，在司马迁祠东北六里有东少梁村，东西少梁相距约四里。西少梁村即古少梁邑[①]，夏阳新城在西少梁西南六里，位于司马迁祠与华池、高门之间。夏阳在司马迁祠西北约四里；华池、高门又在夏阳西北约四里，与西少梁东西相对。汉承秦制，置夏阳县，遗址在今嵬东乡堡安村，有"夏阳旧址"石碑。在堡安村的古城楼上，镌刻着"韩原要冲"四个大字。

司马迁的生地，学术界有五种说法。其一，生于芝川说。因司马迁祠墓在芝川镇，故郑鹤声《司马迁年谱》和季镇淮、郭维森两家传记《司马迁》，以及多数论文作者主其说。其二，生于华池说。司马迁第六世祖司马靳墓葬于此，故王国维《太史公行

① 少梁邑在今西少梁村，这是依据《水经注》记载的方位推得，也是乡邑人习惯的说法。据实地考察，东少梁村有古城遗址，或古少梁邑也。

年考》主其说。其三，生于高门说。司马迁三世近祖墓均葬于此，故康熙年间《韩城县志》康行僴主其说。其四，生于龙门寨说[①]。其五，生于夏阳城内说[②]。其四、其五两说是近年来提出的新说，缺乏根据，不可信。司马迁生地，我们只能依据《太史公自序》所载祖茔地华池、高门来加以确认。但现今的华池、高门已无司马迁祖茔坟冢，幸喜尚有历史遗迹和民间遗风可资佐证。藉此，略作记述，以存一史影。

华池司马靳墓。今华池南北两村，相距约里许。北华池村以马姓为主，南华池村无马姓。北华池村旧有"司马书院"，相传为司马谈设帐授徒处。村东有华池遗址，相传为司马氏家花园。《水经注》记载，"池方三百六十步"，现在的华池，只是一个小小的涝池，已非昔日风姿。在涝池北约百米，原有土坟一座，相传为司马靳墓。1958年以前，村中父老在清明节还去扫墓。1958年"大跃进"平田整地，历经两千余年风雨的司马靳墓才被平消失。

高门司马昌、无泽、喜三世墓。高门原，西枕梁山，东对黄河，地势高平，土地肥沃。原上有东高门、西高门、北高门，三座村庄巍然鼎立。在东高门村南洞门楼上，嵌有石刻"太史故里"四个大字。在东西高门之间，有清薛廷枋等所立司马迁祖茔双碑。双碑立于东高门村西南约数十米，坐西向东。双碑并立，相距数尺。其南碑上首横刻小字"汉太史先茔"，中间竖刻大字"汉太史司马公高门先茔"，左边竖刻小字"儒学增广生员薛廷枋立"。碑阴"汉太史司马公高门先茔记"，曰："汉至今数千余载矣，其先茔犹辉映于梁山之野，人人见司马公之遗泽长，而子长公显扬者大也。……昌以下葬者三冢，今则巍然者仅存。自斯以往果何如乎！"立碑时间为"嘉庆十七年岁次壬申十月谷旦"。据此可知，当年此处有三冢。此间父老相传，原来三冢宛如鼎峙，

---

① 龙门寨，地名，在西高门村南一里许，地属高门村。此说为对"迁生龙门"新提出的一种解说，见高健《韩城胜迹之冠》一文，载《文物天地》1982年第6期。寨、村、镇以"龙门"为名的，各地都有，不足以为"迁生龙门"之证。

② 此说见呼林贵《司马迁生葬地新探》，载《人文杂志》1987年第4期。

就是司马昌、司马无泽、司马喜三墓冢。抗日战争时期邑人王捷三（时任陕西省教育厅长）回韩城省亲，见太史公先茔为大路所侵，坟头平夷，为不使湮没，命人筑土墙保护。群众遂将三冢合为一冢。20世纪50年代尚有地二分，1958年在平坟运动中被夷为农田，故今只有双碑并立于田野。

司马谈墓。司马迁祖茔双碑，其北碑上书“汉先太史司马公墓”，立碑时间为“咸丰岁次壬子菊月谷旦”，即咸丰二年九月一日。这虽是后人所立之碑，但相传原有司马谈墓冢。虽然《太史公自序》未载司马谈墓，不过可从司马靳“葬于华池”，司马昌、无泽、喜“皆葬高门”这一行文连贯语势，推知司马谈之卒，应葬于故里，是不言而喻的。假如司马谈葬于茂陵显武里，《太史公自序》必作特别书出。《太史公自序》不书司马谈葬所，因司马迁与之为父子，奉先人遗骨于故里，是理所当然之事。在高门村西六里有徐村，世居冯、同两姓，世代相传为司马迁后裔，每年清明节都要到高门村司马迁祖茔双碑前祭奠，至今以为俗。

司马迁归葬故里，但未入居祖茔地高门原，而在芝川司马坡，这是一个值得探究的问题。今天司马迁祠墓所在的芝原村一带，据考古研究正是秦汉时夏阳县的墓葬区。司马迁因受宫刑体肤不全，自愧于见祖先①，故归葬故里在先人墓冢之侧，自选葬地在夏阳城东南的司马坡上，西望祖茔，东望黄河。司马坡突拔伟立，是一形胜要地。司马迁长眠这里，是符合他那好奇而又豪放胸怀的。

综上所述，以魂归故里的中华民族传统习俗来考察，司马迁生地故里应为祖茔所在地华池、高门。这两地紧相连界，可以看做是一个地方。泛言之，韩城市即为司马迁故里。韩城境内司马迁生地的五种说法，以高门村为中心，方圆不出十公里，在古代都是夏阳城的近郊区。泛言司马迁生地，华池、高门、芝川镇，

① 司马迁《报任安书》有言云：“行莫丑于辱先，而诟莫大于宫刑”，“仆以口语遭此祸，重为乡党戮笑，污辱先人，亦何面目复上父母之丘墓乎？”

三者皆有依据；而要相对准确地说司马迁生地，则应为韩城西南十八里之高门村。

3. 芝川司马迁祠墓

芝川镇在韩城南二十里，靠近黄河。西安至韩城的西韩公路穿镇而过。这里川宽土肥，盛产粮棉，人物殷阜，镇上居民千余家。芝水流径镇旁，故以芝川为镇名。芝水古称陶水，相传汉武帝巡行曾在此水边采得灵芝草而得名芝水。在司马迁祠西芝水北岸吕庄，原来建有“灵芝庵”，庵内竖有石碑，碑刻“汉武帝采灵芝草于此”九个大字。现在庵和石碑皆已无存。

古少梁邑在芝川镇东，今为芝川乡西少梁村；古夏阳城在镇西南，今为嵬东公社堡安村。司马迁祠墓在镇南二里芝水南岸高岭上，人称司马坡。康熙年间《韩城县志》载：“汉太史令司马迁墓在芝川镇南岭上，西枕梁山，东临大河，气势雄阔，古柏数十百，皆苍老如铁，悬于两崖，作蛟龙状。子长一冢，巍然其巅，祠壁石墨林立，代有名作。冢以石砌，二柏出其上，盘崛尤奇，北望少梁，晓烟残照，如图画然。”《史记·淮阴侯列传》载韩信葬母：“行营高敞地，令其旁可置万家。”《史记·樗里子列传》载：“樗里子卒，葬于渭南章台之东，曰：后百岁，是当有天子宫夹我墓。”《史记·吕不韦列传》载，秦庄襄王葬芷阳，其母“故夏太后独别葬杜东，曰：东望吾子，西望吾夫。后百年，旁当有万家邑。”这些记载可为司马迁好奇，自选葬地于司马坡之佐证。这里地形高敞突立，西望祖茔，东瞰黄河，亦是一奇。芝川镇的兴起，在司马迁祠墓旁，虽无万家邑，也是千家邑。在司马迁祠墓山脚东南数百米处，有一临河高台，东西与南北各约三百米，这里就是汉武帝临河息辇的夏阳挟荔宫遗址所在地。夏阳挟荔宫是汉武帝三年一次祭祀后土驻跸的行宫，司马迁生前伴圣驾衣锦还乡，该有多么风光，司马迁死后长眠在夏阳挟荔宫旁，不也是十分惬意的么！司马坡下，芝水绕流。芝水入河口，即古少梁渡，后改名夏阳津。公元前205年汉将韩信以木罂从此渡河擒魏王豹。历史遗迹也给司马坡增添了无尽的风采。以司马迁之雄奇豪放，他选定司马坡为葬地，可以说是感情与理性的自然归宿。

司马迁祠墓的修建，历史悠久，可追溯到公元310年的西晋永嘉四年，迄今已有约1700年的历史。《水经注》陶渠水注云："又东南径司马子长墓北。墓前有庙，庙前有碑，永嘉四年，汉阳太守殷济瞻仰遗文，大其功德，遂建石室，立碑树柏[①]。《太史公自序》曰：'迁生龙门'，是其坟墟所在矣。"《水经注》的这段记载是有关司马迁祠墓最早而又最有价值的文献。西晋殷济崇拜司马迁遗文《史记》，为了表彰司马迁的功业，"遂建石室"，并修祠，竖碑，植柏，供人瞻仰。《水经注》又引司马迁碑文说明司马迁故里位置，文曰："高门华池，在兹夏阳。"北魏郦道元根据他所见司马迁碑文与《太史公自序》印证，推断殷济所建祠墓，就是司马迁原来所在的坟墟。唐司马贞在《太史公自序·索隐》中亦引司马迁碑文作案语，说华池在夏阳西北三里[②]。这说明司马迁碑历南北朝，在唐代犹存。

殷济为司马迁故里邑人。殷济墓在古夏阳城遗址堡安村附近，位于高门之东，司马迁墓之西。清嘉庆二十三年（公元1818年），乡绅为殷济墓立碑，上书"晋名宦汉阳太守殷公之墓"。《水经注》陶渠水注云："水出西北梁山，东南流，径汉阳太守精庐南，俗谓之子夏庙。"所谓"精庐"，又称"精舍"，是古代的讲学之所。汉阳郡是汉时旧名，魏晋时改为天水郡。殷济为天水郡守，或沿习惯文献仍作旧郡名。殷济致仕，为乡人讲学，培育英才，有德桑梓。又魏晋时严禁为死者造石室立碑。殷济冲破禁网为司马迁造石室之墓，立碑颂德，是一种大智大勇的行为。乡人感念殷济，亦为之立碑讴歌，诗曰：

巍巍苍山，河水泱泱。
殷公沐风，山高水长。

---

① 树柏，在墓前栽植柏树，这是古代习俗，树柏驱逐食死人肝脑之妖罔象，以保护死者。清初校勘家何焯认为"柏"是"桓"字之误。树桓，即树表以为标记，亦可备一说。

② 司马贞原文作："案：迁碑，在夏阳西北，去华池三里。"

殷济之后，历代维修司马迁祠墓的情况，可从司马迁祠中的碑石和韩城地方志中考其大略。现存司马迁祠最早的一块碑，是北宋治平元年（公元1064年），太常博士知同州韩城县事李奎所题的诗碑。诗云：“荒祠临后土，孤冢压黄河。”这一“荒祠”“孤冢”的破败局面，直到北宋末才得到改善。宋徽宗宣和七年（公元1125年），韩城县知事东鲁尹阳见太史公祠“栋宇甚倾颓，阶级甚卑坏，埏隧甚荒茀，惟是享尝缺然不至”，荒凉破败不忍睹。尹公感慨唏嘘曰：“司马公文为百世之英，而所居不能蔽风雨；学为继述之渊，而所藏不去荆榛”，“冢庙卑痹如此，其不称公之辞与学也甚矣！”尹阳于是率芝川之民重新建起“五架四楹之室，又为复屋以崇之”。所用砖、瓦、门、窗，一应材料，皆取资于民[①]。据古建筑专家鉴定，现存的寝宫、献殿与山门，还是宋代木结构建筑的遗存，已历经风雨八百年，弥足珍贵。

北宋尹阳重修司马迁祠后，又过了半个多世纪，至金大定十九年（公元1179年），又进行了部分整修，重点是整修太史公墓。韩城县知事赵振撰《大定己亥修太史公墓小碣》记其事，曰：“（司马迁）及其卒也，葬于梁山之岗，至今韩人享祀不绝。惜乎时代历久，旧冢倾颓。今春姚定乃率里人命工修复，其意欲以光华文史之风，激励衰鄙之俗。”

司马迁墓为圆形八卦冢，用青砖砌成，高2.5米，直径5米，乃元世祖至元十二年（公元1275年）所重修，距今已七百余年。墓碑是清乾隆年间毕沅所题“汉太史公之墓”。冢上有一棵奇特的五枝参天大古柏，形若龙蟠，“晴则翠色凌岗，阴则同云涵缘，风则波涛汹涌，雨则叆叇茔溶，雪则白贲堆琼”[②]，变化出神，宛若《史记》文章之雄奇壮丽，观者莫不流连叹惋。

明清两代，相继大规模整修司马迁祠。清康熙十七年（公元1678年），韩城县知事翟世琪主持了浩大的整修工程，奠定了现存祠墓的规模。这次整修，在堂基正前方用砖砌成九十九级台阶的

---

① 尹阳：《修太史公庙碑》，其文又载明万历《韩城县志》卷八。

② 乡贤郭宗傅：《重修司马公祠记》，载明万历年间《韩城县志》卷八。

"神路"。在神路起点的台阶前当路有砖砌牌坊，上书"河山之阳"四字，即为翟世琪所书。清嘉庆十九年（公元1814年），冀兰泰治韩，再次整修，将寝殿、山门、墙垣、斋厨，修缮一新。

新中国成立后，司马迁祠墓得到人民政府的重视。如今已列为全国重点文物保护单位，并成立了"司马迁祠墓文物管理所"专门机构进行管理。1980年，打成机井一眼，引水上塬，浇灌松柏花草，把司马迁祠墓装点得更加郁郁葱葱，满目青翠。现在，在司马坡南麓，移建增添了三座元明建筑，把司马迁祠墓衬托得更加秀丽壮观。这几座韩城境内的元明建筑，因在原地不便保护而由古建队移建于此的。

二、源远流长的世系

《史记》一百三十篇，最后一篇《太史公自序》，是司马迁写的一篇自传体学术论文，它既是作者的传略，又是《史记》一书的总序。《史记》原题《太史公书》，故总序称为《太史公自序》。

司马迁追述司马氏世系，源远流长，始祖为唐虞之际的重黎氏。《太史公自序》云：

> 昔在颛顼，命南正重以司天，北正黎以司地。唐虞之际，绍重黎之后，使复典之，至于夏商，故重黎氏世序天地。其在周，程伯休甫其后也。当周宣王时，失其守而为司马氏。司马氏世典周史。惠襄之间，司马氏去周适晋。晋中军随会奔秦，而司马氏入少梁。

司马迁自述远祖为唐虞之际的重黎氏。再上溯至颛顼之世，重、黎为二人。重为南正，黎为北正。正，就是长官的意思。南正，古代天官，观星象，定历法。北正，古代地官，执掌农事。先秦典籍《尚书·吕刑》、《左传》、《国语》等书都记载有关重、黎二人在颛顼之时分司天地的传说。而到唐虞之际，“绍重黎之后，使复典之”，说明中间曾有一度失职。这复司其职的“重黎之后”四个字比较含混，是重之后，还是黎之后？是绍承天官，还是地官？使得后人争论不休。司马迁在《史记·楚世家》中有着扑朔迷离的记载。《楚世家》云：

> 楚之先祖出自帝颛顼高阳。高阳者，黄帝之孙，昌意之子也。高阳生称，称生卷章，卷章生重黎。重黎为帝喾高辛居火正，甚有功，能光融天下，帝喾命曰祝融。共工氏作乱，帝喾使重黎诛之而不尽。帝乃以庚寅日诛重黎，而以其弟吴回为重黎后，复居火正为祝融。

据此，司马氏与楚远祖同源，为颛顼之后裔。再往上溯，同为黄帝子孙。这里重黎氏已合二为一人。传说世系如次：

黄帝 — 昌意 — 颛顼 — 称 — 卷章— 重黎 …… 司马氏
　　　　　　　　　　　　　　　　　└吴回 …… 楚(屈原)

屈原为楚之同姓，他在《离骚》中自述其祖先也说：“帝高阳之苗裔兮，朕皇考曰伯庸。”屈原写《离骚》，早于司马迁写《史记》，他们追溯根本，都是黄帝子孙。从屈原到司马迁，追祖溯源，均标示为古代名贤之后以自重，激发志气，这是古人树立自信心的必要条件。在这个意义上，对于古代传说的史影，既不可否定其无，亦不可全信其有。司马迁对远祖的追溯，是否为可靠信史，则是无须考实的，也是不可能考实的。司马迁既区别重与黎为二人，又合重黎之后为一人，都有传说史影，也就不难理解了。

司马迁对远祖的追述更寓有一层深意，即强调司马氏为史官世家。到了周代，司马氏祖先程伯休甫因军功显赫而姓司马，但司马氏仍世典周史。春秋战国之际的大变动，导致了周王室世袭史官的司马氏再度失职，同时发生了大分化。“惠襄之间，司马氏去周适晋”。惠、襄两王是东周第五、第六两代国君。惠王时有子颓作乱，襄王时有叔带作乱。史官职掌机要，并对朝政重大变易提供解释，所以必然要卷入王室内乱的旋涡中。周襄王十六年，即公元前636年，襄王弟叔带作乱，襄王出奔郑。这一年晋公子重耳归国为君，结束了晋乱，是为晋文公。晋文公招贤纳士，志欲继齐桓公之后为中原霸主，标榜尊王攘夷。司马氏反对王子带作乱，应在这一年去周适晋。第二年，周襄王告急于晋，晋文公诛叔带恢复了襄王之位。襄王赐晋文公珪、鬯、弓矢，命为伯，并以河内地与晋。

从上述背景可知，司马氏去周适晋，是迎着时代的潮流走向进步。晋文公之后，晋公室也经历一系列的动乱，而后演成三家分晋。去周适晋的司马氏也随着时代的变动，东西分散，各奔前程，或在卫，或在赵，或在秦。

在卫国的一支司马氏，后代中有人做了中山国的相。《太史公自序·集解》引徐广曰："名喜也。"《战国策·中山策》记载："司马喜三相中山。"中山国为古代白狄别种鲜虞人在公元前414年所建，在公元前296年为赵、齐、燕三国瓜分而灭亡。中山都城灵寿，遗址在今河北平山县。1974年至1978年，考古工作者在河北平山县发掘出土了带有长篇铭文的铁足大鼎，是中山王赐给国相司马贮的，从而证实了司马迁的记载。

在赵国的一支司马氏，名司马凯，凯生蒯聩。蒯聩就是《史记·刺客列传》中与荆轲论剑的盖聂。蒯聩生昭豫，昭豫生宪，宪生卬，卬在秦末助项羽灭秦，被封为殷王。《晋书·宣帝纪》记载，司马卬就是开创晋朝的司马懿的祖先。

司马迁属于入秦的这一支司马氏。公元前621年晋襄公卒，晋大夫随会入秦迎立襄公弟公子雍。赵盾立襄公太子夷皋，是为晋灵公，发兵拒公子雍。随会奔秦避难，后来回到晋国做了中军统帅。与随会入秦的司马氏就定居在少梁。过了三百年，司马错显于秦，这是司马迁祖上有确切世系可考的始祖。《太史公自序》载其承传世系如次：

司马错(秦蜀郡守)——□——司马靳(事白起)——□——司马昌(秦铁官)——司马无泽(汉市长)——司马喜(五大夫)——司马谈(太史令)——司马迁

上述各支司马氏，皆与史职无缘。也就是说，世典周史的司马氏自春秋中叶去周适晋以来，已中断史官家学四百余年。在春秋战国及秦汉之际，司马氏家族适应时代的大变革，从事政治、军事、剑客、经济的活动，在各个领域都产生了司马氏家族显赫人物。秦国司马氏有名将司马错，有经济官司马昌、司马无泽，这都是司马迁的家学渊源，到了司马迁之父司马谈，他做了太史令，并决心重振远古家学，发愤修史，故追述远祖至职掌天官的重黎以自重。屈原追溯远祖至颛顼，司马迁只追溯至重黎氏，就为的是强调史职。唐司马贞《太史公自序·索隐》在引证司马彪和干宝两位史家皆云司马氏为黎之后[①]，按己意作了如下解释。司马贞说：

> 今总称伯休甫是重黎之后者，凡言地即举天，称黎则兼重，自是相对之文，其实二官亦通职。然休甫则黎之后也，亦是太史公欲以史为己任，言先代天官，所以兼称重耳。

司马贞意欲考实司马迁远祖为黎之后，为何要合称重黎氏，他认为言地即兼举天。因黎为地官，司马迁强调的史职是天官，目的是突显“以史为己任”的职责。司马贞的这一发挥是符合司马迁原意的。

在古代，天子的侍从有卜史巫祝。许慎《说文》云：“史，记事者也。从又，持中。中，正也。”“史”字的构造就是象征手持中正之德以记事的人。许慎对史字的解释正是古代人们的观念，或者说是古人认识的史德观念。手所持应为具体事物，而中正之德是抽象的事物，为心之所有而非手之所持。后世学者对许慎的解释产生了怀疑。江永撰《周礼疑义举要》，解释“中”为官府簿书，“史”字象征手持簿书。吴大澂《说文古籀补》从古文字形体考证，谓“史象手执简形”。章太炎《章氏丛书·文始》

---

① 张守节《太史公自序·正义》亦引《司马彪序》云：“南正黎，后世为司马氏。”

从形、音、义三个方面详证“中”为记事简册。王国维《观堂集林·释史》认为“中”是盛策之器，殊途同归，结论仍是“史”为持书策之人。范文澜在《正史考略·绪言》中申证“中”为简策之说，认为“中”字为简策之省形。卜辞中有，乃之省形。演变、简化为，即中。于是推断说：“史则仅从一又，示执简侍君，记言记动之义。盖册与中二形以繁省见义，非有一物象中也。”近世学者见地下文物简册而重新考释了“中”与“史”字的结构与本义，当然是正确的。但是新解并不能纠正或否定许慎所记录的古代观念。“中，正也”，这是对史官的要求。也就是说，记事的史官是公正无私的。司马谈以祖先世世代代为史官而自豪，他以这一“光荣家谱”教导司马迁，希望他发扬祖德，确立修史壮志。司马迁郑重其事地记载了远祖世为史官的传说，也意味着他们父子来修撰一部贯通古今的通史是义不容辞的，是当然应肩负的历史使命。

三、“迁生龙门”

公元前 145 年，时当西汉景帝中元五年丙申，司马迁降生在夏阳县高门里司马谈之家。高门里今属陕西省韩城市嵬东乡高门村，在韩城西南十八里。前《司马迁故里》一节已述，今高门分东、西、北三个村庄。在东高门村南洞门楼上，嵌有石刻“太史故里”四个大字。在东西高门之间，有清代时人所立司马迁祖茔双碑，这里原有司马迁祖茔墓冢。

司马迁在《太史公自序》中记载祖籍闾里在汉夏阳县华池、高门，但又自称“迁生龙门”，不但留下了一个历史之谜，而且还引起了晋、陕人争司马迁的历史公案，此事必须加以澄清。

清乾隆年间《河津县志》黄鹤龄序、嘉庆年间《河津县志》

沈千鉴序，都以河津为“故龙门地”而争司马迁为晋人[1]。光绪版《河津县志》还记载说，元代王思诚《河津县总图记》载：“迁生龙门，居于太和坊，又县东有太史乡。”又说：“汉太史公墓，在县西。”明代还在河津县东太史乡建有卜子夏、司马迁、王通三贤祠。由此可见，晋人争司马迁由来已久。

晋人争司马迁的主要理由是河津为“故龙门地”。打开现代地图，龙门山主峰在黄河之东山西省河津境内，在河津县城北约三十里，故河津县沿革曾有一段称“龙门县”的历史。司马迁生地高门村在黄河西岸陕西省韩城西南十八里，距龙门山主峰约九十里，禹门口亦称龙门，在韩城东北六十里，在龙门山主峰山脚下，而与高门村相距八十里。姑置晋人争司马迁为河津人不论，这一历史之谜则不能不论。

近代考据大家王国维在《太史公系年考略》和《太史公行年考》两文中说[2]：“案《自序》迁生龙门，龙门在夏阳北，《正义》引《括地志》云，‘龙门山在同州韩城县北五十里’，而华池则在韩城县西南十七里，相去七十里，似当司马谈时，公家已徙而向东北。然公自云生龙门者，以龙门之名，见于《夏书》，较少梁、夏阳为古，故乐用之，未必专指龙门山下。”这里王氏注意到了司马迁生地与龙门山主峰之间的遥远距离，故提出了两种推论，一为“似当司马谈时，公家已徙而向东北”；一为以龙门之名古老，引重桑梓以为名。未经证明的推论只是一种假说，故王氏两存以待考。

司马迁在《太史公自序》中自述“迁生龙门”，语气充满自豪感，表现了他对故里雄伟山川的热爱，引“龙门”以重桑梓的意义是显明的。在古代，以“龙门”为夏阳地望的代称，已成为习惯，这有其历史文化渊源，可从文献上加以考实。

---

① 《河津县志》创编于明隆庆四年（公元 1570 年），历经几次修订，都把司马迁作为河津人加以记载。

② 王国维《太史公系年考略》发表于 1916 年，收入《广仓学窘丛书》；《太史公行年考》发表于 1923 年，收入《观堂集林》卷一一，对司马迁行年论证，其事稍详，其说未变。

从语源上说，龙门之得名，据古代地志《山海经》、《括地志》、《三秦记》、《名山记》等都记载龙门山因禹凿龙门而得名。乾隆年间《韩城县志》卷一引《名山记》云："河水至此山……两岸皆断山绝壁，相对如门，惟神龙可越，故曰龙门。"古老的《山海经》更明确说，禹门凿成，因有神龙来察看，故于门上加龙字而称"龙门"。县志又引《卫氏地图记》云："龙门山，一名葑山；形如笔架，又名笔架山；山上多紫荆，又名紫荆山。"这说明龙门山依其山形及物产，原有多种名称。从山脉大势走向来看，龙门山乃是陕西境内梁山之支脉。清康行僩《韩城县志》卷一《山川》云："龙门山，在县东北六十里，一名禹门，即梁山别麓也。"明万历张士佩《韩城县志》卷二《山川》"梁山"条更明确指出："如龙门者，韩之望也，禹辟梁山而成之者也。"《史记》三家注在《夏本纪》"浮于积石，至于龙门、西河"句下注云：《集解》引孔安国曰："龙门山在河东之西界。"此即指局部所见龙门山主峰，即河津县北面的龙门山。紧接着《索隐》注云："龙门山在左冯翊夏阳县西北。"《索隐》在此疏通《集解》，从山脉大势提请读者注意，龙门山脉应在夏阳县西北。

《史记》中记载龙门的地方共有十二处，有五种含义。其一，指大禹凿龙门处，即禹门口，又称龙门津。此义有五处。如《秦始皇本纪》载："二世曰：吾闻之韩子曰：禹凿龙门，通大夏。"其二，指禹门口的戍守建置，含义为关口，即龙门关。如《六国年表》秦表载，秦惠王十二年，"初腊，会龙门"。此义有二处。其三，指禹门口下的一段黄河。如《夏本纪》载："浮于积石，至于龙门西河。"此义有三处。其四，直称龙门山，一处。《货殖列传》云："龙门、碣石北多马、牛、羊、旃裘、筋角。"其五，以龙门指称夏阳地望，一处，即《太史公自序》司马迁自述，"迁生龙门"。《集解》、《正义》明确指出为夏阳之代称。《集解》裴骃引徐广曰："在冯翊夏阳县。"裴氏并作按语云："苏林曰：禹所凿龙门也。"《正义》引《括地志》云："龙门在同州韩城县北五十里。其山更黄河，夏禹所凿者也。龙门山在夏阳县，迁即汉夏阳县人也。"《正义》疏解尤为清晰，指出龙门山跨黄河两岸，因禹凿龙门而得名，故司马迁以龙门称代夏阳，是为夏阳人。

山西河津县，历战国秦汉，一直称皮氏县①，直到北魏太平真君七年（公元446年）才改称龙门县，隶高凉郡。宋宣和二年（公元1120年），改龙门为河津县。河津地之名龙门，在司马迁死后五百多年，因此这一沿革不足以证明司马迁为河津人。

由于龙门山是梁山支脉，所以尽管龙门主峰在河津，它在古代也没有成为河津地望的代称。相反，历代史地学家视龙门为梁山之别名，一致以龙门为韩邑地望之代称。如《汉书·地理志》云："龙门山在冯翊夏阳县北。"《后汉书·郡国志》云："夏阳县北有龙门山。"《魏书·地形志》云："夏阳县有龙门山。"唐《元和郡县志》云："龙门山在县（指韩城县）北五十里。"宋《太平寰宇记》云："龙门山在县北五十里。"在这些史地著作中，龙门山与梁山是同一的名词。我们还可以从古老的经书中找到证明。《春秋》三传鲁成公五年（公元前586年）皆书"梁山崩"，壅塞黄河。《尔雅·释山》指出，"梁山，晋望也。"意即晋国所祭之名山。晋郭璞注云："晋国所望祭者，今在左冯翊夏阳县西北临河上。"《公羊传》曰："梁山者何，河上之山也。"韩城本为古梁国，因梁山而得名。《诗经·大雅·韩奕》也以"梁山奕奕"与"溥彼韩城"并称。

综上所述，大量文献史料可以证明，作为梁山支脉的龙门山，因禹凿龙门，形成奇险名胜而得名。"龙门"既指山，亦指津，载于《尚书》，神话附会，名闻遐迩，故以"龙门"称代韩邑地望，是古人相沿成俗的观念，不特司马迁为然。由于隋唐时期河津一度为龙门县，于是引出许多附会。我们可以肯定，河津县境内的司马迁故里传说，是唐以后才逐渐形成的，所以在古代文献无征。于此，"迁生龙门"之谜可以冰释矣。

① 皮氏县，王莽天凤元年（公元14年）一度改称延平，为时短暂，新莽灭亡，复名皮氏。

四、司马迁的生年与表字

司马迁的生卒与表字，由于《太史公自序》失载，于是成为疑案。尤其是生卒年，因缺乏直接的文献证据，成为长期的争论问题，至今无定论。不解决这个问题，《司马迁评传》就无从谈起。由于众论纷纭，这里不作烦琐引证，谨就本书的写作依据略作交代。卒年在本书第九章中讨论，这里略说司马迁的生年。

司马迁生年共有六种说法，而影响最大并有依据的是王国维和郭沫若两家的考证。其余四说，大抵出自臆断，皆无讨论价值，姑置不论。

王国维、郭沫若两家都是依据《太史公自序》的三家注推得，两说相差正好整十年。学术界关于司马迁生年的考辨，都是围绕这两说而展开的。

司马谈卒于元封元年。《太史公自序》云："卒三岁而迁为太史令。"司马贞《索隐》在这一句下注云：

> 《博物志》：太史令茂陵显武里大夫司马［迁］，年二十八，三年六月乙卯除六百石。

元封三年，即公元前 108 年，司马迁年二十八，郭沫若据此推算，司马迁生于汉武帝建元六年，即公元前 135 年。学术界称此说为司马迁生年建元六年说，或前 135 年说。

司马迁当了五年太史令，汉武帝改元太初。颁布新历，这是一件划时代的大事。故张守节的《正义》就在"五年而当太初元年"下加按语说：

> 案：迁年四十二岁。

太初元年是公元前 104 年，迁年四十二，王国维据此推算，司马迁当生于汉景帝中元五年，即公元前 145 年。学术界称此说为司马迁生年景帝中元五年说，或前 145 年说。

王国维是考证司马迁生年与卒年的第一人。其说见前节引述的《太史公系年考略》与《太史公行年考》两文中。郭沫若所主张的建元六年说，创说者为日本学者桑原骘藏氏。桑原氏《关于司马迁生年之一新说》，1922 年刊于《东洋文明史论丛》。中国学者系统阐发建元六年说者为李长之。李文《司马迁生年为建元六年辨》，载于作者 1948 年开明书店出版的《司马迁之人格与风格》一书中，“举证十条以立其说”，但未引起学术界的重视。在 20 世纪 50 年代的论辩中，李长之“自云论据不巩固，已放弃前说”①。但此说自 1955 年郭沫若在《历史研究》第 6 期发表《“太史公行年考”有问题》以后，亦引起了学术界的重视，有不少信从者。

郭、王两家考证分别依据《索隐》与《正义》，两说相差正好整十年。一个人的生年只能有一次，故两说必有一误。《索隐》作者司马贞和《正义》作者张守节都是唐代人，且同时相先后，《正义》稍后出，许多地方疏通《索隐》。司马贞与张守节注说司马迁年岁，所依据的材料应是同源的，即晋人张华所撰《博物志》。郭、王两人都引据汉简资料证明《博物志》为“最可信之史料”。既然司马贞与张守节两人依据同源，那么司马迁生年的“十年”之差，不是依据的材料有问题，而是传抄流传中数字发生了讹误，这就是王氏立论的基石。

汉字的数字写法，“二十八”与“三十八”，两个数字，“二”与“三”一笔之差，容易致误。汉唐时期十以上的数字写法，“二十”作“廿”，“三十”作“卅”，“四十”作“卌”，这几个数字的竖笔也是一笔之差，容易致误。《史记》、《汉书》中记载人物生年十年之差均有例证。日本学者水泽利忠《史记会注考证校补》，校录了日南化本《史记》的《索隐》文，正作“年三十

① 李仲钧先生转述语，见《文史哲》1957 年 8 月号。

八”，这一证据给王国维说提供了极有价值的版本依据。日南化本是日人所藏中国《史记》善本南宋黄善夫汇刻的三家注本，具有很高的学术价值。

郭沫若否定王国维数字讹误这一立论基石，而对《索隐》、《正义》两个年龄数字并存而安排各有所系，这也是建元六年说论者的立论基石。建元六年说论者认为，《索隐》的“年二十八”指司马迁元封三年二十八岁；《正义》的“迁年四十二岁”指司马迁一生的年岁。司马迁一生四十二岁，这只是一个假说，它不是已知的因，而是待证的果，建元六年说论者把假设的待证之果作为已知的因来推生年，在举证中常常陷入因果循环互证，故李长之举证十条，均系推论，故而“自云论据不巩固，已放弃前说”。其他建元六年说论者的举证，也都是用推论证推论，在方法上大都陷入因果互证，故其说甚辩，其理不足据。

检验郭、王两说的标准，是用司马迁在《太史公自序》所载的经历来验证。依中元五年说推导司马迁的行年，事事无碍；而依建元六年说推导司马迁行年多有牴牾。例如，司马迁“耕牧河山之阳”，依建元六年说则在九岁之前，依中元五年说则在十岁至十九岁之间，孰为合理显而易见。

司马迁生年问题，自 1916 年王国维提出，到 80 年代中，经过了近一个世纪，中外学者几代人的努力，尤其是 50 年代中和 80 年代初两次全国性大规模的学术讨论，可以说基本上廓清了问题，现在可以作出定论。张守节的“案迁年四十二岁”，是依据《索隐》“年三十八”之文以推断司马迁太初元年时四十二岁。《索隐》与《正义》，不仅依据材料同源，而且他们的观点一致。以《索隐》“年三十八”与《正义》“年四十二”推断司马迁生年为汉景帝中元五年，即公元前 145 年。这就是本书排列司马迁行年的依据。

司马迁字子长。《汉书·司马迁传》亦未载。西汉扬雄《法言·寡见篇》有：“或问司马子长有言，《五经》不如《老子》之约也。”又《君子篇》有：“多爱不忍，子长也。仲尼多爱，爱义也；子长多爱，爱奇也。”东汉王充《论衡》在《超奇》、《变动》、《须颂》、《案书》等篇，皆称司马子长。东汉荀悦《汉纪》亦有“司马子长遭李陵之祸”的记载。最早称司马迁之字的文献，是西汉中桓宽的《盐铁论》。《毁学篇》记载御史大夫桑弘羊引《史记·货殖列传》的话与文学辩难，称为“司马子长言”。桑弘羊与司马迁为同时代人，其言更为亲切。也就是说，司马迁之字“子长”为同代人和两汉人称说，可以确信无疑。

五、“年十岁则诵古文”

“年十岁则诵古文”，七个大字肃穆庄重地书于《太史公自序》，毫无疑义司马迁寓有深微之义，引起了历代研究者的注目，但终因语焉不详而发微者少，这是一个需要认真深入的课题。

《春秋》言简，有三传为之疏解。司马迁惜墨如金，《太史公自序》如同《春秋》，言约义丰，却无家学师承留下微言注疏可供参考，由我们两千多年后的人来研究，可以说每一句话都是一道中国古代史传中的哥德巴赫猜想。解题方法，可引用《公羊传》的解经方法，用“曷以书”，而“书之者为曷”的方式提出问题，就可层层深入。用此方式，我们对“年十岁则诵古文”可以提出一连串的问题。什么是古文？司马迁读了哪些古文书？在什么地方读古文书？读了多长时间？古文程度达到何种水平？司马迁曷以书“年十岁则诵古文”？这与修史有什么联系？回答这些问题，也就阐释了这句话的深微大义。

司马贞《索隐》给我们留下了唐人的“猜想”。司马贞说：“迁及事伏生，是学诵《古文尚书》。刘氏以为《左传》、《国语》、《系本》等书，是亦古文也。”司马贞认为“古文”是指《古文尚书》。刘氏亦唐人，即《史记音义》作者刘伯庄。刘氏认为“古文”是指《左传》、《国语》、《世本》等书。

由于伏生与司马迁年龄不相及，“迁及事伏生”是靠不住的。清周寿昌在《汉书注校补》卷四十一中予以驳正，曰：“史公生于景后元元年，距晁错死已十一年。错于孝文帝时受书伏生，生已九十余岁。孝文帝在位二十三年，计伏生当迁时，应百二十余岁。迁十岁诵《古文尚书》，及事伏生，不已一百四十余岁邪？《索隐》缘泥古文必是《尚书》，故致此误，自以刘氏说为正。”

伏生，即秦博士伏胜。孝文帝时，伏生已九十余，两眼昏花，不能读书写字。孝文帝为了抢救“尚书学”，派晁错去受读。伏生口授，晁错用汉代通行的隶书记录整理，得二十九篇，称《今文尚书》。因此，司马迁及事伏生是不可能的。西汉传《古文尚书》者是孔安国。司马迁曾问故于孔安国，那是成年以后受学于京师之事；“年十岁诵古文”是司马迁记述少年时之所学，恰恰与《古文尚书》没有关系。因此刘氏的解释才是对的。《史记》中多处提到所学古文，可引据以为证。

《五帝本纪·赞》：“总之不离古文者近是。予观《春秋》、《国语》，其发明《五帝德》、《帝系姓》章矣。”

《三代世表·序》：“余读《谍记》，黄帝以来皆有年数。稽其《历谱谍》、《终始五德之传》，古文咸不同，乖异。”

《十二诸侯年表·序》：“于是谱十二诸侯，自共和讫孔子，表见《春秋》、《国语》学者所讥盛衰大指著于篇，为成学治古文者要删焉。”

《吴太伯世家·赞》：“余读《春秋》古文。”

单独说“古文”二字，可以有两解。一指先秦古文字，即籀书，又称大篆。《太史公自序》云：“秦拨去古文，焚灭《诗》、《书》。”所谓“拨去古文”，指废去古文，推行小篆。汉代又进一步进行文字改革，推广隶书。小篆、隶书皆称今文。再者是指用古文书写的先秦典籍。王国维《史记所谓古文说》云：“凡先秦六国遗书，非当时写本者，皆谓之古文。”上引《史记》中所载古文书正是如此，有《春秋》、《国语》、《五帝德》、《帝系姓》等儒家典籍，也有《谍记》、《历谱谍》等百家之书。这些均是古文书写的先秦典籍。

司马迁年十岁是“诵古文”而不是“书古文”。诵，是阅读诵习；书，是认字练字。“诵古文”之前，必先“书古文”。认字练字称小学。秦时的小学蒙童课本有李斯所作《苍颉篇》，赵高所作《爰历篇》，秦太史令胡母敬所作《博学篇》。汉兴，将三书合为一书，称《苍颉篇》，凡五十五章，每章收六十字，共三千三百个常用字。《苍颉篇》是今文字书。古文字书有周史官所作《史籀篇》。一般人读书识字，只学《苍颉篇》。如果要想出仕做官，就必须加学《史籀篇》。虽然秦废去古文，但当时离古文的时代未远，国家藏书大多古文所写，引经据典，离不开古文。《史记·封禅书》记载：“群儒既已不能辨明封禅事，又牵拘于《诗》《书》古文而不能骋。”说明古文本的《诗》《书》还具有权威性。西汉成帝时大规模整理图籍，国家藏书一律用今文写成定本，这才给今文的深层推广奠定了物质基础。在司马迁时代，蒙童八岁入学，高才而欲出仕者，不仅学今文，还要学古文。《汉书·艺文志》有生动记载。其言曰：

> 古者八岁入小学，故《周官》保氏掌养国子，教之六书，谓象形、象事、象意、象声、转注、假借，造字之本也。汉兴，萧何草律，亦著其法，曰：“太史试学童，能讽书九千字以上，乃得为史。又以六体试之，课最者以为尚书御史、史书令史。吏民上书，字或不正，辄举劾。”六体者，古文、奇字、篆书、隶书、缪篆、虫书，皆所以通知古今文字，摹印章，书幡信也。

汉时小学教授蒙童识六书，习六体，要能背诵并能写九千字以上，每一个字能写出古体、异体、小篆、隶书、篆刻印章（缪篆）、草书（虫书）等六体，这不是一朝一夕的工夫所能成，也不是一般的普及本只识今字的《苍颉篇》。达到上述要求应是指高级人才的培养，这就要求有家学渊源和师承，非一般农家孩童所能诵习。司马迁聪明绝伦，在十岁时他不仅已经过了“书古文”的学习，而且能够诵习古文，阅读古文书籍，故自豪地说：“年十岁则诵古文。”这里的“则”字透出了司马迁得意的神色。

司马迁在什么地方学习古文，王国维《太史公行年考》认为：司马谈仕于建元、元封之间，“公或随父在京师，故得诵古文矣。”郑鹤声《司马迁年谱》在建元三年司马迁七岁时系年云：“当随父至京，住茂陵诵读。”至于主张司马迁生于建元六年说的学者，只能让司马迁进京读古文。因司马迁元朔二年家徙茂陵，生于建元六年，必须在九岁时进京。为了弥合其说，于是有的论者作了如下推论：“年十岁则诵古文”，表明少年司马迁已转换了生活舞台，偏僻的农村无论是藏书、师承，还是文教，都不具备诵习古文的条件，而只能在长安司马谈身边开始。表面地抽象地看，这些推论入情入理，但放在司马迁这一特定人物和秦汉之际这一特定环境中，就背离事实太远。王、郑二氏定司马迁在京师习古文，亦不免流俗之论。

秦始皇焚书坑儒，“非博士官所职，天下敢有藏《诗》《书》《百家语》者，悉诣守尉杂烧之。有敢偶语《诗》《书》者弃市”[①]。尽管秦法苛酷，但秦始皇并未能烧尽天下之书。它遭到当时知识分子的强烈抵制。孔氏壁藏古文书就是适例。“《诗》《书》所以复见者，多藏人家，而史记独藏周室，以故灭”[②]。秦始皇烧尽了诸侯各国的国家藏书，但他无法烧尽民间藏书。司马氏祖上世典周史，为渊源久远的书香门第之家，虽失其文职，而家学余风犹存。司马昌、司马无泽相继在秦汉之际做京师官，消息灵通，预为措施。司马氏之家亦应多藏有古文禁书，所以司马谈才能够复兴家传绝学。司马迁年十岁诵古文，正是家学渊源和藏书条件所助成。司马迁之祖司马喜为汉五大夫。五大夫为汉第九级爵。汉初七级以上为高爵，有食邑，这是指因军功所得之爵。司马喜在文景承平之世，无功勋显绩，所得高爵是用四千石粟买来的。汉

① 《史记》卷六《秦始皇本纪》。
② 《史记》卷一五《六国年表·序》。

文帝十二年（前 168 年），文帝纳晁错策，颁布卖爵令。富人入粟实边，最高爵可买至五大夫，复一人。四千石粟相当于四十户五口之家的自耕农一年的耕作收入，这说明司马氏家族在夏阳县是一个中等地主家庭。司马喜闲赋在家，没有徭戍，有五大夫爵的绅士地位，可以说是司马谈、司马迁父子两代尽心尽职的启蒙老师。司马谈出仕于京师，而留司马迁于故里，承受家学的启蒙教育，才是最好的条件。司马迁至京师，如住在茂陵诵读，恰恰是最差的条件。因茂陵邑正在草创，离京师长安八十里，哪来读书条件。司马迁在故里承受家学，四五岁时就可读书认字，到了十岁就可通读古文书了。司马迁在故里，既有闾里书师，又有家学师授与丰富藏书，风光秀丽，环境宜人。十九岁以前，司马迁耕读于故里，打下了渊博的学识基础。元朔二年，司马迁十九岁，汉武帝移豪富之家于茂陵。于是，这时司马迁才踏上了京师之途。这时，即使没有移民充实京师茂陵的事件，司马迁也将离开故里。因为司马迁习古文为修史打下基本功，故里天地已不能包容。司马迁到京师的第二年即元朔三年就整装出游了。

六、“耕牧河山之阳”

“耕牧河山之阳”，这是司马迁自己追述的少年时代的故里生活。这短短的六个字，是司马迁一种浪漫式的抒怀，还是淡淡地述说艰苦的童年？很值得玩味。今世时贤论述至此，一般都不细加评说，只是做一点字面文章。或说：“司马迁幼年时，曾在家种田放牛。”① 或说：“大概在司马迁小时候，家庭还是务农为业，他也帮助家人养养牛放放羊，做些辅助劳动。”② 细细推索，童年司马迁在家“种田放牛”或“养牛放羊，做些辅助劳动”，是不

① 郭维森：《司马迁》，江苏人民出版社，1982 年出版。
② 季镇淮：《司马迁》，上海人民出版社，1955 年出版。

大可能的。司马迁作为司马谈的独生子，留在爷爷奶奶身边，视同掌上明珠，若非赤贫之家，怎么可能让一个不足十岁的孩童去养牛放羊？或者去田间劳作！须知，司马迁祖父司马喜是地方上的五大夫，父亲司马谈在京师做官。假如孩童时代的司马迁要替家里做辅助劳动，他不可能“年十岁则诵古文”，这两者在时间上是矛盾的。一句话，童年司马迁不可能“耕牧河山之阳”，即便是辅助性劳动也是不可能的。

“迁生龙门，耕牧河山之阳，年十岁则诵古文”，这三句话一气连成，并在《太史公自序》中书于司马谈《论六家要指》之后，下接“二十而南游江淮”。这种行文安排是司马迁的匠心独运。这三句话的内容是一组特写，它透露了司马迁青少年时代的生活是司马谈为培养司马迁的一种苦心安排。这三句话的语调是高昂的，自豪的。“迁生龙门”，人杰地灵；“耕牧河山之阳”，特殊的修养；“年十岁则诵古文”，聪明绝伦。司马迁亦自觉地接受父亲的安排，很好地经受了耕牧苦读的考验，所以才不无遗憾地书于《太史公自序》中。也就是说，司马迁少年时代的耕牧，既非生活所迫，亦非为家庭农业助手，而是一种自觉的锤炼，是作为修身养性的一课而认真地执行着。

《太史公自序》紧接上述三句话之前，还有这样的话头：“太史公既掌天官，不治民。有子曰迁。”这也是三句话，我们不能轻轻放过而应细细咀嚼。“既掌天官”，指为太史令，表示司马氏复兴了中断已久的“史官世家”之学，所以用“天官”二字代称“太史令”。“不治民”，则强调“太史令”为占天的业务之官，不是理政事的治民官，不杂俗务。同时也寓意司马谈之出仕，不谋求治民官，不求仕宦显达，而守重天官，发扬祖德。“有子曰迁”，说明司马迁为独生子，司马谈不把他带在身边去染习仕途经济的学问，而割爱留他在乡间耕读，让童年、少年时代的司马迁接受独立生活的锻炼，不能不说是深谋远虑，识高一筹。司马迁不负严父所望，勤奋学习，十岁能诵古文，而且他还参加耕牧，练就一身好体魄，为二十壮游打下了坚实的基础。

司马迁耕牧的地方，以及时间，这是应当深层探索的内容。

“河山之阳”，《正义》云：“河之北，山之南也。案：在龙门山南也。”韩原在大河之西，泛指为北，处于龙门山南。王国维说：“固指山南河曲数十里间矣。”郑鹤声说：“河山之阳，即河曲也。”都是泛指韩原。具体说是指韩原的司马迁故里高门原，司马迁用“河山之阳”的字眼，只不过是一种典雅说法罢了。高门原在古夏阳城西北四五里处，是近城郊的农牧区。这里西枕梁山，东有涺河水，南有芝川水，土地肥沃，水源丰富，山麓放牧，平原耕作，是夏阳县最富庶的农牧区。在重农抑商的古代，参加耕作不是耻辱。例如诸葛亮、陶渊明的隐居，都一再标榜躬耕陇亩。司马氏世居高门原，这里地势高敞，风光秀丽，被誉为韩原奇观。司马迁生于斯，长于斯，耕读于斯，心旷神怡，度过了美好的童年和少年，心中留下了美好的回忆，所以在《太史公自序》中写下激情昂扬的“耕牧河山之阳”，供千秋人们评说。当然，乡间生活与城市生活迥然不同。在乡间，司马迁目睹了一般农家的清贫生活，又有耕牧的切身体验，这对于司马迁同情劳动人民思想感情的养育具有重要的意义。

七、家徙茂陵

茂陵，西汉武帝陵，在今西安市西北八十里，陕西兴平县东北。茂陵是西汉诸陵中最大的一座帝王陵，封土略呈方锥形，平顶。现在是全国重点文物保护单位之一。

茂陵始建于汉武帝建元二年（前 139 年），当时属槐里县茂乡，故称茂陵。西汉建陵则置县邑，称茂陵县，县城称茂陵邑。西晋时废县，今已不存。

汉武帝母亲王太后是槐里人，茂陵建在槐里县，含有光耀外家的意思。建元三年，汉武帝为了鼓励人民移往茂陵，给每一户移民发放二十万安家费，赐田二顷。从长安至茂陵修了一条直通大道，起点就是长安北面西头第一门，称便门，又称平门。平、便二字古通用。便门，即平直方便之意。大道跨越渭水，这座渭水桥也被命名为便门桥。由于这条大道，茂陵与长安之间，交通十分方便。

元朔二年（前127年）四月，汉武帝采纳了主父偃的建议，“徙郡国豪杰及訾三百万以上于茂陵”。主父偃建言说：“茂陵初立，天下豪杰并兼之家，乱众之民，皆可徙茂陵，内实京师，外销奸猾，此所谓不诛而害除。”① 这一建言，既充实茂陵邑，又抑制天下豪强，所以西汉王朝雷厉风行地执行。轵县（今河南济源县）人郭解，家庭资产达不到迁徙的规定。但他是有名的豪侠，也被举迁徙。大将军卫青给郭解说情，说他家贫不符合迁徙条件。汉武帝驳回，说：“布衣权至使将军为言，此其家不贫。”② 于是郭解被徙茂陵。地方士大夫集资送行，不下千余万。郭解到了关中，京师地区的士大夫，争先恐后地结交郭解。由此可见，郭解名声，倾动朝野。这无疑地惊动了朝廷，把郭解列入严惩对象。这时郭解的侄儿杀了轵县一个文吏，他是地方绅士杨季主的儿子，是他举报迁徙郭解的。随后，杨季主也遭杀害。杨季主的家人上书朝廷，又被郭解的信徒杀于宫阙之下。这使得朝廷震怒，下令通缉郭解。郭解闻讯，把母亲和妻子隐藏在夏阳，然后自己逃出临晋关到太原。郭解沿途止宿，不改名姓，人们争相接待。结果逮捕公人跟踪追缉。临晋一个叫籍少公的人，为了保护郭解，自杀绝口，追踪公人断了线索，郭解逍遥法外。元朔三年春，汉武帝发布大赦令，郭解重新抛头露面，才被抓获。既然郭解没有亲自杀人，又在大赦前，朝廷无法判处郭解死罪。这时，又出了一桩事。治办郭解的专案使者到轵县调查。在轵县接待使者的坐席上，有人替郭解说好话，遭到一个在座儒生的驳斥。儒生认为“郭解专以奸犯公法，何谓贤？”③ 不久，郭解的信徒杀了这个儒生，并割了他的舌头。这下被朝廷丞相公孙弘抓住了口实，认为郭解信徒无法无天，擒贼先擒王，于是族灭了郭解一

① 《史记》卷一一二《平津侯主父列传》。

②③ 《史记》卷一二四《游侠列传》。

家。毫无疑义，以此为引线，汉武帝在全国展开了一场打击游侠的运动。

元朔二年，司马迁年十九岁。郭解的故事为他所亲见，所以写得十分详尽而亲切。郭解的故事，有两个方面的史料价值：一是为司马迁行年提供了一条有力的旁证；再是对司马迁进行社会调查提供了深思，分说于下。

司马迁在《游侠列传》写郭解形貌，“为人短小”；写他的简朴生活，“不饮酒，出未尝有骑”；写郭解的影响，“关中贤豪知与不知，闻其声，争交欢解”。这明明白白道出，司马迁是在关中茂陵亲见郭解，而郭解在关中只居留了短暂的时间，说明司马迁家族也正是此时迁移茂陵的。司马迁在《游侠列传·赞》中评论郭解说：“吾视郭解，状貌不及中人，言语不足采者，然天下无贤与不肖，知与不知，皆慕其声，言侠者皆引以为名。谚曰：‘人貌荣名，岂有既乎！’于戏，惜哉！”程金造对此评论说：“这正是一个十九岁将及成年人的心理。若使司马迁生于‘建元六年’，则元朔二年，时方九龄；九龄幼童去观察别人，绝不能有这样的心理活动的。”① 程氏的这一评论合情合理。《游侠列传》是司马迁精心写作的篇章，郭解作为主要人物，写得生动传神，可歌可泣。但篇后的论赞表面看，似乎平淡无奇，只是补充叙写作者当年亲见郭解时的粗浅感受。恰恰就在这平淡中透出了司马迁飘逸的生花神笔。司马迁真实地追叙当年的思想感情作为赞语，正是为了说明那时青年一代对郭解的神往，从青年的迷惑感情中，衬出郭解的平凡而出人意料的传奇色彩。一个九岁儿童绝不会有这样深沉的认识与感情。所以郭解故事，直接为司马迁元朔二年家徙茂陵，以及司马迁生于景帝中元五年，提供了有力的旁证。

郭解故事，给青年司马迁这样一个刚刚涉世的青年，在心灵上造成了极大的震动，留下深刻的印象和无形的影响。首先，司

---

① 《关于司马迁生卒年月四考》，载《司马迁与史记》论集，中华书局 1957 年版。

马迁走出夏阳，在茂陵与四方之民交游，特别是识见郭解，方知天下之大，奇人之异。郭解“慨不快意，身所杀甚众”，在他身上集有大恶；郭解言必信，行必果，排难解纷不受人之报，侄儿不直，不罪仇家，这些品德，又可以说是集有大善。天下之大恶大善集于郭解一身，在人们的想像中必是一个彪形大汉，及至亲见，原来竟是一个其貌不扬的矮子。这真是奇人奇行。青年司马迁与郭解是否有过短暂的交游，司马迁没有记载，不敢妄谈。但郭解形象根植于司马迁心灵深处，这是毫无疑义的。司马迁二十壮游，考察游侠行踪，是其动机之一，亦应无疑义。

游侠的产生，在汉代已有悠久的历史。春秋战国时代的社会大变动，西周旧贵族下层的“士”没落分化，一部分以“文”为主，成为诸子百家和儒生，一部分以“武”为主成为游侠和刺客。如果说苏秦、张仪、范雎、蔡泽等人是文士中的才俊，那么聂政、荆轲等则是武士中的豪杰。文武之士，他们凭着个人才干穿行于列国之中，奔走于权贵之门，积极从事政治活动，为自己争得一席之地。战国四公子各养士三千人，既有文士，又有武士，乃至有鸡鸣狗盗之徒。散居民间的游侠，以“义”结成帮派团伙，在政治动荡的社会中保卫乡里，施德贫民，能做一些好事，但往往打斗仇杀，干犯法禁，成为社会祸害。所以在郭解身上既集有大善，又集有大恶。韩非在《五蠹》中指出“儒以文乱法，侠以武犯禁”，提出对这两种人实行专政。随着秦汉的统一和中央集权制的建立，百家之言的文士和带剑犯禁的游侠之士，都必然遭到打击和专政。郭解之被徙移茂陵和遭族灭，就是汉武帝打击游侠运动的一种反映。打击游侠的政治运动轰轰烈烈地开展，而民间士庶豪杰却诵义无穷，这不能不催动着司马迁在全国大旅行中去考察一个究竟，所以他对郭解在轵地乡间生活的许多细节都了解得一清二楚。司马迁由汉代游侠上溯至春秋战国，对当时的游士、剑客，以及四公子养士，都做了详尽的调查，后来写了战国四公子、苏秦、张仪及刺客、游侠等一系列恢宏大传。当司马迁受李陵之祸再回味郭解故事，联想古今游侠、刺客，于是升华出反暴政，反传统道德的理性思维，从而创作出《刺客列传》、《游侠列传》这样的优秀篇章。这两篇都是颂扬反暴政的思想。所不同的是，《刺客列传》侧重反映政治斗争，宣扬扶弱锄强的正义精神。至于游侠，“其行虽不轨于正义，然其言必信，其行必果，已诺必诚，不爱其躯，赴士之厄困。既已存亡死生矣，而不矜其能，羞伐其德，盖亦有足多者焉”①。这说明游侠虽不合乎正统的封建道德，但对下层人民很讲“仁义”，很有道德。游侠的出现与活动，是封建社会法制瓦解，匹夫抗愤的一种形式。游侠为受压迫、受冤屈的下层人民伸张正义，而不惜牺牲性命，司马迁歌颂他们，表现了他同情广大人民的反暴愿望，这是应当肯定的。青年司马迁得以识见其时大侠郭解，这是一个偶然的机遇，就这一点，司马迁家徙茂陵也是值得的。

司马迁家徙茂陵，结束了少年时代的生活。他走向广阔的社会，走向新生活。

① 《史记》卷一二四《游侠列传》。

第二章　出仕与扈从

这一章写司马迁的青年时代。

司马迁一生与汉武帝相终始，同是西汉大一统时代的英雄。汉武帝有经天纬地之才，雄才大略，创造了许多威武雄壮的历史活剧与生活。司马迁满腹经纶，有如椽之大笔，生龙活现地描写了这个大时代。汉武帝爱好文学，能诗能赋，建立乐府，采集歌谣，并在身边集合了东方朔、枚皋、严助、吾丘寿王、司马相如等一大批文人学士，君臣唱和，充满了浪漫主义的激情。司马迁是后生晚辈，出仕较迟。在司马迁为郎中之时，汉武帝身边的文学侍从，枚皋、司马相如等，大都凋零。司马迁崭露头角，深得汉武帝信任，这使得青年司马迁激动非凡，"务一心营职，以求亲媚于主上"①。君臣相知，如鱼水相得。从《汉书·东方朔传》载，汉武帝称赞司马迁"辨知闳达，溢于文辞"，将司马迁与公孙弘、兒宽、董仲舒、夏侯始昌、司马相如、朱买臣、严助、徐乐等十五个西汉一代才智之士相提并论，可见受到十分的器重。主上圣明，德布四方。臣下百官，力诵圣德。这是青年时代司马迁的幸运和思想境界。这是《史记》颂汉家一统的思想基础。

① 司马迁：《报任安书》。

一、二十壮游

司马迁一生的游历有三种情况。（1）二十壮游，踏遍大江南北，淮河两岸，以及中原河山，历时二三年。（2）奉使巴蜀以南之游，足迹遍及今西南大地的四川、云、贵，历时一年又三个月。（3）扈从武帝之游，从出仕郎中到中书令，从巡武帝三十余年。这些不同性质的出游，都使得司马迁的行年充满了传奇色彩，从而有条件对深广的社会生活作全方位的考察。

汉武帝元朔三年，即公元前126年，司马迁二十岁，怀抱着凌云壮志，进行了他人生征程中第一次远游。因正当盛壮之年，故称二十壮游。

古代旅行，交通不便，困难重重。司马迁壮游是经过深思熟虑和长期的准备。《太史公自序》也慎重其事做了特别醒目的记载。司马迁说：

> 二十而南游江、淮，上会稽，探禹穴，窥九疑，浮于沅、湘；北涉汶、泗，讲业齐、鲁之都，观孔子之遗风，乡射邹、峄；厄困鄱、薛、彭城，过梁、楚以归。

这段话，司马迁把二十壮游的动机说得十分明白，那就是他不满足于“天下遗文古事，靡不毕集太史公”的书本知识，有目的有计划地到广阔的社会中去作实地考察，接触伟大祖国大一统的壮丽河山和四方之民的生活习俗，了解和搜求古代和近代、现代的历史传说故事及各种史料。《太史公自序》称之为“网罗天下放失旧闻”。王国维《太史公行年考》称之为“宦学之游”，是十分精当的。

司马迁壮游动机，在古史文献中也有记载。《太平御览》卷二百二十五引卫宏《汉旧仪》说：“司马迁父谈世为太史，迁年十三，使乘传行天下，求古诸侯之史记。”《西京杂记》卷六文略同。这个故事是卫宏记载的传闻遗事，从年龄上说与《太史公自序》云“二十而南游”不符，不可尽信。但这个传闻与《太史公自序》所说“网罗天下放失旧闻”的目的相合，引人深思。它说明司马迁壮游可能是在司马谈决策和指导下进行的。也是父亲对儿子的一场考验。司马迁圆满地完成了这次学术旅行，读无字之书，禀山川豪气，求得了许多闻所未闻的知识，故在《史记》许多篇章的论赞中一再论及旅游及收获。试引证如下：

《五帝本纪·赞》：“余尝西至空桐，北过涿鹿[①]，东渐于海，南浮江淮，至长老皆各往往称黄帝、尧、舜之处，风教固殊焉”。

《河渠书·赞》：“余南登庐山，观禹疏九江，遂至于会稽太湟，上姑苏，望五湖；东窥洛汭、大邳，迎河，行淮、泗、济、漯洛渠；西瞻蜀之岷山及离碓[②]；北自龙门至于朔方[③]。曰：甚哉，水之为利害也！”

《魏世家·赞》：“吾适故大梁之墟，墟中人曰：‘秦之破梁，引河沟而灌大梁，三月城坏，王请降，遂灭魏。’”

《孔子世家·赞》：“适鲁，观仲尼庙堂车服礼器，诸生以时习礼其家，余祗回留之不能去云。”

《孟尝君列传·赞》：“吾尝过薛，其俗闾里率多暴桀子弟，与邹、鲁殊。问其故，曰：‘孟尝君招致天下任侠，奸人入薛中盖六万余家矣。’世之传孟尝君好客自喜，名不虚矣。”

《魏公子列传·赞》：“吾过大梁之墟，求问其所谓夷门。夷门者，城之东门也。”

《春申君列传·赞》：“吾适楚观春申君故城，宫室盛矣哉！”

《屈原贾生列传·赞》：“适长沙，观屈原所自沈渊，未

① “西至空桐，北过涿鹿”，乃兼及扈从之游。
② “西瞻蜀之岷山及离碓”，兼及奉使巴蜀以南之游。
③ “北自龙门至于朔方”，兼及少年故里生活及扈从之游。

尝不垂涕，想见其为人。”

《淮阴侯列传·赞》：“吾如淮阴，淮阴人为余言，韩信葬母，‘行营高敞地，令其旁可置万家’。余视其母冢，良然。”

《樊郦滕灌列传·赞》：“吾适丰、沛，问其遗老，观故萧、曹、樊哙、滕公之家，及其素，异哉所闻！”

《龟策列传》：“余至江南，观其行事，问其长老，云龟千岁乃游莲叶之上，蓍百茎共一根。”

从上引资料，可以看出，司马迁壮游范围重点在南方，故自述为“二十而南游江、淮”。对司马迁的壮游路线，王国维《太史公行年考》首次做了描绘。司马迁从京师长安出发东南行，出武关至宛。南下襄樊到江陵。渡江，溯沅水至湘西，然后折向东南到九疑。窥九疑后北上长沙，到汨罗屈原沉渊处凭吊，越洞庭，出长江，顺流东下。登庐山，观禹疏九江，辗转到钱塘。上会稽，探禹穴。还吴游观春申君宫室。上姑苏，望五湖。之后，北上渡江，过淮阴，至临淄、曲阜，考察了齐鲁地区文化，观孔子留下的遗风，受困于鄱、薛、彭城，然后沿着秦汉之际风起云涌的历史人物故乡，楚汉相争的战场，经彭城，历沛、丰、砀、睢阳，至梁（今河南开封），回到长安。以今地言之，司马迁壮游，跨越了陕、鄂、湘、赣、苏、浙、皖、鲁、豫九省区，行程近三万里，历时约二三年。

读书，只能获得理性知识；跋山涉水，行路万里，到社会生活的海洋中领略浩渺风烟，读无字之书，得到的是真情感受和实践知识。凡大有为之人，都应该走出去，与黎民大众共呼吸。两千年前的司马迁，懂得读无字之书的为学宗旨，身体力行，走入社会，观其行事，问其长老，问墟中人，问遗老，步往古圣哲遗迹，想见其为人，徘徊祗回，不能离去。司马迁是那样的忘情，故能在《史记》一书中有强烈的反映。《史记》卷首《五帝本纪》写五帝巡狩，极为精彩，可与《史记》殿卷的《太史公自序》所述壮游，前后照映。在对照中，可以引起我们的深思与联想，从而去体察司马迁壮游的意义。司马迁写黄帝：“东至于海，登丸山，及岱宗；西至于空桐，登鸡头；南至于江，登熊、湘；北逐荤粥，合符釜山，而邑于涿鹿之阿。”写颛顼：“北至于幽陵，南至于交阯，西至于流沙，东至于蟠木。”写舜摄政：“五岁一巡狩。”舜践位后，更是孜致巡游，考察民情，励精图治，“崩于苍梧之野”，以身殉职在南巡途中。写夏禹：“帝禹东巡狩，至于会稽而崩。”上古帝王，贤圣爱民，在司马迁笔下生动活现，表现了作者司马迁对人民的深厚感情。

《秦始皇本纪》写“履至尊而制六合”的秦始皇出游，浩浩荡荡，巡行天下，刻石颂功，自鸣得意，活画专制帝王的气势和声威；《封禅书》写汉武帝的巡幸求仙，愚昧虔诚，表达讥刺寓讽的感情，来自扈从之游的体察，自然是入木三分。

司马迁的视野，并非只去捕捉帝王巡狩、巡幸的足迹。那屈原的行吟泽畔，那贾谊的湘水凭吊，那孔孟的周游天下，那战国四公子的好客养士，那侯嬴所居夷门，那毛公、薛公藏身的酒市，那陈涉的鸿鹄之志，那张良的锥刺秦始皇，那韩信少时的落拓，那楚汉风云人物的际会，那江南民间的养龟导引，那乡间黎民的俚语风俗，都一一摄入了司马迁二十壮游的广角镜头中。司马迁困厄鄱、薛、彭城，也许如圣人孔子之断粮，也许是病困，也许是受劫持，总之他经历了艰辛与危险，但也从社会的书府中获得了丰硕的回报。司马迁在《周本纪·赞》中说：“学者皆称周伐纣，居洛邑，综其实不然。武王营之，成王使召公卜居，居九鼎焉，而周复都丰、镐。至犬戎败幽王，周乃东徙洛邑。所谓‘周公葬于毕’，毕在镐东南杜中。”在金石契刻和简牍书写的古代，知识的积累与传播受到很大的限制。因此，西汉学者对殷周之际的历史已不甚了了，认为武王定都洛邑，司马迁做了廓清，他使用了文献记载与实地考察相结合的考证方法，有重大的意义。

司马迁“浮于沅、湘”，追寻屈原的足迹，思考古往今来的历史变迁，想着屈原的为人，禁不住悲伤流涕。司马迁在长沙还凭吊了贾谊的遗迹，感到他的遭遇和屈原相似，后来写了《屈原贾生列传》，创造了把不同时代人物合传的形式，这是历史比较法的雏形。《史记》中的类传则是历史比较法的集中表现。这种方法使《史记》

别开生面，大约就是司马迁在壮游过程中受到民间传说的启发而孕育成的。最值得称赞的是，司马迁在淮北对近现代史做了深入细致的寻访调查，比如陈涉少为庸耕有鸿鹄之志的慨叹，刘邦青年时的种种无赖，樊哙屠狗，曹参为狱掾，萧何为主吏，张良亡下邳，陈平为社宰，周勃织薄曲，韩信贫居葬母高敞地，少时受胯下之辱等等故事，都是档案记载"异哉所闻"的知识。两千年前的司马迁具有这样的求实求真的实践精神，真是难能可贵。

司马迁的游历考察，兼有历史学家和文学家的兴趣。对于历史事件，大至秦始皇的破魏战争，小至战国时的一个城门名字，他都要力求掌握第一手的资料。至于山川地理，古今战场更是了然胸中。顾炎武说："秦汉之际，兵所出入之途，曲折变化，唯太史公序之如指掌。山川郡国不易明，故曰东曰西曰南曰北，一言之下，而形势了然。盖自古史书兵事地形之详，未有过此者。太史公胸中固有一天下之势，非后代书生之所能讥也。"[①] 这是司马迁在史事方面所得游历之助。苏辙云："太史公行天下，周览四海名山大川，与燕赵间豪俊交游，故其文疏荡，颇有奇气。岂尝执笔学为如此之文哉？其气充乎其中而溢乎其貌，动乎其言，见乎其文，而不自知也。"[②] 这是司马迁在文章辞采风格方面所得游历之助。总之，司马迁二十壮游，不仅使他获得了广博的社会知识，搜求了遗文古事；而且开阔了视野，扩展了胸怀，增长了他的识见和才干。这是《史记》成功的条件之一。

司马谈指导司马迁二十壮游，这是司马迁人生旅途中的一座里程碑，它闪现了两代哲人共同凝聚的智慧光芒。

二、出仕郎中

司马迁出仕为郎中，王国维《太史公行年考》认为"其年无

① 《日知录》卷二六《史记通鉴兵事》条。

② 《栾城集》卷二二《上枢密韩太尉书》。

考”，推论“大抵在元朔、元鼎间。其何自为郎，亦不可考。”司马迁《五帝本纪·赞》自述云：“余尝西至空桐。”王国维据《汉书·武帝纪》载：“元鼎五年冬十月，行幸雍，登空峒，西临祖厉河而还。”推断说：“公西至空峒，当是年十月扈从事。”这就是说，司马迁在元鼎五年之前已入仕为郎中。

郑鹤声《司马迁年谱》系司马迁始仕为郎中在元朔五年，公元前124年。《汉书·武帝纪》载，元朔五年六月丞相公孙弘请为博士置弟子员，由太常选择年十八以上的孝悌子弟为博士弟子，这是中国历史上国立大学之始。博士弟子受业一年，进行考试，能通一艺以上，补文学掌故缺员，其高第者可以为郎中。郑氏认为司马迁入太学，以博士弟子高第而仕为郎中。假定此说成立，司马迁入仕为郎中最早只能在元朔六年，而非元朔五年。司马迁《报任安书》说：“长无乡曲之誉。”博士弟子的条件是选择孝悌子弟，由乡曲推荐到太常，太常审核合格才能入选。司马迁既然自述“长无乡曲之誉”，正是暗示他自己未能为博士弟子。郑鹤声在《司马迁生年问题的商榷》一文中，认为司马迁元朔五年出仕的根据不足，系“想当然”之辞，已放弃此说。

施丁《司马迁生年考》认为司马迁始仕为郎，大约在元狩五年，公元前118年。根据有二：其一，《封禅书》“太史公曰”有“余入寿宫侍祠神语”的话头。“寿宫”据《史记·封禅书》及《汉书·郊祀志》推定，置于元狩五年，《资治通鉴》正系于此年。“神君”是上郡巫装神弄鬼为汉武帝驱魔治病，汉武帝不久病愈，于是“置寿宫神君”。而“入寿宫侍祠神语”的事，“其事秘，世莫知”，非亲信不得参与。因此，能入寿宫的“余”，不是作为太史令的司马谈，而应是侍从武帝身边的郎中司马迁。其二，司马迁与任安、田仁三人相友善。据《田叔列传》及褚补，任安与田仁同为大将军卫青舍人，被赵禹奉武帝之命选中为郎。又据《卫将军骠骑列传》与《三王世家》可考知，任安在元狩四年尚为大将军舍人，元狩六年已为太子少傅，则进宫为郎当在元狩四年至六年之间的元狩五年。司马迁、任安、田仁三人的友谊当是同僚为郎建立起来的。按上述其一、其二两个因素的交叉，可以考定，元狩五年为司马迁最早的出仕之年。

汉朝郎官系统有议郎、中郎、侍郎、郎中四级。议郎、中郎秩比六百石，侍郎比四百石，郎中比三百石。郎官无定员，可多至上千人，职务是“掌守门户，出充车骑”[①]，为皇帝的侍从，多由二千石高官子弟和富家子弟充任。《汉书·哀帝纪》应劭注引《汉仪注》，二千石高官，视事满三年，“得任同产若子一人为郎”。同产，指亲兄弟；若子，或亲子。又《汉书·张释之传》如淳注引《汉仪注》，家资五百万得选为常侍郎[②]。张释之、司马相如，皆以赀为郎。此外，李广、赵充国，皆出自行伍，善骑射杀虏立功为郎。又金城、陇西、天水、安定、北地、上郡等六个边郡的良家子，由郡国推荐为郎[③]。这些途径，司马迁都不具备。那么司马迁何自为郎?《报任安书》有明确说明。司马迁说：“仆赖先人绪业，得待罪辇毂下二十余年矣。”又说：“主上幸以先人之故，使得奉薄技，出入周卫之中。”绪业，即余业。《汉书·杨恽传》载杨恽《报孙会宗书》，称自己为郎是“幸赖先人余业得备宿卫”，可为此佐证。司马迁靠父亲的荫庇，得仕为郎。司马迁父司马谈为太史令，秩比六百石，不是二千石高官，司马迁得以荫庇，算是破例，尽管郎中只是低级郎官，已经很荣耀了。元狩五年孔安国为谏大夫。司马迁是孔安国私淑弟子。元狩五年选郎官，司马迁得到老师的推荐，亦在情理中。

郎官为皇帝侍从，积资外迁，往往得为外朝各部门的长吏，出守地方为令、长，是仕进的阶梯，平常亲近皇帝，被人们视为出仕的正途。在西汉初年，还是出仕的最主要途径。举贤良、举孝廉、博士弟子都是逐渐建立起来的。博士弟子高第者才可为郎。由于司马迁超群绝逸的才干，很得汉武帝的信任。汉武帝从

① 《汉书》卷一九上《百官公卿表上》。

② 《汉仪注》家资五百万为郎不可信。张释之、司马相如皆因为郎而家贫。据《汉书·景帝纪》景帝后元二年诏，家资十万为郎，诏改为家资四万为郎以便贫士。“以赀为郎”，当从景帝诏。

③ 《汉书》卷六九《赵充国辛庆忌传》服虔注。

元鼎四年起巡行郡县、祭祀五帝、东巡封禅，司马迁常为侍从。

三、奉使西征巴蜀以南

奉使西征巴、蜀以南，这是司马迁青年时代出仕郎中以后所做的第一件大事。此次奉使之游可与二十壮游比肩相映，所以司马迁在《太史公自序》中紧接二十壮游之后赫然大书："于是迁仕为郎中。奉使西征巴、蜀以南，南略邛、笮、昆明，还报命。"以仕为郎中为基点，"于是"二字上承二十壮游，下启奉使西征巴、蜀以南，只作语法关联，因壮游、出仕、奉使三者在时间上并非连续之事，中间各有数年间隔，为了在行文中显示这层意思，"于是迁仕为郎中"应独立成句。司马迁生年建元六年说论者，释"于是"为实义的介词结构，指"就在这个时候"，视为连续之事，大误。

"司马迁奉使西征巴、蜀以南"，接下云："南略邛、笮、昆明，还报命"，这几句话是交代司马迁此行的任务，还须作一番考证，其义方显。所用时间及路线，可大体推得。

欲知司马迁此行任务，"征"与"略"二字是关键。征，《说文》、《尔雅》皆释为"行"，这是征字的本义。查《史记》司马迁载述游历的用语有：游、上、行、至、过、渐、浮、适、登、返、还等字，无一处用"征"作"行"的。此处之"征"字，与"略"字呼应，是军事政治用语。征，即征伐，征定；略，即抚定，指开拓疆土，设郡置吏。如"唐蒙使略通夜郎"，"司马长卿便略定西夷"，都是设郡置吏。司马迁此行既"征"又"略"，是指在大规模军事行动之后设置郡吏。因此，《集解》注引徐广曰："元鼎六年，平西南夷，以为五郡。"也就是说，司马迁此行为钦差大臣，肩负"经略西南夷之任务"[1]。这对司马迁创立民族史

① 方国瑜：《史记西南夷传概说》，载《中国史研究》1979年第4期。

传，形成民族一统思想，具有重要意义。下面分层讨论。

1. 奉使时间

司马迁奉使时间，学术界歧说纷纭，兹不引述。实际上有文献可考，至为明确。元鼎五年秋九月，汉武帝遣五路大军征讨南越。其中一路是驰义侯遗率巴、蜀兵南下，“咸会番禺”。遗征调夜郎兵，而夜郎既内属汉，又与南越通，感情上不愿南越灭亡。于是，在夜郎支持下，且兰君反汉，阻滞巴、蜀兵南下。元鼎六年冬十月，武帝东巡，将幸缑氏，至左邑桐乡，得报闻南越破，而巴、蜀兵受阻，“春，至汲新中乡，上便令征西南夷，平之。以为武都、牂柯、越嶲、沈黎、汶山郡”[①]。司马迁从巡武帝，这一下达征略西南夷的使命就落在了他的肩上。在司马迁之前，奉使西南夷的有司马相如、公孙弘，都是智能之士。此次任务重大，汉武帝在巡游途中派使者，他挑选侍从司马迁，正是得人。“春”，即元鼎六年正月。出发地在汲县新中乡。汉武帝在新中乡，传来捷报，献上南越相吕嘉的首级，于是改新中乡为获嘉县，在今河南新乡县西。司马迁当是取道洛阳，还长安，经汉中至巴郡，南下犍为向驰义侯遗传达征讨南夷的命令，同时有副使至蜀郡传达征西夷之命令。司马迁抚定南夷，转入西夷，由昆明、邛、笮至成都而“还报命”[②]，已是第二年（元封元年）的春末了。因《太史公自序》明确记载见父于河洛，因在元封元年。考《汉书·武帝纪》，元封元年春正月，行幸缑氏，“遂东巡海上”。夏四月癸卯（四月初七日），“上还，登封泰山”。司马谈从巡武帝，春正月东出京师，因病留滞周南。司马迁还报命，因武帝东巡，故追寻至行在所，遇父于河洛。因有君命在身，故司马迁见父亲后，东行从封泰山，故《封禅书》曰：“余从巡天地、诸神、名山川而封禅焉。”据此推算，司马迁“还报命”在元封元年二三月间。据祁庆富的推算，奉使西南夷的往返时间须经半

① 《汉书》卷六《武帝纪》。

② 司马迁行进路线详后“司马迁奉使职衔及任务”一节。昆明，族名国名，在今云南大理、保山一带；邛，在今四川西昌市；笮，在今四川汉源县。

年之久[①]。从元鼎六年春正月至元封元年二三月，共十五个月，减去途中六个月，则司马迁在西南夷随军征略的时间约有八九个月，故能在邛、笮、昆明广大地区作充分的考察。

2. 司马迁奉使职衔及任务

司马迁奉使，应是以监军身份征略西南夷，其任务是设郡置吏，任务重大，圆满完成，故班固给予了很高的评价，把司马迁与丞相公孙弘并论，称之为“英俊”。班固说：

> 武帝既招英俊，程其器能，用之如不及。时方外事胡越，内兴制度，国家多事，自公孙弘以下至司马迁皆奉使方外[②]。

唐蒙、司马相如奉使西南夷，皆为郎中将。司马迁这次奉使亦当是郎中将，才具有监军并设郡置吏的权力。

西南夷是对西夷和南夷的总称。它的地域，以汉王朝西部边郡巴、蜀为中心，以南称南夷，以西以北为西夷。以今天的地域来说，西南夷的范围包括了云贵两省，以及四川宜宾以南，成都以西以北地区，还包括甘肃东南部、陕西西南一角。这一片地区，山川纵横，地形复杂，交通不便，所以各民族比较闭塞，形成了君长以什数的许多城邦小国，各部族国经济文化发展极不平衡。汉武帝经营西南夷，时断时续，从建元六年唐蒙通使起，到元封二年王然宇抚定滇国止，前后经营了二十七年，才告成功。唐蒙、司马相如、公孙弘、司马迁、王然宇等人都参与了抚定工作。司马相如于元光元年（前 134 年）、元光五年（前 130 年），两次出使西南夷，告喻巴、蜀父老，抚定邛、笮、冉駹、斯榆之君，“皆请为内臣”，取得了很大成功。司马迁有意识地将《司马相如列传》蝉联在《西南夷列传》之后，使两传互文相补，表现了司马迁颂扬民族一统的思想倾向。

---

① 祁庆富：《司马迁奉使西南设郡考》，载《中央民族学院学报》1981 年第 3 期。

② 《汉书》卷六五《东方朔传》。

元鼎元年，汉武帝大规模地开通西南夷，全面地推行郡县制度于边邑，并将这一重大使命交给了司马迁。驰义侯遗已率大军在且兰境内，在南夷东部，当今贵阳市东。中郎将郭昌、卫广率八校尉之兵，听驰义侯遗节制。郭昌、卫广等，攻破且兰，斩首数万，遂平定南夷为牂柯郡。夜郎震恐，自动入朝。汉朝的西路军，诛邛君，杀筰侯，冉駹震恐，请臣置吏。于是“以邛都为越嶲郡，筰都为沈黎郡，冉駹为汶山郡，广汉郡西边的白马为武都郡”①。度其形势，司马迁应由巴向西南行至键为郡，对筰义侯传达征略南夷之诏令。由副使至蜀郡传达征西夷之诏令。此次征西南夷，主力在东路，而西南夷中以南夷的夜郎、且兰、滇等为大国。司马迁是奉使设郡置吏，首先置牂柯郡，而后至西夷境，由昆明而邛，而筰，而成都北返还京。《太史公自序》行文“奉使西征巴、蜀以南，南略邛、筰、昆明”，而不作“奉使西征，略地邛、筰、昆明”，旨在突出“巴、蜀”两字，表示此役以巴，以蜀为基地，东西两路同时并进征讨南夷和西夷。司马迁为特命钦差，直接设郡置吏，他要历经南夷、西夷所设新政区，所以用“奉使西征巴、蜀以南”的言词来表达。巴、蜀二字为眼目，不可轻轻放过。

元鼎六年，滇国还没有内附。元封二年，由王然宇攻破南越之军进入滇国，滇王请置吏入朝，汉置益州郡，经营西南夷才最后告成功。因元封元年汉武帝封禅泰山，要祭告天地称成功，因此司马迁未等到滇王入朝就还报命了。

奉使西征及生活体验，无疑是激发司马迁首创民族史传最重要的原因。至于司马迁在民族史传中所表现的民族一统思想，本书将在第八章中评述。

四、扈从武帝

雄才大略的汉武帝，个性奇倔，好动不好静，他一生都在巡

① 《汉书》卷九五《西南夷两粤朝鲜传》。

幸。汉武帝七十一岁那年，就死在盩厔行宫（在长安西）中。据《汉书·武帝纪》不完全的记载，武帝在位五十四年，巡幸三十四次。以元鼎三年为分界，前二十七年，汉武帝集中全力打击匈奴，只有四次近距离的巡幸，西到雍祠五畤，北到甘泉郊祀泰一神。元鼎四年以后二十七年巡幸二十八次，平均每年一次，而且大多为远距离的巡幸。《武帝纪》记载不全，在讨论这一问题时，还要用《史记·封禅书》加以补充。

汉武帝从元鼎四年起巡行郡县，旨在宣扬大汉威德，以封禅和求仙为主要内容。武帝出巡，规模浩大，历时长久。半年以上的巡幸就有六次。其一，元封元年封禅泰山，历北边，从正月至六月，半年。其二，元封二年东巡封禅泰山，临瓠子塞河，从冬十月至夏六月，历时九个月。其三，元封四年祠后土，巡北边，从冬十月至春二月，历时五个月。其四，元封五年南巡大江，北至泰山，从冬十月至夏四月，历时七个月。其五，太初三年东封泰山；其六，征和四年东封泰山，这两次均历时半年。《封禅书》载，汉武帝立太一、后土祠，"三年亲郊祠"。元鼎四年立后土祠于河东汾阴，按三年一次巡幸计，至后元二年前后应为八次，可考者《武帝纪》载五次，查《封禅书》可再补两次，即可考者七次，与制度基本相符。也就是说，封禅泰山，郊祠后土，三年一次亲郊祠，汉武帝认真执行。粗略统计，汉武帝上泰山封禅八次；每次又东巡海上求仙，天汉三年还专巡东海，共临东海九次；巡幸河东后土七次；元鼎四年以后西上雍祠五帝六次。汉武帝所有这些巡幸，只有两次除外，司马迁都扈从参与。《史记》中有生动的记载：

《五帝本纪·赞》："余尝西至空桐，北过涿鹿，东渐于海，南浮江淮。"①

《封禅书·赞》"余从巡祭天地诸神名山川而封禅焉。入寿宫侍祠神语，究观方士祠官之意，于是退而论次自古以来

① "南浮江淮"，兼及二十壮游。

用事于鬼神者，具见其表里。后有君子，得以览焉。”

《河渠书·赞》：“余从负薪塞宣房，悲《瓠子》之诗而作《河渠书》。”

《齐太公世家·赞》：“吾适齐，自泰山属之琅邪，北被于海，膏壤二千里，其民阔达多匿知，其天性也。……洋洋哉，固大国之风也。”

《蒙恬列传·赞》：“吾适北边，自直道归，行观蒙恬所为秦筑长城亭障，堑山堙谷，通直道，固轻百姓力矣。”

如果从元狩五年司马迁仕为郎中起，到征和四年汉武帝最后一次封禅泰山止，前后扈从武帝三十六年，时当公元前 118 年至前 89 年，从巡二十六次。其中，从元鼎四年（前 113 年）到太始四年（前 93 年），前后二十一年，从巡二十一次。元封元年十月，汉武帝率十八万骑北出长城威震匈奴，此时司马迁奉使西征巴蜀以南，未能从巡；天汉三年，汉武帝巡幸东海，此时司马迁下狱受腐刑，亦未能从巡，除此两次，司马迁皆从巡武帝。司马迁不是嬖幸小臣，他以才能取进，而能在汉武帝身边长期蒙受恩遇，在历史上也是罕见的。

扈从武帝，使司马迁跻身于封建中央王朝的神经中枢，了解大量机密，像“入寿宫侍祠神语”，这类触及汉武帝隐私与心理的活动，“其事秘，世莫知”，司马迁也得以参与。这些生活经历，是司马迁写《今上本纪》和《封禅书》等篇的基础。

司马迁在从巡中，了解各地民情，察看历史遗迹，用以印证历史的记载。汉武帝西上雍祠五帝，东巡河东祠后土，南登嵩高祠太室，北过涿鹿，以及东封泰山巡东海，历经关中、关东，大河上下，举行祭礼山川百神的活动，这都包含着丰富的历史内容。这些地域正是中华民族传统文化的中心，五帝、夏、殷、周政治统治的中心，这对于司马迁搜集遗闻，撰写五帝夏商周诸本纪，以及春秋战国时期诸世家，无疑有重大的影响。大江南北在秦汉时为边远地区，却是富有浪漫色彩的楚文化中心，故司马迁二十壮游重点在南方。布衣时南游，这一安排，体现了司马谈具有的远见卓识。

元鼎四年，汉武帝首次大规模出巡，周游河洛，观省民风，十分排场。元鼎五年西登空桐，北出萧关，带领数万骑打猎于新秦中，气派十分雄伟壮观。扈从武帝的司马迁，在观赏这些场面之后必将激发起无限的豪情。司马迁在《史记》中擅长激烈和盛大场面的表现，是和他几十年扈从武帝的豪放巡游分不开的。司马迁扈从武帝，使他深深地呼吸着大一统时代的新鲜气息。

天汉三年，司马迁不幸遭李陵祸而受腐刑。汉武帝惜其才，赦司马迁出狱为中书令，被一般的人目为尊宠任职，而司马迁的感受却是痛不欲生的奇耻大辱。司马迁与汉武帝从君臣相知而走向君臣相怨。此时司马迁以冷静的思虑重新观察武帝的巡幸与帝王排场。《封禅书》说："今天子初即位，尤敬鬼神之祀。"司马迁把他歌颂的笔触转向冷嘲热讽与讥刺，从而更深刻地展现了历史生活。秦王朝的雄伟工程，万里长城、驰道、直道，不知由多少白骨将它堆筑而成，司马迁发出了不平的叹息，批评秦朝政治"固轻百姓力矣"。司马迁从巡武帝，实地经历，感受深刻，运于笔端似有千钧之力，使人读来悲愤抑郁，引起共鸣。

五、负薪塞河

兴修水利是发展农业的一个基础。传说大禹治水得天下，从此，历代帝王治水被视为圣明的表现。春秋战国时期，由于生产力的发展，铁工具的使用，水利事业蓬勃发展。春秋时的鸿沟，沟通了黄河与淮水两大水系。战国时各国发展经济，兴修水利是突出的表现。西门豹引漳水溉邺，以富魏之河内。秦关中郑国渠，蜀守李冰修治都江堰，最为有名。都江堰历经两千多年，至今造福人民，成为世界上著名的水利工程，并使岷江离碓成为当今的旅游胜地。

黄河是中华民族的摇篮，但它也给人们带来了水患。历史上它曾多次决口横流，泛滥成灾。提起黄河，旧时人们不寒而栗。历代统治王朝所耗费治黄的人力、物力不可胜计。中国古代封建王朝，大规模兴修水利是从汉武帝开始的，通渭，引汾，开褒斜道，穿洛，塞河，都是这一时期进行的水利大工程。塞河最为壮观。元封二年（前 109 年），为害二十余年的黄河大决口，终于给堵塞了。这是人与自然斗争的一场伟大壮举。司马迁亲身经历了这场斗争，追想大禹治水的功业，回顾三代以来治水的经验，面对汉代治水的伟大业绩，感奋异常，创作了《河渠书》。

《河渠书》以大禹治水开篇。他治水十三年间“过家而不入门”，有智有勇，任何困难和挫折都不能使他低头。他“陆行载车，水行载舟，泥行蹈毳，山行即桥”。遇到困难，他总能想出克服的办法，终于完成了“以别九州，随山浚川，任土作贡”的伟大事业。大禹治水的传说经司马迁描写，成为有声有色的历史故事；大禹顽强斗争的精神，成为鼓励人们树立自信心的精神财富。大禹治水的成功，是人定胜天观念的形象化。司马迁的记载，则熔铸了人们实际治河的经验，读来十分亲切。

汉兴三十九年，汉文帝前元十二年（前 168 年），黄河决堤酸枣，东溃金堤。酸枣，汉县名，在今河南延津西南。金堤，又名千里堤，在今河南滑县境内。汉文帝动员了大量的部队和民工进行修治。此后又过了三十六年，至武帝元光三年（前 132 年），五月丙子（五月初三日）河决瓠子。瓠子，古水名，是分黄河水而形成的一条溢洪水道。瓠子分河之口称瓠子口，在今河南濮阳南。汉武帝派汲黯、郑当时等人堵塞。但是，由于外戚汉武帝舅田蚡的阻挠，堵塞缺口的工程被制止。田蚡食邑鄃县在河北，河南缺口，河北不受水害。元光四年，虽然田蚡死去，但瓠子缺口一直拖了下来，二十多年没有堵塞好。田蚡以个人的私利，不顾人民死活，身为丞相，反对堵塞黄河缺口，还妄称“天道”以蛊惑汉武帝的治河决心。他的这一丑恶行径，暴露了封建大官僚大地主的贪婪与腐朽。司马迁秉笔直书，给予了无情的鞭挞。

汉武帝封禅泰山，告成功于上帝，因此修治黄河的工程又被提上了议事日程。武帝派九卿汲仁、光禄大夫郭昌，率领数万徒众修治瓠子口。塞河需要大量的柴薪和木桩。木桩短缺，汉武帝下令砍伐淇县境内的竹苑，以竹代替木桩。柴薪缺少，影响治河工程。元封二年夏四月，汉武帝祠祭泰山回京，亲率百官临赴瓠子口塞河工程现场，令扈从官员自将军以下与士卒，每人负一梱柴薪支援塞河工程。司马迁也背负一梱柴薪参加这一伟大的治河行列。汉武帝亲临黄河岸边，举行了祭河仪式，沉白马玉璧于河。为了激励治河将士与徒工，汉武帝作歌二首，令万众呼唱，史称《瓠子之歌》。其词曰：

> 瓠子决兮将奈何？皓皓旰旰兮闾殚为河！殚为河兮地不得宁，功无已时兮吾山平。吾山平兮钜野溢，鱼沸郁兮柏冬日。延道驰兮离常流，咬龙骋兮方远游。归旧川兮神哉沛，不封禅兮安知外！为我谓河伯兮何不仁，泛滥不止兮愁吾人？啮桑浮兮淮、泗满，久不反兮水维缓。

另一首歌词是：

> 河汤汤兮激潺湲，北渡污兮浚流难。搴长茭兮沉美玉，河伯许兮薪不属。薪不属兮卫人罪，烧萧条兮噫乎何以御水！穨林竹兮楗石菑，宣房塞兮万福来。

歌声悠扬，慷慨悲凉，飘荡在黄河上空，千人万人的和声汇成了怒号长空的呼啸。治河工地，十余万大军，群情昂扬，山呼万岁，天子临河，激动人心。众志成城，一鼓作气，堵住了瓠子决口。塞河工程，一是堵塞河南缺口，二是导河北行二渠使其宣泄。既防又宣，大功告成，在河堤上筑宫纪念，取名宣房宫。于是梁、楚之地，当今河南、皖北、苏北地区消除了水患，重新获得安宁。

司马迁负薪塞河，其时三十七岁，正是盛壮之年，西汉也正当盛强之时。风华之年，当风华之世，而成功宏伟之业，其乐如何！负薪塞河，更加激发了司马迁的凌云壮志。第二年，即元封三年他就要继承父志做太史令了。宣房宫的丰碑将昭示着“太史公书”丰碑的成功。司马迁对此做了高度评价，把宣房功业与大禹治水相提并论。《太史公自序》说：“维禹浚川，九州攸宁；爰及宣房，决渎通沟。作《河渠书》第七。”负薪塞河，千载难逢。司马迁躬逢其事，它给壮丽的青年时期打了一个完美的句号。

第三章　家学渊源与师承

在秦汉时代，家学与师承往往是造就人才的重要条件。这一章评述司马迁家学渊源与师承的文化熏陶。给司马迁影响最大的是其父司马谈，在第四章另作专述。本章评述的家学重点是司马迁祖上的兵学与经济学渊源。师承着重讨论董仲舒、孔安国两位今古文大师给予司马迁的影响。至于孔子思想，则是司马迁自己的私淑修养。

一、秦国名将司马错

司马迁的直系祖先是秦国司马氏。司马迁八世祖司马错是战国中期秦国名将，与白起同时，年齿稍长。在秦国发展史上，司马错和白起是两个显赫人物，一前一后，建立了不朽的功业。司马错历事秦惠王、武王、昭王三朝，前后三十六年。白起事秦昭王三十七年。秦惠王后元九年（公元前 316 年）司马错始显于秦。秦昭王十三年（公元前 294 年），白起为左庶长，将兵攻韩之新城，初试锋芒，晚于司马错二十二年。白起是晚辈，他与司马错两人为忘年之交。司马错之孙，即司马迁六世祖司马靳是白起的得力助手，在长平之战中为秦军副将。

司马错的主要功绩，是为秦开疆拓土，三征巴蜀，一入楚境，前后四次出征。第一次，秦惠王后元九年（前 316 年），司马错伐蜀，灭之。第二次，秦武王元年（前 310 年），蜀相陈庄反，司马错入蜀平叛。第三次，秦昭王六年（前 301 年），蜀侯煇反，司马错再次入蜀平叛，并留守在巴蜀，从此，巴蜀为秦大后方郡县。第四次，秦昭王二十七年（前 280 年），司马错发陇西、巴蜀之兵，有众十万。装船万艘，载米六百斛，从巴蜀的涪水逆行而上，攻楚黔中郡，并迫使楚割汉水北岸地入秦。秦控制了长江上游，直接威胁楚都郢。两年后，公元前 278 年，白起就攻破了楚都郢，迫使楚王东迁至陈。从此，南方强楚，一蹶不振。

秦惠王后元九年，在攻取巴蜀问题上，秦廷曾有一番争论，这就是有名的司马错难张仪的伐蜀论。

在春秋战国时，巴、蜀是四川盆地境内的两个大国。蜀王别封弟于汉中，号苴侯，命其邑曰葭萌（在今四川广元西南）。苴侯与巴王友好，巴与蜀为仇，故蜀王怒，伐苴侯。苴侯奔巴，且求救于秦，时当秦惠王后元九年。苴地当秦通巴、蜀的咽喉要道，秦惠王想趁机出兵伐灭巴、蜀，扩大秦国疆域。但秦兵西出，中隔秦岭，道路险阻，行军十分困难。当时秦相张仪正大力推行连横政策，他要用武力做后盾，力主伐韩，迫使其就范。在先伐韩，还是先灭蜀的问题上，秦惠王拿不定主意，就召集群臣讨论。张仪与司马错正好立场对立，秦惠王让他们互相辩难，充分阐述各自的理由。这场论难，见《战国策》卷三《秦策一》，后人标题为《司马错与张仪争论于秦惠王前章》，《史记·张仪列传》做了全文引载，这是一篇古代著名的兵略学理论文章，它阐明了兵政关系，战争应从属于政治，是为富国强兵服务的。

当时形势，秦惠王承商鞅变法之后，国力充实，图谋发展。司马错与张仪的争论，主旨是强调向何方发展，要充分考虑国家实力与国内外政治形势。张仪主张取中原心脏之地，威诸侯，成王业。司马错认为时机还不成熟，秦国犹为国小民贫之国，取蜀足以广国，得其财可以富民，如此，则“利尽西海”，又可博得“禁暴止乱”的好名声。司马错的主张，立足于总体形势分析，实际上是要用最小的代价，取得最大的收获，采取军事行动要以政治为先导，师出有名而有利，不赤裸裸地以众暴寡，以犯众怒。秦惠王权衡利弊，采纳了司马错的意见，并立即行动，当年十月，秦灭蜀，虏巴王。

司马错难倒策士张仪，表现了他识高一筹，谋略非凡。历史证明，司马错经营巴蜀，取楚黔中，完成了秦对楚国迂回的战略包围，居高临下攻楚，意义十分重大。《史记·张仪列传》载：“蜀既属秦，秦以益强，富厚，轻诸侯。”张仪说楚王与秦连横，也以威胁的口吻对楚王说：“秦西有巴蜀，大船积粟……浮江已下……不费牛马之力，不至十日而距扞关[①]。扞关惊，则从境以东尽城守矣”。由此可见，秦取巴蜀，对于进攻楚国，处于多么有利的战略地位。

司马氏之兵学渊源还可以追溯更远。《太史公自序》追述了司马氏祖先远祖世系，有着两大光荣的祖德传统，即或为文吏世典周史，或为武将建功立名。在司马氏的家谱上，武职的光辉比史职的闪光更为夺目。周宣王时的程伯休甫就是一位著名的将军，垂名于多种典籍之中，《诗·大雅·常武》赞颂了他的事迹：“王谓尹氏，命程伯休甫，左右阵行，戒我师旅。率彼淮浦，省此徐土。”《国语·楚语下》观射父论绝地天通条亦述载此事。据韦昭注，程是国名，伯是爵级，休甫是人名，他以伯爵诸侯任职为司马。西周有大司马，是执掌兵事的最高武职。西汉时史游著《急就篇》，在“司马褒”下注云：“程伯休甫，周宣王时，有平徐方之功，赐以官族，为司马氏。”从此，休甫之后裔以司马氏为姓，传习兵法剑术，因此兵学成为司马氏深厚的家学渊源。

司马迁六世祖司马靳，《太史公自序·集解》引徐广说：“靳，一作蘄。”《秦本纪》、《白起传》作“梗”。靳、蘄、梗三字一音之转，实为一人。“靳”与“蘄”韵近，“靳”与“梗”声

① 扞关：在今四川奉节东，为屏卫楚都郢的上游门户。

近。也就是说《秦本纪》和《白起传》中的“司马梗”即《太史公自序》中的“司马靳”。长平战后，秦军分三路攻赵。白起自率一军定上党。王龁率一军取皮牢。司马梗率一军北定太原。公元前 257 年，白起不肯为秦攻赵邯郸，被秦昭王赐死，司马靳（即司马梗）连坐而死。白起不肯为将，因为他认为攻围邯郸机会已失，不能取胜，他宁死也不做败军之将。秦军攻围邯郸，诸侯救赵，果然大败秦军。司马靳连坐而死，由此可见他的志节，大约也是不肯做败军之将拒绝出征而被赐死，同时也说明了他与白起的密切关系。

从上所述，司马氏祖上从程伯休甫到司马错，武功显赫，激发子孙壮志。司马错秦国名将，从未打过败仗，以政治指导军事，识高一筹。司马靳不做败军之将，效法白起而死，具有抗强梁的品德。司马迁祖上的显赫军功和思想品德，在一代又一代子子孙孙的口耳相传和言行身教之中形成宝贵的家学遗产。司马谈临终，拉着司马迁的手垂泣而教，要他以孝子的名义发誓效周公发扬祖德，光耀先人。司马氏世典周史和治兵置阵的兵学，就这样在《史记》中得到发扬光大。

二、秦铁官司马昌和汉市长司马无泽

《太史公自序》云：“靳孙昌，昌为秦主铁官。昌生无泽，无泽为汉市长。”总共只有十九个字，但它所反映的时代内容，却是无比的丰富。

在春秋时期，铁制农具已经广泛使用。到了战国中期，铁器工具得到大规模的推广。农业工具有耜、铫、镰、耨、铚等，木工工具有斧、锯、钻、凿等，女工工具有刀、锥、针等。考古发掘，战国出土的铁器，北起辽宁，南至广东，东到山东半岛，西到陕西、四川，包括战国七雄在内的广大地区。

铁器的普遍推广使用，推动了农业、手工业、商业的发展。

战国时代，各国有作为农副业的家庭手工业，有独立经营的个体手工业，有豪民经营的大手工业作坊，有政府大规模经营的官营手工业工场。煮盐、冶铁、铸钱是当时的三大手工业支柱。冶铁、煮盐，在深山大泽之中进行，需要较大的投资，以及一定数量劳动力的密集，除了政府经营外，则“非豪民不能通其利”①。战国时，魏国孔氏，赵国卓氏、郭纵，韩国程郑等，都是大冶铁商。秦并六国，迁孔氏于南阳，迁卓氏、程郑于蜀，到西汉初，他们又东山再起成为大冶铁商。汉诸侯王吴王刘濞，煮盐、冶铁、铸钱，三大业并举，富比汉王室，成为尾大不掉的地方割据势力。

战国时列国纷争，战争频仍，国家与社会对手工业产品的需求剧增，各国统治者为了招徕人民，必然实行宽松的政策，因而形成经济上的自由竞争和思想上的百家争鸣。所以战国时商人很活跃，“天下熙熙，皆为利来，天下攘攘，皆为利往”②。小商小贩，“坐列贩卖”；豪商大贾，交通王侯。他们囤积居奇，操纵市场，长途贩运，牟取暴利。所谓“万乘之国必有万金之贾，千乘之国必有千金之贾”③。范蠡、白圭、吕不韦等巨商大贾，就这样应运而生。

城市是官吏、地主、商人、高利贷者，以及手工业者的聚居地。战国时列国都城，以及郡县治所，都发展成为规模不等的城市。齐国临淄是当时最大的城市之一，据记载有七万户人家，壮年男子二十一万，居民都喜欢音乐游戏，十分繁华。当时人形容它“车毂击，人肩摩，连衽成帷，举袂成幕，挥汗成雨”④。《史记·货殖列传》对秦汉统一的全国各地区城市经济有生动的记述。秦国的经济落后于东方六国，但商品经济仍有很大的发展。秦地千树栗，渭川千亩竹，年收入二十万，与食邑千户的封君等列。秦都咸阳，西汉都长安，成为统一的秦汉王朝政治中心，也

① 《盐铁论》卷一《禁耕》。
② 《史记》卷一二九《货殖列传》。
③ 《管子·轻重甲》。
④ 《战国策》卷八《齐策一》苏秦语。

是经济中心。考古发现，秦都咸阳宫殿区建筑在今咸阳北原上，宫殿南为手工业作坊及居民区，居民区以东为市。城有城门，市有市门。几条横贯城中的大道将咸阳自然划为几个区。这一城市格局，反映了秦都昔日的建筑规模和繁荣景象。

铁官和市长，就是适应城市商品经济发展而设置的政府管理机构。秦都咸阳，汉都长安，均以关中为京畿地区。秦置内史掌治京师。汉分为三辅，即京兆尹、左冯翊、右扶风。三辅治所都在京师，长安市政的管理分属三辅。京兆尹属官有“长安市、厨两令丞，又都水、铁官两长丞。”左冯翊属官有“廪牺令丞尉，又左都水、铁官、云垒、长安四市四长丞。”又朝廷九卿大司农属官“斡官、铁市两长丞。”各部门令、长为正职，丞为副职。从上所述，京师的铁官有三个系统，京兆尹与左冯翊均有铁官长、丞，大司农有铁市长、丞。市长有两个系统，京兆尹长安市令、丞，左冯翊长安市长、丞。由于《汉书·百官公卿表》记载简约，这些官属的职掌，以及交叉关系，均有待查考。

1. 秦国铁官

铁器生产是古代的重工业，关系国计民生至为重要，政府对生产、销售的管理都十分严密。秦惠王时，蜀守张若治成都，置盐铁市官，与当时秦都“咸阳同制”[①]。可见秦国在战国时代，从首都到地方通都大邑，就设置了盐铁官。“铁市长丞”，以“铁市”两字连用，说明铁官职能不仅管理手工工场，还管理铁市买卖与征税。汉武帝实行盐铁专卖，取缔个人经营，加强了盐铁管理，扩大了盐铁机构。《汉书·地理志》载，西汉中期，政府在有关手工业生产的地方，设置工官八处，盐官三十五处，铁官四十八处。大司农置副卿盐铁丞总领。京师三辅地区，地方铁官有京兆尹之郑县、左冯翊之夏阳、右扶风之漆、雍两县共四处。京师三个铁官系统，京兆尹、左冯翊之铁官管理所属地方铁器生产及专卖，大司农所属“铁市长丞”，是专管京师铁器市场的铁官。

司马昌“为秦主铁官”，既是京师咸阳的铁官，同时又是全

① 《华阳国志》卷三《蜀志》。

国的最高铁官，职同西汉大司农的盐铁丞。随着秦并六国，司马昌的职掌范围，也推向全国。

2. 汉长安市长

京兆尹属官“长安市令、丞”（见《汉书·郊祀志》），所掌为皇帝巡幸境内离宫别馆时的供应官，即专供宫廷的采办官。左冯翊属官“长安四市长、丞”，管理京师全城范围的市场供销及征税。“长安四市长丞”，学术界误认为是长安有“四市”，每市置一长一丞。“长安四市”是对长安东南西北全城商业市场的统称。“四长丞”是合都水、铁官、云垒、长安市等四个部门的并称，各置一长一丞。长安四市，统称长安市。据班固《两都赋》、张衡《西京赋》及《三辅黄图》所说，长安有九个市，六市在大路西边，统称西市，三市在大路东边，统称东市。在东西市之外，太学附近还有一个槐市。太学诸生于朔望日在槐树下聚会，交易各人所带本郡物产及经传书籍笙磬乐器。可以说槐市是文化区附近天然形成的图书文物市场。

关中地区，物产富饶，特产有竹、檀、柘，号称陆海。西汉建都长安，皇室、贵族、官吏集中在都城，附近诸帝陵，所居之民皆迁移天下豪富聚居。贵族、官吏、豪富，生活奢侈，需要大量消费品。又巴蜀地区、西北地区所有物产与内地交流，关中是咽喉要道，长安是集散中心。因此，如果以潼关为分界，西汉关西国土和人口只占天下三分之一，因京师在关中，却集散了天下三分之二的财富①。

司马无泽为长安市长，管理长安九市的经济，征调全国物资，保证京师消费，洞察全国市场信息，集散输往中原内地与西北、巴蜀的各色商品，无疑积累起来丰富的经济学知识，以及商品流通与价值规律的实际经验。作为长安市长的司马无泽，毫无疑义是当时的经济学权威。汉武帝时理财家桑弘羊，就是司马无泽一类人物。

① 《史记·货殖列传》云：“唯京师要其道。故关中之地，于天下三分之一，而人众不过什三；然量其富，什居其六。”

秦铁官司马昌为司马迁高祖，汉市长司马无泽为司马迁曾祖。昌与无泽父子两代，在秦汉之际，分别为新旧王朝首都的经济官，这就是司马迁经济思想形成的家学渊源。司马迁总结治生之术，首创经济史传，良有以也。

三、受学于董仲舒

董仲舒，西汉广川县（在今河北枣强县东）人，著名哲学家，今文经学创始人，“春秋公羊学”一代大师。董仲舒景帝时已为博士。武帝建元元年举贤良，董仲舒对策为举首[①]，汉武帝复问以三策，董仲舒所对，即著名的《天人三策》。董仲舒出为江都相，两年后召还为中大夫。元朔六年受丞相公孙弘排斥出朝为胶西相，于元狩二年致仕家居，潜心为学，三年不窥园，其精诚如此。董仲舒约卒于元狩六年[②]。司马迁元朔三年壮游，归来京师受学于董仲舒，当在董仲舒家居茂陵之时，即元狩二年至元狩六年之间，也就是司马迁二十五岁至二十九岁之时。司马迁同时为其父司马谈的修史助手。

1. 董仲舒治《公羊春秋》为汉儒宗

汉初高后文景之世，崇尚黄老之学，但兼存百家。儒家作为百家之一，势力潜滋暗长。文帝时《诗》学一经立为博士，有齐、鲁、韩三家。景帝已倾向儒学，增立《春秋》公羊学博士，胡毋子都、董仲舒当其选。景帝又任用治鲁诗的王臧为太子少傅，时太子即后来的汉武帝从其学。另外，又任命治韩诗的韩婴为常山王太傅，治齐诗的辕固生为清河王太傅，精通《春秋》的

① 学术界一般认为，董仲舒举贤良在元光元年五月，此从《汉书·武帝纪》为说。《资治通鉴》系于建元元年。综核史实，元光元年武帝未举贤良，元光五年举贤良公孙弘为举首，这之前只有建元元年举贤良，而董仲舒为举首。详拙作《董仲舒天人三策应作于建元元年》，载《兰州大学学报》1987年第4期。

② 据施之勉《董子年表订误》。

文翁为蜀郡太守，从田何受《易》的丁宽为梁孝王将军。辕固生发难与黄子辩论汤武革命，无疑的是受到景帝鼓励的。

汉武帝即位伊始，大举贤良，董仲舒对《天人三策》，以独尊儒术作结。其言曰：

> 臣愚以为不在六艺之科，孔子之术者，皆绝其道，勿使并进。邪辟之说息，然后统纪可一而法度可明，民知所从矣。

汉武帝纳其言，讽丞相卫绾上奏，罢黜百家。在窦太皇太后干预下，这一次公开的儒道斗争，表面上仍以儒家失败而告终，但独尊儒术的序幕已经拉开，董仲舒在《天人三策》所提出的治国理论为汉武帝所全面接受。建元六年窦太皇太后死，接着汉武帝改元元光，大刀阔斧地推行更化政策，董仲舒被尊为群儒之首，享有很高的威望。元朔五年（前124年）置博士弟子员，兴立太学，不仅"公羊春秋学"以董仲舒说为典范教义[①]，其他经学也以今文说模式教学，从而奠定了董仲舒今文经学创始人的地位。

董仲舒一生以讲学为业，著作很多。据《汉书·董仲舒传》，凡百二十三篇又十余万言。现存仅有《春秋繁露》及《天人三策》。《春秋繁露》系统地阐述了公羊学理论。全书十七卷，八十二章。唐贾公彦在《周礼义疏》卷二十二《大司乐疏》中释其义说："繁，多；露，润。为《春秋》作义，润益处多。"是书有清凌曙注。凌序称："体大思精，推见至隐，可谓善发微言大义者也。"成书约在景帝时。《天人三策》可以说是《春秋繁露》的精义摘要，表现了董仲舒思想的纯一与成熟。

2. 司马迁师承董仲舒

《太史公自序》记载司马迁与壶遂问答。壶遂问："孔子何为而作《春秋》?"司马迁答："余闻董生曰"云云。董生是对董仲舒的尊称。司马迁的长篇答语，即论《春秋》之义，就是化用

---

① 丞相公孙弘亦治《公羊春秋》，经过辩论，公孙弘学未被立于学官，由此可见董仲舒的学术地位。见《史记·儒林列传》。

《春秋繁露》的论述，也就是说，司马迁论《春秋》，本之于董氏今文学。《太史公自序》云："子曰：我欲载之空言，不如见之于行事之深切著明也"（见《春秋繁露·俞序》）。《太史公自序》云："夫《春秋》上明三王之道，下辨人事之纪，别嫌疑，明是非，定犹豫，善善恶恶，贤贤贱不肖"（见《春秋繁露·盟会要》）。《太史公自序》云："《书》以道事"，"《春秋》辨是非，故长于治人"（见《春秋繁露·玉杯》）。"拨乱世，反之正，莫近于《春秋》"（见《春秋繁露·王道》）。"万物之聚散皆在《春秋》"（见《春秋繁露·重政》）。"《春秋》之中，弑君三十六，亡国五十二"（见《春秋繁露·灭国上》）。"故有国者不可以不知《春秋》"云云（见《春秋繁露·俞序》）。"故《春秋》者．礼义之大宗也"（见《春秋繁露·楚庄王》）。

孔子作《春秋》以当一王之法，这是董仲舒的核心的思想。《春秋繁露·玉杯》篇说："《春秋》论十二世之事，人道浃而王道备，法布二百四十二年之中，相为左右，以成文采。"司马迁在《十二诸侯年表·序》中说：孔子次《春秋》，"以制义法，王道备，人事浃。"这些都可说明司马迁理解的《春秋》大义，以及孔子创作动机，是依本于董仲舒的思想。《史记·儒林列传》对董仲舒的公羊学做了高度的评价。司马迁说："故汉兴至于五世之间，唯董仲舒名为明于《春秋》，其传公羊氏也。"对希世用世的公孙弘则批评说："公孙弘治《春秋》不如董仲舒。"从司马迁的思想倾向及感情色彩，说明他与董仲舒具有师承关系。

3. 董仲舒对司马迁的影响

董仲舒的思想体系是著名的天人合一目的论，基本上是一个唯心主义的哲学体系。但他并不是一个神学目的论者。事实上董仲舒所讲的天，既有人格神的上帝之天，也讲自然与道德之天①。董仲舒论证的天人合一，目的在于构建天地万物归于一元的统一

① 《春秋繁露·郊义》："天者，百神之君也"，《深察名号》："受命之君，天意之所予也"。《人副天数》："唯人独能偶天地。"这里的天是一个人格上帝神。《玉杯》："人受命于天，有善善恶恶之性。"此为道德之天。《天地阴阳》："天、地、阴、阳、木、火、土、金、水，九，与人而十者，天之数毕也。"这里说的天是物质的天，自然的天。

世界[1]，为秦汉大一统政治服务。董仲舒提出的三纲五常伦理，无疑地给古代的中国人民套上了神权、君权、父权、夫权的四大绳索，从阶级观点来看，它为封建政治服务，局限性是明显的。但从历史发展的观点来看，在秦汉时期，它无疑又是现实政治人际关系的条理化，为当时的中央集权所必需，起了凝聚的进步作用。客观地说，董仲舒本人是一个进步的思想家和政治家。他讲天人感应遣告说，主观目的是借天的权威来限制君权，避免横暴之君昏乱国家。所以他在政治上提倡仁政，主张新王改制，薄赋敛，省力役，耕者有其田；又提出兴学校，举孝廉，保证贤人从政，宣扬行善得众，贵德重人等思想，这些都是当时先进的思想，在西汉政治上产生了很大的影响。

司马迁接受董仲舒的思想，可以说是“前期公羊学派中的重要人物”[2]，但司马迁并没有把公羊家的学说全盘接受，而是批判继承。司马迁对公羊学的批判表现是：其一，怀疑和讽刺灾异说；其二，不取公羊家的讳饰态度；其三，不贵虚名。司马迁接受公羊学的影响是：其一，公羊家颂扬汤武革命，主张以有道伐无道，成为《史记》反暴政的思想基础；其二，公羊家“尊王攘夷”，主张“大一统”的思想，成为《史记》贯串全书的主要观念；其三，公羊家崇让、尚耻之义是《史记》褒贬历史人物的道德标准[3]。

总之，司马迁师事董仲舒，深受其影响，吸收了公羊家学说的精华，但他以批判的精神做了改造，借用董氏语言而意义更加精微和进步，实质是作了发展和改造。例如《自序》引董仲舒言答壶遂问，司马迁说：“余闻董生曰：‘周道衰废，孔子为鲁司寇，诸侯害之，大夫壅之。孔子知言之不用，道之不行也，是非二百四十二年之中，以为天下仪表，贬天子，退诸侯，讨大夫，

① 《天人三策》：“臣谨案《春秋》谓一元之意，一者万物之所从始也。”《春秋繁露·重政》：“是以《春秋》变一谓之元，元犹原也。故元为万物之本。”这里的“元”“原”“始”“本”“一”都是宇宙本原的代用语，将整个宇宙世界归于一统。

② 杨向奎：《司马迁的历史哲学》，载《中国史研究》1979年第1期。

③ 参阅吴汝煜：《史记与公羊学》，载《徐州师范学院学报》1982年第2期。

以达王事而已矣。'”这段话的精义在“贬天子，退诸侯，讨大夫”，所谓为后王立法。《汉书·司马迁传》作“贬诸侯，讨大夫”，删去“天子”与“退”三字，即删去了“贬天子”一句，这是不符司马迁思想的。班固认为天子不可贬，司马迁认为天子有过亦可贬。这里不仅仅是反映了两个历史学家的思想差异，也反映了司马迁对《春秋》主题以及对董仲舒为后王立法思想的发展。“贬天子”，既非孔子思想，亦非董仲舒思想。在追溯公羊家本始思想时，班固的删削无疑是正确的；但讨论司马迁思想时，班固的删削却是大谬不然。司马迁正是发展了公羊学，所以他才写出了比《春秋》规模更大、褒贬尺度更富于人民性、内容体制更符合大一统时代要求的伟大作品《史记》，这实在是一个空前的壮举。

四、问故于孔安国

孔安国是孔子的第十二代孙，鲁国曲阜人，西汉武帝时的大经学家，兼通今古文学。孔安国的古文学，承受家学，他的今文学是向申公学《诗》，向兒宽学《今文尚书》。兒宽是伏胜的再传弟子，欧阳生的学生。申公、欧阳生都是西汉著名的今文学大师。汉武帝元朔二年，孔安国为博士，元狩五年官至谏大夫，元狩六年出为临淮郡太守，不久就死在任上。司马迁向孔安国问故，也是二十壮游归来京师之事，应在元朔末至元狩末，即司马迁二十二三至二十七八岁之间。

1. 司马迁问故的内容

《汉书·儒林传》载：

> 孔氏有古文《尚书》，孔安国以今文字读之，因以起其家逸《书》，得十余篇，盖《尚书》兹多于是矣。遭巫蛊，未立于学官。安国为谏大夫，授都尉朝，而司马迁亦从安国问故。迁书载《尧典》、《禹贡》、《洪范》、《微子》、《金縢》

诸篇，多古文说。

这段记载，说明司马迁师事孔安国，问故习《古文尚书》，至为明白。结合《史记》考察，司马迁问故，不限于《古文尚书》，而重点却是《古文尚书》罢了。

西汉经学有今古文之争。用战国时古文写的经书称古文经，用汉代简化的隶书写的经书称今文经。经过传写，今文经与古文经在文字上有异同，这是正常现象。《今文尚书》是伏胜口授，晁错记录整理，文字异同会更大。文字异同，只是一个校勘问题，并不是根本性的学术分歧。孔安国传《古文尚书》，以今文字读之，也就是转写成今文。所谓今古文之争，是指两种不同的解说。古文家训诂简明，不凭空臆说，排斥迷信，有高深的学术修养，被称为朴学。古文经学，政治倾向保守，道法尧舜，不适应变革的秦汉大一统政治。董仲舒是治公羊春秋学的大儒，他融会道法，折中孟荀，把经学阴阳五行化，整齐百家之学于儒学，宣扬大一统，以天人合一理论推行阴阳灾异，主张更化改革，从而创立了今文经学。今文经学，解说经义依政治需要而推衍，烦琐、迷信、穿凿附会，很少有学术价值。到东汉，今文学与谶纬学结合，走入死胡同，释一字一句，往往用数万言，甚至数十万言。东汉末古文经学兴起，随着汉家政治的结束，古文经学取代今文经学获得了正统地位。

今文经学因适应大一统的政治需要而成为西汉时期的官方哲学。太学五经博士十四家，全为今文经学。郡国有文学之官，地方学校当然也以今文授学。士人读书做官，走博士弟子应试是正途，因此西汉儒学大兴，也就是今文经学大兴。司马迁出仕，立身处世，以今文经学为准则，这是毫无疑义的。正因如此，司马迁问故《古文经学》，引古文说述史，所以班固才在《儒林列传》中做了特别的记载。

《尚书》为秦火所焚，伏胜口传《今文尚书》只有二十九篇。孔安国所传《古文尚书》是孔氏壁藏的古本，较为完整。孔安国以今文字校读，多出十六篇。孔安国死后，其家才献于朝廷，时值巫蛊案发，朝廷混乱，未立于学官。这说明，孔安国是私传《古文尚书》，司马迁是孔安国的私淑弟子。司马迁十岁诵古文，早已能识读古文书。可见司马迁问故，是问古文家大义，即“古文说”。说，即解说。《古文尚书》多出的篇目，也只有孔安国私传。

孔安国兼通今古文学，如何将两者融会贯通，也是司马迁学习的内容。此外，问故，不应当限于《古文尚书》。《儒林传》讲的是《古文尚书》师承，自然只记载司马迁学《古文尚书》。实际上问故的范围是包括《古文尚书》在内的广义古文学。《史记》中列举的古文就有《春秋》、《国语》、《尚书》、《论语》、《五帝德》、《帝系姓》、《谍记》等等。司马迁述史，“厥协六经异传，整齐百家杂语”。厥协，即综合，贯通；整齐，即别择，统一。古文典籍是原始资料记录，或早期的可靠文献。一切传说，百家言，都要用古文来作验证，“总之不离古文者近是”[①]。例如《谍记》载黄帝以来，皆有年数，司马迁用《尚书》按核，认为不可信，所以不取，只作《三代世表》，而不作年表；而《五帝德》、《帝系姓》，用《春秋》《国语》按核，认为可信，于是引为依据写黄帝、颛顼、帝喾事迹。但司马迁又屏除了其中许多不经的神话，如说黄帝“乘龙扆云以顺天地之纪”，颛顼“乘龙而至四海”，帝喾“春夏乘龙，秋冬乘马”等等。《山海经》也是古文，但司马迁说：“《山海经》所言怪物，余不敢言之也。”如《山海经》载，黄帝与蚩尤战，“尤请风伯雨师，纵大风雨；黄帝乃下天女曰魃，雨止，遂杀尤”。《五帝本纪》载黄帝与蚩尤战，只说“黄帝乃征师诸侯，与蚩尤战于涿鹿之野，遂禽杀蚩尤。”由此可见，司马迁述史，十分谨严，对古文资料别择去取，极有章法，这也是古文学的内容。孔安国训故《古文尚书》，对古文的去取，自然是十分精通的。

《五帝本纪》是司马迁运用古文资料创作的精彩篇章之一。他不满《尚书》“独载尧以来”，又不满“百家言黄帝，其言不雅

① 《史记》卷一《五帝本纪·赞》

驯”，于是他经过广泛的调查，采民间传说，广征“儒者或不传”的文献，进行了融会贯通，去粗取精，写成《五帝本纪》，以黄帝为首。这篇只有三千四百五十字的本纪（未计赞语字数），在文献方面至今犹能按核的典籍就有十余种：（1）古今文《尚书》；（2）《大戴礼》中《五帝德》、《帝系姓》等篇；（3）《国语》；（4）《左传》；（5）《世本》；（6）《庄子》；（7）《孟子》；（8）《韩非子》；（9）《战国策》；（10）《吕氏春秋》；（11）《礼记》；（12）《淮南子》。司马迁捃摭众多文献，如何鉴别古文资料，以及别择贯通，是古文学的一个重要方面。

综上所述，司马迁向孔安国问故，是学习古文经学的故训，以及别择古文资料的古文学，掌握考信历史的方法，用今天的话说，是学习古典文献学，以及古代历史学。《古文尚书》则是整个古文学的核心，司马迁写上古三代史作了大量的引用。孔安国是司马迁最有益的一位历史文献学导师。

2. 司马迁引用《尚书》兼采今古文和逸篇

《史记》如何引用今古文《尚书》，清人的考据作出了杰出的贡献。清人的结论有的尚失偏颇，但他们勤恳的工作成绩值得称道，替我们的研究开辟了通道，值得肯定。

臧琳以《尧典》为例，一条一条地证明《史记》所引《尚书》为今文而非古文。他的结论是“《史记》载《尚书》，今文为多，间存古文义。”① 段玉裁对《尚书》今古文做了全面检核，写成《古文尚书探异》一书②。段氏在序中称：“马班之书皆用欧阳、夏侯字句，马氏偶有古文说而已。”如果我们把《史记》中摘引的《尚书》资料，与今古文对照，更多的是依据今文。《五帝本纪》引《尧典》；《夏本纪》引《禹贡》、《皋陶谟》、《甘誓》；《殷本纪》引《汤誓》、《高宗肜日》、《西伯戡黎》；《周本纪》引《牧誓》、《吕刑》；《鲁周公世家》引《费誓》；《宋微子世家》引《微子》、《洪范》，基本上为今文。所以臧琳、段玉裁作出“间

① 《经义杂记》“五帝本纪书说”条，载《皇清经解》卷二〇二。

② 段氏是书载《皇清经解》卷五六七。

存”“偶有”古文的结论。臧、段二人的考据很有价值，为我们正确理解《汉书·儒林传》以及研究司马迁问故内容，提供了文献依据。但臧、段二人的结论就事论事，尚失偏颇。孙星衍就指出：“司马迁从孔氏安国问故，是古文说。”[①] 司马迁时代，《今文尚书》为官学，有定本，且孔安国传《古文尚书》，亦以今文校读，所以《史记》引《尚书》文字多从《今文尚书》不难理解。而解说之义多用古文说，或兼采今古文说，都是正常的。因为孔安国就是兼通今古文的经学大师。

陈寿祺、陈乔纵父子进一步考证司马迁引据的《尚书》为欧阳生所传今文《尚书》，其中亦杂有古文。当时博士所传《今文尚书》只有欧阳生一家定为官方定本，《史记》引文据此，顺理成章。

陈氏父子致力于今古文说的辨析。陈寿祺《左海经辨》中有“今文尚书中有古文”，“史记用今文尚书”，“史记采尚书兼古文”等条[②]。陈寿祺认为《史记》采《尚书》兼今古文。如“《鲁周公世家》载《金滕》，其前周公奔楚事乃古文家说，其后成王改葬周公事为今文说，此其明证矣。”

司马迁不仅兼采今古文说，有时还并存今古文说。《殷本纪》载简狄吞玄鸟卵生契，《周本纪》载姜源践巨人迹生弃，此为今文说；《三代世表》却记载“高辛生契，契为殷祖”，“高辛生后稷，为周祖”，此为古文说。也就是说《史记》载殷、周始祖，一言有父，一言无父，引起了当时人们的疑惑。褚少孙做了回答，说这是两传存疑。因为这两种说法都有传说史影，并非今古文经学家所杜撰。无父的神生说反映了母系氏族社会的史影，父生说是反映母系氏族社会瓦解，进入了父系文明时代的史影。由此可见，司马迁并存古今文说，不是“钓奇”，而是尽可能还历史本来面目，以存历史传说的史影之真。

再以《周本纪》为例，所采《尚书》，文字多依今文定本，但采用义理及训故多依古文说。《周本纪》引用《尚书》篇名共

---

① 《今古文注疏序》，载《皇清经解》卷七二五。

② 《左海经辨》，载《皇清经解》卷一二五一。

十九篇，与今传本《尚书》对照，今文篇目有十一篇，有《大诰》、《康诰》、《酒诰》、《梓材》、《召诰》、《洛诰》、《多士》、《无逸》、《多方》、《顾命》、《吕刑》；有古文四篇：《周官》、《冏命》《微子之命》、《武成》；此外另有四个逸篇：《归禾》、《嘉禾》、《分殷之器》、《贿息慎之命》。这些逸篇，超出了孔氏壁藏《古文尚书》的篇目。《周本纪》还引有《逸周书》中《克殷》、《度邑》等篇。《逸周书》也是古文，应当也在司马迁问故范围之内。

五、私淑“至圣先师”孔子

孟子有言：“予不为孔子徒也，予私淑诸人也。”[①] 孟子自许为孔子的私淑弟子，对孔子的学说做了发扬光大。司马迁说：“余读孔氏书，想见其为人。”司马迁为孔子作传，许为“至圣”[②]，从此，一代哲人的光辉形象根植在中华民族人心中。司马迁更以恢弘的气魄，吸收孔子学说和六艺经传的精华，效法孔子精神，继《春秋》作《史记》，完成一代大典。司马迁是继孟子之后，又一个取得重大成就的孔子私淑弟子，发扬光大孔子的“春秋历史学”，为后世许多思想家，尤其在史学建树方面所不可企及的伟人。

1. 高山仰止

孔子（前551—前479年），名丘，字仲尼，春秋时鲁国（今山东曲阜）人。孔子是先秦儒家学派创始人，中国古代历史上一位伟大的思想家、教育家、史学家。司马迁北涉汶泗，访问孔子故居；讲业齐鲁之都，细审学术源流；探寻孔子所走过的足迹，访查孔子的生平事迹，研究孔子的学说言论，为孔子作传，命名为“孔子世家”。诸侯立“世家”，表示“开国承家，世代相

① 《孟子》卷八《离娄下》。
② 《史记》卷四七《孔子世家·赞》。

续”[1]。孔子为布衣，其学为世人所宗，代代相传，故称其传记为“世家”，以示推崇。《太史公自序》说：“周室既衰，诸侯恣行。仲尼悼礼废乐崩，追修经术，以达王道，匡乱世反之于正，见其文辞，为天下制仪法，垂六艺之统纪于后。作《孔子世家》第十七。”孔子的思想学说能够拨乱反正，为后世立法，这就是司马迁作世家的原因。

司马迁笔下的孔子，具有远大的政治理想和执著追求的精神。孔子的政治理想是以“礼”为治，达到“仁”的境界。“仁者，爱人。”[2] 仁的境界就是一个充满了普遍人性爱的社会，上下有序，一片和融。实现仁的手段是“礼”。所以《孔子世家》以“礼”为线索叙述孔子一生行迹。孔子幼年时“为儿嬉戏，常陈俎豆，设礼容”。“年少好礼”，“懿子与鲁人南宫敬叔往学礼焉。”他还曾和南宫敬叔“适周问礼”。齐景公问政，他答以“君君，臣臣，父父，子子”，也讲的是礼。夹谷之会，他辅助鲁定公挫败齐景公，也是以“会遇之礼”。他劝定公堕三都，根据的是“臣无藏甲，大夫毋百雉之城”的礼。他由曹去宋，“与弟子习礼大树下”。卫灵公问兵阵，他说：“俎豆之事则尝闻之，军旅之事未之学也。”他“追迹三代之礼”，熟知其沿革损益而盛赞周礼。他删诗，“取可施于礼义”者。他教弟子，“以诗书礼乐”。孔子言礼，以身作则，一丝不苟。“君命召，不俟驾行矣”，“鱼馁，肉败，割不正，不食”，“席不正，不坐”，“见齐衰、瞽者，虽童子，必变”。子贡说，孔子一生恪守的格言就是：“礼失则昏，名失则愆。”他死后，“鲁世世相传，以岁时奉祠孔子冢”。这是鲁国人民受孔子精神感召，世世相承，按时行礼来表示对他的悼念。可见孔子一生是把“礼”作为安身立命的根本，其目的是用“礼”来区别亲亲，尊尊，长长，男女有别等社会伦理以及等级贵贱，为当时的统治者提供治理动乱社会的药方[3]。

---

① 《史通》卷二《世家》。

② 《孟子》卷八《离娄下》第二十八章。

③ 参阅聂石樵：《司马迁论稿》北京师范大学出版社 1987 年版，第 151—152 页。

孔子以“礼”为核心的治世药方，不合时宜，以致他周游列国，到处碰壁。孔子从政，一生中最得意的时间不过是五十六岁那年为鲁司寇，“与闻国政”三个月。这三个月与孔子一生七十三岁相较，是多么短暂。最后，他想得到一块祭肉，也成了泡影，只好离开鲁国。他周游列国十四年，吃尽了苦头，却一无所获，落魄得“累累若丧家之狗”。最艰难的一段是被困于陈、蔡。孔子一行被隔离在旷野，粮也断了，跟随的人也病了，孔子仍然“讲诵弦歌不衰”[①]。子路发起了脾气，子贡变了脸色。孔子坚信自若，引用《诗经》“匪兕匪虎，率被旷野”来开导。他要弟子们追步伯夷、叔齐和王子比干。子路、子贡说：“先生的道至高至大，但天下不能容，是否稍稍降低一点标准呢?”[②] 颜渊做了坚定的回答。他说：“夫子之道至大，故天下莫能容。虽然，夫子推而行之，不容何病？不容然后见君子！”孔子欣然而笑，十分称赞颜渊，说：“有是哉，颜氏之子。使尔多财，吾为尔宰。”

这个故事生动地表现了孔子至大至刚的个性和人格，也是孔子坚守理想信念的反映。《论语》载，“孔子罕言利”[③]，表现一种反功利精神。但在《孔子世家》里，司马迁塑造的孔子形象，“知其不可而为之”，并不是反功利的精神，而是一种执著追求的精神，不达目的，绝不休止。用今天的话说，就是彻底的、忘我的、无私的奉献。这种奉献表现为“只问耕耘，不问收获”，但它只是反对急功近利，而并不是不要收获。《孔子世家》写孔子在政治上的潦倒落魄，“知其不可而为之”，恰恰是以孔子在政治上的悲剧，来为尔后从事整理六经作铺垫。也就是说，司马迁笔下孔子的奉献精神，恰恰是为了社会经世的某种目的而献身的功利精神。正是这种精神，才使得孔子在政治理想破灭以后，仍不甘心于沉寂无闻，而发愤致力于教育文化事业。这种“知其不可而为之”的真精神，可以说是司马迁与孔子在人格和个性上的契

① 这一节行文及引语，系依据《史记》卷四七《孔子世家》。

② 为行文流畅做了语译。《孔子世家》原文作：“夫子之道至大也，故天下莫能容夫子。夫子盍少贬焉?”

③ 《论语》第九《子罕》第一章。

合点。所以司马迁激昂地写道：孔子“不仕，退而修《诗》《书》《礼》《乐》，弟子弥众”。用孔子的话说，就是“君子病没世而名不称焉。吾道不行矣，吾何以自见于后世哉!”孔子的奋起和努力成功了，他成为人伦的万世师表，成为司马迁学习和追步的榜样。他景仰，他崇拜，简直到了忘情的地步。司马迁用夸张孔子及其弟子的贤能来表达他无限敬仰的感情。司马迁说，孔子“与闻国政三月”，使鲁国大治，移风易俗，道不拾遗，甚至使邻近的大国齐国恐惧，要主动送一大片土地与鲁国修好。司马迁又借楚国令尹子西的口说，楚国的贤人没有一个赶得上孔子的高足弟子，以此衬托孔子的超凡入圣。最后，司马迁禁不住要直接说话了。司马迁说：

太史公曰：《诗》有之：“高山仰止，景行行止。”虽不能至，然心向往之。余读孔氏书，想见其为人。适鲁，观仲尼庙堂、车服、礼器，诸生以时习礼其家，余祗回留之，不能去云。[①]

孔子的道德学问，像高山一样使人瞻仰，像大路一样导人遵行。孔子的悲剧，使司马迁伤感，他徘徊在演礼的讲堂，陷入了久久的沉思。孔子不苟合取容的精神，孔子办教育、述《六经》的功业，更使司马迁奋起，使司马迁看到了一代哲人的伟大，啊，孔子是无冕之王！司马迁激动了。在他的眼前仿佛展现出一条金光大道，他也仿佛看到了自己事业的追求与成功，于是他无限深情地申说要为孔子作世家的理由。司马迁说：

天下君王至于贤人众矣，当时则荣，没则已焉。孔子布衣，传十余世，学者宗之。自天子王侯，中国言《六艺》者折中于夫子，可谓至圣矣！

① 《史记》卷四七《孔子世家·赞》。

2. 考信于六艺

司马迁对孔子的推尊，不是抽象的，而是十分具体的，即考信于六艺，折中于夫子。先说考信于六艺。“考信于六艺”，语见《伯夷列传》。司马迁说：“夫学者载籍极博，犹考信于六艺。”六艺，即六经。司马迁述史，考信于六艺，内容有两个方面。一曰取材，二曰验证。

取材。明王守仁说：“以事言谓之史，以道言谓之经。事即道，道即事。《春秋》亦经，五经亦史。”① 王守仁的“五经亦史论”未引起人们的注意。嗣后清人顾炎武、章学诚提出“六经皆史”的论断，受到了思想界、史学界的高度评价。其实早在西汉，司马迁就以《六经》为史料，撰写《史记》。《殷本纪·赞》云：“太史公曰：余以《颂》次契之事，自成汤以来，采于《书》《诗》。”五帝、夏、殷、周诸本纪，三代、十二诸侯两年表，齐、鲁、燕、晋、宋、卫、孔子诸世家，以及仲尼弟子列传等篇，主要以六艺经传为史料。《太史公自序》云：“厥协《六经》异传。”十分鲜明地指出，要把《六经》异传综合起来，吸收到《史记》中去。

验证。《太史公自序》云：“论考之行事。”行事，指所述之史，有论有考。《五帝本纪·赞》云：“择其言尤雅者”，“总之不离古文者近是”。以古文验证百家之言，这是司马迁考信的原则之一。古文又以《六经》为主要文献，《史记》中做了反复的提示：

> 《司马相如列传·赞》：“《大雅》言王公大人而德建黎庶，《小雅》讥小己之得失，其流及上，所以言虽外殊，其合德一也。相如虽多虚辞滥说，然其要归，引之节俭，此与《诗》之风谏何异？”
>
> 《淮南衡山列传·赞》：“《诗》之所谓‘戎狄是膺，荆舒是惩’，信哉是言也。……夫荆楚剽勇轻悍，好作乱，乃自

① 《传习录》卷一。

古记之矣。"

《张释之冯唐列传·赞》引《书》曰："'不偏不党，王道荡荡，不党不偏，王道便便'，张季、冯公近之矣。"

《货殖列传》："夫神农以前，吾不知已，至若《诗》《书》所述，虞夏以来，耳目欲极声色之好，口欲穷刍豢之味，身安逸乐，而心夸矜势能之荣，使俗之渐民久矣。"

司马迁"考信于六艺"，《诗》《书》被经常引证。《礼书》叹美礼之用，"宰制万物，役使群众"，为"洋洋美德"。《乐书》说："治定功成，礼乐乃兴。"又说："凡作乐者，所以节乐。"这是司马迁对音乐价值的一大发现。乐以节乐，抑制纵欲，于是礼乐相通。对于《易》，司马迁说："盖孔子晚而喜《易》，《易》之为术，幽明远矣。"① 又说："《春秋》推见至隐，幽明远矣。"②《易》的内容讲天道，讲性命，故为幽明之变。《史记》中凡讲幽明的地方，就引用《易》理来说明。田完兴起于齐，卦得《观》之《否》就是例证。《外戚世家》综合依据《六经》讲人伦的夫妇关系。司马迁说："《易》基乾坤，《诗》始《关雎》，《书》美厘降，《春秋》讥不亲迎，夫妇之际，人道之大伦也，《礼》之用，唯婚姻为兢兢；夫乐调而四时和，阴阳之变，万物之统也，可不慎与？"总之，孔子删《诗》、《书》，定《礼》、《乐》，作《春秋》，序《易》，即整理六经，是孔子一生奋斗所成就的大事业，它沉淀了古文献中的精华。司马迁以六经作为评判历史价值与取舍的尺度，即考信于六艺，是符合当时的实际的，同时也寄托了作者的深意。

3. 折中于夫子

司马迁征引孔子言论评判史事人物，贯穿《史记》全书。《殷本纪·赞》："孔子曰：殷路车为善，而色尚白。"《封禅书》："或问缔之说，孔子曰：'不知；知缔之说，其于天下也，视其

① 《史记》卷四六《田敬仲完世家·赞》。

② 《史记》卷一一七《司马相如列传·赞》。

掌’”。《鲁周公世家·赞》：“余闻孔子称曰：甚矣鲁道之衰也，洙泗之间，龂龂如也。”引孔子之言评论、印证史事。《孝文本纪·赞》：“孔子言‘必世然后仁，善人之治国百年，亦可以胜残去杀，诚哉是言！”引孔子之言起兴，用以评论孝文帝为仁德之君。《吴太伯世家·赞》：“孔子言吴太伯可谓至德矣，三以天下让，民无得而称焉。”《宋微子世家·赞》：“孔子称‘微子去之，箕子为之奴，比干谏而死，殷有三仁焉。’”直引孔子之言以评论历史人物。《留侯世家》、《万石张叔列传》、《田叔列传》都以孔子之言为权威性的脚注，用以印证自己的评论。

《伯夷列传》：“子曰：‘道不同，不相为谋’，亦各从其志也。故曰‘富贵如可求，虽执鞭之士，吾亦为之，如不可求，从吾所好’，‘岁寒，然后知松柏之后凋’，举世混浊，清士乃见。岂以其重若彼，其轻若此哉！”《儒林列传》：“孔子闵王路废而邪道兴，于是论次《诗》《书》，修起《礼》《乐》。适齐闻韶，三月不知肉味。‘自卫返鲁，然后乐正，《雅》《颂》各得其所’。世以混浊莫能用，是以仲尼干七十余君无所遇，曰‘苟有用我者，期月而已矣’。西狩获麟，曰‘吾道穷矣’。故因史记作《春秋》，以当王法，其辞微而指博，后世学者多录焉。”这是把《论语》的成句，孔子的言论，直接熔铸在自己的文章中，是那样的自然、贴切。最精妙的地方，是司马迁把孔子的话化用在文章中，完全成为自己的思想和用语。孔子说：“殷因于夏礼，所损益，可知也；周因于殷礼，所损益，可知也。其或继周，虽百世可知也。”① 这本来是说文化上的因革损益；可是司马迁在《佞幸列传·赞》中化为憎愤佞幸的语言，他说：“甚哉爱憎之时，弥子瑕之行，足以观后人佞幸矣，虽百世可知也。”孔子说：“老者安之，朋友信之，少者怀之。”② 这是孔子抒发自己为政的理想，只表示一种志向；司马迁凝练成为一个单词，用以描写文景之世的太平景象，赞颂文帝之德，他在《孝景本纪·赞》中说：“汉兴，

① 《论语》第二《为政》第二十三章。
② 《论语》第五《公冶长》第二十六章。

孝文施大德，天下怀安。”这里“怀安”一词就是孔子抒志言论的凝缩。这类例证很多。如《管晏列传·赞》，司马迁以愿为晏子“执鞭”来抒发内心深处叹知己难遇的感慨；《吕不韦列传·赞》用一个“闻”字，评论吕不韦官运亨通，养客好士，编述《吕氏春秋》，只不过是一个投机钻营，博取声名的“闻”者。这里的“执鞭”，“闻”等字眼，都是凝缩的孔子之言。由此可见，孔子思想养育司马迁思想是多么深厚。

孔子论人，对智者、贤者、仁者、君子等词汇，皆有特定的含义和标准，具有高度理性化的内容。例如“君子”一词，在《论语》中，使用频率达一百零七次，基本含义有二：一指有道德的人，二指在上位的人。司马迁得心应手地运用，因其有特定含义而增强了语言的表现力，同时在运用中又将其含义加以丰富和扩大，使所评论的历史人物形象更加鲜明。如说壶遂“深中隐厚”，“内廉行修”，“斯鞠躬君子也”；蒯成侯周緤“操心坚正”“可谓笃厚君子矣”；万石、建陵、张叔，是“讷于言而敏于行”的“君子”；甚至说文景时期，游敖嬉戏的六七十老翁是“有德君子”。司马迁在“君子”之上冠以修饰语，描述千差万别的各类有德君子，已经不是儒家笔下道貌岸然的有德君子或政治长者，而被巧妙地点化成为描写人物情性或品格的文学词汇。

司马迁断言：“自天子王侯，中国言六艺者，折中于夫子。”在司马迁以前，此言未免夸大。但自董仲舒推尊于前，司马迁力行于后，尤其是汉武帝“罢黜百家，独尊儒术”的政治推动，孔子在西汉日益显赫起来，成为独尊的儒术教主，在尔后两千年的封建社会中，成为自天子王侯至庶民百姓的万世师表。司马迁发扬孔子学说及其精神的功绩是不容埋没的。

第四章　司马迁之父司马谈

司马谈是一个天才的历史学家和天文学家，他对《史记》的发凡起例，尤其是对司马迁精心的培养，奠定了他在中国文化思想史上伟大历史人物的地位。研究司马迁不及司马谈，就是无本之木和无源之水，必不得要领。因此，司马谈的成就，应是“司马迁评传”的一个不可或缺的组成部分。

一、出仕与师承

《太史公自序》曰：“谈为太史公”，“仕于建元元封之间”。《史记集解》引臣瓒曰：“《百官表》无太史公。《茂陵中书》司马谈以太史丞为太史令。”太史公即太史令[①]。《太史公自序》又载，司马谈卒于元封元年。但他的生年、表字、确切的出仕之年，以及怎样出仕，《太史公自序》均失载。文献无征，我们只能作一些合理的推论，用以充实司马谈的传记，以待查考。

① 详见本书第十章第二节。

《茂陵中书》，简称《茂陵书》，它是汉武帝置茂陵邑产生的户口簿。茂陵为武帝寿陵，于建元二年初置茂陵邑。司马谈属籍茂陵，他以太史丞职分参与修陵工程，因“勘定陵址，预卜吉凶”，正是太史、太卜职分以内的事。那么司马谈应在建元二年之前即已出仕，但又不能越出建元元年。也就是说，司马谈于建元元年出仕。考汉武帝初即位，于建元元年十月举贤良，罢除申、商、韩非、苏秦、张仪之言，拉开了独尊儒术的序幕。但这时临朝称制的窦太后尊奉黄老，所以在这次罢黜百家中没有罢黜道家。司马谈思想倾向道家，是一个有渊博学问的人，当在是年举贤良而出仕。初为太史丞，元封三年至元封六年之间升为太史令，于是在京师供职。

司马氏远祖世守天官和世典周史，但自春秋时司马氏去周适晋，失其守而中衰四百余年，史官文化的家学实已不传。司马谈立志重振家学，他不得不一切从零开始，他勤奋学习而作出了显绩，所以说他是一个天才而博学的历史学家。《太史公自序》在“谈为太史公”后接着说：“太史公学天官于唐都，受《易》于杨何，习道论于黄子。”这是说司马谈的广博学问，来自师承，他出仕京师仍孜孜以求，正因出仕京师才获得了向名师学习的条件。

1. 学天官于唐都

天官，即天文学。古代人们认为天上的列星与人间君臣相对应，亦有尊卑等级，“若人之官曹列位，故曰天官”[①]。

中国古代天文学有两个分支，一为星占家，观测恒星流星彗星的隐现，用于占验，《周礼》中保章氏传其学；一为历家，推步日月五星之行度，用于制历法，《周礼》中冯相氏传其学。古代天文学与迷信混杂。星占家讲天人感应，历家讲禁忌。但天象观测和历法推步又都是实学。《史记》中的《天官书》总结了星占学，《历书》总结了历法推步，把古代天文学科学知识大大向前推进了一步。司马谈之学渊源于唐都。唐都是西汉著名的星占

---

① 《史记》卷二七《天官书・索隐》。

家，他对星占与历法两个方面的学问都十分精通。《天官书》说："夫汉之为天数者，星则唐都，气则王朔，占岁则魏鲜。"这里将唐都与魏鲜加以区别，说明唐都是一位重实测的天文学家。《历书序》云："至今上即位，招致方士唐都，分其天部。"《集解》引《汉书音义》曰："谓分部二十八宿为距度。"即测定二十八宿的距离和角度。今上，指汉武帝。"至今上即位"，指初即位之建元元年。唐都与司马谈同时出仕。星占为太卜属官。太史、太卜皆隶于太常。司马谈与唐都为同僚。若唐都为太卜令，与司马谈同品位，若只为太卜属官，更低于司马谈。唐都至太初元年与司马迁一起制定太初历，其年齿至多与司马谈同辈或稍晚。司马谈学天官于唐都，可以说是不耻下问，这一精神难能可贵。唐都对于司马迁是长辈，既为其父之师，自亦当为司马迁之师。也就是说，司马迁之天文学，既承之于其父司马谈，又受之于天文学大家唐都。对唐都来说，他以渊博知识为司马谈、司马迁两位历史学大家的老师，自属殊荣。唐都之学，对司马氏之天文学影响至巨。

2. 受《易》于杨何

杨何，字叔元，淄川（今山东昌乐县西北）人。他是汉武帝时的《易》学大师。《汉书·儒林传》载，杨何传《易》，"元光元年征，官至中大夫"。司马谈向杨何学《易》，则是元光元年以后的事。《史记》《汉书》两书《儒林传》记载《易》学师承如次：

孔子——商瞿——桥庇——馯臂——周丑——孙虞——田何——王同——杨何

田何为秦末汉初人，他因是田齐苗裔，被汉高祖从山东齐地徙往关中杜陵，号杜田生。田何的学生除王同外，知名者还有洛阳周王孙、丁宽，齐人服生。王同的学生除杨何外，还有齐人即墨成，广州孟但，鲁人周霸，莒人衡胡，临淄人主父偃。这些人都在汉朝做高官。《汉书·艺文志》载《易》学之书，有周氏、服氏、丁氏、杨氏四家今文学。由此可见，汉武帝时代，《易》为显学。《易》长于变通，太史公"通古今之变"，受益于《易》

学者匪浅。

3. 习道论于黄子

黄子，又称黄生。“子”与“生”，皆尊称，史失其名。黄子为景帝时博士，是司马谈的前辈。司马谈学道论，在建元年间。这时黄子已是耄耋之人。

文景时崇尚黄老之学，黄子作为道学权威有很高的地位。《诗》学博士辕固生在景帝面前向黄子发难辩论汤武革命。辕固生说：“汤武诛桀纣，做天子，是得民心的正义行为。”黄子说：“帽子虽破，还得戴在头上。鞋子虽新，终究穿在脚下。桀、纣尽管失道，乃是君王，汤、武即使为圣人，仍是臣下。君王失行，臣下应当用言谏正，岂能上下错位，取而代之。所以汤、武是篡弑行为，大逆不道。”辕固生挑动景帝表态，他说：“照你的说法，汉高帝代秦，难道错了吗?”汉景帝制止两人争论说：“吃肉不吃有毒的马肝，不算不知味。讨论学问，避开汤、武，没人说你们笨。”从此以后，汤武革命成为忌讳的禁区，再无人敢谈论①。

辕固生与黄子的辩论是景帝时一场儒道斗争。景帝母窦太后崇尚黄老，她找岔子反击辕固生。窦太后问辕固生，《老子》书是什么样的书。言下之意，与儒家书比较，哪一个高。辕固生说：“《老子》书只配奴仆们去读。”窦太后大怒说：“儒家书只配罪徒们去读。”并命令辕固生到圈里去与野猪比武。汉景帝赶忙赐给辕固生一把利刀，辕固生刺死了野猪，才保住了性命，但也丢了乌纱帽。

汉武帝即位，举贤良罢黜了百家。他又重用儒生，起用赵绾为御史大夫，王藏为郎中令。这两人都是鲁人《诗》学大师申公的学生。赵、王用事，议立明堂，派使者征召申公来京。赵、王又上疏汉武帝，请窦太皇太后归政于武帝。窦太皇太后借口赵、王二人治办景帝丧事不尽力，将二人下狱，赵、王自杀。窦太皇太后又罢了倡导儒学的丞相窦婴和太尉田蚡的官，窦婴是窦太皇

---

① 辕固生与黄子的辩论，详载于《史记》卷一二一《儒林列传》。

太后的侄儿，田蚡是武帝之舅，两人为国之外戚，未能幸免罢官。可见这场儒道斗争的激烈。

景帝及武帝初，两次儒道斗争，均以儒家失败而告终。当时皇帝在儒家一边，为何还遭失败呢？这是因为汉初黄老政治带来社会的繁荣安定。汉文帝笃信黄老，而又是贤君，窦太后是汉文帝皇后，她以文帝路线的捍卫者而临朝，当时多数朝臣都笃守道学，所以黄老之学还处于上风。不过从景帝起已开始尊儒，尤其是汉武帝，十六岁即位伊始就举贤良，罢黜百家，独尊儒术，并以此为契机发动了向窦太后的夺权斗争，在大臣中必然留下深刻印象。司马谈亲身经历了武帝初年的儒道斗争，他看到儒学的前景，因而让司马迁向董仲舒、孔安国两位今古文儒学大师学习，而自己仍坚持学道论。黄子在道学走下坡，自己处于晚景之时，得到司马谈这样稀世高才的学生，可以想见，两人如鱼得水，一个是尽心地教，一个是尽心地学。司马谈的道学修养青出于蓝而胜于蓝，是西汉第一流的道学家。《论六家要指》表现了他杰出而深邃的思想。

出仕之前，司马谈在故里自学，只能承受塾师家学，已经具有相当的渊博知识，他才能以举贤良而得官。司马谈出仕以后，孜孜以学，不耻下问，不以道学江河日下而冷落，相反更加潜心以求其精义。司马谈为重振史官绝学，他不仅付出了毕生的精力，而且还付出了超人的毅力。司马谈的为学精神，是值得学习的。

二、重振天官学

《史记》中的《天官书》与《历书》，是司马谈和司马迁父子相继，总结和发展了古代天文学。《太史公自序》载司马谈临终遗言："余先周室之太史也。自上世尝显功名于虞夏，典天官事。"司马谈既为太史令"掌天官"，又"学天官于唐都"，重振天官学，则《天官书》的写作成绩应首推司马谈，所以在这里集中谈天官学。关于历法学，在本书第五章关于司马迁制定太初历一节中再讨论。

1.《天官书》总结天文学的杰出成就

《天官书》中的天象记录极为丰富，不但有恒星、行星，以及太阳系其他天体流星、彗星等的记录，还有这些天体的变化如日食、月食和形态描述。除了天体，还有极光、黄道光、风、云、雷、电等地球物理现象的观测。从天文学角度看，《史记·天官书》"可以称得上是中国最早的天文学百科全书，是世界上罕见的天文学史文献"[①]。司马谈和司马迁无疑是中国古代最杰出的天文学家。

《天官书》总结天文学的杰出成就，主要有以下六个方面。

（1）记载了大一统结构的五百五十八颗恒星。《天官书》把北半球中纬度可见的星空，分为五宫，奠定了我国特有的星空划分与恒星命名的完整体系，可称之为五宫星官体系。

中宫。以北极星为中央，包括北斗七星的拱极区，划为中宫，有 78 颗星，组成天帝居住的巍峨宫阙。"中宫天极星，其一明者，太一常居也。"天极，就是地球自转轴延长与人们视觉中的天球面相交的两点。在北半天球的叫北天极；在南半天球的叫南天极。位于北天极或紧贴北天极的星便是天极星，也就是北极星。北天极位置不是固定的，有一个长周期为 15800 年的摆动。今天的北极星是小熊 α，《天官书》中称作正妃的星。在司马迁时，北极星是小熊 β。这两颗星都是二等星，是天极中的明星。众星拱北辰，在星空中非常引人注目，伴随地上世袭中央集权制国家的形成，人们把天上的北极星称作"太一"。太一，也写作"太乙"、"泰一"，即第一大星，被尊为天帝，是天神中最尊贵的至上神。定下太一帝星后，必然的逻辑，"旁三星三公，或曰子属。后句四星，末大星正妃，余三星后宫之属也。环之匡卫十二

① 杜升云：《司马迁的天文学成就及思想》，载《司马迁和史记》论文集，北京出版社 1987 年版。

星，藩臣。皆曰紫宫。”皇帝为紫红服色，太一帝星，正妃大星，都明亮略呈红色，更加符合星占家的附会想象，所以命名为紫宫。太一星又称紫微星。这样，中宫星官，有天帝、后纪、三公、藩臣、宿卫，俨然酷似地上秦汉大一统的宫仪体制。中宫，即天上的宫廷大内。

东宫。东方角、亢、氐、房、心、尾、箕等七宿，构成苍龙之象为东宫，有 94 颗星。东宫是天帝的布政之所。心为明堂，房为天驷，角为帝廷，亢为疏庙，氐为天根，尾为九子，箕为敖客。

南宫。南方井、鬼、柳、星、张、翼、轸等七宿，构成朱雀之象为南宫，有 135 颗星。南宫是天帝的别宫，后妃的住所。人间皇后称凤凰，朱雀即是红色的凤凰，真是譬喻巧妙。轩辕星就是帝后。南宫还有将相、藩臣、诸侯与士大夫。南宫位于黄道左右，为日月五星出没之所，故又称为“三光之廷”。

西宫。西方奎、娄、胃、昴、毕、觜、参等七宿，构成白虎之象为西宫，有 117 颗星。西宫为天帝的车库、粮仓及牧苑场。

北宫。北方斗、牛、女、虚、危、室、壁等七宿，构成玄武之象为北宫，有 134 颗星。北宫是天帝孙女织女的住所。北宫危宿象屋顶，营室为清庙，牵牛为牺牲。王良五星为御马星官，旁有天马。营室南众星为羽林军。

五宫星官体系，是一个大一统的世界，秩序井然，等级森严，这是秦汉大一统政治在宇宙观上的反映。“天人感应”之学由此而建立。在科学上，这个统一的星官体系，结束了战国时期星占家不同体系的对立，确定了恒星的位置，既保存了前人对恒星认识的成果，又为后代天文家观测提供了观测的格局和依据。宋时恒星数已增至 1440 颗，而记载格局仍宗《天官书》，一直到明清。

（2）认识了月食现象的周期规律。《天官书》说：“日月薄蚀，行南北有时，此其大度也。”又说：“月食，常也。”“凡百一十三月而复始。”这是我国历史上记载的第一个交食周期数据。

（3）认识了五大行星运动中的逆行和留的规律。行星在天空中自西向东运行称“顺行”；反之叫“逆行”。太阳系的所有行星，都是自西往东绕日运行，本无顺逆。由于地球不在太阳系的中心，各行星绕日运动的快慢不同，因此从地球上看行星的视运动就有顺逆。内行星呈现柳叶形，外行星呈现S形的周期运动。在司马迁以前，甘公、石申的五星占，只把火星、金星的逆行视为正常。《天官书》记载五星的逆行，均视为正常，说明比甘、石星经的观测推进了一步。

（4）记录了恒星的颜色、亮度和亮度变化。《天官书》说：“太白白，比狼；赤，比心；黄，比参左肩；苍，比参右肩；黑，比奎大星。”意思是说，金星呈现白色，类似天狼星；呈现红色，类似心宿主星；呈现黄色，类似参宿左侧第四星；呈现蓝色，类似参宿右侧第五星；呈现黑色，类似奎宿大星。也就是说，天狼星、心宿主星、参宿四、参宿五、奎大星，分别是白、红、黄、蓝、黑五种色彩亮星的标准。据现代天文学观测，除参宿四，均与实际相符。参宿四，现今呈红色，而不是黄色。这是恒星演化造成的现象。该星在一千多年前，它的本体抛出大量气体壳层，膨胀速度每秒为11—17公里，气壳现在约已膨胀至该星半径的600倍处。恒星大气的高速膨胀，造成恒星表面温度降低，从而导致恒星颜色变红。此外，《天官书》还注意到恒星的亮度，把星分成大星、明星、一般星、若见星、若不见星等类别，留下了一个原始雏形的星等概念。

（5）对灾变恒星做了记录。灾变恒星指爆发型变星。几天之内亮度增加几千至几万倍的叫新星，几天之内亮度突然增加几千万至几亿倍的叫超新星。《天官书》所载客星，有的是现代天文学尚在探索的不明飞行物，有的就是新星或超新星。如《天官书》云：“国皇皇大而赤，状类南极。”即国皇皇星，它突然出现在天空，红亮得像南极老人星，这可能就是一颗爆发变星。《天官书》对灾变客星的记载，启迪后世天文学家对特殊天象的注意，使我国历史上有几次超新星爆发记载，受到全世界天体物理学家的注意。

（6）对异常天象的描述，为研究古代天象提供了意义重大的参考资料。例如彗星多变而常见，是引人注目的天象。古人不了解彗星的本质，对它很神秘，而以形态不同来分别命名，产生许多异名，如天棓、天欃、天枪等。《天官书》将这些异名天象同列于彗星的段落，指出它们类似彗星。对昭明星、蚩尤旗和长庚星的描述，也类似彗星。还有极光、黄道光、流星、火流星、陨星等发生于地球大气层的天象，《天官书》都做了具体描述，为研究这些天象提供了可靠的资料。例如《天官书》对格泽星天象的描述，据研究就是天文学上的黄道光现象，这比西方天文学家的记述早了十多个世纪。

2.《天官书》产生的历史基础

首先，是古代天文学的发展。恩格斯说："自然科学各个部门的顺序的发展，首先是天文学——游牧民族和农业民族为了定季节，就已经绝对需要它。"[①]《天官书》："太史公曰：自初生民以来，世主曷尝不历日月星辰？仰则观象于天，俯则法类于地。"《五帝本纪》写黄帝、尧、舜等远古时代，观测天象就是最重要的国家大政。《天官书》列载了历史上的著名天官学家。司马迁说："昔之传天数者：高辛之前，重、黎；于唐、虞，羲、和；有夏，昆吾；殷商，巫咸；周室，史佚、苌弘；于宋，子韦；郑则裨灶；在齐，甘公；楚，唐眛；赵，尹皋；魏，石申。"文献记载，保留在《诗》《书》《易》等著作中，反映三代时期人们认识的恒星，有五十多颗。春秋战国时期的文献，《春秋》、《左传》、《国语》、《礼记》、《月令》、《尔雅》、《周礼》、《楚辞》、《夏小正》、《考工记》等记载的恒星，去其重复，新增的星数有一百四十多颗[②]。战国时留下的天文著作有甘德的《天文星占》八卷，石申的《天文》八卷，司马迁时尚能看到完本。唐代《开元占经》引《石氏星经》有七百多颗恒星[③]，其中有 121 颗星有测量定位。考古发掘，长沙马王堆出土有汉代天文学《五星占》。此外，还有各种纬书也载了天象资料。顾实云："《天官书》词致古

① 恩格斯：《自然辩证法》，引自《马克思恩格斯选集》第 3 卷第 523 页。
② 吴其昌：《汉以前恒星发现次第考》，载《真理杂志》第 1 卷 3 期，1944 年版。
③ 《石氏星经》所载恒星多于《天官书》，应是后人的增益。

奥，自成一种文字，此必出于甘、石之传，非司马子长所能自造。”① 此论极是。如果没有从春秋战国以至秦汉间天文学的发展，司马谈、司马迁父子是不能凭空写出《天官书》的。

其次，考验行事，使司马氏父子具有科学的精神。尊重事实，承认自然界和社会活动的客观现象，这是一个科学家和历史学家取得成就的立足点。在这一点上，《天官书》有生动的记载。司马迁十分强调观测的重要，并亲自考察百年以来的“行事”，得出“五星无出而不反逆行，反逆行，尝盛大而变色；日月薄蚀，行南北有时”这样的承认自然界客观规律的科学结论，这是相当进步的思想。又，司马迁载天人感应，强调重人事，而不是宣传“畏天”。在结尾“日变修德”一段中，明确地说：“国君强大，有德者昌；弱小，饰诈者亡。太上修德，其次修政，其次修救，其次修禳，正下无之。”强调统治者在“天变”面前修德、修政的重要作用，重视人心向背，这更是一个了不起的先进思想。

其三，《天官书》是司马谈、司马迁父子两代人的心血结晶。《天官书》中“太史公曰”一段赞文 1211 字，可分为三个段落。第一段，“太史公曰”至“然后天人之际续备”，是司马迁转述父谈语，接着“太史公推古天变”以下是司马迁的续论和发挥。这一部分又分为两段，即第二段，第三段。“太史公推古天变”至“皆以为占”为第二段，与第一段议论重复，但更详细，显系司马迁对父论的阐释、补充和发挥。“余观史记”以下为第三段，是司马迁的总结，直接表示自己的观点。“余观史记，考行事，百年之中”，是司马迁的典型用语。又《天官书》述汉兴以来天人感应之变，至太初“兵征大宛”而讫，恰在百年之中。司马谈卒于元封元年，距汉之建立不足一百年，当然不能下及太初之事。显然，《天官书》成于司马迁之手。但重振家学天官者为司马谈，而论赞结构又留下司马谈作史痕迹，所以《天官书》是父子两代长期积累，共同的结晶，因而取得了辉煌的成绩。

① 顾实：《重考古今伪书考》。

我们再进一步细审《天官书》赞文，可以发现司马谈、司马迁父子两代人的思想差异。在研究方法上，司马迁比司马谈更重现实。“为国者必贵三五”，这是司马谈之言。三五是讲长周期的天运变化，三十年一小变，五百年一大变。这样的天运周期比较虚渺。“为天数者必通三五”，这是司马迁的观点。他认为三光五气这八种天象变化，是经常发生的，更要注重观察研究。司马谈讲“天人之际续备”，司马迁说：“则天官备矣”，就表现了两人研究天官的思想倾向的差异。司马谈更注重天人相与，而司马迁更注重天文科学本身规律的探索。司马迁比其父司马谈的唯物主义思想更多一些，历史观也更进步一些。但司马谈学天官于唐都，复兴了绝世久远的家学，而又发凡起例创作《天官书》，总结天文学，因此，研究司马氏天官学，不能不首举司马谈。这就是本节内容系于司马谈一章的理由。

三、论六家要指

《论六家要指》是一篇杰出的历史哲学论文，它反映了汉初黄老哲学占统治地位的情况。司马谈用“道家”的学说统一思想，认为无为政治是长治久安的法宝。

1.《论六家要指》写作的时间和背景

秦汉政治大一统，要求文化思想与它相适应。所以，综合百家学说，建立统一的新思想体系是时代提出的要求。秦始皇相吕不韦集门客撰述《吕氏春秋》就做的是这种统一工作。董仲舒治《公羊春秋》，倡独尊儒术，得到了汉武帝的支持，原因亦在此。

司马谈作《论六家要指》的动机，以及作于何时，弄清这一背景，是领略其精微大义的关节。郑鹤声《司马迁年谱》系于元朔五年。理由是：“案《汉书·武帝纪》元朔五年丞相公孙弘请立博士弟子员，故谈发此论欤?”对于司马谈的写作动机，郑鹤声说：“所谓愍学者之不达其意而师悖者，言好儒而轻道也，故于道儒两者，辨之尤切。”郑氏从学术旨趣立论，揭示司马谈写作动机，深得《论六家要指》精髓，而系于元朔五年指弹公孙弘，却是立论未周。因为古代并无公开论坛报纸、刊物，开展学术论争；而独尊儒术体系确立以后，也不允许有百家争鸣。春秋战国时期，群雄对峙，列国纷争，各国引进人才，因而才有百家争鸣局面，各派学说，自立门户，传艺授徒。自秦汉统一，政治一体，再无争鸣背景。文景时，博士并存百家，尚有一点百家争鸣的流风余韵。即使这时，较大的思想斗争，总是展开在庙堂之上，带有浓厚的政治斗争色彩。例如景帝时辕固生与黄子辩论汤武革命，武帝建元元年王臧、赵绾征鲁申公议立明堂等，表面是思想斗争，实质是政治斗争。又如，文帝时贾谊写《过秦论》、《治安策》，贾山作《至言》；武帝建元元年董仲舒对《天人三策》等，都是上奏朝廷，针对现实政治发表的强烈政论。如果司马谈《论六家要指》是针对公孙弘请立五经博士弟子，必上奏朝廷，形成政治斗争。如果真是这样，司马谈还能做太史令吗？显然不能。而且《太史公自序》亦未作这样的记载。

吉春《司马迁年谱新编》系此文于建元二年[①]，认为司马谈在“得知窦太后第一次战胜尊儒派之后，立即写了《论六家要指》，核心是完全肯定道家”，“是与窦太后思想合拍的”，否则司马谈“在建元时是不可能让其入仕的”。照此说来，司马谈写《论六家要指》，岂不是赶潮流以为入仕的敲门砖？如果真是这样，他也只能得意于一时，窦太后死后，汉武帝岂能容他？吉春《年谱》的说法，仍可商榷。

《太史公自序》揭示司马谈写《论六家要指》的写作动机，是“愍学者之不达其意而师悖”，也就是在大家尊儒的时尚下，司马谈坚持他的尊道立场。我们认为《论六家要指》应作于元狩元年（公元前 122 年），实质的写作动机在于阐述修史的理论基础，而非上奏朝廷的政论。司马谈发凡起例的述史计划是上起陶唐，下迄获麟。获麟即元狩元年。这一断限说明司马谈着手述史

---

① 吉春：《司马迁年谱新编》，三秦出版社 1989 年版。

在元狩初。他的《论六家要指》就是述史的宗旨和宣言，当作于述史之始。当时，汉武帝“罢黜百家，独尊儒术”的思想体制已经确立。儒生公孙弘以布衣为丞相，封平津侯，在社会上产生了很大的冲击波，竟致于“靡然向风矣”。尊儒崇儒从上到下成了一边倒。汉武帝外伐四夷，内兴功作，文景时代的无为政治为汉武帝的多欲政治所代替。全国的宁静生活被打破了，而且翻江倒海式地沸腾起来。司马谈预感到“物盛而衰，固其变也”，他为了矫弊，也为了及时地提出警告，所以写了《论六家要指》。不过矫弊也罢，警告也罢，都只是学术上的自我磨砺，而不是上奏朝廷，卷起政治斗争。

按照这一认识，正是崇儒之风的大气候形成，这才促使基于道家立场的司马谈写了《论六家要指》。元狩元年，比郑鹤声认定的元朔五年推后只两年，但形势不同。由于元朔六年公孙弘出任丞相，尊儒之风从量变发生了质变，“靡然向风矣”。更主要的是司马谈着手述史，总结学术，清理思想，这一动机，决定了《论六家要指》，尽管有强烈的现实内容，但不是政论，而是一篇阐明构建司马氏“一家之言”的历史哲学论文。

2.《论六家要指》的内容

《论六家要指》总括百家学说为六家：阴阳、儒、墨、名、法、道。司马谈在评论中全面肯定道家使人精神专一，与时迁移，应物变化，遵循自然，随俗办事，无所不宜。道家言“无为”，又言“无不为”，吸收各家的长处，以“虚无”为本，以“因循”为用，“指约而易操，事少而功多”。其他五家各有长短。阴阳家言吉凶机祥，“未必然也”；但言春夏秋冬四时之大顺，“不可失也”。儒家以六艺为教条，繁文缛节，“博而寡要，劳而少功”；但言君臣父子之礼，序夫妇长幼之别，“虽百家弗能易也”。墨家言俭朴，过分吝啬，尊卑无别，“俭而难遵”；但言强本节用，人给家足之道，“虽百家弗能废也”。法家不别亲疏贵贱，一断于法，“严而少恩”；但言尊主卑臣，职责分明，“虽百家弗能改也”。名家过于纠缠概念，反而常常失掉真理；但“其正名实，不可不察也”。司马谈的这些评论，把独尊的“儒术”

与罢黜的“百家”等列，论长道短，又独尊了道家，在正统思想家看来，简直是离经叛道，所以受到东汉班彪、班固父子的强烈批评。

《论六家要指》是司马氏父子两人共同的宣言。首先，《论六家要指》写作之时，司马迁已壮游归来，成为司马谈述史的得力助手，日渐成熟。再看《论六家要指》内容，全文分为前后两个部分。前半篇概述各家学说的要点，当是司马迁对父谈手稿的精言摘要；下半篇是用传体对前半篇所提论点加以解说，应是司马迁的发挥和阐释。因此班氏父子直接把《论六家要指》当作司马迁之言加以评论。

司马谈、司马迁父子两人思想存在着差异。司马谈崇道，司马迁尊儒，这只不过是他们的各别思想倾向罢了，而并非两个思想体系的对立。因为司马谈并不是纯道学者，司马迁也不是纯儒学者，两人志趣，是自成一家。《论六家要指》所论的“道”，“其为术也，因阴阳之大顺，采儒墨之善，撮名法之要”，这样的“道”，尚贤、尚法、尚刑名，不非毁礼义，不排斥儒学，既非先秦老庄，亦非汉初黄老。《论六家要指》开宗明义，“夫阴阳、儒、墨、名、法、道，此务为治者也”。可见，司马谈是以赞“道”为名，论“治”为实，融会贯通百家学说以自成其“一家之言”的。

3. 《论六家要指》的价值及其对司马迁的影响

从学术发展史的角度来看，在司马谈之前有《荀子·非十二子篇》、《庄子·天下篇》，是诸子中已开论学术分派分家之例。《荀子》所论，凡六说十二家，《庄子》所论，凡五家，并已为六。在司马谈之后，有刘歆《七略》、班固《汉书·艺文志》，分先秦学术为九派，指儒、道、阴阳、法、名、墨、纵横、杂、农九家。这九家，不过是司马谈所论六家，加上纵横、杂、农三家而已。这三家不足与前六家相颉抗。梁启超在《论中国学术思想变迁之大势》一文中说：“吾于刘、班之言，亦所不取，《庄子》所论，推重儒、墨、老三家，颇能挈当时学派之大纲，然犹有漏略者。太史公司马谈之论，则所列六家，五雀六燕，轻重适当，皆分雄于当时学界中，旗鼓相当者也。分类之精，以此为最。”

显然，《史记》首创孟荀、老庄申韩及孔子学术史传，阐述学术源流，《论六家要指》提供了理论依据。

在哲学上，《论六家要指》集中地反映了司马谈的朴素唯物主义思想，特别表现在对阴阳家的评论上。阴阳家的众多忌讳只不过是束缚人们思想的糟粕，是不可取的。但阴阳家所讲的四时之大顺，乃是自然规律，并不是神秘的东西。司马谈又认为神形离则死，反映了他的无神论思想。但司马谈并没有把唯物主义坚持到底。他认为神形是两个东西，神是根本，形是器具，这是二元论的观点。司马迁深受其影响，故他的历史观基本是二元论①。

在方法论上，《论六家要指》把五家的短长都一一指出，表现了朴素的辩证法思想，司马迁论述历史人物和历史事件，一般不作全盘肯定或全盘否定，不以成败论英雄，不言而喻，得益于《论六家要指》的两点论思想。又，在儒道互绌的激烈斗争时代，司马谈兼收并蓄，表现出一个先进思想家的博大胸怀。司马迁继承了这一家学传统，提出“六艺于治一也”的论点，“厥协《六经》异传，整齐百家杂语”，完成了包容百科知识的《史记》，毫无疑义是得益于司马谈的方略教导的。至于《论六家要指》将儒道两家对比评论，实质是将汉初政治与武帝时期政治对比评论，认为无为政治比多欲政治好。这对于司马迁最后定稿《史记》是有很大影响的。

司马谈的其他著作，《隋书·经籍志》五行家载：“太史公《万岁历》一卷。”其书已佚。严可均辑《上古三代秦汉六朝文》有司马谈《祠后土议》、《立太畤坛议》、《论六家要指》三文。至于司马谈作史，详本章第五节。

四、制定封禅仪

《史记·封禅书》，洋洋万余言，是一篇恢弘大论，它记载了从

① 关于司马迁二元论的历史观，详本书第八章第四节。

上古到汉武帝三千年间帝王祭祀天地山川百神的活动，集中地从神道观的角度反映了《史记》“究天人际，通古今之变，成一家之言”的历史观，是研究司马谈和司马迁思想极为重要的文献。

1. 封禅为治国大典

梁玉绳《史记志疑》卷十六曰：“三代以前无封禅，乃燕、齐方士所伪造，昉于秦始，侈于汉武。此书先杂引鬼神之事，比类见义，遂因其傅会，备录于篇，正以著其妄，用意微矣。”梁氏还举证《封禅书》多用盖、若、云、焉诸疑似之语词以为说，认为《封禅书》大旨在于讥刺秦始皇、汉武帝而已。此说具有代表性，今之时贤亦多从之，但这却是只见树木不见森林的断章取义，亟须辨正。

《封禅书》叙事揭露帝王迷信鬼神，故语带讥刺，而大旨是实录。从封禅历史来看，祭祀典礼是上古国家的大政，并非出于燕、齐方士所伪造。凡天子祭祀天地山川鬼神，都可称为封禅，只是上泰山封禅始于秦始皇，成于汉武帝罢了。秦汉封禅，是祭告天地称成功的一种盛大祭典，它是秦汉大一统的必然产物。在泰山顶上祭天称为封，在泰山下小梁父山上祭地叫禅。所以封禅礼又称“封泰山，禅梁父”。而秦始皇、汉武帝之上泰山封禅正是从古代天子祭祀天地名山大川百神的典礼发展而来的。虞舜受禅后，“遂类于上帝，禋于六宗，望于山川，辩于群神”[①]，五载一巡狩，而天下大治。夏、商、周三代开国之君无不礼神，其国泰民安。秦之先公，秦文公、秦德公、秦穆公、秦灵公一代接一代励精图治，敬礼上帝，传至始皇，终于统一了天下。楚汉相争正酣，高祖敬礼黑帝，立北畤，后四岁一统天下。三代末主，淫乱废祀，导致了破家亡国。所以司马迁在《封禅书·序》中开宗明义说:“传曰：‘三年不为礼，礼必废；三年不为乐，乐必坏。’每世之隆，则封禅答焉，及衰而息。”又在《封禅书》中引管仲的话说：“皆受命然后得封禅。”所谓受命天子，是仁德兼备，功业盖世的帝王，他能一统天下，敬礼百神，天上地下一片和睦。

① 《史记》卷一《五帝本纪》。

也就是说，封禅是治世和大一统的一种象征。司马迁从巡封禅，躬逢盛世，是何等的荣幸。他在《太史公自序》中说："汉兴五世，隆在建元，外攘夷狄，内修法度，封禅，改正朔，易服色，作《今上本纪》第十二。"惜其本纪亡而不得窥其详。由此可见，《封禅书》大旨并不是讥刺，而是实录历史和对大一统的歌颂。故《太史公自序》概括写作《封禅书》的目的说："受命而王，封禅之符罕用，用则万灵罔不禋祀。追本诸神名山大川礼，作《封禅书》第六。"

从唯物历史观来看，一个社会的统治思想，也正是那个社会的统治阶级的思想，何况在科学不发达的古代，人们是相信天人交感的。故《历书·序》云："王者易姓受命，必慎始初，改正朔，易服色，推本天元，顺承阙意。"《封禅书·序》云："自古受命帝王，曷尝不封禅？"早在汉文帝时，不仅有方士公孙臣，而且著名政论家贾谊都提出了封禅。司马相如临终遗留给汉武帝的一封札书，说的就是封禅事。因为象征天下一统的封禅，不只是宗教典礼，而且也是政治上的庆成功，给已取得的成绩打上一个句号，并给未来的发展创造激情。汉武帝堵塞黄河瓠子缺口，就是在封禅庆成功的背景下完成的。所以司马谈、司马迁也是极力主张封禅的。司马谈直接参与了封禅典礼的制定工作，并以不得从巡泰山封禅而"发愤且卒"。司马迁从巡封禅，参与改历，是十分激动的。《太史公自序》云："五年而当太初元年，十一月甲子朔旦冬至，天历始改，建于明堂，诸神受纪。"所以《汉书·郊祀志赞》曰："孝武之世，文章为盛，太初改制，而兒宽、司马迁等犹从臣（公孙臣）、谊（贾谊）之言，服色数度，遂顺黄德。"也就是说，汉武帝的封禅大典是始于司马谈而完成于司马迁等人之手的。

2. 司马谈的制仪活动

上泰山封禅，希世用事，实为秦汉首创。秦始皇封禅，因秦政暴虐，国运短祚，所以诸生皆讥曰："始皇上泰山，为暴风雨所击，不得封禅。"也就是秦始皇的封禅礼仪不得引用。汉武帝封禅，前无师承。从文帝以来就集诸儒开始讨论，诸生迂阔，意见分歧，始终不得要领。最后由太史令司马谈与祠官宽舒等讨论，先立后土祠、泰畤坛进行演示，一步一步制成，从元鼎四年至元封元年，历经四年。

元鼎四年（前 113 年），司马谈奉命与祠官宽舒制定后土祠典礼。后土祠建立在元鼎元年（前 116 年）得宝鼎的地方。这地方在山西汾水入黄河处的南面，汉邑有汾阴县，隔河与左冯翊夏阳县相对。夏阳县即司马谈故里。在汾阴临河东岸的水洼地方，特地堆筑起一条形如尾椎的地形，长四里，广二丈余，高十余丈，称脽丘。后土祠就建立在脽丘上，堆起五个圆土丘，称为坛，每一个坛用黄牛祭祀，祭祀礼毕，把黄牛埋起来。凡亲临祭祀之人，身着黄衣。按五德终始说，汉得土德，土为黄色，取以相应。

在后土祠对岸的河西，汉武帝建立了行宫，即夏阳挟荔宫。汉武帝祭祀后土，然后到这里止息。元鼎四年首次举行祭祀后土祠典礼，十分隆重。司马谈、司马迁从行，荣归故里，是非常惬意的一件事。

祠祭后土的第二年，元鼎五年十一月辛巳朔旦在甘泉宫祭祀太乙神。太乙是天神中最尊贵的神。立泰畤坛也是司马谈与祠官宽舒制仪并主持祭祀。这典礼是祭祀上帝，比祠后土更隆重。太乙坛有三层，周围是五帝坛，各按方向排列。东方青帝，南方赤帝，西方白帝，北方黑帝，中央的黄帝在西南方。祭祀太乙仿照在雍地的郊祀礼仪，用一头白色的牛作祭品，再用一头鹿放在牛中间，还有一头猪又放在鹿中间。祭祀毕，祭肉被烧掉。祭日用公牛，祭月用公羊公猪。祭太乙的祝宰穿绣花紫色衣，祭五帝的祝宰各如其色，祭日赤色，祭月白色。

祭日在冬至日。天将黎明之时，皇帝身着黄色衣，亲率祭祀百官来到祭坛。司仪朗诵有声，说："天始以宝鼎神策授皇帝，朔而又朔，皇帝敬拜见焉。"祭祀仪就这样开始。坛上燃起熊熊大火，坛旁摆放着祭祀炊具。祭祀司仪捧着六寸大的圆璧，这叫瑄玉，奉献神明。在那天夜里，太乙神祠的上空出现一道美丽的光亮，到了白天又现出一道黄气上接于天，这被视为嘉祥。于是司马谈、祠官宽舒等建议："神灵之休，祐福兆祥，宜因此地光域立太畤坛以明应。令太祝领，秋及腊间祠。三岁天子一郊见。”[1]泰畤坛就是这样建立起来的。

祠后土，祭太乙，正式拉开了上泰山封禅的序幕。又过了两年，就是元鼎七年[2]，万事俱备，只等汉武帝正式下令上泰山封禅了。封禅庆太平，先要振兵释旅。冬十月，即元鼎七年岁首，汉武帝亲率十八万骑出长城巡边，向匈奴示威。汉武帝派使者对匈奴下了一道战书，说：“南越王头已悬于汉北阙矣。单于能战，天子自将待边；不能，亟来臣服。何但亡匿幕北寒苦之地为”！[3]匈奴单于害怕得不敢出大气。汉武帝于是还转长安，在归途中于桥山祭祀黄帝冢。

汉武帝回到长安，马不停蹄于春正月东巡封禅。先登嵩山祭祀中岳神，听见空中有三呼万岁的声响。汉武帝十分高兴，下令不得樵采嵩山的草木，以山下三百户为太室祠奉邑。从嵩山下来，司马谈病了留在洛阳，汉武帝一行东巡海上。夏四月，正式上泰山封禅。

司马迁奉使巴蜀以南，千里迢迢倍道兼程赶回来扈从封禅。他在洛阳见了父亲后，赶赴行在还报命，平定西南夷的成功要祭告天地，因此，司马迁是参加了封禅典礼的。

群儒制定封禅泰山礼仪，因“牵拘于《诗》《书》古文而不能骋”，被汉武帝遣散了。司马谈未能从巡上泰山，发愤且卒，这大概是司马迁没有记载封禅泰山的礼仪的原因吧！这是举国上下企盼了几代人的大事，其隆重程度可想而知。司马谈是参加了礼仪制定的，而未能亲自参加，这是何等遗憾的事啊！

汉武帝封禅泰山后，再东巡海，北上至碣石，然后沿长城西行经五原回长安，再一次向匈奴示威。汉武帝一行威风凛凛在北中国大地上转了一个大圆圈，行程一万八千里。一路风光，一路排场，十几万人的从巡百官与军队，浩浩荡荡，场面何等壮阔，耗费资财以亿计。司马迁赞颂汉文帝“廪廪乡改正服封禅矣，谦

① 以上引文及祭礼仪式皆载于《史记》卷二八《封禅书》。

② 元鼎七年（前110年），夏四月封禅后改为元封元年。

③ 《汉书》卷六《武帝纪》。

让未成于今。呜呼，岂不仁哉！”[1] 两相对照，司马迁的感慨就容易理解了。

《礼书·序》载：“太史公曰：余至大行礼官，观三代损益，乃知缘人情而制礼，依人性而作仪，其所由来尚矣。”这里的“太史公”即指司马谈。大行，秦官名典客，九卿之一，景帝改名大行令，掌归义蛮夷九宾之仪。司马谈为太史令，因与祠官宽舒制封禅礼仪，而兼掌礼仪之官，研究夏、商、周三代礼仪沿革，参与最高典礼的制定工作，不仅是一件很荣耀的事，而且对于《礼书》、《乐书》、《封禅书》的创作，无疑具有重大影响。

3. 司马迁对封禅的态度

司马迁从巡汉武帝祭祀天地诸神名山川，对这一活动的表里内容有深切的了解。《封禅书》用了相当的篇幅来记载、揭露和讥刺秦皇、汉武迷信鬼神的过分荒唐行为。司马迁借诸生之口批评秦始皇的封禅是“此岂所谓无其德而用事者邪?”秦始皇不恤民政，专务封禅，只是加速了国家的灭亡。“今天子初即位，尤敬鬼神之祀”，对汉武帝的讥刺更是入木三分。如果说封禅典礼在政治上起聚凝作用是国家大事，那汉武帝一味巡海求仙，立寿宫请神，完全是为了个人长生不老所发的愚昧奇想。司马迁对此作淋漓尽致的讥讽，这是他进步历史观之一。

从哲学史的角度来看，《封禅书》表现的是二元论历史观。司马迁既相信天人交感，而又不迷信鬼神，在探寻治乱兴衰的具体叙述中并不相信天意鬼神能支配人事。夏帝孔甲“淫德好神”，“桑楮死”。其后殷帝武丁，“有飞雉登鼎耳而呴”，武丁惧，从而“修德”，用傅说，殷道中兴，“位以永宁”。原来，司马迁是把有节制的封禅看成是励精图治的表现。天下太平，根基是修德用贤。如果反其道而行之，“淫德好神”，残虐元元，天命就要转移。司马迁对秦皇、汉武的讥刺，用意即在此。《封禅书·序》云：“自古受命帝王，曷尝不封禅？盖有无其应而用事者矣，未有睹符瑞见而不臻乎泰山者也。虽受命而功不至，

① 《史记》卷一〇《文帝纪·赞》。

至梁父矣而德不洽，洽矣而日有不暇给，是以即事用希。”这段话是阐明上泰山封禅的标准。秦始皇是属于“无其应而用事者矣”的暴君；周文王是属于“虽受命而功不至”者；周武王是属于“至梁父矣而德不洽”者；汉文帝是“洽矣而日有不暇给”者，故《封禅书》所记述的无怀氏、伏羲、神农、炎帝、黄帝、颛顼、帝喾、尧、舜、禹、汤、周成王等十二君都是“皆受命然后得封禅”的古代圣君。司马迁把封禅与治政之隆做了紧密的联系，只是强调它的治政作用，并不迷信天地鬼神真能赐福。所以司马迁反对不治政而专务鬼神的行为。他正是从这一角度对秦始皇、汉武帝做了深刻的批评。《封禅书》对汉武帝的讥刺，是奉劝统治者应牢记秦始皇前车之鉴，而效法古代圣王修德用贤。这一大旨无论对当时的统治者来说，还是从历史的发展角度来看，都是积极的，也是进步的思想。因为象征秦汉大一统的封禅正是当时历史发展的必然。正由于《封禅书》有这一积极意义，虽然对汉武帝有所讥刺，但终于能够保留下来。最生动的例证，就是班固作《郊祀志》不仅转录《封禅书》，而且还在论赞中借谷永之言说：“不亦正乎！不亦正乎！”谷永在成帝时上书，就是反对淫祀的。

司马迁的封禅思想，是受司马谈熏陶培育的，《封禅书》也是在司马谈为礼官整理的资料基础上写成的。因此，《封禅书》也是我们窥探司马谈、司马迁父子封禅思想的依据。

五、发凡起例《太史公书》

1. 司马谈发凡《太史公书》的写作宗旨

《史记》原题《太史公书》，表示为太史公所作之书，至东汉桓、灵之际才演变成为《史记》之名的①。司马谈官太史令，最

① 《史记》书题名及演变，详见本书第十章第二节。

崇高的理想就是继孔子，效《春秋》，完成一代大典，写一部贯通古今的通史，颂扬汉家一统的威德。司马谈的写作宗旨，《太史公自序》作了明显的交代。司马谈临终遗言说：

> 夫天下称诵周公，言其能论歌文、武之德，宣周、邵之风，达太王、王季之思虑、爰及公刘，以尊后稷也。幽、厉之后，王道缺，礼乐衰，孔子修旧起废，论《诗》、《书》，作《春秋》，则学者至今则之。自获麟以来四百有余岁，而诸侯相兼，史记放绝。今汉兴，海内一统，明主贤君忠臣死义之士，余为太史而弗论载，废天下之史文，余甚惧焉，汝其念哉！

上述司马谈的这段遗言，可条列其发凡起例的宗旨有三端：一曰效周公“歌文武之德”；二曰继孔子效《春秋》“修旧起废”，为后王立法，为人伦立准则；三曰颂汉兴一统，论载“明主贤君忠臣死义之士”。合此三端，即以人物为中心，帝王将相为主干，颂一统之威德，这正是秦汉中央集权政治在学术思想上的反映。《论六家要指》为司马谈所作述史宣言，倡导融会百家思想为一体，自成一家之言。这些也就是《史记》的本始主题。

司马谈仕于建元、元封之间，酝酿构思早已孕育于胸中。他学天官于唐都，受《易》于杨何，习道论于黄子，就是为述史作准备。元朔七年，汉武帝获白麟，作《白麟之歌》，并改元为元狩元年（前 122 年）。当时人们认为这是一件了不起的大事，因文成致麟，象征天下太平。司马谈激动非凡，决定述史下限止于元狩元年，示意绝笔于获麟。所以元狩元年是司马谈正式述史之始。《太史公自序》载，“于是卒述陶唐以来至于麟止”，就是司马谈的作史计划。上限起于陶唐，则是效法孔子述《尚书》起于尧。司马谈追步孔子的意识是十分鲜明的。司马谈卒于元封元年。从元狩元年至元封元年，已历十二年，司马谈作史，应有相当的规模，或已成若干篇章。前已论及，《天官书》、《封禅书》皆留有司马谈作史痕迹。据昔贤今人的考论，司马谈作史达三十七篇，五体皆备，有何依据，如何评价，分层讨论于下。

2. 昔贤今人对司马谈作史的考论

清方苞《望溪先生文集》有《书史记十表后》、《又书太史公自序后》两文，是最早考论司马谈作史的文字。近人王国维《太史公行年考》亦有论及。专论有顾颉刚先生的《司马谈作史》和李长之先生的《史记中可能出自司马谈手笔者》两文。20 世纪 80 年代初有两位青年同志赖长扬和赵生群也写了专论[①]。概括上述各家考论，可以条列为六条鉴别标准，析论如次。

（1）从交游上立论。"太史公曰"中所称交游凡年齿与司马迁不相及者，为司马谈作。顾颉刚据此断定《赵世家》、《刺客列传》、《樊郦滕灌列传》、《郦生陆贾列传》、《张释之冯唐列传》、《游侠列传》等篇为司马谈作。王国维则认为《刺客列传》、《樊郦滕灌列传》、《郦生陆贾列传》三传是史公"或追纪父谈语也"。

（2）从时代上立论。叙事至文景时止者为司马谈作。李长之、赖长扬、赵生群等断定《孝文本纪》、《律书》、《封禅书》、《老庄申韩传》为谈作。方苞亦曰："秦灭汉兴，文景以前，凡所论述皆其父所次旧闻。"

（3）从思想旨趣上立论。《论六家要指》为一"试金石"，凡具有道家色彩的篇章为司马谈所作。李长之、赖长扬、赵生群等以此断定《孝文本纪》、《孝景本纪》、《律书》、《历书》、《天官书》、《老子韩非列传》、《日者列传》等篇为司马谈作。

（4）从文字用语上立论。方苞以言"著"者归司马谈，言"作"者归司马迁，断定十二本纪为司马谈作。李长之从讳与不讳立论，凡当讳而不讳者如《晋世家》、《李斯列传》不避"谈"字讳，为司马谈作；而《赵世家》、《平原君列传》避"谈"字讳为司马迁作。

---

① 李长之文见《司马迁之人格与风格》一书中第六章第二节，三联书店，1984 年版。赖长扬作《司马谈作史补证》，载《史学研究》1981 年第 2 期。赵生群作《司马谈作史考》，载《南京师院学报》1982 年第 2 期。

(5) 从称谓上立论。方苞以"太史公读"为司马谈,"余读"为司马迁,断定《十二诸侯年表》、《六国年表》、《秦楚之际月表》、《惠景间侯者年表》等四篇年表为司马谈作。赵生群以"余读"断定为司马谈作,因司马迁既言"余读",自然在"司马迁作《史记》以前,就应当存在"。计有殷、周、秦、始皇等四篇本纪,陈杞、宋微子、齐太公、鲁周公、管蔡、卫康叔等六篇世家为司马谈作。

(6) 从两个断限上立论。顾颉刚认为《太史公自序》为司马谈原作,司马迁所续。

孤立地来看这些鉴别标准都有一定理由,但综合起来研究,这些立论互相矛盾,无所适从。若将这些标准放到广阔的时代背景上,与《史记》全书关联,可以说无一条立论能成立,试析之如下。

立论互相矛盾。顾颉刚按交游年齿立论,认为《赵世家》是司马谈的杰作;而李长之按讳与不讳立论,断定《赵世家》为司马迁所作,互相抵牾。又,顾先生按年齿交游所论六篇,《赵世家》、《游侠列传》两篇赞语太史公自称"吾",《刺客列传》、《樊郦滕灌列传》、《郦生陆贾列传》、《张释之冯唐列传》四篇赞语皆用"余"均指司马谈;而方苞、赵生群从称谓立论以"余读"之"余"指司马迁,则与顾氏所论又互相矛盾。

以实考核,各种立论皆有所片面。以年齿论,司马迁与公孙季功、董生、平原君朱建子、冯遂未必不相及,亦未必不可为忘年之交。以司马迁生于景帝中元五年,即公元前 145 年推计,平原君朱建子在文帝前元三年(前 177 年)为中大夫,若时年二十,下及司马迁之生约五十年。当司马迁二十时,平原君朱建子七十左右,青年向七十老人问故,可以相及。至于冯遂,建元元年尚为郎。西汉郎官"掌守门户,出充车骑",皆少年郎充任,冯遂此时不至于是六七十老翁,设若四十左右,司马迁不仅相及,且可为忘年交。公孙季功、董生与荆轲刺秦王时的侍医夏无且交游。荆轲刺秦王在公元前 227 年,下距司马迁之生公元前 145 年为 82 年,年齿似不相及。若公孙季功、董生与夏无且为逮及的忘年之交，二人与司马迁亦为忘年之交，年齿仍可相及。

李长之先生用讳与不讳来区分谈、迁著述，是相当有道理的，但也不能绝对化。胡适之著《西汉人临文不讳考》，陈垣著《史讳举例》论汉讳诸条，指出在汉代讳与不讳有很大的伸缩弹性，这当是符合事实的。《太史公自序》说司马谈之父名司马喜，就与司马氏祖上相中山者名司马喜同名不讳，就是一例。

从称谓上立论片面性更大，可以说是没有几分可靠的。方苞以“太史公读”为司马谈，“余读”为司马迁，却不能自圆其说。如《六国年表·序》，前有“太史公读《秦记》”，后有“余于是因《秦记》”云云，一篇之中有两称，可以说是否定方苞立说的铁证。至于“著”与“作”之分更属妄测。《太史公自序》云“著十二本纪”，试问“今上本纪”是“著”还是“作”呢？在《史记》中，司马谈、司马迁自称，都是“余”、“吾”、“予”并用。如司马谈临终遗嘱，就五称“余”两称“吾”。《五帝本纪·赞》司马迁“余”与“予”并用。因此，用“余”、“吾”、“予”的用语不能区别司马谈和司马迁。

从思想旨趣上立论，其前提是司马谈尊道，司马迁尊儒，父子异途，思想对立。这个前提是根本不能成立的伪命题。《太史公书》效《春秋》，这一宗旨为司马谈所定，谁说司马谈不尊儒？《悲士不遇赋》充满道家色彩，谁说司马迁不尊道？谈、迁父子思想有差异，但基本一致，既非尊儒，亦非尊道，而是兼采儒、墨、名、法、道、阴阳百家之长，融会贯通自成一家。赞文帝未必不是司马迁所作。

从时间上立论，把秦汉史归于司马迁，把先秦史归于司马谈，恰与司马谈自述的思想相背。司马谈临终遗言说：“自获麟以来四百有余岁，而诸侯相兼，史记放绝。今汉兴，海内一统，明主贤君忠臣死义之士，余为太史而弗论载，废天下之史文，余甚惧焉，汝其念哉！”这段话充分表现了司马谈详今略古的思想。司马迁二十壮游，既上会稽探禹穴，更在梁、楚一带调查秦汉间事，这是受司马谈指导的。从时间上来分判谈、迁父子异向，肯定也是徒劳的。

最后，顾颉刚从两个断限来判定《太史公自序》为司马谈原作也不能成立。《太史公自序》概括全书一百三十篇大旨，是最后写成的。正因为司马迁修改了父谈计划，才在《太史公自序》中作一交代。这两个断限的交代恰恰说明是司马迁作《太史公自序》，而不是司马谈。

综上所述，昔贤今人考论司马谈作史篇目三十七篇，计本纪十二篇，表四篇，书四篇，世家八篇，列传九篇，五体皆备。但是立论基石不固，逻辑不周，基本不能成立，我们有理由把它推倒。假如我们把考论的三十七篇从《史记》中割裂出来，在其余篇章中去探索司马迁的系统思想，那是不可想像的。

3. 对司马谈作史应如何评价

司马谈作史，唐人已有明确论述。司马贞曰："《史记》者，汉太史司马迁父子之所述也。"① 刘知几《史通·古今正史》、《隋书·经籍志》都明确指出司马谈发凡起例，未就而卒，司马迁承其遗志，勒成一史。唐人的这些论述，充分肯定了司马谈的作史功绩。研究《史记》成书过程，研究司马迁成长道路，忽略司马谈是不全面的。但是，自唐以后，司马谈作史功绩被淹没，且唐人论述也过于简略。因此，近今人顾颉刚等人的考论，尽管具体成果（指司马谈作史篇目）应予推倒，而所得结论（指司马谈发凡起例，五体皆备）却是有重大参考价值的。顾氏所阐发的两个断限，论述《赵世家》的丰富史料可能是司马谈通过冯唐父子口述采集的，很富有启发意义。赖长扬解释《文帝纪》中赞语"谦让未成于今"，深切惋惜，溢于言表，与司马谈歆慕封禅思想若合符节，并将《论六家要指》与《文帝纪》对照，认为司马谈推崇的黄老思想与文帝政治实践虚实相映。这样的论述方法很有见地。《文帝纪》中留有司马谈作史痕迹，无可辩驳。李长之提出讳与不讳的论证也很有参考价值。总之，顾颉刚等人的考论，提供了司马谈作史痕迹的史影，比唐人论述具体，这就够了。司马谈发凡起例《太史公书》，这本身是一个伟大的业绩，无论怎么

① 司马贞：《史记索隐序》。

评价都不过分。司马谈重振了司马氏史官世家绝学，是一个自觉的历史学家。正如顾颉刚所说："而《史记》之作，迁遂不得专美，凡言吾国之大史学家与大文学家者，必更增一人焉曰司马谈。"这个结论应予肯定。

但是《史记》最后完成于司马迁之手，司马谈的著述，对于司马迁来说就如同采择《左传》、《国语》，删《世本》、《战国策》一样，剪裁熔铸在自己最后的定稿中，成为"一家之言"。今本《史记》一百三十篇是不容分割的一个整体，皆可视为司马迁一人之作，方能完整地系统地探索《史记》一家之言的思想。所以我们在前面论述司马谈重振天官学，制定封禅仪时，也要论述司马迁的作用和思想。我们应该承认司马谈有整篇的述史，其成果或许不止三十七篇。问题是司马谈的草创之作为司马迁所重新剪裁熔铸，因此《史记》著述代表者只能有一人焉曰司马迁。

六、遗命司马迁

元封元年（前110年）春末夏初的三四月，正是鲜花如锦的烂漫时节，封禅大典就要在泰山之巅举行。司马谈作为参与制定礼仪的主角之一，该是何等的激动。可惜他因病留滞周南（即今洛阳市），未能参与，这时司马迁正好从奉使西征的西南夷前线赶回来参加这希世罕有的大典，行到洛阳，见到了生命垂危的父亲。司马谈在弥留之际，见到了已经成才的儿子司马迁的归来，仿佛看到了希望，充满了坚定的信念。他激动不已，拉着司马迁的手，伤心地流着眼泪，嘱托后事。司马谈说[①]：

余先周室之太史也。自上世尝显功名于虞夏，典天官

① 司马谈遗命详载于《史记》卷一三〇《太史公自序》。

事。后世中衰，绝于予乎？汝复为太史，则续吾祖矣。

曾子有言："鸟之将死，其鸣也哀；人之将死，其言也善。"[①]"世传史官的司马氏之业，难道就要断送在我的手里吗？"司马谈发出了悲怆的叹息。他"执迁手而泣"，只有把希望寄托在儿子身上，谆谆教导司马迁要发扬祖德，恪尽孝道，继承自己开创的事业，肩负修史之任。司马迁奉使西征，甚得汉武帝恩宠，又值封禅大典，很可能被委以重任，如果这样，那世传的史官之业真的就要断绝了。所以司马谈临终遗言，要求司马迁断仕途之想，一定要继任冷清的太史令。司马谈沉痛地继续说：

今天子接千岁之统，封泰山而余不得从行，是命也夫？命也夫！余死，汝必为太史；为太史无忘吾所欲论著矣。

一代封禅大典，作为职掌天官的司马谈未能参与，那心情怎能平静！他慨叹是命运捉弄人。看来，这遗憾就要带往九泉了。恰好，才华横溢的儿子司马迁归来，给弥留之际的老人带来了莫大的慰藉！这也许就是一种命运的安排吧！只要儿子答应继承遗愿，就可以弥补所有不尽如人意的遗憾了。司马谈需要儿子作出坚定的回答，因此他简直是反反复复，絮絮叨叨起来，一则曰："汝复为太史，则续吾祖矣。"再则曰："余死，汝必为太史。"三则曰："为太史，无忘吾所欲论著矣。"接着，司马谈又以严肃的口吻对司马迁说：

且夫孝始于事亲，中于事君，终于立身。扬名于后世，以显父母，此孝之大者。夫天下称诵周公，言其能论歌文武之德，宣周邵之风，达太王、王季之思虑，爰及公刘，以尊后稷也。

① 《论语》第八《泰伯》。

这里，司马谈以孝道之义教育司马迁。司马谈高度评价了修史的重要意义，不亚于太王、王季、文王、武王、周公、召公等伟大历史人物的创业。周朝八百年天下，就是由这些历史人物，一代接一代光耀起来的。在司马谈看来，完成一代大典，垂名万世，光耀祖宗，就可以和创造周王朝的那些伟大人物比美了。司马谈比这看得还要深远。从忠君立场上说，不完成歌颂大一统的汉家业绩，就算不得是忠臣。从立身的事业上说，他把修“太史公书”与孔子修《春秋》相比，尽孝、尽忠、立身，这三者的完美统一，是铸造伟大人物品格不可缺一的。司马迁“俯首流涕”恭敬地听着父亲临终的教诲，已在心中下定决心，“一定要完成《太史公书》”。父子两人的手握得更紧了，两颗圣洁纯一的心熔铸在一起了。这时，司马谈再次强调修史的宗旨和责任[①]。他说：

幽厉之后，王道缺，礼乐衰，孔子修旧起废，论《诗》《书》，作《春秋》，则学者至今则之。自获麟以来四百有余岁，而诸侯相兼，史记放绝。今汉兴，海内一统，明主贤君忠臣死义之士，余为太史而弗论载，废天下之史文，余甚惧焉，汝其念哉！

这是司马谈最后的话语，他以史职、史德要求司马迁像孔子修《春秋》那样，自觉地肩负起历史的使命。“汝其念哉”，要求司马迁牢牢记在心中。司马迁低着头，流泪呜咽，诚恳地向父亲立下誓言。司马迁说：

小子不敏，请悉论先人所次旧闻，弗敢阙。

司马谈听完儿子的誓言，满含笑意地长眠了。司马迁公务在身，忠孝不能两全，他殡瘗父亲遗体后，赶到泰山去向汉武帝回

① 司马谈在遗言中阐述的发凡宗旨，请参阅上一节“发凡起例《太史公书》”。

报奉使任务。如果说司马谈不得从行上泰山是临终的遗憾，而司马迁在父亲临终后还要赶赴行在所回报政务，不能不是儿子的遗憾了！由于司马谈临终遗命，具有这一特定环境，所以“太史公执迁手而泣”，司马迁“俯首流涕”，这是对命运的抗争而怆然流涕。可以体察出，司马谈这位执著的历史学家，未能亲手完成修史计划是多么地揪心！他慨叹命运而决不屈服于命运，他遗命司马迁来实现修史壮志。司马迁立誓，接过了这副千斤重担。可以说，司马谈临终的一幕，给予司马迁的刺激是太深刻了，所以他的记述是那样的激情满怀。司马迁也果真牢牢记住了司马谈临终的伟大遗命，时刻准备着。太初元年，司马迁与壶遂讨论修史义例，就一再申说“先人有言”。因为，司马迁深知，他要弥补两代人的遗憾，就是忠于自己的誓言，完成父亲的重托，实现父亲的遗愿。历史已经回答了，司马迁交了一份很完美的答卷，无论司马谈，还是司马迁，他们的在天之灵，都没有遗憾了。

第五章　发愤著书

元封三年（前 108 年）司马迁继任太史令，“䌷史记石室金匮之书”，开始了继承父志的伟大著述，到太始四年（前 93 年）作《报任安书》，《史记》基本完稿，其间十六年。这是司马迁呕心沥血撰述《史记》的十六年，也是司马迁一生中最不平凡的一段历程。这十六年间，时事发生了重大变化，西汉王朝由盛转衰，司马迁个人从制定太初历到遭受李陵之祸，人生旅途发生重大转折。这一切都激发着司马迁发愤著书……

一、继任太史令潜心修史

元封三年，司马迁三十八岁，无论是阅历，还是修养，均走向成熟。司马迁是遵从其父遗言继任太史令的。元封元年，司马谈卒，司马迁从巡武帝封禅泰山后守丧致仕[①]，属籍茂陵显武里，爵

① 司马迁虽然守丧致仕，而汉武帝出巡，他仍然要奉召扈从，故元封二年有扈从武帝负薪塞河之事。司马迁被夺情，足见此时君臣相知。

大夫。元封三年，守丧期满，复仕为太史令。《太史公自序·索隐》引《博物志》云："太史令茂陵显武里大夫司马迁，年二十八，三年六月乙卯除，六百石。""年二十八"为"年三十八"之误。"三年六月乙卯除"，即元封三年六月初二日，司马迁为太史令。

元狩五年（前118年），司马迁年二十八，出仕为郎中，秩三百石，是一个低级侍卫。元鼎六年（前111年），司马迁年三十五，奉使西征为郎中将，秩千石。郎中和郎中将，属郎中令，是亲近汉武帝的内廷侍从官。太史令秩六百石，属太常，品级低于郎中将，而且是由内廷转到外廷，用司马迁自己的话说，是"厕下大夫之列，陪外廷末议"的普通长吏。但因太史令职掌天官、典司图籍，是专门业务官，需要有"文史星历"的专业知识，司马迁恰好具有这样的条件。太史令还须随时备召为皇帝顾问，并从巡汉武帝封禅祭礼山川百神，宾赞受事，仍可亲近汉武帝。司马迁要完成一代大典，实现父亲司马谈的临终遗愿，事亲、事君、立身，继任太史令是走向理想的第一步。汉武帝从其所请，也说明了君臣相知。

司马迁初做太史令时，也正是汉武帝事业处于巅峰时期，他心中对生活、对前途充满了美好的理想，他要为今上圣明君主、为大汉王朝干一番事业。他自己"绝宾客之知，忘室家之业，日夜思竭其不肖之材力，务一心营职，以求亲媚于主上"。可以说把全部的热情、全部的精力都投进去了。他写信给一位隐于岍山的朋友挚伯陵劝进。挚伯陵名峻，字伯陵，京兆长安人，少治清节，隐于岍山。司马迁致书说："迁闻君子所贵乎道者三，太上立德，其次立言，其次立功。伏惟伯陵材能绝人，高尚其志以善厥身，冰清玉洁，不以细行荷累其名，固已贵矣。然未尽太上之所由也，愿先生少致意焉。"司马迁这封著名的《与挚伯陵书》，载于皇甫谧《高士传》中。这封信表明了中青年司马迁志在立德、立言、立功的进取精神。宏阔昂扬的时代精神，君臣相知的感遇，事亲、事君、立身的父教，建功立名的男儿壮志，这些都是司马迁的创作动力。他全身心投入，潜心修史，《太史公自序》做了郑重的记载。司马迁说："卒三岁而迁为太史令，紬史记石室金匮之书。”又说：汉兴“百年之间，天下遗文古事靡不毕集太史公。太史公仍父子相续纂其职。”这些话头说明了司马迁正式做了太史令后，堂皇正大地在皇室图书馆里翻阅石室金匮之书，整理一切秘籍和历史资料，接续父亲已经开创的事业，从事伟大的撰述工程，是何等的心旷神怡！

二、制定太初历

太初元年（前 104 年），司马迁四十二岁，他倡导并参与制定的《太初历》得以完成颁行。这既是一件国家大事，也是司马迁人生旅程中值得纪念的一座里程碑。这一年，司马迁修正《史记》断限，正式着手定稿《史记》。

中国古历是伴随农业生产而发展起来的阴阳合历，它的历月节令都是为农业生产服务的。农业是我国古代国计民生的经济命脉，而农业生产季节性很强，它对历法有很大的依赖性。所以制历成为国家大政。古代帝王掌握制历权，也就掌握了一种控制社会的具有实际意义的措施。周代从天子到诸侯，都把历书样本供奉在宗庙，每月初一要用少牢举行告朔礼。西周只有天子才有制历权。春秋时，王纲坠地，但周天子仍手握制历权，诸侯都要行用周历，因此颁历就成了表示周天子共主地位的一条纽带。战国时各国称王，自行制历，周天子的共主地位，也就不复存在。由此可见，历法在政治生活中的重要意义。

战国时阴阳家兴起，创立五德终始学说，给历法更蒙上一层天命循环转移的色彩，更加神秘化。历法记载吉凶禁忌、礼神祭日等迷信内容，成了沟通天人感应学说的一条红线。改历定正朔，象征天命攸归，它不仅是国家大政，而且是圣君贤王的标志，不是一般君主所能轻易施行的政治了。司马迁在《史记·历书序》中说：“王者易姓受命，必慎始初，改正朔，易服色，推本天元，顺承厥意。”《五帝本纪》写黄帝、尧、舜都十分重视历法工作，并把它作为国家政权的象征。汉朝建立，要不要制定新历，朝廷上层进行了长期的争论。按五德终始，汉应何德，先后有三种说法。汉高祖自认是赤帝子，色尚赤，以十月为岁首。文帝时丞相张苍主张汉为水德，色尚黑，仍以十月为岁首。文帝前元十二年（前 168 年）鲁人公孙臣主张汉应是土德，色尚黄，应改正朔，易服色，而早在文帝初年，政论家贾谊就上书提出封禅、改历等一整套调整国家大政的问题，因事关重大，一直迁延没有进行。汉武帝外伐四夷，内兴功作，获得了巨大的成功，要以封禅、改历来象征西汉的极盛，因此调整国家大政以及调整祭礼天地山川百神的礼仪，势在必行。司马迁时逢其遇，不仅参与了封禅礼仪，而且亲自发起并参与改历，这是千载难逢的机遇，所以说这是他人生旅程中值得纪念的一座里程碑。司马迁激动非凡，他在《太史公自序》中特地大书：

> 五年而当太初元年，十一月甲子朔旦冬至，天历始改，建于明堂，诸神受纪。

据《汉书·武帝纪》载，太初历的颁布，在太初元年五月：

> 夏五月，正历，以正月为岁首，色上黄，数用五，定官名，协音律。

《汉书·律历志》详细记载了制历经过。汉武帝元封七年，太史令司马迁与太中大夫公孙卿、壶遂等上书，“言历纪坏废，宜改正朔”，汉武帝征求了御史大夫兒宽和博士们的意见后，诏令司马迁等“议造汉历”①。汉武帝对这次制历极为重视。征召全国著名天文学家参与。有侍郎尊大、典星射姓、治历邓平、长乐司马可、酒泉侯宜君、方士唐都、巴郡落下闳等官方和民间专家

① 《史记·韩长孺列传》太史公曰：“余与壶遂定律历。”这是司马迁自述，说明《太初历》由太史公司马迁为首发起并受诏组织制定的。

二十余人，既分工协作，又发挥各人所学专长，共制定了十余部历法，即十余种推步方案，经过严格筛选，决定采用邓平历。汉武帝在明堂举行了盛大的颁历典礼，并改年号元封七年为太初元年，故称新历为《太初历》。颁历之后，对政治制度典章礼仪和官制进行了调整，这就是汉武帝的太初改制。

《太初历》是我国古代第一部比较完整的历法，这次制历也是我国历法史上一次重大的历法改革。汉以前的古历有黄帝、颛顼、夏、殷、周、鲁等六历。这六种古历的岁余都为四分之一日，故称四分历。《太初历》将一日分为八十一分，所以又称八十一分律历。

汉初承袭秦制，使用古历《颛顼历》。以《太初历》与《颛顼历》全面比较，有重大的进步，表现在四个方面。其一，《太初历》经过精密测定的历元为太初元年冬至朔旦甲子日夜半，它纠正了《颛顼历》的累积误差，故《汉书·律历志》称《太初历》“晦朔弦望皆最密，日月如合璧，五星如连珠”。其二，《太初历》以正月为岁首，更加科学地反映农业季节，因此后世改历，一直沿用至今。其三，《太初历》十九年置七闰，第一次把二十四节气纳入历法，并以没有中气之月为闰月，使历书与农时季节更为适应。其四，《太初历》推出了一百三十五个月有二十三次交食周期的规律。

但是《太初历》也有不足。它的八十一分律数据，是黄钟律管九寸长这一数据“九”的自乘，以音律起历，这是缺乏科学根据的。《颛顼历》岁长为三百六十五又四分之一日，月长为二十九又九百四十分之四百九十九日。《太初历》岁长为三百六十五日又一千五百三十九分之三百八十五日，月长为二十九又八十一分之四十三日。两相比较，《太初历》的推步比《颛顼历》为疏。《太初历》行用二十七年后，至昭帝元凤三年太史令张寿王提出反对意见，但直到东汉章帝元和二年（公元 85 年）才因累积误差太大为新历所代替。《太初历》行用了一百八十九年。此外，司马迁很欣赏古四分历的“归余于终”，即将闰月置在岁末。司马迁还想使新历的元年与历元起始日都带甲字，主张把太初元年定为“焉逢摄提格”，即甲寅年，这与实际干支纪年顺序丙子年相差二十二年。“归余于终”与定太初元年为“甲寅”年，这两点却是表现了司马迁在历法上的保守观点。由于司马迁与邓平在制定新历时有这些分歧，尤其是《太初历》的推步不密而又无力更正，所以司马迁写《历书》记载“历术甲子篇”，不是太初新历，而仍是古四分历的推步，有闰十三月，并定太初元年为“焉逢摄提格”。朱文鑫《十七史天文诸志之研究》指出：“邓平破四分历八十章之纪法，而造太初历八十一章之统法，落下闳、史公均知其疏，由于诏用其术，史公不精历法，无善法胜平术，于是不书新历法之推步，不载邓平其人，此载旧历法以寓褒贬。”

上述两个方面可以看出，《太初历》经过几十位专家的共同研制，仍有不尽人意之处。可以想见，邓平历是调和各种意见提出的一个折衷方案，司马迁在《历书》中用不载新历推步的方法寓褒贬，表明自己的保留意见。但是，《太初历》主要方面取得的成功包括了司马迁的重大贡献，因此司马迁并未否定新历，所以《太史公自序》做了激动非凡的记载。他又说：“余与壶遂定律历。”[①] 司马迁发起和参与制定《太初历》，不仅是实现了司马氏“上世尝显功名于虞夏，典天官事”，光耀祖宗，慰藉司马谈于地下，而且也实现了孔子“行夏之时”的理想。《论语·卫灵公》载孔子之言：“行夏之时”。司马迁追步孔子，也主张行夏之时。《夏本纪》太史公曰：“孔子正夏时，学者多传《夏小正》云。”表达了司马迁对行夏正的向往。《太初历》贯彻行夏之时，以正月为岁首调整历法结构，乃是一种科学的表现，对后世产生深远影响，司马迁的贡献是不可磨灭的。

三、修正《史记》断限

《史记》断限，《太史公自序》做了明确记载。其一曰：“于

① 《史记》卷一〇八《韩长孺列传赞》。

是卒述陶唐以来，至于麟止，自黄帝始。”再则曰：“余述历黄帝以来至太初而讫，百三十篇。”这两段话自相矛盾，因上限和下限都各有两个断限。于是引起了后世学者的争论，尤其是下限的争论，更是聚讼纷纭，它涉及很大一部分《史记》内容的真伪。

只要考察《史记》成书过程，《太史公自序》所述的矛盾便可迎刃而解。原来《太史公自序》所载是两个计划。起于陶唐，至于麟止，是司马谈发凡起例的计划。起于黄帝，至于太初，反映历史大势从统一走向大一统，是司马迁修正《史记》断限扩大的计划。这两个计划在《史记》中有直接的证明。关于上限，《五帝本纪·赞》做了明确的交代。司马谈起于陶唐，是效法孔子修《尚书》起于尧。司马迁调查、访问，参之史籍，修正为起于黄帝，反映黄帝之世开创一统，草创国家。我们看司马迁笔下的《五帝本纪》，黄帝之前是一个四分五裂的部落战乱之世。黄帝屠灭了炎帝、蚩尤，才统一了社会。《史记》所载三代天子，列国世家，追祖溯源，皆归本于黄帝，这一点是值得注意的。中华民族皆黄帝子孙，这一民族观念就奠基于《史记》。司马迁延伸上限，打破了《尚书》载尧以来的局限，而又不突破“修德振兵”统一天下的黄帝这一极限，其用意是宣传大一统，寓意是深远的。

唐司马贞和宋欧阳修两位史家未究司马迁之史识，对《史记》上限起于黄帝提出了补遗与批评。司马贞越俎代庖，替《史记》补《三皇本纪》，可以说是画蛇添足。欧阳修批评司马迁越出孔子《尚书》断自唐虞而上述黄帝以来，是“不量力而务胜，宜其失之多矣”①。司马迁在《五帝本纪·赞》中说：“非好学深思，心知其意，固难为浅见寡闻道也。”从司马贞与欧阳修两人一正一反之失，可以说明司马迁“非好学深思”的感叹，也是寓有深意。

司马迁延伸下限至于太初，情况复杂。太初为一年号，首尾四年，即公元前104年至前101年。司马迁太初元年修正《史记》下限，只能延伸至太初元年。今本《史记》实际断限，大事讫于

① 欧阳修：《居士集》卷四一《帝王世次图序》。

太初四年，附记讫于武帝之末[1]，所以学术界聚讼纷纭，必须作一番清理。

《史记》下限，共有四说。

(1) 讫于麟止说。西汉扬雄、东汉班彪、三国张晏等人主其说，依据《太史公自序》"于是卒述陶唐以来，至于麟止"。近人梁启超、崔适等，必欲依此截断《史记》，认为元狩以后记事，皆非司马迁手笔。崔适为此作惊世骇俗之论，断言《史记》二十九篇为后人所补续。

(2) 讫于太初说。东汉班固、荀悦、唐刘知几、清梁玉绳以及日本学者泷川资言等人主其说，依据《太史公自序》结句："余述历黄帝以来至太初而讫，百三十篇。"近人朱东润在《史记考索》中首次具体谓"讫于太初前一年，即元封六年"；王国维谓"讫于太初四年"，而最后记事则讫于征和三年。

(3) 讫于天汉说。首发此说为东汉班固，见《汉书·司马迁传》。《史记》三家注作者均赞成其说，裴骃说见《史记·将相表集解》，司马贞说见《史记索隐后序》，张守节说见《史记正义序》。

(4) 讫于武帝之末说。褚少孙曰："太史公纪事尽于孝武之事。"见《建元以来侯者年表》褚补。范文澜在《正史考略·史记条》中说："太初以后事，则犹《左氏》之有续传也。"

考辨四种下限说的真伪，应以《史记》本证为据，主要有四：第一，《太史公自序》的结句，此为全篇之赞，特作断限交代，可见司马迁对此，是何等的重视。《太史公自序》为何有两个断限的矛盾记载，顾颉刚发现为父子两人不同计划[2]，使人顿悟，解除了迷惑。第二，司马迁自述《史记》字数，五十二万六千五百字是一个标尺。《史记》讫于太初，合于此；讫于麟止，

① 司马迁附记太初以后史事内容详见本书第九章，司马迁对《史记》的修订一目。

② 顾颉刚云："获麟，《春秋》之所终也，帝尧，《尚书》之所始也。谈既欲继孔子而述作，故曰'卒述陶唐以来至于麟止'。"见《司马谈作史》，收入《史林杂识初编》。

大不相合。第三，依据司马迁的历史观，汉武帝时代的事势变化来推断，司马迁在行文中往往有揭示。例如，在《汉兴以来诸侯王年表·序》中说："臣迁谨记高祖以来至太初诸侯，谱其下益损之时，令后世得览。"明言"至太初"。又云："形势虽强，要之以仁义为本。"指事势变化。又如，在《高祖功臣侯者年表·序》中说："至太初百年之间，见侯五。"在《天官书》中说："余观史记，考行事，百年之中……"这些话头都指出《史记》下限在太初。第四，以《史记》实际断限来验证。《历书》序事至元封七年，即太初元年。《历术甲子篇》以太初元年起排列年名。《天官书》述汉兴以来天人感应之变，"百年之中"至太初"兵征大宛"而讫。《封禅书》序事至太初三年。《河渠书》序事至元封二年武帝亲临瓠子塞河止。《平准书》序事至元封元年。年表序事，《汉兴以来诸侯王年表》、《高祖功臣侯者年表》、《惠景间侯者年表》、《建元以来侯者年表》、《建元以来王子侯者年表》，均讫于太初四年。

综上考证，司马迁对下限有两次修正。"至太初而讫"乃是一个时代的断限，并非绝对年代。太初元年修正，延伸下限至太初元年，随着事势的发展，而后延伸至太初四年。若取绝对年代，当从年表，以太初四年为正。

司马迁何以延伸《史记》下限至太初呢？简言之，太初改历象征西汉极盛。汉武帝即位，至元狩元年历十九年，文治武功，方兴未艾。元狩元年至太初元年又十九年，至太初四年历二十二年。这一时期，汉武帝外伐四夷，内兴功作，获得了巨大的成功。故封禅改历，象征西汉极盛。《史记》十表是划分历史断限的，十表序又清楚地阐明了历史断限的理论，反复申说"汉定百年之间"，"至太初百年之间"，"于是谨其始终，表见其文"，由此可见，延伸下限至太初，是按历史发展的自然断限。西汉建立在公元前 206 年，至太初元年公元前 104 年为 98 年，至太初四年公元前 101 年为 102 年，言"百年之间"是举其成数。

太初四年，贰师将军李广利征大宛还，西域归附，汉武帝事业达到了光辉的顶点，此后就从顶峰上跌落下来。司马迁再次修正《史记》下限至太初四年。因为，“原始察终，见盛观衰”，这是司马迁在《太史公自序》中明确交代的一个历史方法论。司马迁还在《十二诸侯年表·序》中批判了“儒者断其义，驰说者骋其辞，不务综其终始”的非历史观点和方法论。司马迁围绕“治”“乱”二字写历史，十分注重历史事变的始末。在司马迁看来，只有用“综其终始”的方法，“考之行事，稽其成败兴坏之理”，才能“通古今之变”，“成一家之言”。司马迁修正《史记》下限，从“至于麟止”延伸“至太初而讫”，这也是“成一家之言”的必然发展。

总括上述，太初改历，司马迁躬逢盛时，他激动不已，被汉家的盛大气象所倾倒，决定修正父亲发凡起例的《史记》断限。司马迁扩展上限起于黄帝突显大一统历史观；延伸下限至太初元年，增强现代史内容，颂扬大汉威德。从黄帝至汉武帝，正象征历史从统一发展而走向大一统，这是具有深意的史识。随着事势的发展，司马迁受李陵之祸，第二次修正《史记》断限，将讫于太初元年的下限延伸讫于太初四年，以“见盛观衰”，同时抒写愤懑，吐发不平际遇，使《史记》熔铸了人民性的成分。司马迁两次修正《史记》断限，两次升华《史记》主题，他的思想也从温和刺讥走向激烈抗争，并形成“是非颇谬于圣人”的异端思想而熔铸在体大思精的著作中。太初改历与受李陵之祸，恰好就是司马迁述史历程的两个转折点。

四、答壶遂问述作史义例

史学是什么？在司马迁时代，整个思想界还是一片朦胧的认识，司马迁本人也没有直接提出“史学”的概念。但是，在司马谈和司马迁的头脑中，早已孕育成熟了一个完整的系统的史学思想体系，并且父子两代早已身体力行在实践中。司马谈已经为此耗尽了一生。当《太初历》颁布之时，汉兴已历百年，封建国家出现了空前的统一，封禅改历，举国欢庆。这年司马迁四十二岁。他在激动之中深感修史责任的重大，岁月蹉跎，一种紧迫感也在催促自己要奋力写作。这时他想到了父亲的遗言：

> 先人有言："自周公卒五百岁而有孔子。孔子卒后至于今五百岁，有能绍明世，正《易传》，继《春秋》，本《诗》《书》《礼》《乐》之际?"意在斯乎！意在斯乎！小子何敢让焉。[1]

先人，即司马谈。司马谈认为周公卒后五百年而有孔子，孔子卒后至于今，应该有人继承孔子，宣扬清明盛世的教化，验证、核实《易经》所阐述的幽明变化之理，效法《春秋》述史，依据《诗》《书》《礼》《乐》来衡量一切。司马谈发凡起例，功业未就而与世长辞。如今这副担子落在自己的肩上，一定要实现父亲的遗愿而不敢推辞。司马迁把自己的想法告诉了一同制历的好友壶遂。于是壶遂向司马迁提出了一个深刻的问题："昔孔子何为而作《春秋》哉?"[2] 壶遂之问实质是委婉地问司马迁为何要作史，也可以说是把史学是什么这一问题鲜明地提了出来。

司马迁答壶遂问，展开了长篇的大论。他认为史学应具有"刺讥"与"颂扬"两个方面的作用。"刺讥"的作用是为后人立法，也是对现实的一种干预。"颂扬"的作用是描绘理想，展示对开明政治的向往。从司马迁回答的内容来看，着重引董仲舒之言，说明青年时期的司马迁是深受公羊学的影响。

壶遂两次提问，司马迁两次回答，都做了恢弘议论，详载于《太史公自序》中。两次问对，各有不同的侧重点，均是围绕史学是什么这一基本问题展开讨论，下面分层论述。

1.《史记》效《春秋》为后王立法，为人伦立准则

壶遂问，孔子为何作《春秋》，司马迁做了三个层次的回答。

---

① 《史记》卷一三〇《太史公自序》。

② 司马迁与壶遂的问答载于《史记》卷一三〇《太史公自序》，以下不再注。

首先，他认为《春秋》明世教以当一王之法。司马迁借董仲舒之言立论，以“余闻之董生曰”起论，既表现了自己的谦逊，更表明自己所发的议论是言之有据。董仲舒认为，孔子之时，周道衰微，天下混乱，而孔子四处碰壁，他知道自己的主张行不通，于是退而著述《春秋》，通过对二百四十二年之中时事的褒贬来表明看法，作为天下后世的是非标准。司马迁在转述董仲舒的话中又引孔子的话说：“子曰：我欲载之空言，不如见之于行事之深切著明也。”意思是说，孔子自己说过，与其空言论道，还不如因事见义更为明显，所以孔子借史事以论治国之道，通达周王之事。接着，司马迁直抒己见：

> 夫《春秋》上明三王之道，下辨人事之纪，别嫌疑，明是非，定犹豫，善善恶恶，贤贤贱不肖，存亡国，继绝世，补敝起废，王道之大者也！

这段话中，“上明三王之道，下辨人事之纪”两句是关节。上，指国家执政者，《春秋》阐明夏、商、周三王之道以作借鉴；下，指广大臣民，《春秋》分辨人们行事的伦理纲纪以供遵循。说得直率些，这两句话就是说《春秋》为后王立法，为人伦立准则①。具体内容，司马迁列举了三个方面。第一，“别嫌疑，明是非，定犹豫”，就是要求史学提供历史的范例，判别嫌疑，辨明是非，决断疑惑，用以增强人们明辨是非的能力，从而明确前进的方向。第二，“善善恶恶，贤贤贱不肖”，就是要求史学鲜明地赞美善良，贬抑丑恶，颂扬贤人，谴责坏人，用以教育人们扬善抑恶，敢于与黑暗抗争，争取光明。第三，“存亡国，继绝世，补敝起废”，就是要求史学保存历史文化传统，载述已灭之国、已绝世系的史实，从中总结兴亡之理。以上一切，司马迁认为都

① 司马迁在《十二诸侯年表·序》中说，孔子修《春秋》，“以制义法，王道备，人事浃。”又在《儒林列传》中说，孔子追修经术，“为天下制义法，垂《六艺》之统纪于后世”，又说“故因史记作《春秋》，以当王法”。这些论说，明确指出孔子在道义上、纲常伦理上，为后王、后世立礼义之大法，供人遵循。

是治国的大道理。这是第一层。

其次，司马迁认为《六经》皆为治国之书。他说：

> 《易》著天地阴阳四时五行，故长于变；《礼》经纪人伦，故长于行；《书》记先王之事，故长于政；《诗》记山川溪谷禽兽草木牝牡雌雄，故长于风；《乐》乐所以立，故长于和；《春秋》辩是非，故长于治人。

这段话不用解说，转述成今语，意义十分显明。司马迁说，《易》这部书，是专门讲说天地四时与阴阳五行的，其作用是阐明自然物理的变化；《礼》这部书，是治理人们的纲常，其作用是节制人欲，指导人们的行动；《书》这部书，是记载先王的事业，其作用是指导政事；《诗》这部书，记载山川溪谷、禽兽草木、牝牡雌雄，其作用是表现风俗人情；《乐》这部书，是研究声音协调，快乐怎样兴起，其作用是发扬和气；《春秋》这部书，辨别是非，其作用是引导人们遵守道义。《六经》从不同的角度教化人民，陶冶性情，达到治国的目的。于是司马迁做了如下的结论：

> 是故《礼》以节人，《乐》以发和，《书》以道事，《诗》以达意，《易》以道化，《春秋》以道义。

这段话，司马迁在《滑稽列传》中借孔子之口更鲜明地表达出来。其言曰：“孔子曰：《六艺》于治一也。《礼》以节人，《乐》以发和，《书》以道事，《诗》以达意，《易》以神化，《春秋》以义。”《六艺》，即《六经》。凡《六经》之学都是教化人们，都是为治国治世服务的。司马迁言此，表明“正《易传》，继《春秋》，本《诗》、《书》、《礼》、《乐》之际”的《史记》，即《太史公书》不是为历史而写历史，它是比肩《六经》的思想著作，是统括天人关系的文化总和，尤其是效《春秋》宣扬道义，使人明辨是非。这是第二层。

再次，《春秋》拨乱反正，是礼义之大宗。这一层是司马迁答壶遂问的重点，高度评价《春秋》的治政作用，文长不具引，撮述大旨于后。

司马迁说，治理乱世，使社会走上正轨，没有比《春秋》更切合需要的了。他认为《春秋》这部书，虽然只有几万字，事例却有好几千，万事万物的分散或聚合的道理，都包括在《春秋》里面了。《春秋》书里记载着三十六起弑君事件和五十二个亡国事例，诸侯奔走逃亡，不能保有他的国家，简直无法统计。考察其原因，都是由于失掉了礼义这个根本，以至于君不君，臣不臣，父不父，子不子。他认为，为人君、为人臣、为人父、为人子的人，只要熟读《春秋》，懂得了君、臣、父、子这四行的道德，就可防患于未然，使社会一切和谐，否则就要遭到各种不同的祸害。于是，司马迁得出结论："《春秋》者，礼义之大宗也"。很明显，司马迁把史学的教育宣传和改造人的作用，提高到治国平天下的高度。《春秋》不是一部简单记载历史事件的流水账，而是一部对全社会各色人都离不开的政治道德教科书，是纲纪人伦的哲学书。每一个人都需要它，就如同需要布帛五谷一样，简直不可须臾离开。这是第三层。

以上三层，层层递进，充分说明了《春秋》是孔子修成的一部历史哲学著作，是他的政治理想的寄托，是治世精神的集中体现。这些看法来自董仲舒的"春秋公羊学"①。在西汉，"春秋公羊学"成为官方的最高哲学著作，指导统治的理论基础，自然引起司马迁极大的重视。司马迁在《孔子世家》中评价孔子修《春秋》说："笔则笔，削则削，子夏之徒不能赞一辞。弟子受《春秋》，孔子曰：'后世知丘者以《春秋》，而罪丘者亦以《春秋》。'"孔子一生功罪系于《春秋》，这也是公羊家的观点，司马迁做了淋漓尽致的发挥，不过是借孔子修《春秋》以明自己的述史之志，也就是司马迁一生功罪也系于此了。很明显，司马迁是借题发挥以阐述《史记》的大旨。《春秋》被宋人讥为"断烂朝

① 参见本书第三章第三节《受学于董仲舒》有关内容。

报”，价值没有这么高，而《史记》通过对古今人物史事的全面褒贬，惩恶劝善，恰然是这样。

2.《史记》以人物为中心述史，颂扬大汉威德

壶遂，西汉著名的天文学家，官至詹事，职掌宫内皇后、太子事务，秩二千石。汉武帝打算用壶遂为丞相，会病卒，司马迁深深惋惜，称他是“深中隐厚”“内廉行修”的君子。太初元年时，壶遂尚为中大夫，为侍从皇帝左右的谏官，秩千石，相当于古制上大夫，所以司马迁在记述中尊称为上大夫。壶遂听了司马迁关于史学“刺讥”的作用后，表示了至交长者的关切，发出了意味深长的提问。壶遂说：

> 孔子之时，上无明君，下不得任用，故作《春秋》，垂空文以断礼义，当一王之法。今夫子上遇明天子，下得守职，万事既具，咸各序其宜，夫子所论，欲以何明？

壶遂的意思是说，孔子之时上无明天子，下面有许多贤人得不到任用，所以孔子才作《春秋》拨乱反正，留下议论来裁断礼义，当做统一的王法。如今，先生上遇圣明的天子，下面得以尽职，万事俱备，都各得其所，先生要论著的，想要阐明些什么呢？实际上壶遂是委婉地提出警告，效法《春秋》著书，岂不是把今天的太平盛世当做乱世了吗？说明白点，述史刺讥，不能不触犯时忌。司马迁觉得壶遂的警告很有道理，他想起了父亲司马谈临终遗言关于论载“明主贤君忠臣死义之士”的内容，认识到史学不只是“刺讥”，起礼义的法制作用；而且史学还有“颂扬”的意义，宣扬某种理想境界，净化人们的思想。《春秋》采善贬恶，推尊三代，以周室为榜样，不就是要树立一种理想的境界么！于是司马迁回答说：

> 唯唯，否否，不然。余闻之先人曰：“伏羲至纯厚，作《易·八卦》。尧舜之盛，《尚书》载之，礼乐作焉。汤武之隆，诗人歌之。《春秋》采善贬恶，推三代之德，褒周室，

非独刺讥而已也。”

这里“唯唯，否否，不然”的应对，是司马迁对当时激荡情怀的描写和回味。直译语意为“是是，不不，不是这样的”，表达的意思是“啊啊，你的话很对，史学并不完全是刺讥”。司马迁语噎而口吃的神态跃然纸上，这种激动情怀表示了对壶遂关切、警告的感谢，说明这场讨论很有意义，司马迁深化了对史学“颂扬”意义的认识，他在转述了父亲的话之后，做了更为具体的发挥。司马迁说：

> 汉兴以来，至明天子，获符瑞，封禅，改正朔，易服色，受命于穆清，泽流罔极，海外殊俗，重译款塞，请来献见者，不可胜道。臣下百官力诵圣德，犹不能宣尽其意。且士贤能而不用，有国者之耻；主上明圣而德不布闻，有司之过也。且余尝掌其官，废明圣盛德不载，灭功臣世家贤大夫之业不述，堕先人所言，罪莫大焉。余所谓述故事，整齐其世传，非所谓作也，而君比之于《春秋》，谬矣。

司马迁在这段话里，把颂扬汉家威德的主题说得至为明白而中肯。客观上，汉兴以来至明天子，内政外交取得了辉煌的成就；主观上，肩负先人遗言的重托，且又身为史官，不能不载述当朝的圣明之德。“余尝掌其官”，尝，通常，为现任，或任职已久之意。“余所谓述故事”云云，司马迁表示了谨慎和谦虚，说明自己的写作只是缀述旧事，整理有关人物的家世传记，不敢比攀《春秋》创作，以当一王之法。实际是语意双关，表明自己效法孔子“述而不作”，一丝不苟实录史事。字面意义，“君比之于《春秋》，谬矣”，而内里追步孔子，效法《春秋》的感情，更强烈地表现了出来。

综上所述，司马迁答壶遂问，是他在太初元年确定新的《史记》断限之际进行的一次理论探讨。实质是具体地阐明了司马谈发凡起例的《史记》本始主题，即效《春秋》述史，采善贬恶，为后王立法，为人伦立准则的原则，并以人物为中心来表现，同时颂扬大汉威德。这里，司马迁还没有表现出他的异端思想。因为，司马迁的异端思想那是受祸以后的事。也就是说，司马迁答壶遂问，阐述的是以《春秋》为代表的传统史学思想，凝练成一句话就是“惩恶劝善”，惩恶即是刺讥，劝善即是颂扬。史学的这两个功能以后者为主，所以论载“明主贤君忠臣死义之士”为主要内容。它的进步性在什么地方呢？唐代著名史学评论家刘知几有过如下评论：

> 夫善人少而恶人多，其有书名竹帛者，盖唯记善而已。故太史公有云：“自获麟以来四百余年，明主贤君、忠臣死义之士，废而不载，余甚惧焉。”即其义也。至如四凶列于《尚书》，三叛见于《春秋》，西汉之记江充、石显，东京之载梁冀、董卓，此皆干纪乱常，存灭兴亡所系，既有关时政，故不可阙书。①

刘知几肯定了“惩恶劝善”是我国古代史学的一个优秀传统。司马迁推崇《春秋》，也是肯定这一个传统。所谓《春秋》的褒贬笔法，就是为了突现惩恶劝善。所谓为后王立法，为人伦立准则，亦是为了惩恶劝善。这固然是为了维护统治者的秩序，但贬斥乱臣贼子，褒奖圣君贤相，也是古代人民的愿望。一个正直的史学家要做到这一点，必须坚持实录，爱憎分明，也是很不容易的，甚至要献出生命。

五、受李陵之祸

天汉三年（前98年），司马迁四十八岁。这是《太初历》颁

① 《史通》卷八《人物》。

布后的第七年，他埋头撰述《史记》的工作进入了高潮，正当“草创未就”之时，突然飞来了横祸，受李陵案的株连被下狱受腐刑。这场灾祸使司马迁蒙受人间的奇耻大辱而导致了重大的思想转变，直接影响到《史记》的写作。司马迁抒愤寄托，强烈地表达他的是非观点和爱恨感情，从而升华了《史记》的主题。因此，对李陵之祸的前因后果，以及司马迁受祸后的心态，都需要作全面深入的探讨，才能说明司马迁立场、思想的转变，以及怎样发愤著书。

1. 受祸始末

司马迁受祸始末，在《汉书·李陵传》和司马迁《报任安书》中[①]，都有着详细的载述。

李陵是名将李广的孙子，少为建章监，骑射技术有乃祖李广之风，谦虚下士，甚得战士心。天汉二年五月汉武帝下达了出击匈奴的动员令。秋九月，贰师将军李广利率三万骑兵出酒泉，击匈奴右贤王于天山。李陵为策应偏师，率五千步卒出居延，北行三十天，直达浚稽山（约在今蒙古高原图拉河与鄂尔浑河间），吸引单于的注意力，保证贰师将军的出击。李陵的担子很重，汉武帝派老将路博德率领骑兵一万为他的后援。李陵长驱直入，到达目的地后派陈步乐回朝廷报告。汉武帝十分高兴，朝中诸大臣无不举杯祝贺。正在这时，孤军深入的李陵却遭到匈奴单于亲自率领的重兵包围。匈奴骑兵从三万增加到八万，集倾国之力穷追李陵不舍。李陵且战且退，经过了十几天的激战，汉兵歼敌一万多，但终因寡不敌众，粮尽矢绝，在离边塞仅有一百多里的地方，李陵全军覆没，投降了匈奴。老将路博德耻为李陵后援，汉武帝让他别出西河，使得李陵孤军奋战而无救，这是汉武帝调度失计造成的悲剧。

贰师将军李广利是一个庸才，因为他是汉武帝宠姬李夫人的哥哥，所以汉武帝把重兵交他。贰师本是大宛的都城。太初年

① 李陵事附《汉书》卷五四《李广传》中。司马迁《报任安书》载《汉书》卷六二《司马迁传》中。

间，李广利兵征大宛，拜为贰师将军，封海西侯。李广利凭恃皇亲国戚专宠，纯粹是一个庸将。天汉二年出征匈奴，汉武帝想让他立功增封，但这个庸将率领的三万骑兵未遇匈奴主力，却打得大败亏输，损兵折将而返。汉武帝刚喝了群臣的庆功酒，突闻两路兵败，大大扫了帝王之尊的颜面，因此食不甘味，听朝不怡。阿谀逢迎之徒，猜中了汉武帝的心事，讳言贰师之败，全委过于李陵。同是一个李陵，打了胜仗，朝臣们“奉觞上寿”；李陵败降，朝臣们落井下石而“媒蘖其短”。更有甚者，同是败军之将，李陵十恶不赦，贰师却若无其事。司马迁认为，这是不正常的风气，公道、良心、正义到哪里去了？他对李陵的遭遇充满了同情，对阿谀逢迎的朝臣们充满了愤慨。当汉武帝召问司马迁的时候，他便以自己对汉武帝的“拳拳之忠”坦率地说了他的看法。司马迁说：

> 李陵事亲孝，与士信，一向怀着报国之心。他只领了五千步兵，吸引了匈奴全国的力量，杀敌一万多，虽然战败降敌，其功可以抵过，我看李陵并非真心降敌，他是活下来想找机会回报汉朝的①。

起初，汉武帝接受了司马迁的意见，他久久地沉思，领悟到上了老将路博德的当，没有派兵救援李陵，于是“遣使劳陵余军得脱者”，还派因杅将军公孙敖深入匈奴迎李陵。公孙敖在边境候望李陵一年多，没有建功，借捕获的俘虏之口谎报“李陵教单于兵以备汉”，武帝大怒，族灭了李陵一家。实际教练匈奴兵的是另一个降将李绪，而不是李陵。李陵家被族，李陵成了可耻的叛徒，李氏一门蒙受恶名，司马迁受株连被判“诬罔”罪而蒙受腐刑。

按法律，“诬罔”罪是“大不敬”的欺君之罪，量刑是大辟死罪。《汉书·武帝纪》载，“乐通侯栾大坐诬罔要斩”。栾大是

① 这里是串述，原文见《报任安书》。

方士，他的神仙骗术被揭穿，以“诬罔”罪被杀头。在一般情况下，可以有两种办法免死。一是入钱五十万赎死。《汉书·武帝纪》载，太始二年九月，“募死罪入赎钱五十万减死一等”。在对匈奴的战争中，将军李广、张骞、公孙敖等人，都曾因种种原因触犯军法论死，赎为庶人。二是景帝时所颁法令：“死罪欲腐者许之。”[①] 司马迁因为“家贫，货赂不足以自赎”，于是只有在死与腐刑二者之间作选择。不过以腐刑代死罪，并不由犯死刑者单方面的“欲”来决定，它还要执法者“许之”。《汉书·张汤传》载，张安世兄张贺幸于卫太子，“太子败，宾客皆诛，安世为贺上书，得下蚕食”。征和二年巫蛊案，犯死者成千上万，只有张贺一人幸免，以腐刑代死，因有张安世为言。张贺与司马迁是同时代人，受刑时间也相隔不久。西汉自景帝颁布以腐刑代死的律令以来，终汉武帝之世，士大夫犯不敬皇帝的死罪而改宫刑的记载，也只有司马迁与张贺两例。汉武帝欲置人于死地，既不可赎，也不可腐。如元光二年（前133年），马邑之谋，汉军伏击匈奴。由于单于警觉，没有中伏。大行王恢奉命深入敌后拦击匈奴辎重，他见匈奴主力退回，自己所部三万人寡不敌众，当机立断撤退了汉兵。汉武帝认为王恢本为首谋，而不能主动出击，于是论罪下狱。尽管丞相田蚡和王太后出面营救，汉武帝仍不赦免，王恢自杀狱中。由此看来，汉武帝尚没有置司马迁于死地的意思，所以才听其以腐刑代死。可是汉武帝却不彻底赦免司马迁，听其以腐刑代死，必欲折其心气而后快，显示绝对君权的威严，难怪司马迁要发出“明主不深晓”的怨言了。

腐刑，即宫刑，起源很早，传说夏商时代就有了。《汉书·刑法志》载，西周有“宫罪五百”，说明宫刑律令已十分严密。颜师古注：“宫，淫刑也。男子割腐，妇人幽闭。”这说明宫刑原本是用来惩治淫刑的。犯淫行罪，卑鄙下流而为人所不齿。虽然成千上万的宫廷宦官，以及士大夫受宫刑并非因为淫行，但他们最羞辱而神秘的一体被割除，在形式上与犯淫行受宫刑是一样

① 《汉书》卷二三《刑法志》。

的。《报任安书》列举历代宦官，尽管为人主所亲近，但“刑余之人”却为士大夫所不齿，这就不难理解了。封建时代的士大夫为了保持名节，不要说受腐刑，公堂对簿都受不了，如李广、萧望之等人的自杀就是例证。司马迁断言，尽管人情都有“贪生恶死，念亲戚，顾妻子”的习性，但“激于义理者不然”，即便是“臧获婢妾犹能引决”，何况立言著述的堂堂太史令呢！司马迁陷入了极度艰难的生与死，荣与辱的抉择之中，所受痛苦的煎熬，是难以用笔墨形容的。

司马迁在生与死的沉痛思考和严酷抉择中，悟出了人生的真正价值，提出了震撼千古的至理名言：“人固有一死，死有重于泰山，或轻于鸿毛，用之所趣异也。”如果人的一生，若不能对社会作出贡献待后人评说，而仅仅以一死来对黑暗进行抗争，岂不是“若九牛亡一毛，与蝼蚁何异！”司马迁在《孔子世家》和《伯夷列传》中，引圣人孔子之言说：“君子疾没世而名不称焉。”他在《太史公自序》中记载了父亲司马谈的临终遗言：“且夫孝，始于事亲，中于事君，终于立身，扬名于后世，以显父母，此孝之大者也。”立身扬名为孝道的最高准则，这是司马迁借父亲之口提出的新颖见解。这见解标志着司马迁在生与死的抉择中形成了以立名为核心的荣辱观。《史记》未完成，名还未立，因此他的身躯和生命是属于《史记》的，也是属于父亲和自己的理想的，他不能去死而要坚强地活下来，所以“就极刑而无愠色”。就这样，司马迁选取了以腐刑代死的抉择。

2. 司马迁受祸合于法而不合于情，是一场冤案

如何看待司马迁受刑，我们必须尊重事实立论，他的《报任安书》是最权威的事实依据，还有《汉书·李陵传》作佐证。《报任安书》作于太始四年（公元前 93 年），此时距司马迁受刑的天汉三年已六年，可以说是司马迁痛定思痛的回顾，完全是真实可信的。李陵降敌是出人意料的，司马迁和汉武帝都没有估计到。在李陵案前，司马迁是“务一心营职，以求亲媚于主上”，常从巡武帝，君臣之间，鱼水相得。尽管在政治上，司马迁的认识与汉武帝的行事有分歧，他作为一个实录史事的历史学家，批评了汉武帝的“多欲”和“无限度”的外征内作，但本意是出于忠心，目的在于敲警钟，他又没有上陈政见来反对汉武帝，所以两人并没有根本的利害冲突。再说汉武帝，他是一个刚毅志骄的雄主，哪能容得下阻他“鸿图”的人！汉武帝诛杀大臣如同草芥，一个小小的太史令岂能挡他的“鸿图”？司马迁自己并没有认为汉武帝要借机惩治他，因此那种“长期政治分歧、矛盾积累的总爆发”的看法是没有事实根据的。

那么，司马迁是否“坐举李陵”，并犯有“诬罔罪”呢？《太史公自序·集解》引卫宏《汉书旧仪注》说，司马迁“坐举李陵，陵降匈奴，故下迁蚕室”。但这只是卫宏的推论，因为《报任安书》和《汉书·李陵传》都无司马迁举李陵事。《报任安书》特别慎重交代了司马迁与李陵“趣舍异路”，并无特殊关系，所以司马迁觉得冤枉。司马迁是怎样被定罪的呢？《报任安书》说：

> 明主不深晓，以为仆沮贰师，而为李陵游说，遂下于理。拳拳之忠，终不能自列，因为诬上，卒从吏议。

《汉书·李陵传》做了更为明晰的记载：

> 初，上遣贰师大军出，财令陵为助兵，及陵与单于相值，而贰师功少。上以迁诬罔，欲沮贰师，为陵游说，下迁腐刑。

两书记载十分明确，司马迁之被定罪，不是“坐举李陵”，而是“沮贰师”，“为陵游说”，最后被阿顺上意、深文周纳的酷吏们定为“诬罔”罪的。司马迁只是“推言陵功”，在言词上没有触及贰师，因此说他“沮贰师”法律上不成立，它只能是阿顺上意的朝臣们的叽叽喳喳。“为陵游说”，顺理成章，但在汉武帝未族灭李陵之时，亦不便给司马迁加罪。因此司马迁受祸是受族灭李陵家的株连，此时定为“诬罔”罪，可以说是“被之空言而不敢辞”了。荀悦《汉纪》正是这样记载的。荀悦说，司马迁上言陵功，“上以迁欲沮贰师，为陵游说”，“后捕得匈奴生口，言陵教单于为兵法。上怒，乃族陵家，而下迁腐刑”。如何评价司马迁受刑，弄清他的受刑时间是一个关键问题。荀悦的说法是否有根据，尚需作一番考证。

李陵败降匈奴在天汉二年十月。司马迁受祸在天汉三年，《太史公自序》言之确凿：“七年而太史公遭李陵之祸，幽于缧绁。”所谓七年，是指太初元年至天汉三年，因这几句话是上承太初元年“论次其文”而说的。汉武帝族灭李陵家，《资治通鉴》编年系于天汉四年正月汉兵大出击匈奴之后。其依据是《汉书·李陵传》，“陵在匈奴岁余”，“上遣因杅将军公孙敖将兵深入匈奴迎陵”。这是司马光推断失误。天汉二年十月到天汉四年正月，恰好一岁有余。其实天汉二年十月到天汉三年十二月已是一岁有余。再看，天汉四年正月大出征，兵分四路，计步骑二十一万。四路将领为贰师将军李广利、因杅将军公孙敖、游击将军韩说、强弩将军路博德。贰师将军李广利率步骑十三万为主力。如果这次出征是为迎接李陵而战，因主力是李广利，应当说是“上遣贰师将军李广利将兵深入匈奴迎陵”，而不应记载为公孙敖。汉军在天汉四年一月天寒地冻之时大规模出征，合理的逻辑只能是汉武帝族灭李陵家这一政治事件的必然发展。按汉武帝的心理，应当是迎接李陵不成，怒而族其家，并大发兵击匈奴，必欲战败匈奴雪天汉二年之耻，并捉拿叛徒归案而后快，所以才给李广利以如此重兵。此役在天汉四年正月，正可反证族灭李陵在天汉三年十二月。岁末决狱大辟亦是常法。很自然，司马迁被株连受腐刑亦当在天汉三年十二月。

司马迁同情李陵，鄙视李广利，他为了“塞睚眦之辞”而怒而愤而敢言，表现了一个正直史官的高尚情操，千古而后犹正气凛然。可以想见，司马迁推言陵功，语言必激切，语气带夸张，如“印亿万之师”、“旃裘之君长咸震怖”、“举弓之民，一国共攻而围之”等等，写《报任安书》时犹运于笔端。司马迁欲尽“拳拳之忠”，“以广主上之意”，未免过于天真直率，带着浓厚的书呆子气。满朝文武委过李陵，是为贰师解脱，而司马迁偏偏渲染李陵苦战之功，既不顺从汉武帝之意，便是不从流俗，违拂众怒，所以论罪“诬上”，左右亲近不为一言了。尤具讽刺意味的是，汉军迎陵不得，匈奴单于“乃以其女妻陵而贵之”，其家被族，司马迁的“诬罔”罪就足以成立了。这一点，司马迁本人亦未作辩护。《报任安书》说：“李陵既生降，隤其家声，而仆又茸以蚕室，重为天下观笑。悲夫！悲夫!”又说：“仆以口语遇遭此祸，重为乡党戮笑，污辱先人，亦何面目复上父母之丘墓乎?”司马迁把李陵降敌“隤其家声”与自己受腐刑“重为乡党戮笑”，相提并论，既是纪实，也是无以辞其责的苦闷写照。司马迁在《李将军列传》中对李陵的降敌做了进一步的批判。他说：“单于既得陵，素闻其家声，及战又壮，乃以其女妻陵而贵之。汉闻，族陵母妻子。自是之后，李氏名败，而陇西之士居门下者皆用为耻焉。”司马迁既明且哲，熟读《春秋》，而身不免于刑戮，从礼义上说，他亦未能尽守《春秋》之义，忠于主上而未能顺从主意。也就是说，按封建专制主义的法律义理，司马迁蒙受“诬罔”罪是“被之空言而不敢辞。”

从今天的观点来看，司马迁推言陵功，说他杀敌过当，其功可以抵过，还是中肯的，汉武帝族灭其家更是残酷无情的。言事者说陵母妻子“无死丧色”，更是莫须有的胡说八道。专制者欲加臣民以罪，何患无辞！但李陵兵败降敌，成了叛徒，这个案是不能翻的。司马迁推言陵功，在李陵投降之前，并不是在为李陵辩降。

依上所述，司马迁受祸是一场冤案。又由于“诬罔”罪是以言论定罪，并无客观标准，有罪无罪完全在人主的喜怒之间。汉武帝时代有腹诽之法，在今天看来是荒谬绝伦，但在绝对君权时代却又是天经地义的。以言论定罪是专制主义的特征。按理，以言论定罪应以主观动机为准绳。而司马迁的劝谏，主观用意并不在替李陵辩降，而是站在历史学家的立场上讲了事实真相，希望汉武帝应公正地对待将士的成败；主观动机，则是宽武帝之心，尽“拳拳之忠”。可是事情却走到了善良用心的反面，司马迁的言词刺痛了汉武帝的心病，这位“圣明之君”一下翻起脸来，全不看他多年侍从尽职的份儿上，“卒从吏议”，使司马迁遭受腐刑的奇耻大辱。所以，从情理上说，这又是一场冤案。尤其是面对李陵降敌这个事实，司马迁有口难辩，所以他极其沉痛地说：“如仆，尚何言哉！尚何言哉！”又说：“悲夫！悲夫！事未易一二为俗人言也。”司马迁身受刑辱，心蒙冤抑，而口却不能道，世人不理解，他那正直而纯洁的心灵陷入了绝境的痛苦之中，那该是多么的屈辱啊！

六、发愤著书

所谓“发愤”，就是指一个人身处逆境而其志不屈，更加激扬奋发而有所作为。司马迁发愤著书，有两方面的内容。第一，忍辱发奋，从沉痛中奋起，用更加坚韧的毅力来完成传世之作。第二，揭露和抨击统治者的荒淫和横暴，同情社会的下层人民，歌颂敢于反抗、敢于斗争的历史人物，把个人的不平和愤懑，宣泄在对历史人物的褒贬上，述往事，思来者，升华了《史记》的主题，这是加害于司马迁的统治者们非始料所及的。

司马迁受腐刑在天汉三年十二月，出狱大约在天汉四年二三月。受腐刑后需要在蚕室静养一百日。《盐铁论·周秦》篇，文学曰：“今无行之人……一日下蚕室，创未瘳，宿卫人主，出入宫殿，由得受奉禄，食太官享赐，身以尊荣，妻子获其饶。”这情况大约就是指司马迁。这年司马迁四十九岁，出狱后被用为中书令。

中书令本由宦官充任，此职是皇帝身边机要秘书长官，侍从左右，出纳章奏，位卑而权重，被朝野目为“尊宠任职”。司马迁因受腐刑得此官，他认为是人生极大的耻辱。从身体上说，“大质已亏缺”，失去了人的尊严；从心态上说，与宦官为伍，被视为无行之人。而且在传统的孝悌伦理观念中，还要辱及祖宗。《孝经》开宗明义，第一章孔子语曾子曰：“身体发肤，受之父母，不敢毁伤，孝之始也。”孟子说：“不孝有三，无后为大。”[①]所以古人把髡刑剃发也视为耻辱之刑，更何况腐刑乃殄灭不育之刑，它比杀头更要折磨人的心灵。所以，司马迁视为奇辱，不仅“重为乡党戮笑”，而“污辱先人，亦何面目复上父母之丘墓乎?”他在《报任安书》中凄怆满怀地诉说他的痛苦：“太上不辱先，其次不辱身，其次不辱理色，其次不辱辞令，其次诎体受辱，其次易服受辱，其次关木索被箠楚受辱，其次剔毛发婴金铁受辱，其次毁肌肤断支体受辱，最下腐刑极矣。”司马迁一气排列了十种耻辱，这都是人世间的极大不幸，而“最下腐刑极矣”。一个“最”字，还要加一个“极”字，可以说把耻辱写到了极点。它使司马迁陷入了欲生不得欲死不能的痛苦境地，“是以肠一日而九回，居则忽忽若有所亡，出则不知所如往。每念斯耻，汗未尝不发背沾衣也。”在这种心境下，给予司马迁以生的力量，唯有那无声的立言事业还未完成。因此司马迁说：“所以隐忍苟活，函粪土之中而不辞者，恨私心有所不尽，鄙没世而文采不表于后也。”

封建专制社会的世态炎凉、人情冷暖与权势浮沉密切关联，人处逆境才能有亲身体会。司马迁身受腐刑，体味三重，人主的喜怒无常，便意味着人臣的祸福莫测。专制主义的荼毒，擦亮了司马迁的眼睛，使他看清了“明主”这一绝对君权的残忍本质，深深认识到过去“以求亲媚于主上”是“大谬不然”，于是一反常态，表现了对国事、世事的冷漠。太始四年（前 93 年），司马迁已五十三岁，任中书令已五年，他除了埋头撰述《史记》外，在政治上没有什么作为。这时，司马迁的好友益州刺史任安，心中沉不住气了，他觉得要给司马迁以鼓励，给他写了一封信，教以“慎于接物，推贤进士”。任安的信，好似一石击起千层浪，它把司马迁积滞在心中的郁闷引发出来，爆发在回信《报任安书》中。在这封信中，司马迁把他对世情的感慨，对人生的悲愤，对专制君王的认识，对理想事业的追求，尽情地倾吐出来，

---

① 《孟子》卷七《离娄上》第二十六章。

如泣如诉，慷慨悲凉，理正而辞严，具有很强的感染力。两千多年来，成为脍炙人口的名篇。

《汉书·艺文志》载，司马迁有赋八篇，今存仅《全汉文》辑有《悲士不遇赋》一篇。从内容看，这篇赋也是司马迁受刑以后悲叹生不逢时的作品，可与《报任安书》相互补充。在赋中，司马迁指斥天道微暗，美恶难分，“理不可据，智不可恃”，他内心充满了矛盾和痛苦。一方面消极厌世，“委之自然，终归一矣”，认为人总是要死的，追求功利有什么意义，还不如听之自然，“无造福先，无触祸始”。一方面坚持理想，“没世无闻，古人惟耻，朝闻夕死，孰云其否”，显然是又要追步孔子，死而后已。司马迁矛盾的思想状态，正是他求生不得，求死不能的生动写照。既然宫刑是人生最大耻辱，为了人的气节尊严，就应早早自裁结束耻辱；但为了实现著述理想，立名后世，必须坚强地活下去；可是活下去，又遭世俗非议，等于继续受辱，即“负下未易居，下流多谤议”，这种既觉得应该死而又不能去死的思想纠结，折磨得司马迁神不守舍，多次想到去自杀。最后司马迁抉择了隐忍立名的自新之路。也就是说功名重于名节。当一个人功名已就，或者以死可以立功名时，就要毫不犹豫地去死节；当一个人才能未尽，功名未立，死节不过如九牛一毛，不能产生社会影响时，他就应该隐忍发愤，建立功名。司马迁正是在这一基准点上找到了死节与立名的统一。所以在《史记》中，他既表彰那些死节者，又表彰那些隐忍苟活者，把历史人物的死写得生动有情。

《史记》中写了许多不甘屈辱，为保持名节而死的义士。齐国布衣王蠋在齐国沦丧濒于灭亡之时，仍“义不北面于燕，自尽身亡”①；田横耻于降汉，自刎而死，他的五百宾客闻田横死，“亦皆自杀”②；李广不堪“复对刀笔之吏”而自杀；项羽兵败愧对江东父老而自杀；侯嬴为激励信陵君而死；田光为激励荆轲而

① 《史记》卷八二《田单列传》。

② 《史记》卷九四《田儋列传》。

死；聂荣为给兄弟扬名而死；栾布为尽臣子之义，“哭彭越，趣汤如归”。司马迁称赞这些慕义而死的人，具有“高节”，“岂非至贤”①，“虽往古烈士，何以加哉！”② 像屈原那样“死而不容自疏”的高洁之志，“虽与日月争光可也”③。然而，在逆境中奋发，忍辱负重的志士，更加难能可贵。勾践卧薪尝胆，坚韧顽强，发愤雪耻，终灭强吴而称霸王，司马迁不仅许之以“贤”，还赞其“盖有禹之遗烈焉。”④ 伍子胥弃小义，雪大耻，名重后世，司马迁赞其为“烈丈夫”⑤。季布以勇显于楚，“身履典军搴旗者数矣，可谓壮士”，但是，当其被刘邦捉拿，为人奴而不死，受辱而不羞，“终为汉名将”，司马迁赞其为“贤者诚重其死。”⑥ 这后一种忍辱负重的志士，司马迁认为更是值得敬仰的男子汉，“烈丈夫”。这一观点，不仅与世俗相违，而且颇谬于圣人的是非。一般世俗观点，认为忍辱负重是“贪生怕死”，若被刑戮，“中材以上且羞其行”⑦。孔孟遗教是“杀身成仁”，“舍生取义”。而司马迁却说：“勇者不必死节，怯夫慕义，何处不勉焉。”⑧ 又说：“夫婢妾贱人感慨而自杀者，非能勇也，其计画无复之耳。”⑨ 那些一遇侮辱就轻身自杀的人，在司马迁看来只不过是无可奈何的表现，并不是真正的勇士。

慕义而死，保持名节；忍辱负重，自奋立名，怎样处理好这二者的界限是很难的。前已述及，司马迁提出了一个“人死或重于泰山，或轻于鸿毛”的标准。人生最宝贵的生命不是不可牺牲，而是要让它闪光，死得有价值。一个人若不能对社会作出贡献待后人评说，而仅仅以一死来对黑暗进行抗争，岂不是“若九牛亡一毛，与蝼蚁何异！”司马迁在忍辱与生死的痛苦抉择中懂得了人生的意义，他从沉痛中奋起，坚强地活下来，决心以最大

① 《史记》卷九四《田儋列传·赞》。
②⑨ 《史记》卷一〇〇《季布栾布列传·赞》。
③⑥ 《史记》卷八四《屈原贾生列传》。
④ 《史记》卷四一《越王勾践世家·赞》。
⑤ 《史记》卷六六《伍子胥列传·赞》。
⑦ 《史记》卷九〇《魏豹彭越列传·赞》。
⑧ 《报任安书》。

的毅力来完成《史记》。他引古人自况，认为只有那些能够经受得起艰难环境磨炼的人才能做出一番事业来。西伯拘羑里演《周易》，孔子厄陈蔡作《春秋》，屈原放逐赋《离骚》，左丘失明著《国语》，孙子膑脚论《兵法》，不韦迁蜀传《吕览》，韩非囚秦有《说难》、《孤愤》，《诗》三百篇，大都是圣贤发泄愤懑的作品。这些人都是因为心里有所郁结，又得不到通达，所以才叙述往事，寄情后人。司马迁引述的这些古人的事迹与历史事实有出入，例如韩非的《说难》、《孤愤》作于入秦之前，吕不韦的《吕览》写成在放逐之先，这都是《史记》在他们的本传中明白地做了记载的。司马迁感情激荡，波涛滚滚，一泻而下，笔随情至，些许矛盾，也就不去计较了。也可以说，这是故为破绽以抒愤，旨在说明他要发愤著书，效法古人，把自己全部的精力和热血倾注在《史记》之中，成为“一家之言”。司马迁终于从个人的悲怨中解脱出来，忍辱著书，留下了宝贵的实录作品。这种精神体现了中华民族的脊梁，是值得我们敬仰的。司马迁的人格是崇高的，他认为只有那些能够经受得起艰难环境磨炼的人，才能做出一番大事业来，这一认识不但激励了自己，而且也启迪着后人深思。

第六章　体大思精的历史著作

《史记》是一部体大思精的历史著作。体大，指《史记》的五体结构和系统性；思精，指《史记》内容的全面性和进步性。《史记》体例完备，内容丰富，囊括中外，贯通古今。它上起黄帝，下迄太初，汇总古今典籍，“网罗天下放失旧闻”，成为一部百科全书式的中国通史，从内容到形式都是划时代的伟大创新。

一、博大的五体结构

《史记》由五体构成。其一，《本纪》十二篇。其二，《表》十篇。其三，《书》八篇。其四，《世家》三十篇。其五，《列传》七十篇。凡一百三十篇。

前人探讨《史记》五体，重在溯源，而疏于从笔法义例上研究司马迁的创造，应予纠正。溯源者认为，五体古已有之，司马迁只不过把它汇总在一起以构成一书而已。刘勰《文心雕龙·史传》、邵晋涵《南江文钞·史记提要》、章学诚《文史通义》卷六

《和州志列传总论》等认为《史记》五体，取式《吕览》；洪饴孙《钩稽辑订》、秦嘉谟《世本辑补》则认为《史记》五体，取法《世本》。近人罗根泽、程金造考源五体[1]，认为司马迁所见石室金匮之书，有本纪、世家、年表、列传之体，为司马迁所依仿。诸家考源，有资于理解司马迁如何博采众籍，熔铸化一的创造精神，但过于指实，则与实际大相径庭。例如论者引《史记·大宛列传·赞》提到的《禹本纪》作为古有《本纪》一体之证。其实司马迁所言《禹本纪》与《山海经》相提并论，指出是言志怪之书，仅有《本纪》之名而已，与载述帝王事迹的《本纪》风马牛不相及。又《史记》中《管蔡》、《陈杞》各世家所称“世家言”三字，乃司马迁自称其书，古代并无世家一体。先秦典籍中有“世卿”“世禄”“世臣”“世家”之称，均指卿大夫之爵职秩禄世代相传，《史记》的“世家”之体，其名称由此演化而来。范文澜《正史考略》史记条说：“八书之名，本于《尚书》。”其言可采。但又说：“八书之作，则取《尚书》之《尧典》《禹贡》。”这就太板而显得推论得太远了。

《史记》五体均为司马迁所创造。《太史公自序》反复申说《史记》效《春秋》而作，可见《春秋》之经、传形式对《史记》体例的创造影响是很大的。刘知几说：“夫纪传之兴，肇于《史》《汉》，盖纪者，编年也；传者，列事也。编年者，历帝王之岁月，犹《春秋》之经；列事者，录人臣之行状，犹《春秋》之传。《春秋》则传以解经，《史》《汉》则传以释纪。寻兹例草创，始自子长。”[2] 此言极是。《三代世表·序》云“余读《谍记》”，《十二诸侯年表·序》云“余读《春秋历谱牒》”，这是司马迁创造年表所借鉴的蓝本。《吕氏春秋》一书分为《十二纪》、《八览》、《六论》，用以统一百家思想，包容丰富的内容，这一形式也给予司马迁以很大启示。但是《吕氏春秋》的各体都是短篇的论文，只是名称不同，并无本质的区别，是不能与各具笔法义例

① 罗根泽：《从史记本书考史记本原》，载《北平图书馆月刊》第4卷第2期。程金造：《史记体例溯源》，载《燕京学报》第37期。

② 《史通》卷二《列传》。

的《史记》五体相提并论的。

以上说明，司马迁的创造不宗一书，不祖一体，而是参酌各种典籍体例的长短，匠心独具汇入一编，创出新体例。《史记》五体，各具笔法义例，分开来看，各体自成一个独立的系统，首尾完俱贯通历史发展的线索，各有不同的侧面和重心。五体合起来看，又是组织严密、互相交融的一部著作。自成一家之言。正因为它体例完备，才能容纳丰富的历史素材，在有限的篇幅之内使政治、经济、文化、学术、民族、社会以及自然的星象、历法、地理等无所不备。所以晋人张辅说，司马迁作史，“辞约而事举，叙三千年事，唯五十万言”①。清赵翼称它为“全史”，并说：“自此例一定，历代作史者遂不能出其范围。”②

1. 五体题名义例

（一）本纪。《五帝本纪·正义》引裴松之《史目》云：“天子称本纪，诸侯曰世家。”张守节发挥说：“本者，系其本系，故曰本；纪者，理也，统理众事，系之年月，名之曰纪。”刘知几曰：“盖纪者，纲纪庶品，网罗万物，考篇目之大者，其莫过于此乎！”又云：“盖纪之为体者，犹《春秋》之经系日月以成岁时，书君上以显国统。”③ 据此，“本纪”之义有五：

（1）“本纪”为法则、纲纪之意，它“纲纪庶品”，故为最尊贵之名称；

（2）“本纪”为记载天子国君之言事所专用；

（3）“本纪”是“网罗万事”的，即国家大事无所不载，与一般人物传记有别；

（4）“本纪”编年，记正朔，象征天命攸归。从编纂学角度立论，编年记事是我国史法的优秀传统，使叙列的历史事件，兴衰发展的线索分明，它创自《春秋》；

（5）“本纪”效《春秋》十二公，故为十二篇。《太史公自序》云：“著十二本纪。”

---

① 《晋书》卷六〇《张辅传》。

② 《廿二史劄记》卷一。

③ 《史通》卷二《本纪》。

（二）十表。司马贞曰："《礼》有《表记》，而郑玄云'表，明也'。谓事微而不著，须表明也，故言表也。"[①] 赵翼说："《史记》作十表，仿于周之谱牒，与纪传相为出入，凡列侯、将、相、三公、九卿功名表著者，既为立传，此外大臣无功无过者，传之不胜传，而又不容尽没，则于表载之，作史体裁，莫大于是。"[②] 准此，则"表"之义：

（1）表隐微之事，使之鲜明；（2）扩大纪、传的记事范围；（3）表与纪、传互为经纬，是联系纪、传的桥梁。

但这仅仅是从组织材料上立论，远远没有揭示出"十表"的真正价值。司马迁作十表，用以反映历史发展的线索和阶段性，建立了古代的年代学理论，最有章法义例。详后"五体破例义例"一节，兹从略。

（三）八书。司马贞曰："书者，五经六籍总名也。此之八书，记国家大体。"[③] 赵翼曰："八书乃迁所创，以纪朝章国典。"[④] 用今语言之，八书是分门别类的文化制度史。《尚书》是各种体裁的公文档案汇编，司马贞以"五经六籍总名"释之最确，司马迁把分门别类记载典章制度和文化发展的《八书》用"书"名之也是十分恰当的。班固作《汉书》，扩大"八书"内容为"十志"，因其大题命名为"汉书"，故改"书"名"志"。

（四）世家。司马贞曰："系家者，记诸侯本系也，其言下及子孙常有国。故孟子曰：'陈仲子，齐之系家。'又董仲舒曰：'王者封诸侯，非官之也，得以代为家也。'"[⑤] 刘知几曰："案世家之为义也，岂不以开国承家，世代相续。"又曰："司马迁之记诸国也，其编次之体与本纪不殊，盖欲抑彼诸侯，异乎天子，故假以他称，名为世家。"[⑥] 即定名世家之义有三：

（1）记诸侯列国史；（2）载传代家世；（3）《世家》与《本

① 《史记》卷一三《三代世表·索隐》。

②④ 《廿二史劄记》卷一。

③ 《史记》卷二三《礼书·索隐》。

⑤ 《史记》卷三一《吴太伯世家·索隐》。

⑥ 《史通》卷二《世家》。

纪》同体，均编年纪事，因有别于天子等第而别名世家。

（五）列传。司马贞曰：“列传者，谓叙列人臣事迹，令可传于后世，故曰列传。”① 张守节曰：“其人行迹可序列，故云列传。”② 赵翼曰：“古书凡记事立论及解经者，皆谓之传，非专记一人之事迹也，其专记一人为一传者，则自迁始。”③ 章学诚曰：“史迁创列传之体。列之为言，排列诸人为首尾，所以标异编年之传也。”④

司马贞、张守节释“列”字为叙列，章氏解为排列。列字两义皆有。《伯夷列传》云：“孔子序列古之仁圣贤人，如吴太伯、伯夷之伦详矣。”《陈杞世家》：“小不足齿列。”《苏秦列传》：“列其行事。”司马迁《报任安书》有“论列是非”、“终不能自列”、“兵法修列”等语。这些例证的“列”字，即序列、论列之义。《史记》中列国、列侯、列封、列星、列宿等用语，即为排列之义。《说文解字》卷四：“列，分解也。”这是列字的本义。列传，即由“分”的意义引申出来，指众多人物之传按一定位次排列起来。日本学者中井积德说：“传不一而足，次第成列，故谓之列传耳。”⑤

由上述可知，“列传”一词是司马迁全新创造的动宾式复合名词⑥。司马迁借记事立论及解经之书命名为“传”，用以传人，记功臣贤人之言行以注《本纪》，表示人臣拱卫主上。《太史公自序》云：“扶义俶傥，不令己失时，立功名于天下，作七十列传。”并按一定顺序排列起来，故称列传。

综上所述，《本纪》编年，广载军国大事，摘载诏令制诰，以象征历史发展的统绪。《世家》述开国承家的诸侯。《列传》叙人臣事迹，辅弼君上，如众星之拱卫北辰。这种不同的题名及载述笔法，是一种等级序列。所以纪传史是以帝王将相为中心的历

---

① 《史记》卷六一《伯夷列传·索隐》。

② 《史记》卷六一《伯夷列传·正义》。

③ 《廿二史劄记》卷一。

④ 《文史通义》卷四《繁称》。

⑤ 〔日〕泷川资言：《史记会注考证》卷六一《伯夷列传》引。

⑥ 李少雍：《列传新解》，载《司马迁传记文学论稿》，重庆出版社1987年版。

史，形象地照映了封建政体的等级秩序，适应了封建统治者的思想体系，这就是纪传史之被封建王朝颁令为正史的内在原因。

2. 五体破例义例

所谓破例是与立例相对而言。用上述五体义例来衡量一下二十四史，班固的《汉书》最合标准，而《史记》最不合标准。《史记》篇目有若干破例，以《本纪》和《世家》最明显。

《本纪》的破例。其一，夏、殷、周三《本纪》包括了三代的先公先王，更有《秦本纪》乃是诸侯入《本纪》。其二，《史记》立《吕太后本纪》，而不立《惠帝纪》，竟把帝王逸出了《本纪》。其三，《史记》立《项羽本纪》，却不纪西楚之年，而用“汉之元年”“汉之二年”记正朔，且记事章法为传体。实际上司马迁写的是一篇“项羽列传”，只不过定名《项羽本纪》而已。

《世家》的破例。其一，项梁所立楚王熊心，曾统兵遣将，号令一方。刘邦入关，项羽北救赵，均为楚王熊心所遣。项羽杀宋义自号上将军犹假号楚王之令，入关后尊楚王为义帝。司马迁既不为之立“本纪”，亦不为之立“世家”。其二，汉初诸侯吴王刘濞，淮南王刘长、刘安，衡山王刘赐，因叛逆降为“列传”，而西周诸侯管叔叛逆，宗庙不守，却有《管蔡世家》。其三，汉初功臣萧何、曹参、张良、陈平、周勃等，爵禄不过封侯而立“世家”，但其他侯国不立“世家”，而且赵王张耳、长沙王吴芮，封为诸侯，又历传数代，亦不立“世家”。其四，三十《世家》中有孔子、陈涉、外戚三《世家》。孔子为布衣，陈涉称王不终，汉帝后妃无世可传，但均立“世家”，其例云何？

刘知几的《史通》就批评《史记》为例不纯，处处扬班抑马。他在《二体》篇中虽然以《史记》、《左传》为纪传、编年二体之祖，但真正许为二体代表作的却是班固的《汉书》和荀悦的《汉纪》。所以他在《二体》篇的结论中说：“然则班、荀二体，角力争先，欲废其一，固亦难矣。后来作者，不出二途。”刘知几的评论是值得商榷的。立例又破例，正是司马迁品格创新精神的反映。无例，述史无规范，必将流于泛滥。死守成例，不能曲尽丰富多彩的历史内容，势将流于呆板。因此立例而又破例，是客观情势使然。司马迁恰好是最善于把握情势的历史学家，故所创五体能容纳大量的历史素材，有无限的蕴藏力。

《史记》破例为体，计有三种类型。

（1）序事首尾完整，便于“察其始终”。夏、商、周三《本纪》上溯先公先王，使记一代兴衰之历史首尾完俱，有利于总结历史经验，洞察历史的发展轮廓。魏收作《魏书》，首列《序纪》，记载拓跋氏的先世起源，就是仿《史记》而创造的。

（2）正名实。司马迁认为，秦至献公之后，“常雄诸侯”①，“昭襄业帝”②，才有始皇的统一，故特作《秦本纪》。参照《六国年表》，寓意更明。表名为六国，实叙八国，首栏列周，以示尊周天子为共主，次列秦，就是纪实以体现秦国“常雄诸侯”之意。因此周与秦不在六国数中。司马迁立《吕太后本纪》，不立《惠帝本纪》也是纪实。因高后孝惠时，惠帝垂拱，吕后称制，故以惠帝附入吕后纪中。司马迁将楚王熊心附入《项羽本纪》中亦同此例。司马迁不为吴芮立“世家”，因其事迹不显，载入年表即足。至于不为张耳立“世家”，是有意将张耳陈馀合传。

（3）寓褒贬。司马迁为孔子、陈涉、汉帝后妃以及为汉初萧、曹、张、陈、周等开国功臣立《世家》，是褒显他们的历史功绩。反之，对汉初叛国诸侯，因他们没有起到“辅弼股肱”的作用，降为“列传”，以示贬抑。但是周初管叔、蔡叔虽谋叛逆，后因蔡仲悔改，复封为诸侯，故司马迁仍立《管蔡世家》以劝善。由此可见，司马迁的破例为体，是寓有深意的。

班固仿《史记》作《汉书》，改通史体为断代史体，这是另一种创造，二者只可对照，不可并论。《汉书》断代为史，其《纪》载帝王，并取消《世家》，陈胜、项籍理应入传。《史纪》贯通，《本纪》兼叙朝代，所以夏、商、周三代《本纪》上溯先公先王；又，《秦始皇本纪》之前有《秦本纪》，《高祖本纪》之前有《项羽本纪》，完全符合历史发展的序列，章法义例是严谨

---

① 《史记》卷一五《六国年表·序》。

② 《史记》卷一三〇《太史公自序》。

的。如果形式主义地看问题，就会认为《史记》为例不纯。刘知几以《汉书》为标准抽绎出纪传体的撰述理论，然后反过来用《汉书》的义例规范创始者《史记》的体例，在逻辑上犯了倒果为因的错误，所以是迂阔之论。请看刘知几提出的改造《史记》的意见，其言曰：

案姬自后稷至于西伯，嬴自伯翳至于庄襄，爵乃诸侯，而名隶《本纪》。若以西伯、庄襄以上别作"周秦世家"，持殷纣以对武王，拔秦始以承周赧，使帝王传授，昭然有别，岂不善乎？必以西伯以前，其事简约，别加一目，不足成篇，则伯翳之至庄襄，其书先成一卷，而不共世家等列，辄与《本纪》同编，此尤可怪也。项羽僭盗而死，未得成君，求之于古，则齐无知、卫州吁之类也，安得讳其名字，呼之曰王者乎？《春秋》吴楚僭拟，书如列国，假使羽窃帝名，正可抑同群盗，况其名曰西楚，号止霸王者乎？霸王者，即当时诸侯，诸侯而称《本纪》，求名责实，再三乖谬。①

又云：

陈胜起至群盗，称王六月而死，子孙不嗣，社稷靡闻，无世可传，无家可宅，而以"世家"为称，岂当然乎？②

刘知几以帝王相接来贯通历史的观点不无可取之处。但刘知几是以断代史之例来绳墨通史体，故其言迂阔。假如真的按照刘氏意见来改造《史记》，势将割裂三代《本纪》及秦代史事叙述的连贯性。至于《项羽本纪》，司马迁用汉纪年，又用传体叙述，只不过是用"本纪"之名列于《高祖本纪》之前，不仅仅是反映了历史发展的实际，而且构成了楚亡汉兴的强烈对比，增强了文

① 《史通》卷二《本纪》。
② 《史通》卷二《世家》。

章气势，更加引人深思。张耳被降为列传与陈馀合传，亦是此例。司马迁之一升一降，其义则一。司马迁作《陈涉世家》，其因有四：一曰尊权，二曰反暴政，三曰赞首难，四曰纪实。刘邦反秦是打着楚王陈胜的旗号起事的，得天下后为陈涉置守冢三十家砀。陈涉首难，“其所置遣侯王将相竟亡秦”①。司马迁认为，秦朝暴政应当推翻，陈涉发难之功应予表彰，这在《史记》中多处讲到。西汉人并不认为陈涉是叛逆者。刘知几用强化了的后世封建正统观念抨击司马迁不应为项羽立本纪，为陈涉立世家，当然是迂阔的了。相映成趣的是，今世时贤用形而上学的分析方法引出了与刘知几殊途同归的结论，说什么司马迁“为陈涉这样被统治阶级视为‘盗贼’的人立世家”，是“歌颂人民的反抗斗争”，从而否定班固作《陈胜项籍传》，这同样是一种迂阔的议论。假如班固照抄《史记》，在断代的《汉书》中孤标特立《项羽本纪》、《陈涉世家》，岂非咄咄怪事！作为断代的《汉书》，体例是严密的，马班优劣在史识，不在两书体例之得失。比较《史》《汉》体例以辨马班优劣，刘知几正是失足于此，我们应引以为鉴。

3. 五体篇数及序列义例

《史记》五体是一个有精严义例的体系，篇目次第都饱含司马迁独特的历史哲学思考。《史记》为五体，“五”就是一个神秘的数字。人有双手，它的功能表现了人的无限创造力。一手为五指，双手为十指，十为数之极。原始哲学观念的思维方式，远取诸物，近取诸身。人有五指、五官、五脏、五体等等。“五”的数目概念具有神秘感，推而大之为五行，五行运动而成天道。《史记》全书为一百三十篇，何以《本纪》为十二篇，《表》为十篇，《书》为八篇，《世家》为三十篇，《列传》为七十篇，这些数目，都不是随意确定的，而有一定的义例，它反映《史记》五体结构是一个人工创作的系统工程。《太史公自序》在揭示本纪、表、书、世家、列传各体写作旨意时，也都特别标示出“十二”、“十”、“八”、“三十”、“七十”等数目，就透露了个中信息。司

① 《史记》卷四八《陈涉世家》。

马贞《补史记序》云：

《本纪》十二象岁星之周；八《书》有八篇，法天时之八节；十《表》放刚柔十日；三十《世家》比月有三旬；七十《列传》取悬车之暮齿；百三十篇象闰而成岁。[①]

张守节《史记正义·论史例》稍稍作了修正，其说更详：

太史公……作《本纪》十二，象岁十二月也。作《表》十，象天之刚柔十日，以记封建世代终始也。作《书》八，象一岁八节，以记天地日月山川礼乐也。作《世家》三十，象一月三十日，三十辐共一毂，以记世禄之家辅弼股肱之臣忠孝得失也。作《列传》七十，象一行七十二日，言七十者举全数也，余二日象闰余也，以记王侯将相英贤略立功名于天下，可序列也，合百三十篇，象一岁十二月及闰余也。而太史公作此五品，废一不可，以统理天地，劝奖箴诫，为后之楷模也。

范文澜《正史考略》史记条认为，"《本纪》十二之数，实效法《春秋》十二公而作"，这也是正确的。因《春秋》十二公，亦象十二月，所以上起隐公以成十二之数，而使得《春秋》记事晚于平王东迁数十年。《史记》篇数与岁时历法相配乃是反映儒家所宣扬的一种天道观。《论语·尧曰》篇载，"尧曰：咨！尔舜！天之历数在尔躬，允执厥中。四海困穷，天禄永终。舜亦以命禹。"所谓"中"即是"历数"，象征天道运行；"执中"即是得天命，所以受命之君必封禅改正朔。司马迁亲自参与了汉武帝的封禅、改历，而《史记》"究天人之际"，故五体篇数各有象征，寓意天道运行。司马迁将惠帝事迹附于《吕太后本纪》中而不像《汉书》那样分立两纪，在纪实之中包含了不逾"十二"之

① 转引自范文澜：《正史考略》"史记条"。中华书局点校本《史记》附录司马贞《史记索隐序》、《史记索隐后序》无其语。兹录以对照、备考。

数的意义在内。

《史记》五体篇数寓意，《太史公自序》有明确示例。司马迁说："二十八宿环北辰，三十辐共一毂，运行无穷，辅弼股肱之臣配焉。忠信行道，以奉主上，作三十《世家》。"这里以众星绕北辰和诸辐咸归聚车毂比喻人臣拱卫主上很确切。同时"二十八"与"三十"两个确定的数目与三十世家之数符合，表示寓有深意。司马贞"七十列传取悬车的暮齿"，或许是一种猜测；而张守节"作《列传》七十，象一行七十二日"则是具有充分依据和深刻的见解。

所谓"一行七十二日"，就是一年三百六十日，以木、火、土、金、水五行等分之，各主七十二日。西汉初年，"一行七十二日"的说法常常见于记载。如《易坤灵图》云："五帝：东方木，色苍，七十二日；南方火，色赤，七十二日；中央土，色黄，七十二日；西方金，色白，七十二日；北方水，色黑，七十二日。"[①]《高祖本纪》载，高祖"左股有七十二黑子"，张守节《正义》就以"七十二黑子者，赤帝七十二日之数也"来解释。可见，"七十二"这个数字，在司马迁时代是一个极为流行的神秘数字。据研究，"七十二"这个数字起于战国时期，它流行的年历，便是五行思想发展的年历，是一种文化运动的表征。因此，"七十"列传之数，是一种历史哲学的反映。

但是，我们今天没有必要去钻牛角，刻意地探求五体篇数的玄妙微意。我们只须从原则上把握，五体篇数与岁时联系，象征历史的无尽运行，也就是说司马迁是把古今人物编织在五行运动的历史哲学体系中进行论述。这是司马迁"究天人之际"思想内容的一个组成部分。

《史记》篇目，清赵翼认为编次混乱，"其次第皆无意义"，"盖成一篇即编入一编，不得撰成全书，重为排比"，是"随得随编"[②]。赵氏不明《史记》五体结构的系统性，故有此说。系统成

---

① 《古微书》卷一五引。

② 《廿二史劄记》卷一。

为一门独立学科，虽然是近现代总结成理论的，可是它作为一种思维方式却是源远流长，是伴随人类思维和整个科学技术发展史的进程而发生和发展的。《史记》五体就是司马迁创作的一个系统工程，所以它的篇目排列具有谨严的义例，可用八个字来概括："时代为序，以类相从"。"时代为序"，勾勒历史发展的线索，是司马迁"通古今之变"的思想反映；"以类相从"，是运用历史类比法纵横排比，探寻治乱兴衰的规律，它既是一种编纂方法，也是一种研究方法。时代为序是客观的情势。篇目按时间顺序排列，尊重历史运动的先后顺序和连续性，从而创立了通史体例。《本纪》、《年表》、《世家》三体均编年纪事，组合义例划分时代段落，反映各个时期的历史大势，详今略古，详变略渐，时间层次极为鲜明，这就是义例。《年表》的阶段性最为鲜明。以类相从则是匠心独运的编排，具有或纵或横的组合义例，构成比较，用以探索历史内容的思想意趣，七十列传的序目最为鲜明。《八书》按专题通论古今制度，而最后一篇《平准书》专言汉事，突出了一个"今"字，这都寓含着司马迁匠心布局的微意。因此，"随得随编"之说毫无根据。司马迁编目，把"时代为序"与"以类相从"两个原则结合得十分完美，贯彻于《史记》全书五体结构中。篇目次第的具体义例，将在本章第二节结合五体通变内容一并详述，兹从略。

4. 创造了"太史公曰"的史论形式

《史记》中的"太史公曰"，即习惯所称的"序、赞、论"，为司马迁首创的史论形式，简称为"史记论赞"。司马迁并没有把它的史论命名曰序曰赞。《史通》卷四《论赞篇》和《序例篇》论列"太史公曰"为序为赞后，相沿而成习惯。《史记》原题"太史公书"，意为太史公所著之书，故"史记论赞"称"太史公曰"。

"太史公曰"，内容丰博，涉及政治、经济、军事、思想、文化、天文、地理、历史、伦理，以及世俗、形势、人事等等，往往补篇中所未备。"太史公曰"，议论宏阔，笔势纵横，言辞精练，旨义深微，或考证古史，或叙游历所得，或揭示取材义例，或明述作之旨，或褒贬人物，或纵论史事，或隐微讥刺，皆直抒胸臆，观点鲜明，构成了系统的历史学理论。司马迁所引典籍及君子之言，如《诗》、《书》、《论语》、诸子等，皆化为自己的语言。还大量引用诗赋歌谣及俚语俗谚来加强评论的生动性和通俗化。

“太史公曰”的形式既整齐而又灵活。所谓整齐，是指“太史公曰”体例完备，分为系统的篇前序论，篇后赞论，夹叙夹议为论传三种形式。大段的恢弘议论置于篇首为序论，集中于十表、八书及类传，计二十三篇。十表、八书及类传，都是贯通古今的，序论即作贯通性的概括，最具理论色彩。《本纪》、《世家》、《列传》皆篇末置赞论，计一百零六篇。本纪、世家、列传皆序列人物，故赞论重点褒贬人物，具有强烈的感情色彩。论传揭示义例，有《伯夷列传》、《日者列传》、《龟策列传》、《太史公自序》及《天官书赞》，凡五篇。《太史公自序》集中明述作之旨，为全书之总纲。序、赞、论三种形式整齐而集中，显系匠心布局。所谓灵活，即形式并不刻板，在整齐之中有变通。如十表中《将相表》有倒书无序，即创无字之序以衬托倒书，示例更为鲜明。八书中，《礼书》、《乐书》、《律书》、《历书》有序无赞，《河渠书》、《平准书》有赞无序，《封禅书》有序有赞，《天官书·赞》夹叙夹议。十类传中，《刺客列传》无序有赞，《儒林列传》、《货殖列传》无赞有序，《循吏列传》、《酷吏列传》、《游侠列传》、《佞幸列传》、《滑稽列传》有序有赞，《日者列传》、《龟策列传》借题发挥，以序事为论。综观“史记论赞”，内容也不全都是评论，有的补充或考证史事，有的叙游历，有的抒愤寄托。变通的形式，灵活的内容，表现了司马迁的宏阔气度和无限的创造活力。变体即破例，是为了切合内容的需要而作的变通。如《外戚世家》及《孟子荀卿列传》两篇实质是类传，故作序以明其类。前已论及，破例为体是《史记》的一大特色，全书五体均有破例。历史本身是丰采多彩而又变化万端，怎么能用死板的格式来作形象的反映呢！但质的规定性又必须通过格式来反映。既有格式，又有变通，才能妙尽其理。立例又破例，正是司马迁卓越史识的一大表现，所以“太史公曰”呈现出丰采多姿的形态。

“太史公曰”形式上是仿自《左传》的“君子曰”，但在《史记》中发展成为系统的史论，却是司马迁的首创。先秦典籍《国语》、《战国策》及诸子著作间或已有“君子曰”，表示当时有德者之言。粗略统计，《左传》有一百三十四条评论，直接引仲虺、周任、史佚、孔子等人的话约五十条，有“君子曰”或“君子谓”、“君子以为”之称的评论八十四条。这么多的评论，已具系统史论的雏形，所以我们说“太史公曰”系仿《左传》的“君子曰”而作。但《左传》的“君子曰”就事论事，还不是具有理论色彩的史论，未能形成一种体系。隋代著名史家魏澹云：“丘明亚圣，发扬圣旨，言‘君子曰’者，无非甚泰，其间寻常，直书而已。”① 就是说，左丘明的史论，只限于对具体事实的褒贬，可以说是一种直书。评论方式，主要是博采君子之言，亦断以己意。如文公二年《传》鲁僖公之“君子以为失礼”云云，《国语·鲁语·夏公弗忌改昭穆之常》条作宗人有司之言；襄公三年《传》之“君子谓祁奚于是能举善矣”，二十一年《传》作晋叔向之言，曰“祁大夫外举不弃仇，内举不失亲”。由此可见，《左传》所称君子曰，多是取当时君子之言，或断以己意。而《史记》的“太史公曰”，全书浑然一体，每序每赞，无论长短，自为一体，具有浓厚的理论色彩，并不只是就事论事的评论，而是《史记》内容的需要。例如司马迁为项羽作“本纪”，通过对项羽力拔山、气盖世的英雄业绩的叙述，勾画出秦汉之际风起云涌的大变革形势，表彰他的灭秦之功。论赞称颂项羽为“近古以来未尝有也”的英雄人物，同时分析他失败的原因，历述五条：第一，分裂天下，引起争斗；第二，背关怀楚，失去地利；第三，放逐义帝，诸侯叛乱；第四，自矜功伐，不行仁政；第五，专恃武力，失去民心。《太史公自序》又云：“子羽暴虐，汉行功德。”司马迁的这些直接评论，思想深刻，褒贬得体，能引导读者对项羽有一个全面的认识，这是《春秋》笔法的一字褒贬无法完成的。“史以道义”，没有褒贬，就没有思想。司马迁借孔子之言说

① 《隋书》卷五八《魏澹传》。

过，“我欲载之空信，不如见之于行事之深切著明也”的话①，这表明司马迁对历史人物的爱憎和对历史事件的褒贬，主要是通过叙事的方法来完成的。顾炎武指出：“古人作史，有不待论断而于序事之中即见其指者，惟太史公能之。”② 但是仅靠“寓论断于序事”这种形式是不够的。尤其是阐明《史记义例》，例如五体构思，取材义例，书法义例，年表的划分时代断限义例，这都是实践经验的升华和理论阐述，它必然要突破“寓论断于序事”的局限，直接表述思想。“史记论赞”就是司马迁直接表达思想的书法形式。

对司马迁用“太史公曰”所创造的史论形式，清人章学诚作了很高的评价。他说：“太史叙例之作，其自注之权舆乎！明述作之本旨，见去取之从来，已似恐后人不知其所云而特笔以标之，所谓‘不离古文’及‘考信六艺’云云者，皆百三十篇之宗旨，或殿卷末，或冠篇端，未尝不反复自明也”③。但是像章氏这样的赏音者并不多见。唐刘知几就扬班抑马，推重班固之赞有“典诰之风”，而认为《史记》为例不纯，甚至批评史记论赞“淡泊无味”，是“苟炫文采”的画蛇添足④。实际上，班固写《汉书》的“赞曰”是模仿“太史公曰”而作，只是在辞章和形式上比“太史公曰”庄重、典雅而已，但史识义例却是无法和“太史公曰”比拟的。可以说，由于司马迁创造了史论体系，《史记》提供了典范，才使得中国传统史学的历史编纂成为真正的史学论著。其后“班固曰赞，荀悦曰论，东观曰序，谢承曰诠，陈寿曰评，王隐曰议，何法盛曰述，扬雄曰譔，刘昞曰奏，袁宏、裴子野自显姓名，皇甫谧、葛洪列其所号”⑤，名称虽殊，但都是效法司马迁作史论。

5. 联络五体的互见法

互见法是司马迁为适应纪传五体的需要而创造的叙事方法，它的基本精神是将一人事迹、一件史事，分散在数篇之中参错互

① 《史记》卷一三〇《太史公自序》。
② 《日知录》卷二六。
③ 《文史通义》内篇五《史注》。
④⑤ 《史通》卷四《论赞》。

见，彼此相补，互文相足。这种叙事方法只在《史记》中得到了纯熟运用，既具有史学功能，亦具有文学功能。宋人苏洵最早论及互见法。他说：

> 迁之传廉颇也，议救阏与之失不载焉，见之赵奢传；传郦食其也，谋挠楚权之缪不载焉，见之留侯传。夫颇、食其皆功十而过一者也，苟列一以疵十，后之庸人必曰："智如廉颇，辨如郦食其，而十功不能赎一过。"则将苦其难而怠矣。是故本传晦之，而他传发之，则其与善也，不亦隐而彰乎！①

"本传晦之，而他传发之"，这是对互见法最简洁的概括，同时也最主要地揭示了它的文学功能。近人李笠《史记订补》、章学诚《文史通义》、靳德俊《史记释例》等书均有简洁精当的阐述，不一一具引。诸人论述着重从史学角度揭示互见法的功用。从本质上看，互见法是司马迁运用历史比较法研究历史的反映。他将历史人物和历史事件，进行了普遍的联系和对比，抽出人物、事件最本质的东西来组织材料，突出重心，而将枝叶蔓延的材料互见于他篇。由于司马迁得心应手地运用互见法，所以《史记》无论在叙述历史，还是在塑造人物方面，都取得了极大的成功。互见法的作用是多方面的。例如讽刺、避讳、引物连类均可用互见法集中或分散史事来创造条件。下面就互见法在史学上的功能谈三个方面的内容。至于怎样运用互见法集中史事塑造人物形象，留在本书第七章第三节中详论。

(1) 互见法详此略彼，叙述史事条理分明，避免重复。司马迁将复杂的史事，按预定的义例组织材料，当甲篇与乙篇有关联时，便点明"事见某篇"，"语在某篇"。例如《周本纪》叙周公讨管叔后，作《大诰》等篇，就说："其事在周公之篇"，这样就把《周本纪》和《鲁周公世家》联系起来了。《萧相国世家》叙萧何荐韩信，以及后来萧何进计于吕后杀韩信，均作交代说："语在淮阴事中"，

① 《嘉祐集》卷八《史论下》。

这样就把《萧相国世家》和《淮阴侯列传》联系起来了。这一类交代，在全书中不能尽举。目的是唤起读者不要孤立地去看每篇的记载，而要把《史记》各体之间相关篇目联系起来，贯通为一个整体。五体互文相补，纪传为经纬组成骨架，年表有如神经脉络贯穿其中。《本纪》编年，摘载诏令、奏议、军国大事，《世家》、《列传》详纪史事本末。纪为纲，传为目，互文相补。例如武王伐纣和西周建国，这是发生剧变的历史时代，记载特详。当我们详究西周建国始末，只读《周本纪》是不够的，因为大量记事分散在齐、鲁、燕、管蔡、卫康叔诸世家中。反过来看，周初的开国功臣吕尚、周公旦、召公奭等所起的作用和地位，在《周本纪》中只是条列事目，形成比较，而细节则详述于各个世家之中。这样布局，不仅笔墨经济，而且序事井然。总之，互见法详此略彼，给《史记》的全盘结构提供了艺术布局的广阔天地，使得每篇重点突出，记事简练，条理分明，便于史事叙述。因此，《史记》只用了五十万言载三千年事，不能不使人惊叹司马迁不愧为一个伟大的创作家，他驾驭材料的能力是无与伦比的。

（2）互见法集中史事，使历史事件的叙述首尾完俱。司马迁述史，十分重视“咸表终始”，故于重大事件用互见法集中史事，具有纪事本末的特色。例如《吕太后本纪》叙诸吕之变；《陈涉世家》叙秦末起义；《吴王濞列传》叙西汉七国之叛；《大宛列传》叙汉通西域，集中史事，首尾完俱，体现了纪事本末的笔法。编年体以时为主，史事记载，年月分明，纷繁事变，备于一编，形于目前，此其所长。纪传体以人为主，形象生动，纪传志表分合，类例严谨，能容纳丰富的史事内容。“显隐必该，洪纤靡失”，此为别体所不能。但二体各有短处。编年体使一事记载跨越数卷，史事脉络淹没在枝叶蔓延的他事之中，线索不明，首尾难稽。纪传人物交错，分别立传，难免支离和重复。纪事本末体以事为主，集中反映，首尾完俱，弥补了两体之失。此体为南宋袁枢所创。清章学诚评论说“文省于纪传，事豁于编年”[①]，十

① 《文史通义》内篇一《书教下》。

分精准。而司马迁在《史记》中运用互见法集中史事，纪事本末体的笔法已经很熟练，在《世家》、《列传》中都有许多首尾完俱的故事，为袁枢的创造提供了借鉴。

（3）互见法正名实，于回护之中不失历史之真。《春秋》笔法有为尊者讳、为亲者讳、为贤者讳的说法，这是孔子所开的隐晦历史之例。封建时代的礼制，要求子为父隐，父为子隐，则“直”在其中矣！所以皇帝颁行的诏令制诰，臣下进呈的章表疏奏，无不充满回护溢美之词。司马迁引据这些档案，即便是一字不差地照抄，也将陷入回护的漩涡之中。如果司马迁根据事实改造史料，则又不能做到忠实于历史档案。换句话说，名分与事实之间往往发生矛盾，既要忠于历史，又不能违犯名分改造档案，这确是一个难题。司马迁用互见法来补救，互文相足，正名实，而又于回护之中不失历史之真。这种事例，往往未书明互见，不易觉察，反而错觉为记述矛盾。例如写秦始皇的出身，《秦始皇本纪》载，始皇之父庄襄王子楚在赵为秦质子时，娶吕不韦姬而生始皇；而《吕不韦传》载吕不韦献已有孕之姬于子楚而生始皇。两传对照，可知秦始皇实为吕不韦子，而名为秦庄襄王子，故《吕不韦传》记其实，《秦始皇本纪》书其名，回护之也。张良刺杀秦始皇，《秦始皇本纪》称“为盗所惊”是正其名，《留侯世家》云张良之所为是记其实，此亦回护之法。

司马迁纪实灭秦之功，更是一个运用互见法正名实的典型例证。秦末大起义，刘邦攻下了咸阳，接受秦王子婴投降，而后统一天下，被西汉统治者颂为“大圣”。司马迁在《高祖本纪》中记载了刘邦起兵，挥师入关，受降子婴等历史功绩，但在评论中并不提起他的反秦功勋。司马迁说：

> 子羽暴虐，汉行功德，愤发蜀汉，还定三秦；诛籍业帝，天下惟宁，改制易俗。作《高祖本纪》第八①。
>
> 三王之道若循环，终而复始。周秦之间，可谓文敝矣。

① 《史记》卷一三〇《太史公自序》。

秦政不改，反酷刑法，岂不谬乎？故汉兴，承敝易变，使人不倦，得天统矣①。

司马迁着重评价刘邦打败项羽，除暴安天下，“改制易俗”，“承敝易变”的历史作用。灭秦之功，第一归于陈涉发难，第二归于项羽继业，击败秦军。为了纪实这一历史过程，司马迁为陈涉立《世家》，为项羽立《本纪》，并在《陈杞世家》中交代说：“伯翳之后，至周平王时封为秦，项羽灭之，有《本纪》言。”司马迁还把详载秦汉之际的大事年表题名《秦楚之际月表》，而不名以“秦汉之际月表”是寓有深意的。在内容叙述上《陈涉世家》历述大小起义军近二十支，惟独不载沛公军，陈胜死后，吕臣、黥布反复与秦军争夺陈，“复以陈为楚”，示义旗不倒。然后紧接一句：“会项梁立怀王孙心为楚王”结束了《陈涉世家》的正传。《太史公自序》说：“秦失其道，豪杰并扰；项梁业之，子羽接之……作《项羽本纪》第七。”司马迁分散在不同篇章的这些记载是互相呼应的。司马迁这种运用互见法精心安排的笔法，旨在说明陈涉首事，项氏继业，他们推翻了暴秦，才为刘邦统一天下开拓了道路。这些地方表现了司马迁实录历史的卓越史识，这是值得我们认真总结的。

二、通变的历史内容

《史记》完稿后，司马迁对全书的史事内容和研究方法，做了极其精练的揭示。《太史公自序》云：

网罗天下放失旧闻，王迹所兴，原始察终，见盛观衰，论考之行事，略推三代，录秦汉，上记轩辕，下至于兹，著

① 《史记》卷八《高祖本纪》。

十二本纪，既科条之矣。并时异世，年差不明，作十表。礼乐损益，律历改易，兵权山川鬼神，天人之际，承敝通变，作八书。二十八宿环北辰，三十辐共一毂，运行无穷，辅弼股肱之臣配焉，忠信行道，以奉主上，作三十世家。扶义俶傥，不令己失时，立功名于天下，作七十列传。凡百三十篇，五十二万六千五百字，为《太史公书》。序略，以拾遗补艺，成一家之言，厥协《六经》异传，整齐百家杂语，藏之名山，副在京师，俟后世圣人君子。

概括上述内容，可得知《史记》创作宗旨有四点：（1）“网罗天下放失旧闻，王迹所兴，原始察终，见盛观衰”。即总括古今一切人间社会史事，考治乱之源。（2）“究天人之际，承敝通变”。即探讨天道与人事的关系，展现历史的变化和发展。汉代流行天人感应学说，自然要给司马迁的思想打下时代的烙印，而“究天人之际”，但同时也讲自然和空间，划分天人关系。“承敝通变”，即“通古今之变”，讲人类社会的兴衰起落是随时间的流逝而演变。司马迁要捕捉的就是这一个“变”字。威武雄壮的历史活剧就是在古与今的时间流变中不断演进。（3）确立以人物为中心的述史体系。司马迁认为运行无穷的历史，并不只是帝王的政绩，那些“辅弼股肱之臣”的言论行事不应泯没。他在《史记》中创作了三十《世家》和七十《列传》来记载众多的人物。（4）“拾遗补艺”，创一代典籍，继《春秋》之后“成一家之言”。总括起来就是：司马迁要完成一部以人事为中心的百科全书式的通史。内容决定形式，纪传五体结构的创作能够容纳大量的历史素材，能够完满地体现司马迁的创作意图，于是应运而生，才被司马迁创作出来。

我们在第四章讨论了司马谈发凡起例的创作宗旨，在第五章讨论了司马迁答壶遂问所阐述的作史义例，这里所概括的是司马迁在创作过程中发展本始计划所实际完成的内容，前后对照，可以看出司马迁思想发展的脉络。关于司马迁“一家之言”的思想，本书将在第八章中详论。这里集中讨论司马迁通古今之变的方法和《史记》五体通变的历史内容。先谈五体通变的历史内容。

1. 十二本纪的内容

十二本纪编年记正朔，以王朝为体系，反映朝代变迁大势。司马迁考察王迹兴衰的历史，详略有别地区分时代大势，作为认识历史的纲纪。十二本纪划分历史为上古、近古、今世三个段落。五帝、夏、殷、周等四篇本纪写上古史，合称五帝三王，中心是表现儒家宣扬的“德治”政治的兴衰。《五帝本纪》突出记载了尧舜的禅让，这是儒家的理想政治。司马迁总括说：“自黄帝至舜禹，皆同姓而异其国号，以章明德”。这“明德”二字就是司马迁对五帝三王政治的点睛之笔。秦、秦始皇、项羽等三篇本纪写近古史，中心表现春秋战国以及秦汉之际霸政兴衰的历史。汉代诸帝等五篇本纪写今世史，中心表现汉家得人心归附而兴起。刘邦宽仁，战胜了暴虐的项羽而有天下。吕太后“政不出房户，天下晏然，刑罚罕用，罪人是希。民务稼穑，衣食滋殖”。汉文帝“专务以德化民，是以海内殷富，兴于礼义”。又说：“汉兴，至孝文四十有余载，德至盛也。”汉家以力取天下，承袭秦制而无为，带着道家的色彩，是德力结合的政治。今上汉武帝外儒内法，以多欲取代无为，时势又为之一变。汉兴，隆在建元，由于过度使用民力，在汉武帝鼎盛之时已显露出衰败的端倪。“原始察终，见盛观衰”，可以从十二本纪的王迹兴衰变迁中总结出规律来，那就是民心向背决定着事势的发展。在司马迁笔下展示出德与力两种政治的对比。秦国两个本纪写取天下“得之难”与“失之易”的对比；项羽、刘邦两本纪写强弱转化的对比，都是民心向背起了根本的作用。《史记》以人为中心述史，本纪的勾画，正是全书的著述大纲。

2. 十表的内容

十表编年与十二本纪互为经纬，划分时代段落，展现天下大势，亦为全书纲纪。两体篇目均按年代顺序排列。年表编年进一步以时代变革划分段落，打破了王朝体系，揭示天下大势更为明晰。十表明确地划分古代三千年史为上古、近古、今世，三个段落，五个时期。上古史表分为《三代世表》和《十二诸侯年表》两个时期。近古史表分为《六国年表》和《秦楚之际月表》两个时期。汉世诸表为今世史表，一个时期。司马迁在表前作序，交代简括的历史内容和分期义例。撮述之如下：

（1）《三代世表》，起黄帝，讫西周共和，表现积德累善得天下的古朴时代。

（2）《十二诸侯年表》，起共和讫孔子卒①，即公元前 841 年至前 476 年，表现王权衰落的霸政时代。

（3）《六国年表》，起周元王元年，讫秦二世之灭，即公元前 475 至前 207 年，表现暴力征伐得天下的战国时代。

（4）《秦楚之际月表》，起陈涉发难，讫刘邦称帝，即公元前 209 至前 201 年，详著月表以表现五年之间，天下三嬗的剧烈变革时代。从秦亡至西汉统一是五年，但月表溯及陈涉发难，共八年。

（5）汉兴以来六表，分类条析，表现大一统的今世时代。

《史记》十表是司马迁的精心之作，它以经纬纵横的形式表现天下大势，又能把纷繁的历史内容纳入尺幅之中，使人一目了然。十表还以多种结构的形式表现笔法义例。十表的内部结构分为四种。《三代世表》谱列五帝三代世系，以帝王世次为经，以诸侯世系为纬。表列五帝三代世系，而篇名只称“三代世表”，不命名为“五帝三代世表”，义例有三：（1）五帝禅让，是传代，不能用“五帝世表”之名；（2）五帝时代，系传说之史，世系不可确考；而三代称王以后的世系明晰，故用“三代世表”之名，示意三代称王以来的世系才较为可靠；（3）三代世系长远，皆出自黄帝之后，表名三代，追溯五帝，皆出黄帝之后，以观百王之本支。《十二诸侯年表》、《六国年表》、《秦楚之际月表》、《汉兴以来诸侯王年表》，以年月时为经，以国为纬，表现自西周以来

① 孔子卒于公元前 479 年，因年表用周历纪年，而周敬王卒于公元前 476 年，故年表下限延伸了三年。司马迁在表序中特作交代说“自共和讫于孔子”，示意年表断限以一代伟人孔子卒这一重大历史事件为临界点，表现了司马迁杰出的历史断限的观点。

诸侯分封以及兴衰发展大势。《高祖功臣侯者年表》、《惠景间侯者年表》、《建元以来侯者年表》、《建元以来王子侯者年表》，是分类表现百年汉史一个时期的历史，故以国经而年纬，以观一时之得失。《汉兴以来将相名臣年表》以大事为主，年经而人纬，观君臣之职分。十表内容不仅表现天下大势，而且紧密地与本纪、列传互补，凡传之不胜传而事实又不容尽没的历史人物，则载于表中。由于十表结构的特殊和文字简明，所以它容纳了大量的历史内容以资考证，并且是联系纪传的桥梁。

十表上下贯通构成一个有机的系列。分开来看，每一个表反映了一个历史时期的历史变化和特点，合起来看，便反映了上起黄帝、下讫太初首尾三千年间巨大的历史变化。每一篇年表的序文都是精彩的史论，它概述某一阶段的历史特点，阐明分期的理论。《十二诸侯年表》和《六国年表》两个年表的分界点是周敬王之卒与周元王之立，古代用王公记年，这样划分便于史事叙述，但分界的用意则是“孔子卒”，《十二诸侯年表·序》做了明确的交代。司马迁鉴于当时的认识水平，以一代伟人的凋落作为时代的分界点，这当然是不科学的。但司马迁注意到了春秋与战国两个时代的巨大变化，这才是他划分时代断限的依据。而且司马迁是我国古代第一个具体划分历史发展阶段的历史学家，用以表现历史之“变”，并以表的形式来揭示历史发展的阶段性，把他作规律性探讨历史的卓识远见鲜明地表现出来。他又用共和、孔子卒、秦亡、陈涉起义、刘邦称帝等大事变作为分期断限的临界点，这是十分光辉的思想。明白了司马迁的时代断限，是我们研究《史记》的一把钥匙。

司马迁划分历史断限的光辉思想也是有继承的。战国时代百家争鸣，各家学说都在探讨治乱的根源，对历史发展的规律作试探。《礼记·礼运篇》记载了孔子儒家学说的观点，认为尧舜时代为大同之世，三代为小康之世，春秋以来为乱世，历史的发展向着衰败的方向演进，要治天下就得法尧舜，妄图把历史拉回到西周的时代。《韩非子·五蠹篇》记载了法家时移世异的进化论历史观，并有明确的上古、中世、近古、今世的提法。西汉时的

《春秋》公羊学大讲《春秋》十二公，并分为所见、所闻、所传闻三阶段。同时又流行五德终始说、三统说等循环历史观。这些无疑都是司马迁所继承借鉴的历史思想资料。但是，在司马迁以前的百家学说对历史发展规律的探索，仅仅停留在思辨哲学的猜测和囫囵的描绘上，而司马迁却第一次用叙述历史的方法来研究历史的发展规律，作出了明确的断限划分，不能不说是一个伟大的贡献。《春秋》亲近疏远的笔法，在司马迁手里发展为详今略古法后王的历史观，当然这也受到了荀子法后王思想的启迪。但司马迁更进一步认为"居今之世，志古之道，所以自镜也"；而"观所以得尊宠及所以废辱，亦当世得失之林，何必旧闻？"[①] 把总结当世历史提到了首位，这确是独步当时。

3. 八书的内容

礼、乐、兵、律历、天官、封禅、河渠、平准八个方面，这是司马迁认为的经国大政，故列专题载述。由于礼、乐、兵三书亡缺，补缺者分《律历书》为《律书》、《历书》以补缺（依司马贞说），足八书之数，故今本八书中无《兵书》。补缺者又摘取《荀子》中的《礼论》及《议兵》补《礼书》，摘取《礼记·乐记》补《乐书》。补缺者既取成书补亡，示己不妄作，可证礼、乐、律三篇篇首"太史公曰"云云，当是补缺者搜求的史公遗文，文法语气也直是司马迁手笔。也有人认为今本礼、乐两篇是司马迁草创之作，本未亡缺。但这两书正文既经考明为摘自《荀子》、《礼记》，则无论是补缺者所补，还是司马迁自己草创，均不得作为司马迁思想加以引证。关于两书真伪，姑置不论，这里讨论八书的总体内容及序列，以见司马迁"一家之言"的微意。

《史记·宋微子世家》记载了周武王克殷后咨访箕子，请教治国方针，箕子答以九条，其中第三条讲国家八政，序列如次：一曰食，二曰货，三曰祀，四曰司空，五曰司徒，六曰司寇，七曰宾，八曰师。这段记载是录自《尚书·洪范》，它反映先秦儒家的八政观念，民以食为天，故食货居首。司马迁认为礼是维系

① 《史记》卷一八《高祖功臣侯者年表·序》。

等级秩序的制度，为治国头等大事，所以论礼，列为八书之首。礼乐相辅为治，故《乐书》与《礼书》蝉联。《洪范》八政内容，在八书序目中的反映，“食”、“货”对应“平准”，“祀”对应“封禅”，“司空”对应“河渠”，“宾”对应“礼”“乐”，“师”对应“兵”（即《律书》）。《洪范》八政的司徒、司寇在八书中没有反映，然而在列传中有对应之篇。“司徒”对应“儒林”，“司寇”对应“循吏”“酷吏”。同时，《史记》中“货殖列传”亦为食货之事。对应只是一种近似的比较。总之，《洪范》中的八政，在《史记》中均有反映，表明司马迁把国家大政纳入历史学考察的范围，专列八书系列开后世政书之先河。内容和序列的调整，表现了司马迁的史学观点和国家大政的轻重序列。班固《汉书》十志，序列为律历、礼乐、刑、食货、郊祀、天文、五行、地理、沟洫、艺文，内容更丰富，结构更严密，发展了司马迁的史学体系，这是应当揭明的。班固还把职官纳入了史学范围，创《百官公卿表》以载其制。

八书以《平准书》殿卷，讥刺汉武帝与民争利，寓有浓郁的指陈时政的色彩。所以清人周济说：“是知八书用意，专在推明本始，著隆替之效，以垂法后王。”[①]

4. 三十世家的内容

世家编年记事，在体例上与本纪没有什么区别，但载述的历史内容和义例则不同。《本纪》载朝代帝王，世家载拱卫主上的“藩辅”诸侯，以及破例为体。值得注意的是，世家总体以时代为序，同时具有以类相从之义。吴太伯至郑世家共十二篇，载周初所封诸侯，其始祖皆周室屏藩之臣，又有德于民，子孙享其德泽为诸侯。赵、魏、韩、田敬仲四篇为一组，载战国之世以暴力篡夺而得诸侯的事迹。孔子、陈涉、外戚三篇破例为体，打破时代序列相并为一组，破例之义，已详本章第一节“五体结构”中，这里从略。汉代诸侯世家，宗室与功臣分列，这都是很明显的义例。

---

① 《味隽斋史义》卷一。

周初十二诸侯，《世家》篇目序列与《十二诸侯年表》序列不同，对照如下：

周、鲁、齐、晋、秦、楚、宋、卫、陈、蔡、曹、郑、燕、吴

——《十二诸侯年表》序列

吴、齐、鲁、燕、蔡、陈、卫、宋、晋、楚、越、郑

——三十《世家》序列

《年表》反映春秋之时的霸政，以诸侯强弱为序，周列第一栏，尊天下共主；鲁列第二栏象征以《春秋》当一王之法，故周、鲁均不在十二之数中。鲁后为齐、晋、秦、楚、宋，即春秋五霸序列。吴殿后，示意内诸夏而外夷狄之义。这些都是春秋笔法。《世家》按诸侯始祖与周之亲疏关系和开国时功劳大小排列，象征诸侯夹辅周室，所以与《年表》序列不同。司马迁嘉吴太伯之让国，故列为第一，褒扬让德，维护大一统。此外，《年表》中无越，有秦；而秦先公先王破例为体，列入《本纪》，使秦史得以连贯载述，故《世家》中无秦。

从三十《世家》的内容和序列义例来看，它所表现的"通变"思想，集中反映了司马迁大一统历史观，显然具有强烈的时代特色，与全书的主题和创作宗旨是一致的。

5. 七十列传的内容

七十列传有四种类型：（1）专传，（2）合传，（3）类传，（4）附传。专传指一人一传，二人以上为合传，以类标题为类传，凡未入传目标题的人物为附传。专传、合传、类传三种传皆有附传。正传与附传，表示列传人物的主次，并非附传为可有可无的附属物。有的附传仅附其名，一般是载列子孙、戚友；重要附传人物为事类相从。七十列传载正传人物一百四十人，附传人物九十二人。附传人物要多于正传人物，九十二人只指事类相从的附传人物。孔子弟子七十七人。总计三百零八人。类传人物古今同传，以类相从。合传与类传为同一类型，或对照或连类，故合传人物往往打破时代界限，上溯下及。《白起王翦列传》、《鲁仲连邹阳列传》、《屈原贾生列传》等是下及。《扁鹊仓公列传》

是上溯。在连类相及时，合传与类传相通。如《孟子荀卿列传》，附列人物十一人，实质是一篇先秦的“诸子列传”。《汲郑列传》，可以看做是汉代的“黄老列传”。这两篇合传均可视为类传。“类”的含义是表现广阔的社会生活内容，扩大了人物个性所代表的意义。“类”是司马迁写人物史传的核心思想。七十列传的总体系列，合起来看，它正是司马迁选择一系列历史人物的典型来反映历史发展的大势罢了。所以七十列传每一人物，既是个人的历史，又不是个人的历史，而是具有一定的典型意义。所以司马迁笔下的人物个个生动，史事剪裁从属于形象塑造，因而光辉灿烂，具有很强的文学性。

七十列传总体序目，基本以时代为序，但以类相从的义例也极为明显。如战国四公子排列在一起，苏秦与张仪蝉联，都有以类相从之意，吕不韦、李斯、蒙恬与刺客四传为一组，叙辅佐秦国兴起的人物，他们的特点是注重暴力权诈取天下，固轻百姓力，都不得好下场。刺客一篇是类传，应排在循吏之后，而司马迁有意穿插在辅秦人物中间，这是对比见义，表现了司马迁反暴政的思想。刺客都是反暴力的人物。白起、王翦两人有大功于秦，白起冤死，王翦善终，因白起坑降，王翦却无此暴行，所以两人合传以示对比。白起坑降不同于李斯、蒙恬的轻暴百姓，故司马迁将王翦前置白起传，以使两人的传记与李斯、蒙恬留下距离，表示区别于暴政人物。循吏、汲郑、儒林、酷吏四传作两两对比。循吏传无汉代人，酷吏传无汉以前人。汲郑古朴耿直而不喜儒，武帝倡儒学而多用酷吏。司马迁用这样的强烈对比来讥刺武帝的政治。总之，七十列传序列看似杂乱，实皆有深义寄托。首篇《伯夷列传》，是唯一的三代人物入传。此传以议论为主，可称之为论传，它是七十列传的总论，借孤竹君的两个儿子伯夷、叔齐的高风亮节为议题，颂扬“奔义”、“让国”，谴责“争利”、“争国”；同时借《采薇之歌》充满的怨情，对天道质疑，强调重人事。本传和最后一篇《太史公自序》可以说是前后呼应的两篇史论，一为引言，一为总括全书要旨。

《史记》五体，以七十列传的内容最为生动活泼，丰富多彩，具有非常广阔的社会面。历史人物除了活跃于历史舞台的政治家、军事家、思想家、各色英雄豪杰之外，下层社会的侠客、医卜、商贾、俳优、博徒、猎户、妇女等等，凡在人类活动中起过作用的人物都叙入史中。时间从上古到当代，地域从中原到八荒。司马迁不仅把周边民族纳入史传，还把大宛等外国民族纳入史传，使《史记》具有古代世界史的意义。七十列传内容如此丰富，表现了司马迁历史观的全面性和系统性。

总括五体所载内容，“本纪”侧重载述朝代兴亡及政治演变大势；“表”侧重阐发历史发展的阶段大势；“书”侧重探讨天道观和典章制度的演变，并指陈时政；“世家”侧重表彰维护国家的统一和安定的诸侯；“列传”侧重记载各色人物活动对历史的贡献，反映广阔的社会生活。几种体裁相辅为用，相得益彰，融合为一个整体，载述了丰富的历史内容，蕴藉着深刻的历史哲学，从而构成了博大思精的体系，使《史记》成为饮誉中外的名著。

6. 通古今之变的原则和基本方法

司马迁从“变”的观点出发，对古今关系，基本原则是详今略古和详变略渐。这两个原则的共通精神是着重写变革的历史。《史记》全书一百三十篇，上下贯通近三千年的历史。而五帝三代两千多年的古代史只写了五帝、夏、殷、周、秦五个本纪，三代、十二诸侯两个年表，伯夷、管晏、老子韩非、司马穰苴、孙子、伍子胥、仲尼弟子等七个人物列传，共十四篇。兼及古代史的篇目有书七篇，世家十二篇，以及五个民族史传。总计写古代史的篇目为三十四篇，十余万字。可是仅百年汉史就占了六十二个专篇，兼及汉史者十三篇，共七十五篇，过了半数。统观全书，《史记》特详四个阶段的历史：（1）西周建国史；（2）战国之世的变化历史；（3）秦汉之际的变革历史；（4）武帝建元、元封之间的变革历史。这四段变革历史加起来不到三百年，仅占近三千年历史的十分之一，而篇幅却超过了四分之三。也就是说，《史记》叙三千年历史，五十二万六千五百字，而变革之世的三百年历史就要占近四十万字的篇幅。例如一万七千字的《周本纪》，二百多年的西周史约占三分之二的篇幅，而五百多年的东周史只占三分之一的篇幅。西周部分又特详文王、武王及周公辅成王这一段建国史。详变革历史而略升平之世，这就是详变略渐。详变略渐，突出了“变”，使历史的叙述，重点突现，波澜起伏，言简意深，“辞约而事举，叙三千年事，唯五十万言。”①

详今略古与详变略渐这两个原则，还有一个共通点，就是“通古今之变”的目的是着眼于现世和未来，以古为鉴。司马迁引贾谊《过秦论》为《秦始皇本纪·赞》，对详今略古和以古为鉴的意义做了理论概括。其言曰：

> 野谚曰：“前事不忘，后事之师也”。是以君子为国，观之上古，验之当世，参以人事，察盛衰之理，审权势之宜，去就有序，变化有时，故旷日长久而社稷安矣。

这鲜明地表现了司马迁总结历史经验教训，是为了当世的需要。“观之上古，验之当世，参以人事”，三者互相参验，用以“察盛衰之理”，找出治乱的规律，从而“审权势之宜”，采用合理的统治方法，以达到长治久安的目的。司马迁本人“通古今之变”的理论集中在十表的“序”中。例如《六国年表·序》说：“战国之权变亦有可颇采者，何必上古。秦取天下多暴，然世异变，成功大。传曰‘法后王’，何也？以其近己而俗变相类，议卑而易行也。”这讲的是详今略古，取法后王。《秦楚之际月表·序》说：“太史公读秦楚之际，曰：初作难，发于陈涉；虐戾灭秦，自项氏；拨乱诛暴，平定海内，卒践帝祚，成于汉家。五年之间，号令三嬗，自生民以来，未始有受命若斯之亟也。”这讲的是剧烈变革之世的历史应该很好总结。《高祖功臣侯者年表·序》说：“居今之世，志古之道，所以自镜也，未必尽同。帝王者各殊礼而异务，要以成功为统纪，岂可绲乎？观所以得尊宠及所以废辱，亦当世得失之林也，何必旧闻？”一方面讲以古为镜，一方面又讲古今不同，不可混同古今，表现了司马迁通古今之变

① 《晋书》卷六〇《张辅传》所载张辅语。

的朴素辩证法思想。司马迁特别重视对秦朝历史的总结，就是为汉世作镜子的。

为了探寻古今社会的治乱规律，司马迁还提出了一系列的研究方法和理论。最突出的有两个原则，一是“原始察终，见盛观衰”，一是创造类传、合传，作古今纵横的对比。

“原始察终”，就是追原其始，察究其终，把握历史演变的全过程来看它的原因、经过、发展和结果。“见盛观衰”，就是在兴盛的时候，要看到它转化的起点。司马迁用这八个字来看人类社会历史的发展，整个历史长河是一个不断兴衰发展的连续系列，要洞悉它的发展过程，不仅要作贯通的研究，还要划分段落来考察。前一段历史是后一段历史发展的原因；后一段历史是前一段历史发展的结果。《史记》五体基本内容是按时间的顺序排列的，这就清楚地表现了司马迁贯通的历史观点。在贯通的历史叙述中，对古今的详略层次划分段落，详变略渐，把握“变”的规律，这就是“见盛观衰”的历史观点。前述《史记》五体的历史内容，十二本纪和十表极为鲜明地表现了司马迁这一方法，不再复述。这里需着重指出的是，司马迁“原始察终，见盛观衰”的研究方法，建立了古代的历史年代学，将贯通的历史划分断限，具有把历史叙述引向科学化轨道的重大意义，应当认真地研究。司马迁的这一理论与实践，是空前的创造，是那个时代朴素历史唯物史观的最高水平。

关于类传、合传，既是编纂方法，同时又是研究方法。司马迁的创造、对于编纂方法的贡献，前已述及，这里补充从研究方法角度看类传、合传的价值与意义。

类传、合传，以及七十列传排列中的以类相从，目的就是作历史的纵横比较。例如《仲尼弟子列传》、《孟子荀卿列传》、《老子韩非列传》、《儒林列传》等等一系列合传、类传，把古今学术的变化发展做了条理化的论述，分合源流，线索分明。《孟子荀卿列传》，既概括了战国时百家学说的轮廓，是一个类传，但它用合传标目，又突出了孟荀两派儒学是这一时代的主流。《老子韩非列传》，又称《老庄申韩列传》，司马迁把法家韩非、申不害与道家老子、庄子排在一起，表明两家学术有渊源。韩非就有

《解老》、《喻老》之作。《屈原贾生列传》，司马迁认为贾生壮志不酬，具有与屈原类似的遭遇，将两人合传，警醒世人记取历史悲剧的重演。《扁鹊仓公列传》，则讲的是医学的继承和发展。总之，类传、合传的创造，是司马迁“通古今之变”的一种方法。这方法是在历史类比中强调以古为鉴，无疑这也是进步的历史观，在今天仍然有借鉴意义。

司马迁“通古今之变”的方法和理论，也是值得肯定的。

三、《史记》的取材义例

编纂历史著作，不同于文学作品，以抒情见意，辞必己出；也不同于哲理著作，以空言论道，设寓说理。历史著作，应当做到言有所据，事有所托，字字句句，均有来历。司马迁正是从这一原则出发，他广博地搜求史料和抉择史料，并把自己的理论见解和实践经验一一载入史记论赞中，留下了宝贵的史论遗产。“网罗天下放失旧闻”，这句话就是司马迁提出的史学理论，有两层含义。一方面是说历史学要概括人类社会的一切文化发展，所以要“厥协《六经》异传，整齐百家杂语”，融合百家学说于一编之中。另一方面是讲《史记》取材，无所不包，这决定了《史记》内容的丰富和复杂性。这两个方面合起来就是《史记》的取材义例。下面从《史记》取材途径与别择标准两个方面作具体分析。

1. 搜求史料的途径

司马迁搜求史料的途径，大体可以归纳为六个方面。

(1)“紬史记石室金匮之书”，即阅读皇家所藏图书档案。《曹相国世家》所录曹参军功，即《功令》所载之文。《扁鹊仓公列传》载仓公所对医案为皇室所藏。《樊郦滕灌》、《傅靳蒯成》等传亦多录《功令》之文。汉史诸表更是依赖于《功令》、《列封》、《令甲》等资料而制成的。秦焚《诗》《书》，图籍散乱，汉朝建立，有赖于国家的大力收藏，才给司马迁提供了修史的条件。《史记》有三十五个篇目涉及司马迁所见图书，序赞涉及有二十余篇。通计载于《史记》中的司马迁所见书共一百零三种，其中六经及训解书二十四种，诸子百家书五十二种，历史地理及汉室档案二十种，文学书七种，这仅仅是司马迁因事论及的一部分。由此可见，司马迁对于文献典籍是何等的重视。

（2）取资金石、文物、图像及建筑。《秦始皇本纪》载录了《泰山石刻》、《琅邪石刻》、《之罘石刻》、《碣石石刻》、《会稽石刻》。《孔子世家·赞》云，司马迁适鲁观孔子庙堂车服礼器。《留侯世家·赞》云，司马迁考核留侯张良画像。《春申君列传·赞》云，司马迁适楚，观春申君故城宫室。《蒙恬列传·赞》云，司马迁观蒙恬所筑长城、亭障、直道。

（3）游历访问，实地调查。《太史公自序》记载了司马迁二十岁南游江淮的壮举。他还奉使巴、蜀以南之游。此外，还在几十年间扈从武帝之游。司马迁足迹遍于全国，他搜集了有关上古历史的传说，考实了西周建国经营洛邑的情况，纠正了学者所传之误。至于调查战国故事，汉初故事，古战场形势，个人遗事，更至为详悉。司马迁十分重视普通老百姓的口碑、传颂，并在《史记》中留下了记载。如适大梁之墟，求问夷门及秦灭魏，“墟中人曰”云云；载樗里子事迹，“秦人称其智”云云；至淮阴，“淮阴人为余言”云云……此类例证，不胜枚举。这说明司马迁的调查，深入了社会下层，有时甚至冒着生命危险。例如他在齐鲁调查，就曾“厄困鄱、薛、彭城”，但终于了解到薛地风俗，“其间里多暴桀子弟，与邹、鲁殊”。再如《货殖列传》对全国都市经济、各地物产、习俗的记载，如此生动多彩，毫无疑问是得益于游历调查所获得的资料。

（4）接触当事人或他人的口述材料。如冯王孙讲述赵王迁无行而诛良将李牧的故事，贾嘉通书追怀贾谊的故事，樊他广讲述汉高祖及樊郦滕灌等功臣微时的故事等等。李广朴质，郭解矮小等情节均为司马迁所亲见而载入史中。

（5）采集歌谣诗赋，俚语俗谚。此分三项：一是乐府歌谣，文人诗赋；二是民歌童谣；三是俚语俗谚。《史记》中所载这三项资料共六十一条。其中第一项十五条，第二项八条，第三项三十八条。司马迁广泛采集民歌童谣，俚语俗谚，标明“谚曰”、“语曰”、“鄙语曰”云云，并大量引入赞中，用以褒贬人物，就像引用经典一样郑重。歌谣俚语，寓有平凡的真理，是人民群众生活实践的结晶。司马迁引用歌谣俚语，正是他史识过人的一种表现。

（6）搜求被秦始皇焚灭了的古诸侯史记。《六国年表·序》说，秦焚《诗》、《书》，诸侯史记尤甚，“而史记独藏周室，以故灭。惜哉，惜哉！独有《秦记》，又不载日月，其文略不具”。秦只焚灭了官家之藏，而民间尚有残篇。如《燕召公世家》载，燕孝王“三年卒，子今王喜立”。又载，“今王喜四年，秦昭王卒”。这是公元前225年至前221年事，下距司马迁一百四五十年，而两称“今王”，显然是抄录燕国史记而改写未竟的痕迹。又如《廉颇蔺相如列传》载秦赵会渑池，赵王鼓瑟，秦御史书“某年月日，秦王与赵王会饮，令赵王鼓瑟”。蔺相如挟秦王击缶，亦召赵御史书“某年月日，秦王为赵王击缶”。赵御史所书必不载于秦史记而是据赵史记写下的。又年表、世家载各诸侯国史事用第一人称“我”，不可能全部据秦史记回改，亦当是依据诸侯史记。这些例证是《史记》取材于“诸侯史记”的有力佐证。

2. 取舍材料的标准

上述搜求史料的六种途径，足以反映司马迁取资的宏博。对这些丰富而博杂的材料，司马迁又是怎样抉择和选录的呢？我们大致也可以归纳为六条义例，或曰六条标准。

（1）“考信于六艺，折中于夫子。”这是推尊孔子，以六艺经传和孔子之言作为鉴别是非的标准。本书第三章“私淑至圣先师孔子”一节有详论，兹从略。

（2）“择其言尤雅者，总之不离古文者近是。”这一原则表明司马迁以雅正的古文献作为述史依据，具有科学精神，《五帝本纪·赞》、《三代世表·序》、《仲尼弟子列传·赞》等篇作了交代。《五帝本纪》就是一篇以古文记载为主要依据而“择其言尤雅者”的典型例证。司马迁运用古文的基本功从问故于孔安国打下扎实的基础，亦详第三章，这里不再复述。

(3)“纪异而说不书，所有怪物，余不敢言之也。”《天官书》云：“幽厉以往，尚矣。所见天变，皆国殊窟穴，家占物怪，以合时应，其文图籍禨祥不法。是以孔子论六经，纪异而说不书。”《大宛列传·赞》云：“至《禹本纪》、《山海经》所有怪物；余不敢言之也。”所谓“纪异而说不书”，这是究天人关系的一个原则。司马迁精通天文、律历，但古代的科学知识是与宗教迷信、神话传说杂糅在一起的。实际观察天象，可以验证“星气之书，多杂禨祥，不经”；但巫祝的预言有经验作基础，故也“时或颇中”，于是司马迁又认为“推其文，考其应，不殊”[①]。天道性命到底有无呢？司马迁既怀疑，又相信。“纪异”，就是对天异灾变加以记载；而“说不书”，即对感应的说法不作记载。《律书》《历书》《天官书》三书记载了天变以及感应的资料，而在载人事的纪传中并不加以发挥。天是天，人是人，两者在《史记》五体的分工中作了明显的区分。尤其是七十列传，力求实录人事的历史变化，而对虚妄谎诞之说加以摈斥或揭露。所以《禹本纪》、《山海经》所有怪物，荒诞无稽，非信史，一概不录。

(4)“非天下所以存亡，故不著；至于世传其书者，论其轶事。”这一原则司马迁反复申言之，在《留侯世家》、《张丞相列传》、《管晏列传·赞》、《孙子吴起列传·赞》分别做了交代。记载天下大事与记述人物轶事是怎样关联的呢？原来司马迁的这一原则是运用选择塑造人物的典型形象以反映历史的本质。具体说就是，对于无功无过的显宦，司马迁不为之作传；反之，事关治道的下层人物，司马迁选择典型一一立传；对于在历史上作出了重大贡献，留下书说传于后世的人物，则只载其轶事。司马迁怎样运用选择塑造历史人物典型形象的，将在第七章中详论。从编纂方法上说，司马迁的这一原则是以简驭繁之法，它使以人物为中心的《史记》，只用了五十二万余字，就叙述了近三千年的史事，真正做到了字字精炼，要言不烦。

(5)“信以传信，疑以传疑，故两言之。”《三代世表·序》

① 《史记》卷一三〇《太史公自序》。

云："太史公曰：五帝、三代之记，尚矣。自殷以前诸侯不可得而谱，周以来乃颇可著。……故疑则传疑，盖其慎也。"《仲尼弟子列传·赞》云："疑者阙焉。"五帝三代之本纪、年表，只载世系而不记年，殷周二纪载殷始祖契、周始祖后稷，其母吞玄鸟卵或履巨人迹而生，又云其父为帝喾，就是"信以传信，疑以传疑"原则之运用。

（6）"厥协六经异传，整齐百家杂语。"由于司马迁的述史理想是"成一家之言"，他要拿出自己的见解来回答历史是怎样发展变化的，因此，他虽然提出了"考信于六艺"，"折中于夫子"的考信原则，但引载六艺经传及百家杂语，并不墨守教条，而是要进行一番"厥协"、"整齐"的工作。"厥协"，即综合；"整齐"，即删汰别择。司马迁"厥协"、"整齐"的手法主要有四种：（1）剪裁摘要；（2）增文补史；（3）训释古文；（4）熔铸改写。这四种手法常常是交叉运用，而以熔铸改写为主。《五帝本纪》载瞽叟和象如何迫害舜的故事，主要采自《孟子》和《淮南子》。《孟子·万章上》说象落井下石谋害舜后，前往舜宫，企图霸占二嫂，但舜已从井中出，先归家。按儒家礼教，象是不能玷污二嫂的，他的活动只不过是衬托舜的伟大。司马迁采摘熔铸，改写为，当舜从井中出来归家时，象已在自己的居室调戏舜之二妻。司马迁的这一改写，不但使故事更加戏剧化，而且使斗争更合理、更激烈。《史记》以实录著称于世，是就其所反映的历史本质而言。至于细节，《史记》往往有文学手法的运用。例如《孔子世家》引载《论语》材料，一一做了时间和场景的定位，形成了连贯的编年史料描述人物的行状，这显然是一种文学构思。

综上所述，《史记》取材，有着严密的史法义例，宗旨是"成一家之言"。司马迁取材义例，不仅表现了他的创造精神和卓越史识，而且许多方法至今仍有借鉴意义。班氏父子谓《史记》专务广博而疏略抵牾[1]，郑樵讥《史记》博雅不足[2]，都是片面的。

---

① 班氏父子的批评，班彪语载《后汉书·班彪传》，班固语载《汉书·司马迁传》。

② 郑樵的批评，见《通志总序》。

四、实录精神

实录精神，又称直笔精神，它是我国古代史学的一个优良传统。两汉大儒都十分推尊《史记》为实录。班固在《汉书·司马迁传》中引刘向、扬雄之言，赞扬《史记》“其文直，其事核，不虚美，不隐恶，故谓之实录”。具体内容和特点，试析之如下。

1. 其文直，其事核

文直事核是实录的最基本精神，也是历史著述最基本的方法。它要求史家作史有据，要全面地占有材料，承认客观事实的存在，全面而系统地直书史事，不做任何曲笔或漏略。司马迁写历史，全方位地展现社会生活，他写了各色人物的传记，反映了历史的本质，这是实录精神的一种反映。忠于实录，从更高的标准来看，它不是记流水账，而是要捕捉事件和人物的典型性，它表现为一个史家高远的识见，反映在史例史体中。司马迁为项羽、吕太后作纪，为孔子、陈涉、后妃立世家，就是实录精神升华为卓越史识的一种表现。

实录精神要求对具体史实的载述，要符合事实的本来面貌，不能随从流俗和习惯，对讹传的史事要作细致的调查和考证。这些方面，司马迁做得很出色。他在许多篇章作出交代，说明所引据的史籍或其他根据。如《五帝本纪》“予观《春秋》《国语》”，《殷本纪》“自成汤以来，采于《书》《诗》”，《高祖功臣侯者年表》“余读高祖侯功臣，察其首封”，等等。又如司马迁在五帝、夏、殷、周各篇的“太史公曰”中，对古史的考证作出了说明。写五帝事迹，是综合各种材料“择其言尤雅者”；夏、殷两代的姓氏，夏禹之崩于会稽，殷人之习俗，周室何时迁居洛邑，都做了认真的考证，可见司马迁作史的谨严态度。

司马迁不从流俗为苏秦翻案，特在赞中作出交代。他认为“苏秦起闾阎，连六国从亲，此其智有过人者。吾故列其行事，次其时序，毋令独蒙恶声焉。”苏秦行事奇异诡谲，在民间流传中，“异时事有类之者皆附之苏秦”，有许多附会传说，神化了苏秦；而在史籍记载中，由于苏秦早死，张仪“振暴其短以扶其说，成其衡道”，千方百计诋毁苏秦，使“天下共笑之”。对苏秦的过誉或过损，都不符事实，所以司马迁据事迹实录，让读者公断是非。又如《李斯列传》记载秦丞相李斯，他有大功于秦，却被五刑而死，天下之人咸称其冤。司马迁用事实记载，条列了李斯辅佐秦始皇统一六国，建立制度的功绩，同时又记叙了他因贪重爵禄，与赵高合谋，助二世为虐的罪责，改变了历史的进程，成为天下的罪人，其死虽惨，固不足惜。从而驳斥了李斯极忠而死的俗议。

轻视妇女，可以说是自古而然的习惯势力。孔子就说过：“唯女子与小人为难养也，近之则不逊，远之则怨。”[①] 司马迁不仅没有蔑视妇女的偏见，而且在他的笔下，妇女形象光彩夺目。在《史记》体例中，吕后进入了“本纪”，后妃进入了“世家”。司马迁据事实录，尽管他无情地揭露了吕后在政治斗争中的种种恶行，但并不着眼于女性祸国乱政，而恰恰指出吕后性格“刚毅戾深”，属秦始皇一流人物，具有更深层的寓意。同时，司马迁对吕后执行无为政治，带来社会的安定，给予了实事求是的高度评价，也是十分准确的。《外戚世家》起首发论指出后妃的辅政作用。司马迁列举的历史事例也是一正一反，把妇女的作用提到了影响国家兴亡的高度，说明历史的发展进程是离不开妇女的。此外，司马迁在人物附传中赞扬了许多不同类型的妇女形象。战国时赵将赵括母，是一个大公无私，能明辨是非的女性典型；齐国太史嬓女，在国难当头，不拘小节与齐湣王太子法章私自结合，协助其复国的事迹，表现了她的爱国主义精神；魏国轵人聂荣，是一个舍生为其弟聂政传播义士之名的女性典型；汉朝的缇萦和卓文君，是敢于和封建礼法作斗争的妇女典型；还有春秋时晋国介之推母，秦末东阳起义者陈婴母，楚汉相争时被项羽逼杀

① 《论语》第一七《阳货》。

的王陵母，这些妇女是深明大义，能洞察历史大势的妇女典型；至于救助韩信而不望报的漂母，更是平凡而具有高尚情操的妇女典型。司马迁是中国历史上第一个重视了妇女在社会生活各个领域发挥作用而加以记载的史家。为什么司马迁能有如此非凡的识见和成就，“道理原很简单，只是贯彻了史家应该具有的实录精神”①。

2. 不虚美，不隐恶

这是在“文直事核”的基础上的进一步发展，它要求史学家具有求是存真的高尚史德，不仅要善恶必书，具有两点论；而且要“明是非”，“采善贬恶”，自觉地表明对史事人物的褒贬爱恨，而且要做到恰如其分。司马迁明确反对“誉者或过其实，毁者或过其真”② 的主观臆断。所以司马迁论载史事人物，一般不做全盘肯定或全盘否定，而是原原本本地讲清楚人物行事和客观事物的变化和发展，依据事实给以恰如其分的评价，不虚美，不隐恶。例如，司马迁反对秦朝的暴政，却肯定秦朝的统一之功和制度体系；司马迁颂扬汉家一统，却又深微地揭露和讥刺汉家帝王的一些隐私和时政；司马迁肯定项羽灭秦之功，把他塑造成一个叱咤风云的英雄人物，但也揭露和批判了他的残暴不仁；司马迁同情李广，形象生动地描写了他的英勇善战和爱国主义情怀，并给予了高度评价，但并不饰过；司马迁极其憎恶酷吏，却也肯定了廉洁不枉法的酷吏……如此等等，力求做到尊重客观的历史实际。因为只有实录的历史，才能提供真正有益的教训，使历史起到镜子的作用。

3. 书法不隐，写当代汉史赋予了深刻的批判精神

刘知几称赞古代的直笔史学家说：“董狐之书法不隐”，“齐史之书崔弑，马迁之述汉非，韦昭仗正于吴朝，崔浩犯讳于魏国”③。这些直笔史学家，以司马迁成绩为最大。刘知几着重指出，史学家直笔，贵在对现实生活不合理部分的批判，特别肯定

① 季镇淮：《司马迁》，上海人民出版社 1979 年版，第 130 页。

② 《史记》卷六七《仲尼弟子列传·赞》。

③ 《史通》卷七《直书》。

了司马迁的“述汉非”。如果一个史学家没有批判现实的勇气，没有爱憎分明的立场，没有直言不讳的精神，那么史学家就丧失了史德，也就没有史学家的地位和历史的价值。司马迁“述汉非”被东汉王允斥为“谤书”[①]。章怀太子李贤注云：“凡史官之事，善恶必书。谓迁所著《史记》，但是汉家不善之事，皆为谤也，非独武帝之身。”[②] 这说明司马迁“述汉非”的内容，不只是讥刺汉武帝，它涉及了百年汉史的整个纵横面。司马迁对汉朝最高统治者刘邦到汉武帝，对汉代文质彬彬而竞荣逐利的儒生，对汉武帝时代的社会矛盾，都做了深刻的“微文刺讥”。例如“受命而帝”的“大圣”刘邦，他的自私、刻薄、猜忌、冷酷，在司马迁笔下，得到淋漓尽致的反映。清人王鸣盛从《史记》描写中总结刘邦品格，说他唯利是图，顽钝无耻，“有急则使纪信代死，不顾子女，推堕下车；鸿沟既画，旋即背之；屡败屡蹙，不以为辱；失信废义，不以为愧也”[③]。

汉儒的代表为叔孙通、公孙弘、董仲舒。叔孙通草具汉仪法，公孙弘倡导儒学，董仲舒治“公羊春秋”宣扬大一统。司马迁对这三个赫赫知名的人物，均在平实的记述中，肯定了他们的业绩，同时也对他们各自的个性弱点往往予以意味深长的讽刺。叔孙通之“谀”，公孙弘之“诈”，董仲舒之“迂”，都描绘得十分形象而生动。

百年汉史的重点是集中地写武帝一朝的政治、经济、文化各个方面。司马迁深刻地揭露了汉武帝时代的社会矛盾，批评时政。《平准书》集中批判横征暴敛的经济政策；《酷吏列传》集中批判残酷黑暗的官僚政治；《儒林列传》、《公孙弘传》通过揭露汉儒阿贵取容的丑态，批判文化政策；《封禅书》讥刺汉武帝的痴妄迷信，劳民伤财。这些篇章，《平准书》起照应各篇，点明其内在联系的纲领作用。司马迁首先写汉承秦之弊，经过七十年

① 王允语见《三国志·董卓传》裴注引谢承《后汉书》，又见范晔《后汉书·蔡邕传》。

② 注文见《后汉书·蔡邕传》注。

③ 《十七史商榷》卷三。

间休养生息，民殷国富，以此为铺垫与汉武帝大肆兴作由盛转衰作对照。然后以“物盛而衰，固其变也”，将笔锋转入正题，一桩桩一件件载述武帝对外用兵，对内兴作与聚敛所造成的民穷国困，结尾以秦喻汉给统治者敲响了警钟。《平准书》记事至元封元年止，意味深长地示意见盛观衰，不能不使人惊叹司马迁的胆气豪壮与识见非凡。

4. 司马迁直笔的进步意义

孔子的春秋笔法，“善善恶恶”，“贤贤贱不肖”，受到司马迁的称赞。但是春秋笔法，却又为尊者、亲者、贤者讳。孔子说过：“父为子隐，子为父隐，直在其中矣。”[①]《孔子世家》载，孔子修《春秋》“据鲁亲周”。据鲁，指《春秋》依鲁史记删削成文。亲周，指维护周天子的尊严，为周天子饰讳。“故吴楚之君自称王，而《春秋》贬之曰‘子’；践土之会实召周天子，而《春秋》讳之曰‘天王狩于河阳’”。[②]《左传》释《春秋》凡例云，“凡诸侯有命，告则书，不然则否。师出臧否亦如之”[③]。这样，列国可以向别国或封锁消息“不告”；或告以假情况，弑君可以告薨，篡夺可以告嗣位；其他如兵败、灭国、君辱，以及国君大臣种种非礼苟且之事，均可饰讳。孔子修史据鲁亲周，所以有许多饰讳和史实隐而不载。这就是说，孔子把直笔讨恶与曲笔饰讳统一于《春秋》一书了。这是怎么一回事呢？原来在春秋时代，“史”的观念是重义不重事，列国史官直笔是据礼直书，并非据事直书。就拿晋董狐来说，他是据“礼”直书“赵盾弑其君”。再看齐庄公被弑。庄公最初与崔杼合谋，趁齐灵公病危之时，杀灵公宠妾和太子牙，灵公死，庄公自立。其后庄公又私通崔杼之妻，与崔杼结怨而被杀。齐太史兄弟以十分悲壮的行为，不惜牺牲生命，在史册上写上了“齐崔杼弑其君光”，而却隐去了齐庄公的丑行。这说明晋董狐、齐太史氏兄弟及南史氏，他们以大无畏的精神，直书叛臣弑君的恶行，目的是为了捍卫封建等级伦理

① 《论语》第十三《子路》第十八章。

② 《史记》卷四七《孔子世家》。

③ 《左传》鲁隐公十一年。

纲常。孔子修《春秋》，是为了维护君君、臣臣、父父、子子的道德纲常，在这一大原则下，直笔与饰讳和谐地统一了起来，所以说“父为子隐，子为父隐，直在其中矣”。

《左传》解经，补充了许多史实，才成为一部较为完整的春秋编年史，把《春秋》饰讳的许多“君亲之恶”暴露了出来，这是史学的一大发展。司马迁在《十二诸侯年表·序》中说，孔子成《春秋》，“七十子之徒口受其传指，为有所刺讥褒讳挹损之文辞不可以书见也。鲁君子左丘明惧弟子人人异端，各安其意，失其真，故因孔子史记具论其语，成《左氏春秋》”。显然，司马迁在这里肯定了《左传》为恢复历史本来面目的“具论其语”，而对孔子“不书见”的隐讳则是致以微辞。由于《左传》为解经而作，所采史实，仍不出《春秋》范围，不外征伐会盟与祭祀朝聘等的节文仪注，褒贬基调仍不离《春秋》绝笔。《史记》突破了《春秋》空文以道义的体例，创立五体结构，“网罗天下放失旧闻”，全面系统地叙述历史，天地万物、古今社会、世间一切事物与一切学问都在记叙之列。《史记》褒贬，突破了不及君亲的饰讳藩篱，“贬天子，退诸侯，讨大夫”[①]，敢于揭露现存统治秩序下的种种黑暗，“不虚美，不隐恶”，创造了崭新的直笔境界，是一个划时代的进步。

① 《史记》卷一三〇《太史公自序》。

第七章　《史记》的文学成就

历史著作要求严肃的科学性，所写历史人物都是真有其人，实有其事，不允许虚构和夸张。文学作品写人则要求所塑造的人物具有典型性。这两者有很大的区别。所以《史记》作为历史名著，它一问世就得到了学术界的公认，而作为文学名著的认识，则经历了一个漫长的历史过程。《史记》的人物传记，是实录，还是创作？至今文史两界的认识并不统一。由于司马迁笔下的历史人物，一个个栩栩如生，形象鲜明，使读者如闻其声，如见其人，历代以来脍炙人口，所以当今《史记》已被公认为古典传记文学的优秀作品。那么司马迁是怎样塑造历史人物的呢？他是用文学之笔写历史人物，还是借历史人物进行文学创作？这是文史两界分歧的焦点，也是本章所要评述的重心。文学界的研究者，从写人艺术角度系统地抉发《史记》的文学成就，在 20 世纪 80 年代的十年间作出了突出的贡献。近年来出版的学术专题论著，按时间先后排列，主要有：宋嗣廉《史记艺术美研究》，1985 年东北师范大学出版社出版；郭双成《史记人物传记论稿》，1985 年中州古籍出版社出版；韩兆琦《史记评议赏析》，1985 年内蒙古人民出版社出版；吴汝煜《史记论稿》，1986 年江苏教育出版社出版；李少雍《司马迁传记文学论稿》，1987 年重庆出版社出版；可永雪

《史记文学成就论稿》，1991 年内蒙古教育出版社出版。这些论著的问世，标志着对《史记》文学成就的研究达到了一个新的高峰。本章采摭诸家之说，参以己意，约其文辞，略述《史记》的文学成就以供评说。

一、《史记》文学性的界说

对《史记》文学性的认识与抉发，从历史过程来看，是逐步深化的，至少有四个层次。最广义的文学性，只着眼于《史记》文章简洁，辞采华美，这是第一层次，魏晋以前最普遍的认识。着眼于《史记》散文的成就和艺术风格美，这是第二层次，唐人深化的认识。《史记》文章结构，转折波澜，人物刻画具有小说因素，这是第三层次，明清评点家多所抉发。全面地系统地抉发司马迁塑造历史传记人物典型形象的艺术手法，这是第四层次，可以说是近年来才深入的。

如上所述，《史记》的文学成就和贡献是多方面的，语言运用、散文成就、小说创构、传记文学，无论从哪一个方面去看，司马迁都堪称大家。《史记》文学的最高成就应该是在实录史事的基础上，刻画了典型形象的传记文学。司马迁的伟大正在于此。如果脱离写实而侈谈小说创构，那就不是司马迁的文学。

司马迁为文章大家，古今同论。西汉刘向，扬雄称许司马迁的《史记》为实录，“服其善序事理”①，东汉班固说“文章则司马迁、相如”②，将两司马相提并论，司马迁之文，司马相如之赋，皆为文学，当时统称文章。晋代张辅、梁刘勰、唐刘知几进一步论述了《史记》的文章辞采。张辅肯定“迁之著述，辞约而事举”，并举证苏秦、张仪、范雎、蔡泽等传，“逞辞流离”，“述

① 《汉书》卷六二《司马迁传·赞》。
② 《汉书》卷五八《公孙弘卜式兒宽传·赞》。

辩士则辞采华靡，叙实录则隐核名检，此所以迁称良史也”[1]。这讲的是司马迁文章简洁而辞藻华丽。刘勰《文心雕龙》标立“史传”专题，明确地把《史记》人物传记包括在文学范围之内。刘知几的《史通》，对先秦两汉的《左传》、《国语》、《史记》、《汉书》等著作所表现的叙事简洁、语言华美，以至若干细节描写的成就，颇多抉发和赞赏。上述由汉至唐文史理论家的阐述，首先肯定《史记》是历史学著作，其次阐发它文章辞采的文学性。这是第一层次广义文学性的认识，古今没有分歧，也是符合历史实际的。我国古代文化学术有“文史不分”的说法，主要指的就是先秦时代。当时的学术文化，处于百家争鸣阶段，文学、史学、哲学、文献学等等，从萌芽生长到临近开花结果的时期，往往是两位或多位一体的。司马迁正是在继承这一文化传统基础上，首先是创造了独立的史学，同时又创造了编纂形式上的五体合一和思想内容上史学、文学、哲学三位一体的著作。故《史记》内容包罗万象，叙事史笔与文笔熔铸在一起。从而司马迁也集史学家、文学家、思想家于一身。这是时代的创造。但《史记》首先是历史学著作，这一点是不容置疑的。从刘向、扬雄、班固，到张辅、刘勰、刘知几，他们着重从史学评价《史记》，主流是应该肯定的。即使在今天研究《史记》，尤其是从文学角度研究《史记》，也必以此为出发点，方不至于偏斜。

唐宋八大家掀起古文运动，以司马迁为旗帜，把《史记》树为追慕学习的典范。韩愈论《史记》雄健，柳宗元论《史记》峻洁，韩柳并师法《史记》作文，把对《史记》文学性的认识推进了一步。《史记》文章为汉代散文典范，从此确立。明清人评点《史记》，对文章艺术美的研究，挖掘更深，尤以清桐城派的评点，成绩最大。方苞用“义法”论《史记》，已经明确地触及内容与形式统一的认识。《方苞集·又书货殖传后》说：“《春秋》之制义法，自太史公发之，而后之深于文者亦具焉。义即《易》之所谓言有物也，法即《易》之所谓言有序也。义以为经而法纬

① 《晋书》卷六〇《张辅传》。

之，然后为成体之文。”这里明确地说，“义”就是“言有物”，即文章的内容；“法”，就是“言有序”，即文章的表现形式。“义以为经而法纬之，然后为成体之文”，也就是内容与形式的高度统一，才是富有文学价值的好文章。桐城派另一大家刘大魁，在方苞义法说的基础上，进一步探索《史记》散文的艺术美，指出《史记》文法有“大”、“远”、“疏”、“变”的四大特点。桐城派最后一位代表人物林纾，他对《史记》散文艺术美的研究卓有成绩。他撰写的《春觉斋论文》，对《史记》文章情韵之美，以及运用虚字和结尾艺术做了不少具体分析，发前人所未发。林纾还在他所译的许多西方小说序文中，把太史公笔法与西欧小说家的写作技巧加以比较分析，大大开阔了人们的眼界。这已经是跨越了散文艺术研究的范围了。

从人物形象塑造的角度评价《史记》的文学性，宋人已开始了这方面的探索。《史记评林》引南宋魏了翁评论《高祖本纪》中高祖还乡一节文字时说：

> 后世为史者，但云“还沛置酒，召故人乐饮极欢”足矣。看他发沛中儿，教歌，至酒酣击筑，歌呼起舞，反转泣下，缕缕不绝。古今文字淋漓尽致，言笑有情，安可及此！

这里指出，司马迁对高祖还乡生活细节的描写，对浓厚的人情味的刻画，已经超出了历史记述的范围，而是刻画人物形象需要的文学创作了。宋末元初的刘辰翁，他在《班马异同评》一书中，对《史记》人物形象的塑造和细节描写就做了大量的分析，并明确指出《司马相如列传》中文君夜奔的故事是一段小说情节。最早把《史记》与小说相提并论的是明嘉靖间人李开先。他在《词谑》一书中说，“《水浒传》委典详尽，血脉贯通，《史记》而下，便是此书”。李开先把《水浒传》的情节安排与文章技巧与《史记》的文章技巧联系起来。到了明末清初，金圣叹径直把《史记》、《庄子》、《离骚》、《杜诗》、《水浒传》、《西游记》并称为“六才子书”。金圣叹在评点《才子古文》一书中留下了他选评的《史记》序赞九十余篇。又在《水浒传》和《西厢记》的评点中多次赞扬司马迁的文笔。尤其是《史记》与小说的关系，金圣叹有深刻的认识。他在《读第五才子书法》中说："《水浒传》方法，都从《史记》出来，却有许多胜似《史记》处。若《史记》妙处，《水浒》已是件件有。"又在《水浒传会评本》第二十八回回评中说："马迁之为文也，吾见其有事之巨者而隐括焉；又见其有事之细者而张皇焉；或见其有事之缺者而附会焉；又见其有事之全者而轶去焉，无非为文计，不为事计也。"金氏从史料剪裁、细节的夸张描写、附会增益、略去枝蔓的事实等四个方面，说明司马迁处理史事人物，服从于文学性的创作，这见解是很深刻的。现代文史大家，鲁迅、范文澜对《史记》的文学性都有许多精到的评论[①]。鲁迅在他的名著《汉文学史纲要》中有一段精彩的评论。鲁迅说：

> 况发愤著书，意旨自激……恨为弄臣，寄心楮墨，感身世之戮辱，传畸人于千秋，虽背《春秋》之义，固不失为史家之绝唱，无韵之《离骚》矣。惟不拘于史法，不囿于字句，发于情，肆于心而为文，故能如茅坤所言："读《游侠传》即欲轻生，读《屈原贾谊传》即欲流涕，读《庄周》、《鲁仲连传》即欲遗世，读《李广传》即欲立斗，读《石建传》即欲俯躬，读《信陵》、《平原君传》即欲养士"也。

鲁迅评价《史记》为"史家之绝唱，无韵之《离骚》"，已成为确定不移的定论，为文史两界的研究者所公认。鲁迅从三个方面分析了《史记》的文学性，为"无韵之《离骚》"提供了充实的论证。其一，司马迁"发愤著书，意旨自激"，在写历史中寄托了自己的思想情志；其二，"传畸人于千秋"，畸人即奇人，就是塑造奇节异行之人的光辉形象留于后世；其三，"不拘于史法，

① 范文澜在《文心雕龙·史传》篇注中指出，司马迁创立纪传，"发愤著书，辞多寄托"，具有"体史而义诗"的特点，与鲁迅的定评大旨略同。

不囿于字句，发于情，肆于心而为文”，也就是按意之所至，情之所触，驰骋为文，突破史法的规范，写出富有文采和感染力的文章。因此所写游侠、屈原、贾谊等等各色人物具有鲜明的个性，打动了读者。

在司马迁笔下，人物个性鲜明，一个个呼之欲出。像项羽的叱咤风云、刘邦的豁达大度、吕后的刚毅嫉妒、樊哙的勇猛粗犷、叔孙通的阿谀逢迎、公孙弘的诈伪饰智、周勃的木讷厚重、陆贾的风流倜傥、石奋的恭敬醇谨、韩安国的圆滑世故、张良的策谋、陈平的奇计、李广的善射、张汤的残酷，以及古代人物如信陵君的谦恭、蔺相如的智勇、廉颇的忠诚、苏张范蔡等策士的智辩、屈原的志洁、荆轲的悲壮等等，各色人物都有极成功的刻画，给人留下了深刻的印象。司马迁能够“言人人殊”，如张释之是厚重之人，就“还他一篇厚重文字”，万石、张叔是醇谨之人，“遂还他一篇醇谨文字”。总之，司马迁笔下的人物各具风采，他写谁像谁。司马迁的笔力如此非凡在实录史事中带有文学创作的成分，这是不容否认的。但是，若将《史记》人物传记当做小说读，视历史情节为虚拟的艺术，那就不免于偏颇。明清人评点《史记》的写人艺术，着重是写实的艺法探讨，这才符合中国文学发展的传统。《史记》对中国小说影响极大，说明司马迁写人艺术的成功，为后世小说家所师法。中国古典小说，人物传记性、故事性极强，正是受《史记》影响所致。但是不能倒过来说，《史记》就是一部小说①。历史与小说之间岂能画等号？金圣叹将《史记》与《水浒传》并论，但金氏对二者的区别也是泾渭分明的。前引他的《读第五才子书法》说，《史记》妙处，《水浒》已是件件有。紧接着金氏有这样一段话：

> 某尝道《水浒》胜似《史记》，人都不肯信。殊不知某却不是乱说。其实《史记》是以文运事，《水浒》是因文生

---

① 杨荫深的《中国文学史大纲》在《汉代文学家》一章中说：《史记》是“一部最伟大的创作，不仅可作史书读，实可当做一部小说读”。胡怀琛等《史记选注·序言》径直说《史记》“绝像是现在的历史小说”。

事。以文运事是先有事生成如此如此，却要算计出一篇文字来，虽是史公高才，也毕竟是吃苦事。因文生事却不然，只是顺着笔性去，削高补低都由我。

这里所说的“以文运事”，即用文学手法写人写事；“因文生事”，即文学家的虚构创作。《水浒》酷似《史记》却不是《史记》，也就是《水浒》师法《史记》创作人物，而不是师法《史记》写实有人物。金氏的评点是何等的深刻。此可为当今时贤研究《史记》人物形象性的座右铭。如果把《史记》传记人物与当代文学形式来比拟，可方之于报告文学，而不可比拟于短篇小说。从报告文学的角度去研究《史记》的写人艺术，不仅可以为文史两界的研究者所接受，而且也才能真切地体会司马迁的写人艺术，从中获取艺术借鉴的营养。如果《史记》人物皆为司马迁创作，“削高补低皆由我”，怎能显出他“以文运事”的大手笔来呢？

“以文运事”，就不是单纯的史笔记事，而是史笔与文笔交融。单纯的史笔，如同《春秋》笔法，记事如断烂朝报，用以载人，只能记载事迹功状，如同履历表，或生老病死账单。这种档案历史没有文采与文学，便无法流传。所以清人章学诚说：“史所载者事也，事必藉文而传。”又说：“史之赖于文也，犹衣之需乎采，食之需乎味。”[①] 司马迁“鄙没世而文采不表于后”[②]，也正是这个意思。文笔记事，则有文采，用以写人，则有文学。而文学要求有细部的描写和刻画，有时还需要淋漓尽致地泼墨渲染，烘托气氛，这就带有创作的成分。《史记》写人物史笔与文笔交融，在个别篇章还留下明显的分野痕迹。如曹参、周勃、樊哙、郦商等人传记，写战功就录自功状，基本为史笔。写轶闻琐事以及典型生活事例部分，则是文笔。例如曹参饮酒不视事，与惠帝问答，就是以文笔叙事，用以刻画人物形象。《史记》中的细节

① 《文史通义·史德》。

② 司马迁《报任安书》。

描写，也还有增润生发，或移甲作乙的事例。例如《左传》中伍尚说的话，在《史记》中变成了伍员的说话。这是为了刻画伍员叛逆性格的需要。《史记》中带创作性质的细节描写不胜枚举。

但是“以文运事”的细节描写，并不等同于小说创作。今人引入“艺术辩证法”的概念，对此作了超越前人的分析。宋嗣廉在《史记艺术美研究》一书中专有一章《史记的艺术辩证法》对此作了深入分析。所谓“艺术辩证法”，“就是唯物辩证法的普遍真理在艺术创作中的运用。其基本特点就在于能把人类社会和自然界描写为一个具有内在联系的合乎规律发展的历史过程”①。宋嗣廉运用这一理论探讨了《史记》的“实录与想象”、“多样与统一”、“共性与个性”等特征。作者认为，司马迁在“考信”史实的前提下，对某些细节通过“入情合理想象”，“称量以出之”，加以“文饰”，这不能与小说虚构相提并论。因为“入情合理想象”，它以“考信”的史料和采访得来的轶闻为基础，对不足部分作出补充，或表达作者的体验。即“这个想象只能局限于对历史人物人情的‘遥体’，对历史事件事势的‘悬想’。它与历史小说等文艺作品的构思之不同处，在于它不允许作者离开真人真事去对史料作综合与虚构。”最后，作者通过一系列关于“考信”、“揣度”、“文饰”、“轶闻渲染”等的实例分析后指出：“《史记》的‘实录’除了包括‘事核’——‘不虚美’、‘不隐恶’之外，还包括‘文直’——‘辨而不华，质而不俚’的特点在内”，“相反，那种把‘实录’只理解为承认客观事实的看法倒是不全面的。”② 显然，“艺术辩证法”的分析方法，比“以文运事”的概括又前进了一步。

运用“艺术辩证法”的观点去分析前人史传文学的实践，把握的关键在于“入情合理的想象”与“称量以出之”。离开这个“度”，那就是小说虚构。今人钱钟书、郭双成等人的研究，对《史记》的合理想象都给予了充分的肯定。钱钟书说：“史家追叙

① 《史记艺术美研究》，东北师范大学出版社1985年版，第72页。

② 同上，第81—89页。

真人真事，必须遥体人情，悬想事势，设身局中，潜心腔内，忖之度之，以揣以摩，庶几入情合理。盖与小说、院本之臆造人物、虚构境地，不尽同而可相通。”① 郭双成在其所作《史记人物传记论稿》一书中也设有专节谈《史记》的生活真实与艺术真实的问题。作者认为：“通过想象对历史基本事实在细节上作一些补充，在一定程度上是不可避免的。离开了想象，也便没有了描写的具体性，所以这种情形却反而给《史记》的人物传记增添了无限的文学的光彩，可以更好地具体揭示出特定的人物的性格特征、面貌和心理”②。这些见解告诉我们，对于《史记》中的某些细节描写，可以认为是司马迁运用合理想象对生活真实的一种补充、复原，也就是一种摹写，它是有别于小说虚构的。例如《淮阴侯列传》，写韩信与陈豨在庭中谋反语，这一情节当时无窃听器记录，又无第三者在场，司马迁何缘得知？有的论者以此提出问题，认为是司马迁“故作疏漏”，照抄“汉廷狱案”以明淮阴侯不反，或者视为小说虚构，均不可取。当时虽无窃听记录，但陈豨举兵可要借此来煽动部属，史公用笔简练，只不过没有记载过程就是了。在两造均无史料证明的情况下，视为史公对轶闻传说，或照“汉廷狱案”所作的合理想象，似乎要合理得多。

综上所述，对《史记》的文学性界定，必须分层次。从语言运用的角度来说，司马迁无疑是一位语言大师，用五十二万字的篇幅，写出了近三千年生龙活虎的历史，而且“逞辞流离”，所以司马迁是历史学家，也是文学家。从文章技巧立论，司马迁“善序事理，辨而不华，质而不俚”，是一位散文大家。从写人艺术来看，司马迁开创纪传文学，将历史人物写得形象生动，尤其是那些个性鲜明的人物往往代表了社会上的某一类人，反映了社会现象，有的达到了一定的典型化程度。司马迁写人，在实录的基础上进行了形象化的塑造，不但写人物事迹，而且写出了人物的性格和灵魂，同时还寄托了作者的爱恨和生活体验，也就是

① 《管锥编》第1册，中华书局1979年版，第166页。
② 《史记人物传记论稿》，中州古籍出版社1985年版，第283—284页。

“发愤著书，意旨自激”。《史记》中写得最成功的人物，超越了历史人物本身的价值而成为千古传颂的文学名篇和文学人物。很自然地，司马迁不仅仅是伟大的历史学家，而且还是伟大的文学家。那么，他写人的艺术和经验，就值得认真总结和抉发了。这里必须指出，从人物形象塑造的角度来看，《史记》中许多人物传纪只是一般史笔或散文技法，不能算是写人文学。例如“十二本纪”中，项羽、高祖两篇文学性最强，其次为吕太后、秦始皇、五帝三篇，其余各篇都是一般史笔。又如“列传”中，《伯夷列传》、《管晏列传》，是夹叙夹议的散文笔法，作者寓论于史，表现某种理性思维，而并未着眼于人物形象塑造。民族史传，则更是重在叙事。那些重点刻画了人物性格的篇章，也只有细节的创作，而并无主干的虚构，各篇文学意味的浓淡，由于受到历史资料的制约而呈现出很大的差别。例如《孔子世家》，司马迁引载《论语》材料，一一做了时间和场景的定位，形成连贯的史料，可以说这已超出了细节的改写，而是进行写人的文学构思，但它并不是虚拟的史事。最典型的莫过于《项羽本纪》中所写鸿门宴，刘辰翁评曰：“历历如目睹，无毫发渗漉，非十分笔力，模写不出。”[①] “模写”二字用得十分恰当。所谓“模写”，即作者进入场景，带着目击者的意态以文学之笔写出。人物坐位的细节描写，惊涛骇浪的氛围渲染，均为写人而设，写史则不需要。樊哙撞军门，怒目视项王，头发上指，则是运用了夸张的笔法。尤其难得，司马迁不是用全知叙事的史笔，而运用了明清小说才出现的限制性叙事笔法，所以鸿门宴上的人物对话，切合说话人的身份及个性。鸿门宴的写法形似小说情节，但绝非虚构的小说之事，它是对真实事件的“模写”，亦即真实的再现。司马迁展示的人物画面，是高级的艺术摄影，而绝不是构想的油画创作。讲《史记》的文学成就，必须加上特定的界说，才能概念清楚。所谓界说，就是确定讨论的依据和标准。立论者的角度不同，可以有不同的界定，但必须有界定，才能进入讨论，这是无须多说的。

---

① 《班马异同评》卷一。

二、司马迁的文学观和美学观

界定《史记》的文学性，必然要触及司马迁的文学观。因为司马迁自己的文学主张，是他进行创作的基准点，抉发《史记》的文学成就，首先就要总结司马迁的文学思想。

在司马迁时代，文学实践还不具备产生文学理论家的条件，自然司马迁也不是文学理论家，他没有留下恢弘的文论著作。但是，司马迁在创作实践中，极为重视作品的艺术性，而且自觉地流露了许多文学主张，已初具系统性的理论架构，所以在我国古代文论发展史上，无可置疑地是一个先驱者。概括地说，司马迁的文学主张，主要有以下几个方面。

1. 突出文学家的历史地位，《史记》中广载文学作品

"文学"一词首先见于《论语·先进篇》，其言曰："德行：颜渊、闵子骞、冉伯牛、仲弓。言语：宰我，子贡。政事：冉有，季路。文学：子游、子夏。""文学"指文献、学术，它与"德行"、"言语"、"政事"并列使用，具体则指子游、子夏具有渊博的学问。在西汉，"文学"的含义等于经学儒术，《汉书·西域传》："诸大夫郎为文学者"。颜师古注曰："为文学，谓学经书之人。"汉武帝尊儒，史称"上方向文学"①。张汤为廷尉，引用治《尚书》、《春秋》的博士弟子补廷尉史，史称汤"依于文学之士"。西汉举贤良，全称是"贤良文学士"②。西汉时文学作品笼统地称为"文章"，作家称"文章家"。《汉书·公孙弘传》就说："文章则司马迁、相如"，将《史记》传记散文与司马相如赋并称文章。又说宣帝时，"萧望之、梁丘贺、夏侯胜、韦玄成、严彭祖、尹更始以儒术进，刘向、王褒以文章显"。显然，西汉之世，

① 《汉书》卷五九《张汤传》。
② 《汉书》卷四九《晁错传》。

经学儒术与文章文学已经开始了分途发展。汉武帝独尊儒术，经学昌明；他同时爱好文学，汉赋兴起。但两汉时期文学之士地位是低下的，司马相如就只不过是汉武帝的文学侍从。但司马迁却在《史记》中突显文章家的地位，广载文学作品。司马迁为屈原立传，极力推崇《离骚》，评价它"虽与日月争光可也"，屈原历史地位的确立和《离骚》影响的扩大，司马迁奠定了不朽的功业。他又为司马相如立大传，备载了这位作家的名作，司马相如赋赖以流传。又如李斯《谏逐客书》、《论督责书》，乐毅《报燕惠王书》，贾谊的《吊屈原赋》、《鹏鸟赋》，鲁仲连的《遗燕将书》，邹阳的《狱中上梁王书》等，不遗余力载入传中。明茅坤就指出："邹阳本不足传，太史公特爱其书之文词颇足观览，故采入为传。"① 司马迁自己也示例说，汉武帝三子封王，本无事迹可采，但封立三王的策书"文辞烂然，甚可观也，是以附之世家"②。又说："三子之王，文辞可观，作《三王世家》第三十。"③可见《三王世家》是因文而立传的。

司马迁何以重视文章家呢？他认为文辞烂然的作品寄托了作家的心志，可以立名，可以传于后世。他在《报任安书》中说："所以隐忍苟活，函粪土之中而不辞者，恨私心有所不尽，鄙没世而文采不表于后世也。"这里所说的文采，不单单是指文章辞采的练达；作为历史传记的文采，更重要的是指人物形象的塑造。司马迁治文史于一炉，并不是偶然的音韵天成，而是刻意的雕琢与匠心独运。司马迁用文学手法写历史，使《史记》文章烂然可观，正是他自觉创新，自觉追求的硕果。

2. 主张文学反映现实生活，并刺讥时事

《史记》贯通近三千年史事，而只有一百年左右的当代汉史，无论篇目或字数均过了全书之半。从史学角度，这是详今略古；从文学角度，则是重点反映现实生活，记载"今汉兴，海内一统，明主贤君忠臣死义之士"的事迹。司马迁着意刻画的人物，

---

① 《史记钞》卷四九。

② 《史记》卷六〇《三王世家·赞》。

③ 《史记》卷一三〇《史太公自序》。

也主要是秦汉之际及作者生活的当代人物。司马迁二十壮游，搜集遗文古事是一个方面，而深入到广阔的现实生活中，体察民情生活则是更主要的方面。像司马迁对水利的考察，对货殖经济的了解，对汉兴风云人物的调查，对民间疾苦生活的反映，这都是十分明显的。

对于文学的社会作用，司马迁有着充分的阐述。一方面是惩恶劝善的教化作用，另一方面是讽谏刺讥的政治作用。《史记》治文史于一炉，司马迁讲历史的借鉴作用，同时也是讲文学的借鉴作用。他在答壶遂问中对文史这两个方面的作用，已经做了充分的阐述。对纯文学作品，司马迁尤其强调它的讽谏与刺讥的社会意义，认为只有讽喻了政治得失的作品，才是有价值的。司马迁很称道《诗》三百篇所表现出来的刺讥思想。他在《十二诸侯年表·序》中说："周道缺，诗人本之衽席，《关雎》作。仁义陵迟，《鹿鸣》刺焉。"《司马相如列传》称赞司马相如赋具有讽谏意义，并对《子虚赋》做了具体分析，说：

> 相如以"子虚"，虚言也，为楚称；"乌有先生"者，乌有此事也，为齐难；"无是公"者，无是人也，明天子之义。故空藉此三人为辞，以推天子诸侯之苑囿。其卒章归之于节俭，因以讽谏。

在赞中又说：

> 相如虽多虚辞滥说，然其要归引之节俭，此与《诗》之讽谏何异？

《子虚赋》，梁萧统《文选》分作《子虚》、《上林》两篇，避其前后重复。司马迁引载合为一篇，有两层意义。其一，无是公推言上林广大，盛赞天子排场，表现了司马相如的大一统历史观。其二，突出卒章归于节俭的讽喻意义。合一的《子虚赋》末章，其言曰：

若夫终日暴露驰骋，劳神苦形，疲车马之用，抚士卒之精，费府库之财，而无德厚之恩，务在独乐，不顾众庶，忘国家之政，而贪雉兔之获，则仁者不由也。以此观之，齐楚之事，岂不哀哉！地方不过千里，而囿居九百，是草木不得垦辟，而民无所食也。

《子虚赋》辞采艳丽，极写人间的奢侈荒淫，扬雄认为这种侈靡的赋，"劝百风一"，好比是郑卫之声，"曲终而奏雅，不已亏乎?"① 可是司马迁却不这样看。他欣赏司马相如赋的华美文辞，而将其积极意义引出。《太史公自序》说："《子虚》之事，《大人》赋说，靡丽多夸，然其指风谏，归于无为，作《司马相如列传》五十七。"在传中，再次加以强调说："无是公言天子上林广大，山谷水泉万物，及子虚言楚云梦所有甚众，侈靡过其实，且非义理所尚，故删取其要，归正道而论之。"所谓"删取其要，归正道而论之"，不就是今日所说的"取其精华，弃其糟粕"吗？司马迁从"侈靡过其实"的司马相如赋中引出积极的讽谏意义，这显然是表达他的一种文学主张。司马迁对屈原其人及《离骚》的评价就更加鲜明地表现出来。《太史公自序》说："作辞以讽谏，连类以争义，《离骚》有之，作《屈原贾生列传》第二十四。""讽谏""争义"是作屈贾列传的根本原因。传中称赞《离骚》说："上称帝喾，下道齐桓，中述汤武，以刺世事。明道德之广崇，治乱世之条贯，靡不毕见。"这里很强调一个"刺"字。文学作品反映现实生活，讽喻政治得失，才能对治乱提供借鉴，对社会产生积极意义。司马迁认为："屈原既死之后，楚有宋玉、唐勒、景差之徒者，皆好辞而以赋见称；然皆祖屈原之从容辞令，终莫敢直谏。其后楚日以削，数十年竟为秦所灭。"② 这里，司马迁把文学作品的讽谏作用与国家兴亡联系起来。屈原志尚高洁，才能敢于直谏，写出格调高昂的作品。司马迁赞扬说："其志洁故

① 《汉书》卷五七下《司马相如传》篇末班固赞引。
② 《史记》卷八四《屈原贾生列传》。

其称物芳，其行廉故死而不容自疏。”而屈原的后继者宋玉、唐勒、景差等，只善辞令，不敢直谏，司马迁鄙薄其为人，故不作传，不载其文，还提出了批评。汉代贾谊，怀抱大志，郁闷而死，其行其文皆类屈原，故将两人合传。

3. 提出“发愤著书说”的创作动机论，影响后世深远

司马迁受李陵之祸，在屈辱中得到激励，在逆境中省悟了人生，他从沉痛中奋起，提出了发愤著书说。《太史公自序》和《报任安书》都说：“《诗》三百篇，大抵圣贤发愤之所为作也。此人皆意有所郁结，不得通其道，故述往事，思来者。”所谓“发愤著书”，就是要宣泄胸中之郁结。他把屈原的《离骚》作为最有力的佐证。《屈原列传》说：

> 屈平疾王听之不聪也，谗谄之蔽明也，邪曲之害公也，方正之不容也，故忧愁幽思而作《离骚》。离骚者，犹离忧也。夫天者，人之始也；父母者，人之本也。人穷则反本，故劳苦倦极，未尝不呼天也；疾痛惨怛，未尝不呼父母也。屈平正道直行，竭忠尽智以事其君，谗人间之，可谓穷矣。信而见疑，忠而被谤，能无怨乎？屈平之作《离骚》，盖自怨生也。

《离骚》从愤怨中出，这已超出了“讽谏”的界限，而是激烈的讥刺和批判。司马迁接着说：“《国风》好色而不淫，《小雅》怨诽而不乱，若《离骚》者，可谓兼之矣。”这一观点却是孔子“乐而不淫，哀而不伤”[①] 的中和美观点的引申，与“屈平之作《离骚》，盖自怨生也”的情调显然是不协调的。这一字面矛盾，正是司马迁故作“隐约”之思，曲折地表达他的愤和怨。屈原忠而被谤，身遭流放，而始终“眷顾楚国，系心怀王”，《离骚》之怨，“冀幸君之一悟，俗之一改”，所以司马迁评论说《离骚》兼有《国风》和《小雅》的中和美，这是符合实际的。屈原“忧愁

① 《论语》第三《八佾》。

幽思而作《离骚》”也是事实。至于呼天唤地，吐发愤怨，我们认为这是司马迁的发挥，表达他“发愤著书”的主张。如果说，受祸前，司马迁是继承孔子的“乐而不淫，哀而不伤”的文学观，他受祸后发愤著书，肆于心而为文，义无反顾地冲破了这道界线，而在《史记》中尽情地抒发自己的爱憎，并且十分赞赏行为极端的人物。例如写伍子胥复仇，不仅带敌国之兵灭父母之邦，而且还要掘墓鞭打故君楚王，这仇恨之火把君臣之礼，忠恕之道化做了一道灰烟。李长之对此有十分中肯的评价。他说：

> 周、鲁式的古典文化所追求的“乐而不淫，哀而不伤”者，到了司马迁手里，便都让他乐就乐，哀就哀了！所以我们在他的书里，可以听到人类心灵真正的呼声。①

司马迁的“发愤著书”说，在文学史上产生了深远的影响。唐宋八大家韩愈提出“不平则鸣”的文学主张，欧阳修提出“诗穷而后工”的观点，就是对“发愤著书”说的继承和发展。司马迁的这一文学主张，有两个方面的积极意义。其一，穷愁困辱是成就伟人的一个条件，是取得创作成功的一种动力。因为穷愁困辱带来的坎坷和磨难，才使得作家对社会和人生有深切的认识和体验，才能产生非凡的激情，吐发不平的思虑，从而创造出伟大的作品。司马迁正是想到这里，他才在“身毁不用”的绝境中奋然自起，完成了《史记》这一传世之作，并成为鼓舞后世遭遇坎坷、身处逆境的人们的一种精神力量。其二，穷愁困辱所结之“思”，之“怨”，如不能“通其道”，在功业上发展，那就应当“述往事，思来者”，在作品中喷涌而出，形成思想的火花，使生命永生不息。司马迁正是以发愤的精神创作了“奇伟倜傥”的一系列人物形象，冲破了儒家传统的“中庸之道”，展示了以愤怨为美，以奇为美的文学观，从而形成了《史记》雄浑悲壮的艺术风格，独映当时。

---

① 李长之：《司马迁之人格与风格》，三联书店1984年版，第18页。

4. 司马迁尚奇，继承了《离骚》浪漫主义的精神

尚奇是司马迁审美观的中心内容。西汉扬雄首先抉发司马迁“爱奇”①，唐司马贞说司马迁“好奇”②，清章学诚说司马迁是“贤才好奇”③，李长之先生说“司马迁一生最大的特点是好奇”，并称司马迁的好奇是“一种浪漫精神之最露骨的表现”④。古今人的这些评价是十分中肯的。

首先，司马迁好奇的审美观是从“发愤”精神引申出来的，前已述及。这种引申是继承了屈原《离骚》的浪漫主义精神，所以李长之说好奇是“一种浪漫精神之最露骨的表现”，是十分得体的。屈原好奇，在《离骚》中有着充分的表现。他以鸷鸟自比，以精玉为粮，驱策龙凤，役使风云雷神上天下地，真可以令人叹奇观止了。所以刘勰称《离骚》为奇文。

其次，司马迁好奇的内容又是现实的，与屈原的好奇有所区别。屈原好奇，充满幻想，他以香草美女自喻，通过神游往古、访圣求美、餐菊饮露等的描写来抒发自己的奇情奇趣和高尚胸怀。司马迁好奇，是好奇人奇事，李长之径直解释为“爱才”。用司马迁自己的话来说，就是爱那些“忠臣死义之士”，“辅拂股肱之臣”，“扶义俶傥，不令己失时，立功名于天下”的人。司马迁在忠于史实的前提下，描写“奇伟俶傥”之人的奇行、奇言、奇策、奇计、奇伟功业或奇伟德行。例如，写项羽，他是一个“力拔山兮气盖世”的奇人，身长八尺，力能扛鼎，长有重瞳子；他有奇行，钜鹿之战惊天动地，鸿门宴上仁如妇人，垓下之围别姬悲歌，乌江自刎以头赠人。写荆轲，易水送别风云变色，秦庭行刺鬼泣神惊。写妇女，卓文君夜奔，太史嫩女自择婿，聂荣赴死扬弟之名，缇萦上疏救父，她们是奇女。写游侠，一诺千金，不爱其躯。写重义，程婴、公孙杵臼为救赵孤而献身。写知遇，豫让漆面为厉、吞炭变哑为知己报仇。写发愤，范睢入秦，孙膑

① 《法言·君子篇》。

② 《史记索隐后序》。

③ 《文史通义·史德》。

④ 《司马迁之人格与风格》，第92页。

走齐，吴起干将，越王勾践卧薪，无不充满传奇色彩。总之，司马迁好奇，是“传畸人于千秋”，他要塑造一系列人灵之精的奇节异行，讴歌英雄主义。

其三，司马迁好奇，充满悲剧色彩。韩兆琦先生指出，《史记》是“一道悲剧英雄人物的画廊”，“全书写悲剧人物大大小小约有一百二十多个，可以说，整个《史记》是被司马迁的审美观所涵盖的，《史记》的悲剧气氛无往而不在，这种现象，是《史记》所独有的。”[①] 这是一段很精彩的议论，它用不可辩驳的数据统计指出了司马迁审美观中所独有的悲剧意识以及这悲剧意识对《史记》一书悲剧画廊形成的重要作用。

那么，什么是司马迁的悲剧意识？或者说悲剧精神，悲剧价值观呢？可以从两个方面来揭示。一是归纳司马迁描写悲剧的类型，再是领会司马迁自己的揭示。

《史记》中悲剧人物的类型，主要有六种模式。其一，时运不济。逐鹿中原的失败者，如战国时的列国之君，秦汉之际的项羽及其所封除刘邦外的诸侯王。汉代周亚夫之饿死，邓通之贫死，李广难封，更为面相者事先预言，命中注定。其二，功臣遭忌。吴起、商鞅、晁错等为变革而死，他们触犯了保守或腐朽的黑暗势力而遭忌。开国功臣如韩信、彭越、黥布等，因功高震主而遭屠。其三，贤才遭妒。司马穰苴、韩非、信陵君、白起、伍子胥等等，都因才能拔萃遭谗受害。其四，献身于义。屈原被谗两次遭流放，他既不改节从俗，也不适往他国，最后投江而死。齐布衣王蠋义不降燕，自奋绝脰而死。秦军围邯郸，李同迎敌壮烈而死。陈涉举大义而死。刺客抗暴而死。游侠守信而死。这些人的信念、品德和高风亮节，足以感奋人心。其五，人性异化。统治集团的争权夺利，互相倾轧而死。如李斯贪权被五刑而死。窦婴、灌夫争权斗气而死。酷吏杀人如魔，一个个也不得好下场。这些人都被权力异化成了人面兽心的食人动物，最为冷酷无

---

① 韩兆琦：《史记：一道悲剧英雄人物的画廊》，载《史记评议赏析》，内蒙古人民出版社 1985 年版。

情。吕后残害戚夫人，制造人彘事件，在权力上她是胜利者，在人情上她是失败者，连亲生儿子汉惠帝都认为其行为非人所为。还有为保全禄位而整日提心吊胆生活的人，如石奋醇谨而成为机械的委琐人物，可以说也属丧失人性一类。其六，理性被感情或个性所淹没而成悲剧。雄主的晚景大都寂寞凄凉，甚或昏聩糊涂。秦始皇欲建万世之业，结果二世而亡。汉武帝欲求长生不老，却被方士愚弄。主观超越客观，总是走向反面。齐桓公九合诸侯，晋献公初成霸业，赵武灵王胡服骑射，他们都是有为之君，晚年惑于内宠，都给国家带来了灾难。至于末世昏暴之主，如桀、纣、秦二世等，任情胡为，败坏偌大家业，成了亡国之君，就更不用说了。

司马迁是怎样描写悲剧的呢？试以项羽和伍子胥为例，看看司马迁的价值取向。

垓下之战，项羽陷入重围，已意识到了他的末路。他面对爱妾虞姬，禁不住慷慨悲歌："力拔山兮气盖世，时不利兮骓不逝。骓不逝兮可奈何？虞兮虞兮奈若何！"男儿有泪不轻弹，可现在一个力能拔山、气能盖世的英雄竟然泪水横流。左右的人一个个泣不成声，抬不起头来。左右的人怎能想到像项羽这样的人也能流泪呢？项羽流泪表示他们末日的来临。而项羽本人则不是在为自己的末路哭泣，他在为虞姬哭泣。在"时不利兮"的环境下，他项羽竟然不能保护虞姬，使这一人间美女就要毁灭了。同时，项羽的哭泣也是在愤怒天道的不公，因为他认为自己的悲剧结局，是"天亡我"。但项羽并没有承认他自己的失败，他还不甘心天意的安排，所以当虞姬死后，他率八百壮士从垓下突围而出。到了乌江边，只剩下随身侍从二十八骑，前有大江阻拦，后有黑压压的汉兵铺天盖地追来。就在这面临灭顶之灾的场景中，项羽向安排他命运的"天"发出了挑战的怒吼，他要溃围、斩将、刈旗来表现自己的无罪。他对身边的二十八骑慷慨陈词，说：

> 吾起兵至今八岁矣。身七十余战，所当者破，所击者服。未尝败北，遂霸有天下。然今卒困于此，此天之亡我，

非战之罪也。[1]

在项羽的头脑中，认为英勇善战就理应拥有一切，英勇善战而失败，那是不合逻辑的。项羽用他身边的二十八骑面对四围的汉兵作一次决战，他一声大吼，敌人辟易数里，他果然斩了一汉将，夺了汉兵旗，在这一霎那，项羽是胜利者。最后他用自己的双手割下头颅，馈赠给逼他到死路的敌将，表现他的宽仁大度和自我选择。他，项羽没有输给任何人，而是战胜了一切的斗士，一往无前的英雄，他的精神是永垂不朽的。司马迁塑造项羽悲剧的艺术概括，既完成了项羽人物形象的塑造，同时又表现了人生价值的完成，项羽在失败中超越悲剧，他获得了永生。它的意义在于告诉人们，不能听命于命运的安排，不能逆来顺受，无所作为，而是要斗争到底，去夺取胜利。项羽的悲剧形象，可以引导人们从人生痛苦中奋起，从绝望中走向昂扬和振奋。

伍子胥的悲剧形象比项羽还要激昂。他不怕背不忠不孝的罪名，借吴兵报父兄之仇，鞭楚王平之尸。司马迁称赞他“弃小义，雪大耻”，公开提倡叛逆精神。当伍子胥在吴受谗被赐死之时，他再一次发出了复仇的抗争。他仰天叹呼，数落吴王夫差背德，“听谀臣言以杀长者”，这和写项羽抗争“天亡我”是一个笔法。伍子胥却不是把头颅砍下来送给敌将。他告诉家人，“必树吾墓上以梓，令可以为器；而抉吾眼悬吴东门之上，以观越寇之入灭吴也”，说完，伍子胥也自刎而死。同一死法，而艺术形象绝然相反。伍子胥奋发的是复仇的火焰，即使死了也要看到吴国的覆灭。他预言，墓上梓材成器之时，就是吴国灭亡之日。伍子胥的悲剧结局和语言切合伍子胥的性格特征，它揭示的是人的尊严高于一切的信念。在这里，叛逆精神得到了最崇高的艺术的再现。

司马迁受天人感应的影响，也写了一些命定的悲剧人物，如周亚夫命当饿死，邓通命当贫死，李广命定“数奇”等，但在具

① 《史记》卷七《项羽本纪》。

体描写中却揭示了周亚夫、邓通、李广的悲剧乃是汉朝皇帝与贵戚的迫害造成的，是人为，是黑暗的政治，而不是天意，从而把批判的锋芒指向了封建社会，指向了集权政治。

司马迁受祸，饱尝了人世间的苦难，深深感到命运的捉弄，而运用悲剧的画面展示人间苦难，引发人们的同情和沉痛。像白起、蒙恬临死的认命，伯夷、叔齐、屈原殉道的呻吟，格调低沉，使人们内心产生巨大的痛苦和疑虑。但是司马迁并没有消沉，他拍案奋起，为实现自己的人生价值而苦斗，故其所写悲剧的主旋律不是强调命运的作用，而是揭露社会矛盾，用各种悲剧类型来展示多方面的人生信念和追求。有孔子知其不可而为之的精神；有吴起、商鞅、晁错为变革社会而被推上历史祭坛的牺牲精神；有范雎、孙膑、越王勾践为报仇雪恨而忍辱发愤的精神；有项羽、伍子胥、李广傲对死亡而不可战胜的精神；有刺客、游侠抗暴的反中庸精神等等。司马迁笔下的各色悲剧人物，他们的人生信念、生活目的各不相同，有高下之分，但他们不认命，不逆来顺受，敢于直面人生而抗争的精神却是一致的。他们为实现自己的人生价值，无论成与败，都显示出了某种不可征服的力量，也最为司马迁所赞赏。《刺客列传·赞》说："其义或成，或不成，然其立意较然，不欺其志，名垂后世，岂妄也哉！"这就是司马迁颂扬的悲剧精神，它超越了人生的悲苦和命运的凄凉，而给人以力的震撼和希望。正如韩兆琦先生指出的那样，"我们从《史记》中读到的不是无所作为的哀叹，而是为壮丽事业而勇敢奋斗的豪歌；不是一蹶不振的颓丧，而是百折不挠、无所畏惧的进取；不是失败的感伤，而是一种胜利成功的快慰，是一种道德上获得满足的欢欣。它不仅仅激发人们对悲剧英雄人物的同情，更重要的是能召唤人们向这些英雄人物学习，像他们那样，为着远大的理想、崇高的目标而生活、奋斗，乃至献身。"① 诚然，司马迁笔下的英雄人物，具有如此动人的感召力量，不仅仅是它的悲剧性，而且更重要的应当是它的典型性。这正是我们在

① 《史记评议赏析》，内蒙古人民出版社 1985 年版，第 114 页。

下一节所要探讨的问题。即司马迁是怎样塑造历史人物的。

三、司马迁塑造历史人物典型化的方法

《史记》人物传记，既是写史，亦是写人。写史只须记实梗概即可，重在叙事；写人则应活画人物，并通过人物再现生活，反映时代，这就是文学。典型化的传记人物，既非纯史学，亦非纯文学，而是历史与文学的统一，我们称之为历史文学。司马迁成功的实践，可以说是把历史科学的严肃性与写人文学的典型性二者统一起来了。其次，《史记》人物传记是作群体安排，不是孤立的简单汇集，它是一个总体构思，这也是不能忽略的。司马迁塑造历史人物典型化的方法，以文运事，史笔与文笔交叉运用，典型事例不胜枚举。这里篇幅有限，只能条列几个主要方面。

1. 运用选择突现历史人物的典型性

选择有两个方面。首先是选择入传人物，其次是选择入传人物的事迹。这两个方面，司马迁均有不同凡响的创造。

首先，是入传人物的选择。《史记》叙述从黄帝至汉武帝上下近三千年间的历史，各色人物成千累万，识别和选择哪些人物入传才能反映历史的本质，也是一个首要解决的问题。司马迁的选择标准，注重各类典型和社会作用，并不以血统尊卑和爵秩高低为准绳。这一原则，司马迁在《张丞相列传》中交代说："自申屠嘉以后，景帝时开封侯陶青，平棘侯薛泽，武强侯庄青翟，高陵侯赵周等为丞相，皆以列侯继嗣，娖娖廉谨，为丞相备员而已，无所能发明功名有著于当世者。"这就是说，即便是封侯拜相的显赫人物，尸位素餐，不为立传。反之，"能亦有所长"的佞幸，司马迁写了《佞幸列传》；"谈言微中，亦可以解纷"的俳优，司马迁立了《滑稽列传》；"取与以时而息财富"的商贾，司马迁写了《货殖列传》。刺客、游侠、医卜、日者等都是下层人

物，司马迁均选择典型，一一作传，表彰他们对于社会所作的贡献。凡列传人物，特别是社会下层人物，包括附传人物，都是经过严格选择的，每个人各有自己的特色。例如《游侠列传》热情歌颂“修行砥名”的布衣之侠朱家、郭解等人。至若“北道姚氏、西道诸杜、南道仇景、东道赵他、羽公子，南阳赵调之徒，此盗跖居民间者耳，曷足道哉!”对这些“侵凌孤弱”的土豪恶霸，司马迁不为之立传。司马谈临终遗命说，他所欲论载的是“明主贤君忠臣死义之士”，司马迁是继承了这一原则的。至于古史所载皋陶、伊尹、傅说、仲山甫、柳下惠等若干历史人物，由于文献不足，司马迁也不立传。七十列传，过半数是汉代人物，大都为司马迁亲见或所闻，因而记叙亲切，娓娓动听。后世史家以繁博为功，许多人物“阙之不足为少，书之唯益其累”①，失去了司马迁选择之旨，连篇累牍的将相家谱，一系列的生老病死账单，人物事迹平淡，形象也就很难塑造了。

司马迁不以社会地位，而以社会作用选择代表性的人物入传，也就有利于典型化的创作。因为各类历史代表人物，尤其是伟大历史人物，本身就具有某种典型性，这是不言而喻的。但是史传人物的选择余地又是有限度的，例如帝王贵戚、列侯显宦，多数是不能选择的。司马迁将这些人物载入年表、世家，或者附入本纪、列传。全书中，这样的人物有数千之众，他们的作用是用来勾勒历史发展的线索和态势，绝大多数并无形象塑造。也就是说，司马迁通过选择，从宏观上把众多人物的历史记叙与典型人物的文学塑造两者有机地结合起来，《史记》五体的结构起了调节作用。

其次，我们看司马迁是怎样对入传人物事迹进行选择的。历史人物的事迹是固有的，它不能凭作者主观创造，更不能采取“嘴在浙江，脸在北京，衣服在山西”的方法来拼装②。司马迁只能在历史规范的已有事迹中进行典型化的创作。主要手法有二。

① 《史通》卷八《人物》。

② 《鲁迅全集》第四卷，第394页。

第一，先是选择历史大事，突现人物的个性。司马迁在《留侯世家》中示例说："留侯从上击代，出奇计马邑下，及立萧何相国，所与上从容言天下事甚众，非天下所以存亡，故不著。"作为刘邦的主要谋臣张良"言天下事甚众"，司马迁删去枝蔓，只集中了关于刘邦争天下的"运筹"大事来塑造张良善谋的特点，则个性突出。抓住重大历史事件写人物，既可生动地表现人物的主要功与过，又可反映出历史发展进程的特点，也是最经济的笔墨。这一选择原则与互见法的运用密不可分，在下一节还要详述。第二，是选择人物特点立意，表现某种思想。明代古文评论家陈仁锡说："子长作传，必有一主宰。如《李广传》以'不遇时'三字为主，《卫青传》以'天幸'二字为主。"① 清代吴见思说："盖史公之文，每篇各有一机轴，各有一主意。"② 近人高步瀛说得更直接："史公之文，每篇有个主旨，如《吴太伯世家》以'让'、'争'二字为主，《鲁周公世家》以相臣执政为主，《陈丞相世家》以阴谋为主，《魏其武安侯列传》以权势相倾为主，《大宛传》以通使兴兵为主。"③ 前人的这些议论，都说明了司马迁写人物传绝不是记流水账，而是为立意做了选择，抓住人物特点作为类的代表。像卑劣小人田蚡，一生不知干了几许坏事，例如贪污受贿，强夺民田，枉法弄权，迷信天命，阻塞黄河等等，有许多侧面。但《魏其武安侯列传》只着重写他如何倾轧陷害窦婴和灌夫，突出了他贪权弄势和阴狠歹毒的性格特点，把他塑造成为卑劣势利小人和骄佞奸诈的阴谋家典型。至于重要历史人物，如商鞅刻薄、李斯贪利、项羽刚猛、刘邦狡诈、韩信多智、萧何稳重、李广善射、公孙弘饰智、石奋醇谨、张汤残刻等等，司马迁总是抓住人物的各自特点去筛选材料，进行集中和概括，用来塑造人物形象，突出个性，获得了很大的成功。

2. 运用互见法塑造历史人物的典型形象

最基本的形式是"本传晦之，而他传发之"。第一，在人物

---

① 陈仁锡：《史记评林》。

② 吴见思：《史记论文·屈原贾生列传》。

③ 高步瀛：《史记举要》。

的本传着意刻画人物形象，集中叙述和描写那些与人物相关的矛盾斗争最尖锐、最激烈的事件，突出人物的主要精神面貌，而将人物的侧面载于他传。第二，是将有广泛历史联系的人物构成强烈的对照，在对比中突出人物个性。第三，传、赞互补，用以表现强烈的爱憎感情，点画人物的精神面貌。第四，重复累书，用以突出人物的伟大。具体分析如下。

《项羽本纪》完美地塑造了项羽的英雄形象。篇名本纪，实为传体。本纪编年序事，而传体则是选择人物一生行事中最典型的事迹来组织文章。项羽自叙七十余战，灭秦斗汉，事迹纷繁众多。司马迁只重点抓住巨鹿之战、鸿门宴、垓下之战三个关键时机，描述故事，塑造项羽的形象，写得有声有色，流传后世，家喻户晓。巨鹿之战，项羽破釜沉舟，奠定了灭秦的盖世功勋。这是项羽一生中最得意的战斗，也是司马迁刻画项羽形象最精彩的段落。战前，项羽杀宋义夺军，大义凛然；战时，项羽勇冠三军，士卒感奋，楚战士无不以一当十，呼声动天，大败秦军；战后，项羽召见诸侯，声威显赫，被拥为上将军。这些都是重笔描绘，加以铺垫和夸张，集中刻画项羽之勇和善战。鸿门宴拉开了楚汉相争的序幕，酒宴上的斗争扣人心弦。刘邦谦恭奉承，项羽骄横自大，形成鲜明对比。司马迁把楚汉君臣聚在一起进行了夸张的描绘，塑造了人物群象来衬托项羽。在战场上，项羽是叱咤风云的统帅；在政治上，项羽不过是一个短视的侏儒。他骄傲自大，头脑简单，厚重木讷，重个人感情，轻信奉承。狡诈的刘邦利用项羽个性中的这些特点，大灌迷魂汤，从而掌握了斗争的主动权。通过这个场面的描写，司马迁集中刻画了项羽的仁爱和坦荡胸怀。垓下之围，在四面楚歌声中，项羽从容不迫悲歌别姬，这一儿女情长的描述，使项羽的形象更加丰满。最后，项羽在东城为部下表演了一场精彩的“溃围、斩将、刈旗”的决战，而后单骑匹马突至乌江边上，在“天之亡我”的慨叹声中自刎而亡。这是一幅苍凉而悲壮的画面，引起人们的无限惋惜。至此，一个顶天立地的盖世英雄形象跃然纸上。

但是项羽并不是一个完美的人物，他有许多缺点，也打过败仗，甚至在个性中有着凶残的一面，他坑杀人以千万数，失去了民众，所以他终于是一个失败者。但项羽的这些短处，在本传中只是轻描淡写，一笔带过，或略而不载，却在《高祖本纪》、《陈丞相世家》、《淮阴侯列传》、《黥布列传》等篇中补叙出来。刘邦数羽十罪，与群臣论项羽之败，集中描写了项羽的缺点。即便在军事斗争中，项羽也只是一员战场猛将，不是一个有远见的战略家，绝不是刘邦的对手。他在成皋之战中，与刘邦对峙广武，屯兵于坚城之下，一筹莫展。虽有一范增，而羽不能用。范增走后，立刻陷入被动，竟不断中了刘邦的圈套，疲于奔命。这些情节都记述于《高祖本纪》中。

再看《魏公子列传》，司马迁满怀深情塑造了一个礼贤下士的政治家形象。魏公子急人之难，可以说是一个完人。但是，在《范雎传》中却记载了魏公子畏秦不纳魏齐的虚饰情态，受到了侯嬴的批评，而本传中却只字不提。

上述两例说明了司马迁笔下的人物形象之所以光彩照人，一个最基本的方法，就是他用特写笔法刻画人物，对材料做了取舍。但是舍去不利于塑造人物形象的材料则有害于历史的真实，司马迁用互见法于他篇补见，两全其美，治文史于一炉。这是互见法运用的最大成功，也是司马迁的一个伟大创造，毫无疑义应作高度的评价。

运用互见法组织材料，构成两两对照，突出人物形象，以《项羽本纪》和《高祖本纪》两文对照最为典型。《项羽本纪》中有刘邦，《高祖本纪》中有项羽。鸿门宴以刘邦的狡诈烘托项羽的诚笃和坦率。反过来，成皋对峙，则以项羽的鲁莽无策烘托刘邦的智计过人。这是明显的对比。还有许多暗比。例如刘邦在彭城战败后逃命时的狼狈相，与项羽在垓下之围的奔走东城应对照起来看。刘邦为了活命，竟不惜三次推下亲生子女，表现了一个政治家的冷酷无情。项羽在重围中别姬，是那样的从容不迫和洒脱，更显得项羽的威武悲壮和对生活的热爱。当然，司马迁的主题并不在此。《太史公自序》说，“子羽暴虐，汉行功德”，主题在于揭示楚汉相争的成败兴亡对比。项羽暴虐，高祖抚民；项羽奋勇，高祖智计；项羽由强变弱，高祖由弱变强；最后羽灭汉兴，对比见义，相反相成。司马迁运用互见法布局材料，使两传发生交织，形象特别鲜明。同类或对待人物之间的列传都具有这样的笔法。例如苏秦、张仪二人的列传也是两两对照的史传，只不过互见笔法不如项羽、刘邦两纪明显。

传、赞互补，是指篇末评论——“太史公曰”往往补篇中未言之事，寄托作者的情思。《商君列传》赞语曰，“商君，其天资刻薄人也”云云，似乎是否定商君的。但正传中说：“（变法）行之十年，秦民大悦，道不拾遗，山无盗贼，家给人足，民勇于公战，怯于私斗，乡邑大治。”又说：“秦人富强，天子致胙于孝公，诸侯毕贺。”似乎又是在热情地歌颂。又《晁错传》赞语曰：“（错）擅权，多所变更……语曰‘变古乱常，不死则亡’，岂错等谓邪!”似乎是批评晁错变革。但传中记载晁错更令三十章，诸侯皆喧哗，错父从颍川赶来责备晁错，错曰，“不如此，天子不尊，宗庙不安”，这段对话似又在颂扬晁错的耿耿忠心。同一篇传、赞，出自一人之手，何以矛盾至此？明白了互见法，这一矛盾就迎刃而解。原来司马迁是互文相补，传中纪实，赞中补充法家的残刻面目，表现了司马迁的憎恶感情。

传、赞互补，不局限于本篇。《苏秦列传》与《张仪列传》的两“赞”不仅各自与本传相补，而且两传互补。苏秦“传赞”说，苏秦之智有过人者，“毋令独蒙恶声焉”而作传，张仪“传赞”则指出，苏秦之恶声是张仪制造的舆论后果。要之，两人都是倾危之士。司马迁的这些评论刻画了政治家们的倾轧面目。

《魏公子列传》则与《魏世家·赞》互补。《魏公子列传》叙魏公子在魏，秦兵不敢出。魏公子留赵十年不归，秦兵日夜东出攻魏。魏公子回国为将，诸侯合纵救魏，大破秦军于河外，乘胜扣关，秦人不敢出。后魏公子卒，秦人攻魏，拔二十城，初置东郡。其后秦稍蚕食魏境，十八年而虏魏王。这里极力写出魏公子的声威，以他一人之身系魏之安危，其用意在于塑造魏公子的高大形象。但是对魏公子的理性评价却在《魏世家·赞》中补出。太史公曰：“说者皆曰魏以不用信陵君故，国削弱至于亡，余以为不然。天方令秦平海内，其业未成，魏虽得阿衡之佐，曷益乎？”这里的天是指天命还是形势，姑置不论。但它正确地指出，魏国的命运并不取决于魏公子的个人作用，让魏公子从超凡的英雄形象中回到了人世间。

运用互见法重复累书，以突出人物的伟大，集中表现在对孔子的评价上。司马迁为孔子立“世家”，在赞语中满怀虔敬的心情推重孔子为“至圣”，赞扬他的道德学问像高山一样使人瞻仰，像大路一样供人遵循。又说：“余读孔氏书，想见其为人。”他曾到曲阜考察，参观了孔子的庙堂，看到了孔子行用的以及演礼的车服礼器，访问了那里按时习诵礼仪的诸生，完全被孔子的教化遗风所陶醉，诚挚地依恋，久久地徘徊，舍不得离开。这里的评价是一种诗歌的格调，抒发着一个崇拜者的浓郁感情。而在《太史公自序》中，司马迁则用理性化的语言评价孔子对历史的贡献。他说：

> 周室既衰，诸侯恣行。仲尼悼礼废乐崩，追修经术，以达王道，匡乱世反之于正，见其文辞，为天下制仪法，垂六艺之统纪于后世。作孔子世家第十七。

如果说，《孔子世家》赞语是横向的评价，指出孔子学说影响的广泛，“中国言六艺者”都“折中于夫子，可谓至圣矣”；那么《太史公自序》中对孔子的评价则是纵向的，指出孔子学说影响的深远，“为天下制仪法，垂六艺之统纪于后世”。这两种角度的不同评价，也是互文相足的一种笔法。司马迁对孔子是十分崇拜的。反复评赞仍觉不足以重其人，又用互见法重复累书孔子之卒，以见一代伟人之陨落，加重悼念的感情。在《史记》中，司马迁七次书孔子相鲁，九次书孔子卒①，重复累书以突出孔子天下一人的历史地位，这是运用互见法来寓论于序事。在《史记》

---

① 《史记》在《周本纪》、《秦本纪》、《吴太伯世家》、《鲁世家》、《燕世家》、《陈世家》、《卫世家》、《晋世家》、《楚世家》、《魏世家》、《郑世家》、《孔子世家》、《伍子胥列传》等篇，七次书孔子相鲁，九次书孔子卒。

中用互见法重复累书的事例也是很突出的。

总括上述，互见法本身并不是一种艺术手法，它只是组织材料，互文相补。但是司马迁塑造人物形象的种种文学手法和评价人物的史法义例都离不开互见法的运用。这是我们研究《史记》人物形象塑造和人物评价时绝不应忽视的。

3. 情节故事化

《史记》重要人物的传记，大都按时间顺序纪事，包举一生行事，开篇写姓名、乡里、家世、生辰，结尾述其死，人物一生言行，构成首尾完备的故事。《项羽本纪》写一个盖世英雄如暴风骤雨兴灭的故事，《高祖本纪》写一个布衣登基的故事，《李将军列传》写李广不遇时的故事，《魏其武安侯列传》写窦婴、田蚡等人互相倾轧的故事等等。而且人物一生言行的情节发展也故事化。《李将军列传》，重点记述李广追击匈奴射雕者、佯死脱险、斩霸陵尉、右北平射虎没镞、破左贤王之围、不对簿自刎等六个故事，展现他一生“数奇”，怀才不遇的悲剧故事。《廉颇蔺相如列传》重点有三大故事，即完璧归赵、渑池之会、负荆请罪。中间穿插赵奢、赵括、李牧事迹，也可分解为若干故事。司马迁写人物言行的一个细节，一个场面都可构成故事。如《陈丞相世家》写陈平为宰分社肉的故事，由三十六字对话构成。其文曰：

> 里中社，平为宰，分肉食甚均。父老曰：“善，陈孺子之为宰！”平曰：“嗟乎！使平得宰天下，亦如是肉矣！”

这一简短对话，描写了陈平的抱负和怀才不遇的慨叹，在对话中父老的赞语也反映了陈平的为人。对话具有故事性，使读者仿佛看到了说话人的神情。

把人物言行化为生动具体的故事，用以揭示人物的思想面貌，着墨不多，却能表现出人物特有的个性。所以，司马迁在选择材料和谋篇布局中，常常穿插生活小故事。如《淮阴侯列传》开篇写韩信少时穷困受辱，极具匠心地组织了三个小故事展现人物的思想情志。其一，写韩信怒绝南昌亭长，表现了他对世态炎凉的憎恶，对势利小人的唾弃。其二，写韩信为言报答漂母施饭之恩，表现了他以德报恩的忠义思想。其三，写韩信遇恶少年而“熟视之，俯出袴下”，表现了他的忍耐性格。这三个小故事表现的精神气质，照映了韩信的一生，韩信怒绝南昌亭长，为他后来背离项羽伏笔。韩信报答漂母和俯出袴下，正是他不背德汉王，即使被夺兵、徙封、诈捕、降爵，都能逆来顺受的思想基础。又如《酷吏列传》写酷吏张汤，用他审讯老鼠盗肉的故事开头：“张汤者，杜人也。其父为长安丞，出，汤为儿守舍。还而鼠盗肉，其父怒，笞汤。汤掘得盗鼠及余肉，劾鼠掠治，传爰书，讯鞫论报，并取鼠与肉，具狱磔堂下。其父见之，视其文辞如老狱吏，大惊，遂使书狱。”这个小故事活脱脱刻画出张汤酷烈毒辣的性格，为以后治狱刻深作了铺垫，给读者留下深刻印象。《李斯列传》，司马迁用四次叹息的细节描写做眼，展示李斯人物个性的发展，写活了李斯。李斯见厕鼠、仓鼠的不同处境一叹，贵为丞相一叹，篡改遗诏一叹，具五刑一叹。这四叹深刻地揭露了李斯利己主义的人生观，从而刻画出封建统治阶级的杰出人物，一个既极端自私又抱负不凡的双重性格的人物形象。

《史记》中人物传记最精彩的篇章，也是故事性最强化的名篇。《刺客列传》、《游侠列传》每一人物传记都是一个完整的故事。《魏公子列传》主要写信陵君虚左迎侯生、辞决侯嬴、从博徒卖浆者游等故事，至于他救赵抗秦的大事件，也化做窃符救赵的故事。历史人物的事实不能虚构，但是通过选择、剪裁、集中、布局等各种手法，进行故事化的构思，也就是人物典型化的过程。可以说，情节故事化是司马迁创作人物典型化的一个最基本的方法。

4. 细节描写与大场面的表现

细节描写是构成故事化的零件。一个细节，长的可以是一个故事，小的只是一个动作、一个眼神，或者一闪念。场面是情节发展的基本单位，它往往是矛盾冲突的结节点，是一个人物或众多人物活动的空间舞台。传记人物按时间顺序叙事，是纵向的时间展开，场面描写则是横向的空间展开。细节和场面都是描写，是打破史笔梗概叙事的文学手法。司马迁既擅长于细节描写，从细节突出人物的特性，又擅长于大场面的描写，从大处展示人物全貌，刻画人物个性。所以细节描写与大场面的表现，大小相辅相成，都是司马迁创作典型化人物重要的艺术手段。

细节是形象的细胞。“细节描写越多，描写的密度越大，生活具象感就越强。没有一定数量和质量的细节描写，便构不成生动的形象，也就称不得是文学。纯历史性著作《春秋》，是根本没有细节描写的，细节描写在史传著作中，是文史结合的产物，是由《左传》开其端而到《史记》才畅其致的。”可永雪先生在其所著《史记文学成就论稿》一书中的这一段议论是十分中肯的。在《史记》中，刻画人物的细节描写，俯拾即是。如《高祖本纪》就写了酤饮赊酒、徒手赴宴大言“贺钱万”、纵观秦始皇而叹、踞见郦生、伤胸扪足、心善家令言等等细节展示刘邦个性的各个侧面。司马迁捕捉的细节，并非猎奇或为细节而细节本身，他总是放在刻画人物或记叙历史事件的总体上作宏观审视，所写的每一个细节都具有能够反映人或事本质的独特性，从而具有典型意义。如《留侯世家》张良在下邳圯上为老人纳履的细节展示了张良的胸襟和气度。这也是一段揭示人物内心活动极为精彩的白描文字。司马迁是这样写的：

> 良尝间从容步游下邳圯上，有一老父，衣褐，至良所，直堕其履圯下，顾谓良曰：“孺子，下取履！”良愕然，欲殴之。为其老强忍，下取履。父曰：“履我！”良业为取履。因长跪履之。父以足受，笑而去。良殊大惊，随目之。

这整段文字，既是一老一少从排斥、对立到相互交流、相互心理沟通的一个场面，也是一个故事，它由一系列细节组成。开头写张良“从容步游下邳圯上”，是在悠闲地观景致，这一细节描写张良当时闲游的心境。接着，一个老人来到跟前，“直堕履圯下”，一个“直”字，描写了老人故意试探张良的存心动作。

"孺子，下取履!""履我!"这是毫无商量余地的命令口吻，这对张良简直是突如其来的侮辱，一个敢于谋刺秦始皇的贵公子在平时是不能忍受的。而现在的张良是一个受到追捕而隐姓埋名的人，他的言行要谨慎，面对的又是一个老人，所以他不便发作。开始是"惊愕"；继而"欲殴"；又"为其老，强忍"；以至于最终"下取履"，而"长跪履之"，这一连串的行动细节描写，将张良急剧进行思想斗争的复杂心理活动描绘出来了。老人见张良这样忍耐谦恭，他试探的目的已达到，所以"以足受，笑而去"，行动奇谲，再次使张良感到意外，于是"殊大惊，随目之"，直呆呆地目送老人远去。张良原本是一个毁家纾难的豪侠人物，由于博浪沙刺杀秦始皇失败，他隐居深思，经过十年的磨炼而成熟起来，成为帝王师的谋略人物。张良前后行事判若两人，这是时事发展造出的英雄。圯上纳履的故事，成为张良思想性格转变的契机，刻画了他隐忍有容的性格侧面，恰与他后半生的行事相呼应。所以这一场景故事包容了复杂的心态描写。作者并没有作任何交代和评赞点画，而人物的情致、风貌却历历如画。由此可见司马迁善于大处着墨，捕捉细节写生的高超本领。

大场面的表现，由于容量大，更具有出神入化的艺术效果。凡《史记》的名篇、名人传记，总有震撼人心的场面描写。例如《周本纪》中写武王，就有孟津观兵、牧野誓师、武王诛纣等场面；《项羽本纪》除众所周知的鸿门宴、巨鹿之战、东城决战、垓下别姬、乌江自刎等场面外，篇中还有项羽杀会稽守殷通、诛宋义救赵、分封诸王、彭城大战等场面。《史记》描写的场面内容丰富多彩。宴会场面有：魏公子宴侯生、高祖还乡宴父老、灌夫使酒骂座等；会盟场面有：毛遂定纵、秦昭王坐章台见蔺相如等；行刺劫盟场面有：曹沫劫盟、专诸刺吴王僚、聂政刺韩相、荆轲刺秦王等；日常生活场面有：窦太后认弟、文帝为慎夫人指示新丰道、太上皇拥彗迎高祖等；生离死别场面有：李广射石没镞、孙武练女兵、齐穰苴斩监军庄贾、卓文君夜奔司马相如等；此外如陈涉大泽乡起义、优旃临槛大呼陛楯郎、魏其武安侯东朝廷辩等等，不胜枚举。写得最多最精彩的还是战争场面。

《项羽本纪》名篇且不说，它如《孙子吴起列传》中孙膑与庞涓的斗智，《田单列传》里的火牛阵，《淮阴侯列传》里的韩信用兵，无不写得有声有色，读者过目即可想象那千军万马的雄伟气象，耳边会震响起那金戈铁马的喊杀声，如同身历其境一般。《史记》中精绝的场面描写，不仅仅是某一人物形象的有机构成部分，而且已经具有了独立的艺术生命。可以这样说："《史记》的场面描写，已经达到了这样的境界：它所写出的场面，都可以画、可以雕、可以塑，更可以搬上舞台和银幕。"[①]

四、《史记》散文叙事的艺术特色

《史记》人物传记的本质是一种散文叙事，其中非人物传记的篇章大都带有政论色彩，更是典型的散文叙事。司马迁散文的艺术成就，代表了汉代文学的高峰。语言锤炼和章法结构是撰写优秀散文的重要因素。前人对这方面的抉发最为深入，取得的成绩也最大，本有许多话可说，因限于篇幅，不作详论。下面从历史叙事与人物刻画的角度来探讨《史记》散文的艺术特色，我们认为最突出的成就是以下几个方面：善序事理、寓论断于序事、浓郁的抒情性、讽刺艺术、通俗化和个性化的语言。分别概述如下。

1. 善序事理

《史记》不是一般的写景、抒情、设喻、说理，它以人为本位记叙历史，所以是别具一格的历史散文。在我国文学史上，最早的历史散文是《尚书》和《春秋》。《尚书》记言，《春秋》记事，两者都比较古朴。其后有《国语》和《左传》。《国语》记言，《左传》记事。这两部书，无论记言、记事都具有广泛的历史内容，语言简洁流畅富有文采。《左传》记事，善于突出事物

① 可永雪：《史记文学成就论稿》，内蒙古教育出版社1991年版，第222页。

的本质，能用简括的语言写出复杂纷繁的事物，尤其擅长写战争。同时《左传》已开始描述人物梗概，能用极少的笔墨刻画出人物的细微动作和内心活动，使人物有生动的形象。《战国策》长于辞令，诸子散文长于说理。司马迁继承《左传》历史散文的传统，又从《国语》、《战国策》、诸子散文中吸取营养，发展创造出独具太史公风格的《史记》散文，其最大特色是在记事实录中善序事理。西汉文学大家刘向、扬雄都极为叹服。“善序事理，辩而不华，质而不俚”，就是刘向、扬雄对司马迁文笔特点的高度概括提出的命题。班固在《汉书·司马迁传》的赞语中转述刘向、扬雄之言，也表明了他的叹服。这说明《史记》“善序事理”的散文特色为两汉文学史学大家所公认，也成为两千年来的不刊之论。

司马迁“通古今之变”，他“序帝王”，“记侯国”，“系时事”，“详制度”，“志人物”，全都是叙事；司马迁“成一家之言”，他要在记叙历史中阐明历史演变的因果关系，表明自己的分析和看法，这就是理。叙事说理，交融关合，天衣无缝。例如《五帝本纪》，这是熔铸剪裁古史文献而写成的篇章，司马迁却在详略穿插的叙事中鲜明地表达了黄帝开创统一和尧、舜明德的历史观点。清人吴见思评论说：“尧、舜二纪，纯用《尚书》、《孟子》，略改字面，便是太史公之文，不是《尚书》、《孟子》之文。且既经删改，而运用插和，绝无痕迹，岂非神手！”① 这是说古史文献，一经司马迁点窜，便成大手笔之文，蕴含无限思想。近人李景星作了具体分析，他说：“篇中考世系处，极分明，亦极错落。至于叙事，更详略得宜，变化尽致。排句，学周语。秀句，参诸子。古句、奥句，仿经书。所举五帝大事，如天地山川、礼乐制度、设官分职、修德布政，有演为数百言者，有缩为数言者。节节照应，处处关通。而实则高古典质，一丝不苟。”② 这里指出，《五帝本纪》史事考证精细，详略得当，谋篇布局，行文

① 《史记论文·五帝本纪》。

② 《史记评议·五帝本纪》。

造句，既有继承，又有创造，一丝不苟。司马迁“善序事理”，付出了艰苦卓绝的劳动。

文章唯叙事最难，若平铺直叙，淡而无味。司马迁却擅长叙事，使“《史记》一书，以参差错落，穿插变化为奇，而笔法句法，绝无一律”①，受到历代学者的一致肯定。刘知几说：“观子长之叙事也，自周以往，言所不该，其文阔略，无复体统。自秦汉以下，条贯有伦，则炳炳可观，有足称者。”② 这是说，司马迁记叙秦汉纷繁史事的创作之篇，其叙事手笔，更为精绝。清人冯班说：“《史记》叙事，如水之傅器，方圆深浅，皆自然相应。”③ 刘熙载说：“《史记》叙事，文外无穷，虽一溪一壑，皆与长江大河相若。”④ 这类赞语，举不胜举。中心是说《史记》文章，叙事贴切，浑然一体，言外有意，波澜壮阔，起伏变化，有无穷妙境。司马迁精意创作的篇目，如《项羽本纪》、《高祖本纪》、《李将军列传》、《魏其武安侯列传》等都是叙事如画的名篇。试以《魏其武安侯列传》作一分析。李景星说：

> 此传，虽曰《魏其武安侯列传》，实则窦、田、灌三人合传也。两个贵戚，一个酒徒，惹出无限风波。头绪纷繁，如何措手？而太史公用独力搏众兽手段，构成一篇热闹文字，真是神力！传以魏其、武安为经，以灌夫为纬，以窦、王两太后为眼目，以宾客为线索，以梁王、淮南王、条侯、高遂、桃侯、田胜、丞相绾、籍福、赵绾、王臧、许昌、庄青翟、韩安国、盖侯、颍阴侯、窦甫、临汝侯、程不识、汲黯、郑当时、石建许多人为点染，以鬼报为收束。分合联络，错综周密，使恩怨相结，权势相倾，杯酒相争，情形宛然在目。⑤

① 吴见思语，引自《史记论文·五帝本纪》。
② 《史通》卷六《叙事》。
③ 《钝吟杂录》卷六。
④ 《艺概·文概》。
⑤ 《史记评议·魏其武安侯列传》。

本传只有三千余字，涉及西汉统治集团上层人物二十七人。传中三个主人公窦婴、田蚡、灌夫都是平庸的官僚，正如李景星所说，两个外戚，一个酒徒，他们没有什么值得称道的殊勋，但司马迁却捕捉住他们各自具有的典型个性特征，在实录中塑造了生动的形象，蕴蓄了使后人深思的哲理。司马迁以三人为主线，联络穿插了形形色色的政治人物，编织了一幅寓意深刻的政治风云画卷，用以揭示西汉盛世下的宫廷内外的矛盾斗争，通过贵族们互相倾轧、横暴自恣的丑恶形象，有力地抨击了当时专制政治的黑暗和腐朽。全传叙事，看似平淡，读来却扣人心弦。本传的艺术手法，有着多方面的精彩表现，如人物刻画，形象生动，语言简洁，叙事精练；篇末评论，画龙点睛，是非允当，含蓄而犀利。单就叙事手法而言，本传有两大特点。第一，章法结构，别开生面，似散而紧凑，千头万绪而条理明晰。三传分开来读，各具首尾，只反映各个人物的个人荣辱，平淡无奇。司马迁把三传联缀起来，利用两个外戚的瓜葛，穿插各色人物，从而把各种复杂的矛盾交织起来，反映了波澜壮阔的历史画面。清人郭嵩焘说："魏其、武安、灌将军，各以其势盛衰相次言之，合三传为一传，而情事益显。"[①] 第二，筛选一系列典型的生活场景来组织故事，刻画人物，反映不同政治集团势力的消长，富有生活情势，引人入胜。窦田矛盾发展有两个重要场面。一是窦婴夫妇宴请田蚡，一是灌夫使酒骂座。前者是窦婴夫妇宴请田蚡，马屁没有拍上，倒助长了田蚡的骄矜，一席酒肉，换来了田蚡求索城南田，真是赔了夫人又折兵。后者是窦婴、灌夫去庆贺田蚡结婚，窦婴遭众人冷眼，好打抱不平的灌夫，气恼不过使酒骂座，遭来横祸。两次宴会，起因都是失势的窦婴和灌夫主动去讨好田蚡，结果弄巧成拙，演出了两场滑稽戏。这根本原因是窦婴、灌夫两人内心极为嫉恨田蚡，于是结成同党来对抗，可是他们又心存幻想，表面上巴结田蚡，想借田蚡的势力来抬高自己的身价。也就是窦婴、灌夫两人违心事权贵，内心积蓄的憎恶与痛苦如洪水一

① 《史记札记》卷五下。

样冲决了强颜欢笑的堤防，所以导致逢迎的表演弄巧成拙。司马迁捕捉住这些典型的生活场景来铺叙故事，情节虽无波澜起伏，却曲折生动，引人入胜。

巧妙的篇章布局和善于选取典型素材，这是司马迁善序事理的大关节。此外，司马迁在一篇之中的段落层次，以至一句之中的字法变化，也十分讲究叙事笔法。如清人李晚芳评《伯夷列传》说："一篇之中，忽序忽断，如论如赞，若吊古，若伤今，令读者迷离，莫名其妙。"① 吴见思评《汲郑列传》说："忽序事，忽行文，忽而简质，忽而铺排，逐段变换，又有山回谷转、云破月来之妙。"② 这说的是叙事段落笔法的变化。牛运震评《廉颇蔺相如列传》中"完璧归赵"一节说："一璧耳，变出易璧、奉璧、完璧、授璧、得璧、求璧、取璧、持璧、破璧、送璧、归璧、留璧，字虽非经意，却有多少生情处！"③ 这是说字法变化。一个"璧"字，随着情节发展，用一系列不同的动词变化，描写场景的转换，表现人物心态的变化，酣畅淋漓地刻画了蔺相如大智大勇的形象。由此可见，司马迁叙事段落起伏，以及文字变化，完全是为了写好人物或者增强说理服务的，非大手笔，不能为此。

至于"辩而不华，质而不俚"，一是说叙事内容，翔实而不空疏；二是说叙事有文采，质朴而不粗俗。这两个特点，也是治文史于一炉的艺术手法。明何乔新评论说："如叙游侠之谈，而论六国之势，则土地甲兵，以至车骑积粟之差，可谓辩矣，而莫不各当其实，是辩而不华也；叙货殖之资，而比封侯之家，则枣栗漆竹，以至籍藁鲐鮆之数，可谓质矣，而莫不各饰以文，是质而不俚也。"④ 何氏的评述和所举例证极其精当。如《货殖列传》记叙各地的都市、地理、气候、物产、风俗、人情，样样皆为实录而文采斐然，内容"辩而不华，行文质而不俚"，全篇布局，又是善序事理的精彩篇章。

① 《读史管见》。
② 《史记论文》。
③ 《史记评注》。
④ 《何文肃公文集》卷二《史记》。

2. 寓论断于序事

这一手法就是把作者的论点熔铸在历史叙述的过程中，不言而评论自见。清顾炎武首发此论。《日知录》卷二十六云：

> 古人作史，有不待论断而于序事之中即见其指者，唯太史公能之。《平准书》末载卜式语，《王翦传》末载客语，《荆轲传》末载鲁勾践语，《晁错传》末载邓公与景帝语，《武安侯田蚡传》末载武帝语，皆史家于序事中寓论断法也。

顾炎武举的例子都是在篇末借他人之语来表达作者的评论。《平准书》末卜式语曰："县官当食租衣税而已，今弘羊令吏坐市列肆，贩物求利，烹弘羊，天乃雨。"这是借卜式的语来批评桑弘羊"兴利"害民。《王翦传》末记客语："夫为将三世者必败。必败者何也？以其所杀伐多矣，其后受其不祥。"这是借客语来批评王氏祖孙三代唯知阿意兴功，残虐人民，终于败亡，鲜明地表达了作者对暴虐之吏的憎恶感情。《荆轲传》末载鲁勾践语"嗟乎，惜哉其不讲于刺剑之术也"云云，表达了作者对荆轲剑术不精，行刺不成的惋惜，以及对荆轲勇于涉险的赞叹。《晁错传》末载邓公语云："夫晁错患诸侯强大不可制，故请削地以尊京师，万世之利也。计划始行，卒受大戮，内杜忠臣之口，外为诸侯报仇，臣窃为陛下不取也。"这是借邓公的话批评景帝处事不当，用以表彰晁错为国家树长画的忠君精神，并为其蒙冤表示不平。《魏其武安侯列传》末载武帝语："使武安侯在者，族矣！"这是借武帝的话来声讨卑劣小人田蚡的罪不容诛。

以上五例都在篇末，是其显例。其实这样的例子在篇中更多，可以说是举不胜举。而且形式多样。例如《叔孙通列传》对叔孙通的批评，有秦博士诸生之言，有汉初鲁生之言，有高帝之言，有弟子之言，这些批评贯穿于全篇之中。秦博士诸生之言与两鲁生之言是正面批评，高帝之言是褒奖，弟子之言是恭维，形式多样，其旨则一，都是讥刺叔孙通的面谀。

司马迁结合具体史事，借用他人之语作论断，使评论与史实的叙述有机地成为一个整体，尽管落墨不多，却极其深刻而又生动，收到画龙点睛的效果。《吴起列传》载李克对魏文侯语，《商君列传》载赵良语，《李将军列传》载文帝语，《汲郑列传》载汲黯谏武帝语，都是极为鲜明的例证。语言的借用，也不限于人物的直说，其他如《越王勾践世家》载范蠡遗文种书，《乐毅列传》载乐毅遗燕惠王书，以及许多篇章的歌谣诗赋，俚语俗谚，如《晋世家》载《士蒍之歌》、《孔子世家》载《去鲁之歌》、《曹相国世家》载百姓《萧曹之歌》、《齐悼惠王世家》载朱虚侯刘章《耕田歌》、《伯夷列传》载伯夷叔齐《采薇之歌》、《魏其武安侯列传》载颍川儿歌等等，都具有表达史论的作用。司马迁还把许多谚语直接化入“太史公曰”的评论中，就更不用说了。

再进一步探讨，我们发现，司马迁在历史叙述的过程中就鲜明地表达了爱憎和褒贬，这才是寓论断于序事的最基本形式。例如《淮阴侯列传》，就是司马迁为韩信写的一篇翻案史传，但通篇并无翻案的字眼。韩信有大功于汉，他通谋陈豨是蒙冤后被逼上梁山的。全传以汉四年为界限分为两部分。前一部分写韩信之功，他亡楚归汉，定策汉中，擒魏取代，破赵胁燕，东击齐，替汉家打下了半壁江山，突出韩信的智。后一部分述说韩信被高祖猜忌，从夺王贬爵到夷灭三族，突出他的冤。以“智”照应“冤”，为我们勾勒了一幅感人的悲剧画面，揭示了绝对君权的残忍，具有反封建专制的思想光辉。韩信拒武涉、蒯通之说，司马迁用重笔叙写，最为精彩，可以说这一段文字就是司马迁用事实为韩信辩诬，寓论断于序事的妙笔。《汉书》卷四十三转写的韩信传，删去蒯通的故事而另立蒯通传，这样就割裂了司马迁寓论于序事的笔法，使全文大为减色，被顾炎武批评为“寥落不堪读”[①]，真是一语中的。

在《史记》一书中，寓论断于序事最精彩的笔触，也总是体现在最典型的人物传记中。例如秦始皇、高祖、项羽等人的本纪，陈涉、萧何、曹参、张良、陈平、周勃等人的世家，吴起、

① 《日知录》卷二六。

商君、战国四公子、屈原、贾生、李斯、蒙恬、张耳、陈馀、彭越、黥布、淮阴侯韩信、叔孙通、万石君、魏其武安侯、李将军、公孙弘、主父偃、刺客、游侠、酷吏、佞幸等等列传，都是通过实写历史人物的事迹来说明和论断历史问题的。司马迁在篇中的夹叙夹议与“太史公曰”是直接的评论。司马迁直接的评论往往是对寓论断于序事的点评与揭示，二者结合起来才能体会司马迁的史笔之妙。这些就不一一评说了。

3. 浓郁的抒情性

司马迁写历史人物熔铸了鲜明的爱憎感情，使《史记》行文深得《离骚》情韵，强烈地感染读者，引起共鸣，从而增强了人物形象。本来史传散文与抒情长诗，两者文体不同，形式各别，内容迥异，看似没有共通关系。但学术界一致承认《史记》与《离骚》二者的相提并论。清人章学诚说：“夫《骚》与《史》，千古之至文也。”[①] 鲁迅说：《史记》是“无韵之《离骚》”[②]。李长之更进一步称《史记》为“中国的史诗”[③]。这都是说《史记》具有浓郁的抒情性，也就是《史记》比拟《离骚》的主要相同点。今人吴汝煜具体地分析了《史记》中的骚影。他说：“《项羽本纪》是一首充满着悲壮叹惋之情的英雄史诗，《伯夷列传》是一首喷发出愤激不平之情的怨刺诗，《魏公子列传》是一首满怀崇敬之情的赞美诗，《滑稽列传》是一首洋溢轻松愉快之情的幽默诗，《司马相如列传》略去所附录的大赋，便是一首包藏着炽热感情和富于浪漫色彩的恋爱诗。”[④] 这些分析，旨在说明司马迁受《离骚》的感染，他以诗人的气质写史，于是使史文多含有诗的情韵[⑤]。清人刘熙载就曾说：“学《离骚》得其情者为太史公。”[⑥]

---

① 《文史通义·史德》。

② 《汉文学史纲要》。

③ 《司马迁之人格与风格》，三联书店 1984 年版，第 300 页。

④ 引自吴汝煜《史记论稿》，江苏教育出版社 1986 年版，第 37 页。

⑤ 郭沫若在《论诗札记》中说：“诗之精神在其内在的韵律。内在的韵律并不是什么平上去入、高下抑扬、强弱短长，也不是什么双声叠韵，什么押在句中的韵文，这些都是外在的韵律。内在的韵律便是情绪的自然消涨。”按照这个原则，《史记》是当之无愧的史诗。

⑥ 《艺概·文概》。

晚清刘鹗说得更为深刻："《离骚》为屈大夫之哭泣，《庄子》为蒙叟之哭泣，《史记》为太史公之哭泣，《草堂诗集》为杜工部之哭泣，李后主以词哭，八大山人以画哭，王实甫寄哭泣于《西厢》，曹雪芹寄哭泣于《红楼梦》。"① 刘鹗回溯自《左传》、《离骚》、《史记》以来两千多年中国文艺发展的历史，将杰出的诗词、散文、传记、绘画、戏曲、小说一概说成是作家的"哭泣"。这见解极为深刻，比喻极其生动妥帖。这就是说，文学作品最深层的内涵，就是要熔铸作家的激情。因为《史记》为太史公之哭泣，所以刘鹗把它与《离骚》、杜工部诗、李后主词，以及绘画、小说同日而语。由此可见，《史记》人物形象生动，浓郁的抒情性，作家强烈的主观色彩的渗入，具有重要意义。

司马迁推崇屈原的人格，并将在《屈原列传》中讴歌他疾恶如仇、正直不阿、忠贞敢谏、舍身为国的品德作为一种审美观渗透到《史记》人物传记之中。"敢犯颜色，以达主义"的袁盎，"不顾其身，为国家树长画"的晁错，"守法不阿意"的张释之，"不能容人之过"、"任气节，内行修洁，好直谏"的汲黯，在这些人物形象的身上，都可以看到屈原人格美的一端。司马迁称赞屈原"其志洁，故其称物芳"，他在《史记》中也如此效法。如司马迁用"桃李不言，下自成蹊"，比喻李广的高尚品德为人民所慕仰；用"高山仰止，景行行止"，比喻孔子学说的博大精深；用"得黄金百斤，不如得季布一诺"，比喻季布为人的信实可靠；用"燕雀安知鸿鹄之志"，比喻陈胜内心的恢弘气度。这一切与《离骚》有着深刻的渊源。②

司马迁褒贬人物的爱憎感情，除了学习和继承屈原《离骚》传统外，更得益于他的生活经历和坎坷遭遇。司马迁二十壮游，广泛地接触了下层社会，故而在《史记》中不仅写了帝王将相，也写了众多的小人物。司马迁受李陵之祸而发愤著书，所以他同情被压迫人民，反对暴力统治，颂扬正义，诅咒邪恶，与古代的

① 《老残游记·自序》。
② 参阅吴汝煜《史记论稿》，江苏教育出版社 1986 年版，第 35—36 页。

人民感情同声相应，同气相求。刺客、游侠、倡优、商贾、医卜等等中下层人物，在统治阶级眼里是没有社会地位的市井小民，但在司马迁笔下，他们是各类人物的典型，他们有着优秀品德和一技之长的才能，受到了热情的歌颂和肯定。许多附传人物，如《平原君虞卿列传》中的食客毛遂、邯郸舍人子李同；《魏公子列传》中的夷门监者侯嬴、市井鼓刀屠者朱亥以及邯郸博徒毛公、卖浆者薛公，这些人物具有傲视权贵的高尚情操，强烈的爱国主义感情，尤其有助人于危难的牺牲精神，司马迁以饱满的热情刻画了他们的光彩形象。司马迁对重义的公孙杵臼，对先国家后私仇的蔺相如，对勇于改过的廉颇，对义不帝秦的鲁仲连，对铮铮硬骨的田横，对发难灭秦的陈涉、项羽，对抗暴的刺客，对已诺必诚、助人危难的游侠等等都写得有声有色，强烈地贯穿着歌颂正义，歌颂抗暴的精神。反之，对暴君污吏则尽情地鞭挞和揭露。《酷吏列传》刻画酷吏们枉法害众的残虐形象，面目可憎。总之，司马迁对美好的政治、崇高的形象无比热爱，无比赞赏；对腐朽事物、丑恶形象无比愤怒、无比痛恨。“正因为他爱得深，所以他也恨得切。在他的笔端纸上、字里行间不期而然地就翻滚激荡着感情的波涛，给读者的心灵以强烈的震撼，这就是《史记》抒情性的根本来源。”①

其次，司马迁对所写人物赋予深沉的人情味，也是感染读者的一个原因。垓下之围，项羽悲歌别姬，江边赠马亭长、赠人头与故人，情调悲凉，表现了一个倔强英雄在穷途末路时对于人生的眷恋，寄托了作者无限的惋惜之情。司马迁写刘邦好酒及色、无赖、大言、斤斤计较、豁达大度与小肚鸡肠，都极富生活情趣。刘邦晚年还乡纵酒，与父老击筑歌怀，即席赋诗，作《大风歌》，令一百二十小儿和习歌唱，描绘的是一幅胜利者的夕阳返照，一生戎马征尘，难得有这样人生欢乐。司马迁这样描写，具有多方面的艺术效果。君王与百姓同乐，正是为了表达天下安定后人民对于高祖的深切思念，极富有人情味。另一方面，《大风

① 韩兆琦：《史记赏析集·前言》，巴蜀书社 1988 年版。

歌》也透露了刘邦屠灭功臣的悲凉之意，大好山河，谁来辅佐，曲折表达了集权专制君王的复杂心态与人情味。至于《魏公子列传》，司马迁不仅以公子名篇，而且一篇之中，凡称公子一百四十七次，许多段落句句有公子，这不像在叙事，而是在娓娓讲故事，可以说每一个字都倾注了作者满腔热情的歌颂，魏公子的形象自然也就显得光彩照人。

总之，司马迁写历史人物，往往借他人酒杯浇自家块垒，在饱含的激情中，带有他自己的生活经验、生活背景和个人色彩。在这方面司马迁酷似屈原。但是，写历史原则上不需要夹带感情，更不用说过多的主观色彩；而文学创作，则需要浓烈的感情。司马迁在纪实之中注入了浓烈的感情，所以《史记》既是历史，又是文学。但这必然要碰到感情与史实之间的矛盾，如何处理这两者之间的矛盾，将二者统一起来，这正是司马迁的不平凡处。清人刘熙载在《艺概》中指出“叙事不合参入断语，太史公寓主意于情，肆于心而为文”，在慷慨激昂处，愤怒之情如泉涌，如海啸，感情与史实之间的矛盾，他就无暇顾及了。最典型的例证，就是司马迁在《太史公自序》和《报任安书》中吐发的发愤著书说，“《诗》三百篇，大抵圣贤发愤之所为作也”，整段议论的史实多与《史记》所载矛盾。当然，所有的人都明白司马迁的激情所指，而不会去责怪他。但这样的事例，多了就有损于史事的信实可靠，所以班固批评司马迁“采经摭传，分散数家之事，甚多疏略，或有抵牾”，也是不可讳言的。这对于司马迁来说是大醇小疵，而对于后世历史学家来说，更多的人效法班固，而不能效法司马迁，也是有客观原因的。

4. 讽刺艺术

本章第二节论及司马迁的文学观，他主张文学反映现实生活，并刺讥时事。司马迁十分赞赏屈原《离骚》和司马相如赋的讽谏价值和意义，做了高度评价。司马迁身体力行，他敢于刺讥，而且旗帜鲜明，所以《史记》问世而遭“谤书”之诬。讽刺的表现形式是用尖锐而诙谐的语言对假、丑、恶的东西加以揭露、嘲笑和谴责。目的是通过讽刺对假、丑、恶的否定，达到对真、善、美的肯定，并使人们在欣赏讽刺艺术中得到审美的愉快。司马迁擅长“微言讥刺，贬损当世”。《六国年表·序》云：“孔子次《春秋》……七十子之徒口授其传指，为有所刺讥褒讳挹损之文辞不可以书见也。”《匈奴列传·赞》云：“太史公曰：孔氏著《春秋》，隐桓之间则章，至定哀之际则微，为其切当世之文而罔褒，忌讳之辞也。”这两则“序”“赞”借《春秋》以揭示《史记》对当代史的记载多有微词讽谕。宋人吕祖谦在《大事记》中说：

> 太史公之书法，岂拘儒曲士所能通其说乎？其旨意之深远，寄兴之悠长，微而显，绝而续，正而变，文见于此，而起意在彼，若有鱼龙之变化，不可得而迹者矣。读是书者，可不参考互观，以究其大旨之所归乎！

吕氏认为太史公行文如“鱼龙之变化”，莫测高深。这见解十分精到。所以我们条列司马迁的讽刺艺术手法，只能举其大端。

其一，状摹本人自矜声色的心态以寓讽。《高祖本纪》载，汉高祖刘邦尊太公为太上皇，而“心善家令言，赐金五百斤”。因太公家令劝太公执人臣礼，刘邦心善之。“心善”二字揭示刘邦做作孝敬的内心世界十分绝妙。“赐金五百斤”这一行动，就是“心善”意识情不自禁的表现。又高祖置酒未央宫，为太上皇祝寿，曰：“始大人常以臣无赖，不能治产业，不如仲力。今某之业所就孰与仲多？”刘邦的揶揄举动，使太上皇尴尬难言，引动殿上群臣高呼万岁，大笑为乐。又《叔孙通列传》载，叔孙通作礼仪，“于是高帝曰：‘吾乃知今日知为皇帝之贵。’乃拜叔孙通为太常，赐金五百斤。”这两例更是自矜声色的典型例证。

其二，引用他人之语以寓讽。如《汲郑列传》借汲黯之口指责汉武帝“内多欲而外施仁义”，可以说这是用他人之口抒写自己意趣的妙笔。司马迁用这一手法对叔孙通心态的描摹更为精绝。先引鲁生语直斥叔孙通，“公所事者且十主，皆面谀以得其贵”，作为铺垫。而后借叔孙通弟子之言，“诸生皆喜：叔孙通诚圣人也，知当世之要务。”这一贬一褒，相映成趣，使叔孙通好面谀以取宠的情态跃然纸上，嬉笑怒骂皆成讽喻。

其三，借秦讽汉。《六国年表·序》云：“论秦之德义不如鲁卫之暴戾者，量秦之兵不如三晋之强也，然卒并天下，非必险固便形势利也，盖若天所助焉。”又说：“秦之帝用雍州兴，汉之兴自蜀汉。”鲜明地把秦汉联系起来，言外汉之兴也是得天之助，不是刘邦个人有什么德行，讽刺之意，隐于笔端。吴汝纶《点勘史记》评云：“语虽论秦，意乃指汉。”以秦事讽汉，《平准书·赞》最鲜明。“于是外攘夷狄，内兴功业，海内之士力耕不足粮饷，女子纺绩不足衣服。古者尝竭天下之资财以奉其上，犹自以为不足也。”明斥始皇，暗喻武帝。《史记评林》眉批引茅坤曰：“不及本朝，而以秦事为言若此，其旨深矣。”方苞《评点史记》亦云：“举秦事以譬况汉也。”

其四，用以褒为贬的反写法以寓讽。《萧相国世家·赞》云：“淮阴、黥布等皆已诛灭，而何之勋烂焉。”显系以褒为贬。《傅靳蒯成列传》、《万石张叔列传》等篇最为集中，最为典型。如蒯成侯周緤，当刘邦自将击陈豨时，周緤泣曰：“始秦攻破天下，未尝自行。今上尝自行，是为无人可使者乎?”刘邦很受感动，“上以为‘爱我’，赐入殿门不趋，杀人不死。”司马迁在赞中评论说：“蒯成侯周緤，操心坚正，身不见疑，上欲有所之，未尝不垂涕，此伤心者然，可谓笃厚君子矣。”周緤等以阿谀奉承而得高爵，司马迁郑重地载其谀行，严肃地给予褒扬，愈是庄重，讥刺愈是深刻。“此伤心者然”，这句话的意思是说，“做出一副伤心的样子还真像那么一回事”，语意既诙谐而又尖酸，行文却又装扮成十分严肃的样子，读后让人忍俊不禁。

《万石张叔列传》的讽刺极为冷峭。本篇通过讽刺一类人来讽刺绝对君权下的腐败政治，是对一种社会风尚的针砭。万石君石奋一家是西汉一朝的显贵。石奋是高祖刘邦的一个贴身侍从，本人“无文学”，但“恭谨无与比”，历仕高、惠、文、景，成为四朝元老。石奋和他的四个儿子在文帝时都官至二千石，合计万石，尊荣无比，得了个外号“万石君”的美名。汉武帝时，两个做高官的儿子郎中令石建、官至丞相的石庆，也无他能，惟效法老父一生醇谨。这时石奋家族累计二千石高官达十三人。万石君一家人做官的诀窍就是醇谨无比。万石君过宫门必下车趋，见路马必式，子孙为小吏来归谒，必朝服见之，子孙胜冠者在侧，虽燕居必冠。石建官至郎中令，还亲自为老父洗涤内裤溺器。一次石建在奏章上将“马”字少写了一点，发现后惶恐得发抖，说：“误书，‘马’者与尾当五，今乃四，不足一，上谴死矣。”司马迁插语说：“其为谨慎，虽他皆如是。”写石庆，他为太仆，一次驾车出宫，皇上问有几马，石庆郑重其事地“以策数马”，然后举手比出数字回答“六马”。司马迁又插语说：“庆于诸子中最为简易矣，然犹如此。”很明显，司马迁的插语，“皆辞为褒义存讥刺。”①

万石君这类人是愚忠愚孝的典型，他们身上确实有优点，为人诚笃宽厚，忠于职守，与万石君合传的人物卫绾、直不疑、周文、张叔等人也都是言行持重、廉谨的长者君子。但这一类人没有什么政绩可言。石庆为丞相九年，“无能有所匡言”，“醇谨而已”。这是一群封建官僚政治体制下的奴才，他们平庸无能，只知保官而已。司马迁还用互见法揭露了这一类人的“讷于言”具有虚伪的一面。郎中令石建在群臣廷见时，“如不能言”，一个“如”字，说明他是装出一副不能说话的样子；但“屏人恣言”，也就是打起小报告来却口若悬河，滔滔不绝。《魏其武安侯列传》，东朝廷辩，石建不发一言，退朝以后他为汉武帝“分别言两人事”，结果是魏其侯被处斩。显然，石建是看风使舵，站在王太后一边袒护卑劣小人田蚡。这类人打小报告时还能表演一番“极切”厚重的忠诚样子，所以能博得人主的“尊礼”。司马迁在叙述石建擅长“屏人恣言，极切；至廷见，如不能言者”后说：“是以上乃亲尊礼之。”明显地把讽刺矛头转向了汉武帝。原来司马迁集中写平庸官僚的“醇谨”细节，就是要揭露官僚政治用奴才不用人才的腐朽本质。至于对这一类被绝对君权异化的“笃厚

① 方苞：《评点史记·太史公自序》中评语。

君子”，司马迁是有褒有贬的。

其五，记事两出，故为破绽以寓讽。周亚夫平吴楚七国之乱，采取以梁委吴的策略。《吴王濞列传》记载为周亚夫至淮阳，采纳了邓都尉的献策而制定的战略；但在《绛侯周勃世家》周亚夫本传中却记载为在京师制定，得到景帝的批准。以事实按之，梁王向周亚夫求救，周亚夫“守便宜，不肯往”；梁王又告急于景帝，景帝使诏周亚夫救梁，他仍“不奉诏”。事后梁王怨周亚夫，在窦太后面前极言其短，但景帝不但不责备周亚夫，反而升任他为丞相。再从《梁孝王世家》中可知，梁孝王受窦太后恩宠，出入服舆“拟于天子”，景帝心中不满，而表面上却慈爱有加，并声言“千秋万岁后传梁王”。窦婴谏说景帝失言，“上何以得擅传梁王”[①]，景帝欣欣然以窦婴为贤。由此可知景帝心迹。他批准周亚夫的委梁之计，乃是借刀杀人，除却心头之患。所以司马迁故作矛盾记载，露出破绽，引人深思，暗示皇亲国戚之间的互相倾轧，以诛景帝之心患。

其六，记事雷同，周而复始，相映成趣，构成讽刺。如《封禅书》记载汉武帝欲修道成仙，求不死之药，始受齐人少翁文成将军的欺骗，继而受栾大的更大欺骗。尽管他相继诛杀了文成、栾大，但是并不醒悟，仍旧与方士“处之不疑”。故《封禅书》以如下意味深长的话语作结：“自是之后，方士言祀神者弥重，然其效可睹矣。”骗人的方士更加疯狂地活动，等着瞧吧！今皇帝还要上当的。这冷嘲的笔调，近于戏谑，把汉武帝“尤敬鬼神之祀”的愚蠢面目活现在读者面前。

其七，用无声的沉默以寓讽。《匈奴列传·赞》云：“尧虽贤，兴事业不成，得禹而九州宁。且欲兴圣统，惟在择任将相哉！惟在择任将相哉！”此为影射之讽。声东击西，讽喻汉武帝好大喜功而不能择贤，故伐匈奴建功不深。何焯《义门读书记》云：“下即继以卫、霍、公孙弘，而全录主父偃谏伐匈奴书，太史公之意深矣。”吴汝纶《点勘史记》亦云：“此篇后，继以卫

① 《史记》卷一〇七《魏其武安侯列传》。

霍、公孙二篇，著汉所择任之将相也。”《佞幸传》末忽赘二语：“卫青、霍去病亦以外戚贵幸，然颇用材能自进。”可为佐证。王鸣盛《十七史商榷》云：“一若以此二人本可入《佞幸》者。”不过综观《史记》载述，司马迁曲折婉约地批评汉武帝不能择贤，主要是指兵败降敌的贰师将军李广利，卫、霍二将军毕竟以才能自进，并未深责，而是有抑有扬。又，《酷吏列传》所写酷吏无汉代以前人，十之八九集中在汉武帝一朝；《循吏列传》全为汉代以前人，而无一汉代人，两相对照，构成强烈讽刺。《大宛列传·赞》不评论征宛事，亦寓无声之讽。所谓无声之讽，就是不作直接的评论而寓有强烈的讽喻意义。无声之讽要运用各种创造性的手法构成讽喻的环境和气氛，引人深思，惟司马迁能之。

司马迁的讽刺艺术随文变化，不可尽举。《酷吏列传》讥讽汉武帝外宽内深，用法严酷，采用暗示法。司马迁对残民以逞的酷吏，采用“刻露而尽相”的手法予以揭露和鞭挞，作为讥刺汉武帝的铺垫。如写宁成，是“为人上，操下如束湿薪”，为济南都尉，“其治如狼牧羊”，当时人们传言说：“宁见乳虎，毋值宁成之怒”。写义纵，“以鹰击毛鸷为活”。写王温舒，大举杀人“至流血十余里”，“爪牙吏虎而冠”，尽十二月，王温舒顿足叹曰：“嗟乎，令冬月益展一月，足吾事矣！”写杜周，更是一个“重迟外宽内深次骨”的人，他任廷尉，“诏狱逮至六七万人，吏所增加十余万人”。对这些如狼似虎的酷吏，他们仗恃的是汉武帝给予的权力和鼓励。司马迁直斥王温舒说：“其好杀伐行威不爱人如此。”紧接着说：“天子闻之，以为能，迁为中尉。”全传点示“天子以为能”“上以为能”共有八处之多，其讥刺所指是十分鲜明的。

讽刺的特点是“微文刺讥”，迂曲行文，意在言外。《酷吏列传》对酷吏们“刻露而尽相”的描写是鲜明的刺讥，而不是讽刺。“上以为能”的点示才是讽刺。司马迁对汉代帝王的刺讥，讽刺之外，还用互见法，“本传晦之”，而于“他篇发之”。例如汉文帝宠幸邓通，赐以铜山，使得一个皇帝家奴富比王侯，就不载于文帝本纪，而在《佞幸列传》中揭出。汉景帝猜疑周亚夫，使之冤死狱中；忌恨张释之，左迁出京；迁怒栗夫人，废杀栗太子，亦不载于本纪，而在他篇揭出。至于今上汉武帝，司马迁更是将其强烈的批判锋芒运于笔端，但却又巧妙地纡曲其词，分散各篇，既有明写，更多的是暗喻，用以突破禁忌。暗喻的手法就是讽刺。《封禅书》、《酷吏列传》、《万石君列传》三篇集中讽刺汉武帝其人，及其腐败政治，是《史记》中讽刺艺术的名篇。由此可见，讽刺的重点是"微文刺讥，贬损当世"，针对现实政治，完成史学警世的功能，具有积极的进步意义。

司马迁的讽刺艺术也是有继承的。在我国古代文学发展史上，讽刺是现实主义文学创作的一个优良传统。《诗经》中就有许多尖锐的讽刺诗。如《魏风·伐檀》讥刺在位的贪鄙者为素餐君子，即白吃闲饭之人。《硕鼠》讥刺重敛的国君为大老鼠。《关雎序》称，这样的讽刺形式，"言之者无罪，闻之者足以为戒"。《汉书·艺文志》说："古有采诗之官，王者所以观风俗，知得失，自考正也。"《国语·周语》邵公谏厉王弭谤，有"天子听政，使公卿至于列士献诗"的记载。也就是说，讽刺艺术具有源远流长的历史，而且也是统治者能够接受的一种批评方式。司马迁既是继承又向前发展的。司马迁的讽刺无论多么尖锐，它并没有违背尊汉的大旨而走向与封建制度彻底决裂的地步。例如他对所深恶痛绝的酷吏，也没有全盘否定，而称赞其廉者可以为吏政的表率。这就是《史记》的讽刺艺术得以流传下来的原因。

5. 通俗化和个性化的语言

司马迁博极群书，"年十岁则诵古文"，是先秦散文语言的集大成者。他又周览全国名山大川，采集了四方之民的口头语言。也就是说文人锤炼的书面语言和人民大众的生活语言，这两个方面司马迁都认真学习和吸收，并加以创造性地运用，形成了独具艺术魅力的《史记》语言。司马迁写人物声口逼肖，叙故事波澜起伏，发议论酣畅淋漓，抒感慨抑扬尽情，成为罕与其比的语言大师。通俗化和个性化是司马迁语言艺术最突出的两个特色。

司马迁创造通俗化的书面语言，突出地表现在以下三个方面。其一，引用先秦文献资料，对古奥难懂的古文进行汉代通行语的翻译。例如，我们将《尚书·尧典》与《五帝本纪》对照，就可发现司马迁作了全面的翻译，有的是直译，有的为意译，有的变换了语序句式和转译了词汇，有的为熔铸改写，表现了司马迁在古语今译上积累了丰富的经验。例如《尧典》中的"允厘百工，庶绩咸熙"，十分"佶屈聱牙"；《五帝本纪》写作"信饬百官，众工皆兴"，这就明白畅达多了。宋人王观国在《学林》卷一中，对司马迁转译先秦古籍词汇作了集中的统计。王氏说：

> 司马迁好异而恶与人同。观《史记》用《尚书》、《战国策》、《国语》、《世本》、《左氏传》之文多改其正文。改"绩用"为"功用"；改"厥田"为"其田"；改"肆觐"为"遂见"；改"宵中"，为"夜中"；改"咨四岳"为"嗟四岳"；改"协和"为"合和"；改"方命"为"负命"；改"九载"，为"九岁"；改"格奸"为"至奸"；改"慎徽"为"慎和"；改"烈风"为"暴风"；改"克从"为"能从"；改"浚川"为"决川"；改"恤哉"为"静哉"；改"四海"为"四方"；改"熙帝"为"美尧"；改"不逊"为"不训"；改"胄子"为"稚子"；改"维绩"为"维静"；改"天工"为"天事"；改"底绩"为"致功"；改"降丘"为"下丘"；改"纳锡"为"入赐"；改"孔修"为"甚修"；改"夙夜"为"早夜"；改"申命"为"重命"；改"汝翼"为"汝辅"；改"敕天"为"陟天"；改"率作"为"率为"；改"宅土"为"居土"，如此类甚多。又用《论语》文分缀为《孔子弟子传》，亦多改其文，改"吾执"为"我执"；改"毋固"为"无固"；改"指诸掌"为"视其掌"；改"性与天道"为"天道性命"；改"未若"为"不如"；改"便便"为"辩辩"；改"滔滔"为"悠悠"；如此类又多。子长但知好异，而不知反有害于义也。

王观国泥古，批评司马迁改字害意，这是完全错误的。但王氏的这番胪列比较是很有意义的，它生动地说明了司马迁语译古文是自觉的创新，系统的转译。司马迁师事孔安国，孔氏就以今文读古文《尚书》，在解说中必然用现代词汇转译古语。所以司马迁的古文今译工作也是有师承的。但是，把今译大量运用于书面语中，司马迁无疑是第一个取得了重大成就的人。

其二，大量采用和提炼民歌谣谚，以及方言俚语叙事，丰富了语言的内容，提高了语言的表现力。例如“桃李不言，下自成蹊”，这是古代流行的一个谚语。意思是说桃树李树没有向人们打招呼，由于它有甜美的果实而吸引着无数的人争相趋往，在树下踩出了一条路。李广厚重木讷，他的忠实心肠感动了天下的人，司马迁就用桃李的果实来作比喻，于是引用这个谚语来赞颂他，不仅形象鲜明，含义深刻，而且用得非常贴切，富有生活气息。《春申君列传》写春申君优柔寡断，不采纳朱英的劝告杀掉奸人李园而遭害，司马迁评论说：“语曰‘当断不断，反受其乱’，春申君失朱英之谓邪?”姑息奸人就是对自己的残忍。“当断不断，反受其乱”这条谚语把这一历史教训总结得极为深刻，用它一点，胜过千言万语。又如《白起列传》载，“鄙语云：尺有所短，寸有所长”；《淮阴侯列传》载，“狡兔死，良狗烹；高鸟尽，良弓藏；敌国破，谋臣亡”等等谚语，蕴含的哲理极为深刻，司马迁也用得恰到好处，足以使作品增色。

司马迁还善于使用方言和口语。如《陈涉世家》写陈涉称王后，故人求见，入宫惊讶殿屋帷帐曰：“夥颐，涉之为王沈沈者。”“夥颐”，“沈沈”就是楚地人民的方言，司马迁用以刻画贫苦农民的天真、纯朴和具有土气的真挚感情，十分传神。又如陈涉在举事时的演说，曰：“今亡亦死，举大计亦死，等死，死国可乎?”于是召令徒属曰：“公等遇雨，皆已失期，失期当斩。藉弟令毋斩，而戍死者固十六七；且壮士不死即已，死即举大名耳！王侯将相宁有种乎?”这些语言模拟人物声色口吻，既口语化而又个性化，至今读来如闻其声，如见其人。像“等死”，“藉弟令毋斩”、“王侯将相宁有种乎?”等等语句，给人以亲切感。总之，《史记》语言的蓬勃生机，是和司马迁热爱民间语言分不开的。

其三，行文造句散文化，句式长短相间，参差错落。人们说话，随意吐词，连成句子，总是长长短短，参差错落。但是，战国时纵横家游说国君的说词，列国行人的外交语言，讲究辞章华丽，与口语产生距离。《左传》、《战国策》等书记载的行人外交辞令和策士的说辞，已经出现了一定程度的铺陈夸饰和排比对偶句式。到了汉代，辞赋盛行，铺陈夸张和骈偶化成为时尚。在这种风气下，司马迁也擅长作赋，《汉书·艺文志》记载他有赋八篇。但《史记》语言却极为简洁精练，有意识地不造排句偶句，行文总是长短不齐，参差错落，句式活泼生动，接近口语，富有生命力。如《项羽本纪》所写巨鹿之战，就长短句相间，错落有致。其文曰：

> 项羽乃悉引兵渡河，皆沉船，破斧甑，烧庐舍，持三日粮，以示士卒必死，无一还心。于是至则围王离，与秦军遇，九战，绝其甬道，大破之，杀苏角，虏王离。涉间不降楚，自烧杀。当是时，楚兵冠诸侯。

这一段大战描写的文字，句式多短章促句，它造成一种紧张气氛与激烈的战斗场面相照应，读者随着这短促的节奏，不觉加快了心率的跳动，大战场景历历如画，真是神来之笔。在特定环境下，司马迁造出的一字短句，有如千钧之重。如《李将军列传》写李广与匈奴的遭遇战，因寡不敌众，全军震恐。这时李广镇定自若，号令全军向匈奴军逼进，以示胆壮。行文曰：

> 广令诸骑曰："前！"前，未到匈奴陈二里所，止。

第一个"前"字写口令，概括了李广如雷霆之声的命令，表示只有勇往直前，才能在气势上压倒敌军，争取死里求生。第二个"前"字写行进，表示全军整肃前进的豪壮气势。最后一个"止"字，显示全军岿然不动的意志。总计十六个字，长短五个句子，就淋漓尽致地描绘出了汉军视死如归，一往无前的精神，图画了一个大场面，真是精绝。

有时连叙数事，司马迁也有意造出意义排比而句式不排比的散句，构成一种跌宕气氛，加深文意。如《秦楚之际月表·序》写秦汉之际的时势变化说："初作难，发于陈涉；虐戾灭秦，自项氏；拨乱诛暴，平定海内，卒践帝祚，成于汉家。"意义排比，加深了三嬗天下的对照；字句变化而不作排比，显示层层递进。吴见思《史记论文》对此评论说："《史记》凡用数句排比，无一句不变，而后人不复宗法，独用呆板。盖《汉书》一出，以匀齐整练四字害之也。"这的确是极为精练地概括出了《史记》散文语言的特点。

司马迁用于刻画人物的语言，生动形象，最大的特色，是具有个性色彩。例如《张丞相列传》写周昌口吃，模拟周昌神态说："臣口不能言，然臣期期知其不可！陛下虽欲废太子，臣期期不奉诏！"寥寥数语，描写周昌又急又怒的神情，十分逼真。又如《魏其武安侯列传》，在东朝廷辩一节，司马迁通过人物对话，切合各人身份、品格的语言，把窦婴之怒，田蚡之奸，韩安国之圆滑，王太后之愚泼，汉武帝之难言，惟妙惟肖地再现出来，使各个人物的情态历历如在眼前。有时同一件事，同一句话，在司马迁笔下，不同身份的人说出，具有不同的声色口吻。例如项羽观秦始皇出巡曰："彼可取而代也。"这种斩钉截铁的果敢语气切合胸怀壮志，决心复仇的项羽性格。刘邦见秦始皇则说："嗟乎，大丈夫当如此也。"这是叹羡口吻，切合刘邦当时处于一个平民的身份。像这样，出口便带个性的语言，是司马迁刻画人物的一大特色。例如郦食其，见刘邦自称"高阳酒徒"，他在齐受烹时回答齐王田广说："举大事不细谨，盛德不辞让，而公不为若更言！"三言两语就把一个狂放不羁而胸怀壮志的说客形象活现了出来。

史笔记事不允许有场景描写和心理描写，但司马迁却能通过人物的语言表现各种特定的环境以及人物心态。如前引《李将军列传》霸陵尉喝止李广不得夜行，说："今将军尚不得过，何乃故也！"这是模拟装腔作势的醉汉语言，用以摹写醉汉神态，十分精妙。《魏其武安侯列传》写灌夫使酒骂座，语言又别具一格。灌夫是一个骄横的失势将军，他是借酒生事，并非真醉，所以他不须装腔作势，而是冲着临汝侯灌贤指桑骂槐，挑起事端，接着怒冲冲地对武安侯说："今日斩头陷胸，何知程、李乎！"一副狂态。吴见思《史记论文》于此批注说："语无伦次，是醉中语，如闻其声。"这个评论指出灌夫的醉语切合灌夫的个性。

《范雎蔡泽列传》写须贾发觉秦丞相张禄就是范雎，顿时吓得面无人色，大吃一惊，赶忙肉袒膝行请罪，入门对范雎连连磕头说："贾不意君能自致于青云之上，贾不敢复读天下之书……请自屏于胡貉之地，唯君死生之！"语气急促而无伦次，左一个贾如何如何，右一个贾如何如何，一副失魂落魄而惊惶乞命的情状跃然纸上。

综上所说，司马迁运用语言的成功，是他精意学习和锤炼语言，使之口语化、通俗化、个性化的结果。司马迁还运用各种修辞手段和虚字来加强语言的文学性，打破平铺叙述的史笔，所以《史记》文章极富文采，这和班固的严谨形成了截然不同的风格。

第八章　司马迁的思想

司马迁在《报任安书》中对自己的《史记》做了如下的评价："究天人之际，通古今之变，成一家之言"。这三句话既概括了《史记》在史学上的贡献，同时也表述了司马迁进步的思想和历史观。

简要地说，"究天人之际"是探讨天人关系，集中表述司马迁的哲学思想，为历史的变化发展提供理论根据。"通古今之变"是对人事的历史经验作总结，集中表述司马迁的历史观，主旨精神是从历史变化发展的轨迹中探寻治乱规律。"成一家之言"表明司马迁作史，并不是历史资料的汇抄和事实的堆积，而是要阐明自己的思想和理想。拿出独到的见解来回答历史是怎样变化发展的。司马迁曾借用孔子的话说："我欲载之空言，不如见之于行事之深切著明也。"[①] 因此，司马迁的思想是熔铸在所叙人物史事中。由于《史记》是一部百科全书式的通史，体大思精，因而熔铸在其中的思想体系，也是宏阔而博大的，智者见智，仁者见仁，无论从哪一个方面都可以展开论述。这里只能条列司马迁思想的几个主要方面：天人观，政治观，经济观，历史观，战争观，民族观，道德观，人才观。

① 《史记》卷一三〇《太史公自序》。

一、天人观

“天人关系”是西汉初年思想界最根本的哲学问题。“究天人之际”，就是司马迁针对这一哲学最根本问题提出的命题。

“天”与“人”的关系，在今天看来是十分简单的事情，但在古代却是上层建筑领域的一个重大问题。天能支配人事，这一观念是维护统治权的理论基础，所以它总是统治阶级的官方哲学。殷周时代宗教神学主宰着思想界，天有至高无上的权威。殷人最迷信，他们把至上神与祖先神合而为一，认为上帝就是他们的祖先。纣王快到亡国的时候还说：“我生不有命在天乎！”[①] 认为有天命保佑是不会亡国的。武王伐纣，殷朝覆灭了，天命受到了一次沉重的打击，“天命靡常”的观念产生了。西周末年，幽王无道，发生了骊山之变和平王东迁，王权从天上跌落下来。春秋战国之际的动乱，贵族下降为皂隶，平民上升了，诞生了新兴的封建地主阶级，政治上发生了变法运动，“亲亲”观念被“尊贤”所代替。各国都重视人谋，讲求富国强兵。所以在《左传》中就记载了“吉凶由人”[②]，“天道远，人道迩”[③] 等无神论思想。战国末年的思想家荀子甚至提出了“人定胜天”的思想，写出了战斗的唯物主义哲学著作，即《天论》。秦汉之际，社会发生更大的演变，不仅是“五年之间，天下三嬗”，而且陈涉庸耕，兴起为王，他所遣王侯将相竞灭秦。不仅汉高祖刘邦起自匹夫，而且汉初开国功臣大都是卑微的下层人物。这些变化给人们提出了两个尖锐的问题，即天人关系与古今变化。在天人关系上，取得了统治权的统治阶级就要恢复天上的权威来巩固地上的王权，所以秦始皇和汉武帝两个雄主都十分迷信。董仲舒宣扬天人感应的

① 《史记》卷三《殷本纪》。
② 《左传》僖公十六年。
③ 《左传》昭公十八年。

神学，就是适应汉武帝加强中央集权而产生的。

天人感应说的前提是承认天有意志，天与人互相影响，互相感应。古代人们因生产力低下，科学不发达，对天地对应的宇宙结构不了解，面对满天星斗不免惶惑。对天象变星、彗星、新星、陨星、日月食、行星运行，以及极光、流星雨、月晕、云气等，皆视为异常。从而出现了关于天的神学体系，产生了天象与人间有吉凶祸福关系的星占学，这是全世界的普遍现象。但是，把地上大一统的社会构架搬到天上，同时又勾画出天人感应的系统理论，则是地道的中国天官学和星占术。按照天人感应学说，天有至高无上的权威，它主宰人间的一切。帝王是受命于天来统治人民的，因此帝王言行的善恶与政治得失要上感于天，恶行者亡，善行者昌。各种天象变异及水、旱、地震等灾害，或生物变异如嘉禾、芝草等，表示机祥，是上天对人间帝王及臣民发出的警语。所以统治阶级十分重视天人感应学说。在这种背景和氛围中，司马迁又师事董仲舒，他接受了天命论和天人感应说的思想影响是可以理解的。

天有无意志，它能不能主宰人间事物，司马迁的回答是抽象肯定，具体否定，带有浓厚的二元论色彩，但基本倾向是朴素唯物主义的。

司马迁接受天命论的观点，承认天有意志，并用以解释一些重大的历史变局。他认为王朝的兴废更替有天命的作用。《律书·序》说：“昔黄帝有涿鹿之战，以定火灾；颛顼有共工之陈，以平水害；成汤有南巢之伐，以殄夏乱。递兴递废，胜者用事，所受命于天也。”《秦楚之际月表·序》讲刘邦得天命说：“此乃传之所谓大圣乎？岂非天哉，岂非天哉！非大圣孰能当此受命而帝者乎？”汉文帝入嗣大统，司马迁也认为刘恒得天命。《外戚世家》说：“高后崩……禄、产等惧诛，谋作乱。大臣征之，天诱其统，卒灭吕氏。唯独置孝惠皇后居北宫，迎立代王，是为孝文帝，奉汉宗庙。此岂非天邪？非天命孰能当之？”当司马迁还不能用唯物论的阶级斗争和生产关系来解释历史变局的时候，他只能委之于天命。如秦并天下就是一个适例。《六国年表·序》说：

"论秦之德义不如鲁卫之暴戾者，量秦之兵不如三晋之强也，然卒并天下，非必险固便形势利也，盖若天所助焉。"这里司马迁运用疑似之词"盖若"，表现了他的困惑。看来他并不满意于天命的解释，但不得已仍然相信了天命的观点。

天人相感。司马迁也记载了不少例证，集中在《天官书》中。如秦始皇之时，十五年彗星四现，其后秦以兵灭六国，外攘四夷，张楚并起，三十年间，"兵相骀藉不可胜数"，造成了"死人如乱麻"的时局。彗星四现就是一种先兆。项羽救巨鹿，"枉矢西流"，其后秦人遭屠。汉朝将要兴起，"五星聚于东井"。刘邦遭平城之围，"月晕参、毕七重"。诸吕作乱。"日蚀、昼晦"。吴楚七国叛逆，"彗星数丈"。元光、元狩，"蚩尤之旗再现，长则半天"，其后武帝外伐四夷，兵连不解数十年。越之亡，"荧惑守斗"。兵征大宛，"星茀招摇"。人间每有军国大事，则有天象示兆。司马迁作了这些历史叙述以后，并做了这样的总结：

> 此其荦荦大者。若至委曲小变，不可胜道。由是观之，未有不先形见而应随之者也。

此外，司马迁有时也讲到命运。如《傅靳蒯成列传》说傅宽、靳歙等平庸低能之将，固然是他们阿意受宠得封侯，但他们在严酷的楚汉战争中，"攻项藉，诛杀名将，破军降城以十数，未尝困辱，此亦天授也"。也就是说，傅宽等人是交了好运了。又如说李广数奇，周亚夫侯而饿死等等，都是命运天定。

但是，从总体上来看，司马迁的"究天人之际"，并不是阐释他的老师董仲舒"道之大原出于天"的神学思想，而恰好相反是对董仲舒神学思想体系的扬弃，在当时是一种了不起的革命奋发精神。

从理论体系上看，"究天人之际"，有两个方面的意义。《说文》云："际，壁会也。"① 朱骏声曰："凡两墙相合之缝曰际。"②

① 《说文》卷一四下。

② 《说文通训定声》泰部第十三。

两墙相合之缝，既是会合，也是分界。天人关系如两墙相合之缝，既是交会，也各自分途，有着明显的界限。

董仲舒讲“天人之际”，主要倾向是天人交会，宣扬畏天。其原话是：“臣谨案《春秋》之中，视前世已行之事，以观天人相与之际，甚可畏也。国家将有失道之败，而天乃先出灾害以谴告之，不知自省，又出怪异以警惧之，尚不知变，而伤败乃至。”[①] 这就是汉代流行的天人感应学说。“相与”，即天人会合、互相感应。董仲舒的用心，企图用“谴告”说来限制君权为所欲为，免招败亡，维护统治阶级的长治久安。但是统治者是不会用虚妄的“谴告”说来束缚自己的手脚的，恰恰利用天人相与及君权神授的学说来开脱自己的罪责，愚弄百姓。董仲舒宣扬“畏天”，走向了他立意的反面，成为神学目的论者，受到统治者的欢迎。故他的天人相与学说得以泛滥。这一思想也给司马迁打下了时代的烙印。但是，司马迁的主要思想倾向，不是讲天人交会，而是讲天人相分。他删去董仲舒“天人相与之际”这句话中“相与”二字，还要“究”它一番，这就突出了天人相分的思想。司马迁“究”的方法，就是“论考之行事”，在对天象的实际观测和对人事的实际考察中，对天、人两个方面都获得了唯物主义的见解，这才是司马迁天人观的主流。

第一，司马迁把自然现象与阴阳五行的迷信说法区别开来。司马迁发挥其父司马谈的《论六家要指》，对阴阳家评论说：

> 夫阴阳四时、八位、十二度，二十四节各有教令，顺之者昌，逆之者不死则亡，未必然也，故曰“使人拘而多畏”。夫春生夏长，秋收冬藏，此天道之大经也，弗顺则无以为天下纲纪，故曰“四时之大顺，不可失也”。

这里司马迁肯定了阴阳五行学说中对自然规律的概述，评判了“使人拘而多畏”的迷信禁忌学说。《太史公自序》还批评了

① 《天人三策》，载《汉书》卷五六《董仲舒传》。

“星气之书，多杂机祥，不经”。《封禅书》对秦始皇、汉武帝的迷信活动更作了无情的揭露和揶揄讽刺。在这个意义上，司马迁“究天人之际”是与阴阳五行学说的迷信开展的一场针锋相对的斗争。

第二，司马迁通过对实录史事的具体论述，对天道提出了质疑。《伯夷列传》为七十列传之首，以议论为主，是一篇示例的论传。这篇论传的中心思想是对“惩恶佑善”的天道提出了质疑，实际上是在揭示七十列传是讲人事活动的；支配历史发展的是人而不是天。《项羽本纪》与《高祖本纪》是两篇传记性质的《本纪》，相互衬映，构成了强烈的兴亡对比。楚亡汉兴的根本原因不是天，而是人心的向背决定了事业的成败。《太史公自序》明确地指出：“子羽暴虐，汉行功德。”项羽一系列的杀人屠城的倒行逆施导致了他的失败。所以司马迁在《项羽本纪·赞》中批评项羽至死不悟，怪罪“天亡我”是十分荒谬的。在《高祖本纪》中，司马迁进一步通过刘邦之口直接说出了天意不能支配人谋。刘邦说：

> 夫运筹策帷帐之中，决胜于千里之外，吾不如子房。镇国家，抚百姓，给馈饷，不绝粮道，吾不如萧何。连百万之军，战必胜，攻必取，吾不如韩信。此三者，皆人杰也，吾能用之，此吾所以取天下也。项羽有一范增而不能用，此其所以为我擒也。

这里最清楚明白地说明了刘邦得天下是他善于用人的结果。天意不能支配历史的变迁，同样不能支配个人的祸福。《伯夷列传》在叙述了颜回早夭后说：“天之报施善人，其何如哉？”这是对苍天直接发出了抗争的质问。《蒙恬列传·赞》否定了蒙恬怪罪筑断地脉而遭诛屠的观点，指出他轻百姓力，助纣为虐，死有余辜。

以上两个方面是司马迁“究天人之际”的主流和精髓。

从现象上看，司马迁在天命问题上既承认，又怀疑，时而清醒，时而糊涂。这种矛盾思想恰恰反映了那个时代人们所受到的阶级局限性和历史局限性。作为史官，司马迁必须对天命论这一官方哲学作出解答。他又扈从汉武帝几十年，参与了封禅、祭祀天地百神等活动，既看到了它的虚诞，同时也看到了它对于加强统治的作用，而进行记载，这就是阶级局限性。司马迁通古今之变，认为三代之兴是累世积德行义而得天下，秦汉之际天子起于匹夫，古今何以有这样大的差别，他不可能从政治经济学的角度去求得解释，只好求救于天命论来帮忙，这就是历史局限性。但是作为一个历史学家，司马迁在处理信仰与事实二者之间的关系时，更相信事实，能够突破星占术的束缚，进而怀疑，进而修正。当他掌握了大量观测记录和详细研究了人事变化的史料之后，发现"星气之书，多杂禨祥，不经"[①]。他在《天官书》中说："幽、厉以往尚矣。所见天变，皆国殊窟穴，家占物怪，以合时应，其文图籍禨祥不法。"又说："近世十二诸侯七国相王，言从衡者继踵，而皋、唐、甘、石，因时务论其书传，故其占验凌杂米盐。"讥讽星占家"以合时应"，"因时务论其书传"，也就是阿世取容，胡说一通，甚至占起了米盐琐事，极不严肃。星占家的神圣光环被司马迁剥去，显现出光怪陆离的原形。最后，司马迁在《天官书》的结语中说："国君强大，有德者昌；弱小，饰诈者亡。"兴衰成败，咎由自取，完全排除了天的意志。但是司马迁仍然劝诫国君重视天人感应。他说："太上修德，其次修政，其次修救，其次修禳，正下无之。"所谓"修救"，是指在上天示警后，国君改过从善，用以消除灾变。"修禳"是举行祭祀仪式，祈求上天保佑，收回警告。值得注意，司马迁把"修救"、"修禳"摆在第三、第四位，而把"修德"、"修政"放在第一、第二位，也就是把人事放在第一位，把天事放在第二位。"正下无之"，指那些无视天道人事的暴虐之君，把德、政、救、禳全都置诸脑后，肆情胡为，无可救药，必遭灭亡。

综上所述，司马迁在天人关系上，他并不否认有意志的

① 《史记》卷一三〇《太史公自序》。

“天”的存在，但是他主要的思想倾向不是深信，而是怀疑；不是顺从，而是违抗。反映在《史记》中，所表现的二元论，讲“天命”只是表面文章，强调人事才是重点。司马迁讲“天人感应”，目的是警戒国君改过自新，修德修政，做了积极的解释和运用，这方面可以看作是对董仲舒思想积极意义的继承。至于在具体地论述历史变迁和评价人物的时候，是看不到天命论的影子的。

还须指出，《天官书》中许多天象的记载只是观测记录，不讲感应。如司马迁记载了五残星、枉矢、司危、大贼星、蚩尤之旗等等天象，大多是“记异而说不书”，即不与人事挂钩。他甚至说：“太史公推古天变，未有可考于今者。”这句话可以说是纡曲行文的示隐。汉文帝前元十六年（前 164 年），哈雷彗星周期性回归，不可能不见，但司马迁不着一字。司马迁不满秦始皇的暴政和汉武帝的多欲，却大量记载这两个时期的天象示警。两相对照，可以看出，司马迁利用“天人感应”资料，有选择地提炼、附会，用以表达他的政治观点，说明他的善恶倾向。这些地方更表现了他思想的进步性，又可以看做是他对董仲舒思想的扬弃。

二、政治观

司马迁的政治思想，基本倾向是倡导儒家的“仁政”为本，辅以道家的“无为”为表的统一体，同时对于阴阳、名、法、墨各家也兼收其长，扬弃其短。这在《论六家要指》中有着明晰的阐述。司马迁的政治思想的形成，不仅仅是融合儒、道及诸子百家的思想资料，而且更主要的是总结历史经验“自古志镜”提出的。所以，司马迁的政治思想属于经世致用型，而不是思辨理论型，他既不是儒家，又不是道家，而是升华历史经验自成一家。主要内容有以下三个方面。

1. 崇尚德治，反对暴政

在司马迁笔下，“德治”与“暴政”两相对立，作者的褒贬倾向极为鲜明。《太史公自序》对古圣先贤禹、汤、文、武称颂为德治之君，说夏禹“德流苗裔”，周文王“德盛西伯”；对夏桀、殷纣、周幽王、周厉王，以及秦始皇、秦二世这些昏暴之君，贬抑为“暴”。司马迁用这一政治观念模式总结历史经验。在《夏本纪》中，他说“帝桀之时，自孔甲以来而诸侯多叛夏，桀不务德而武伤百姓，百姓弗堪……汤修德，诸侯皆归汤，汤遂率兵以伐夏桀”。在《殷本纪》中说：纣王“好酒淫乐，嬖于妇人……百姓怨望而诸侯有叛者，于是纣乃重刑辟，有炮烙之法。”而周文王修德行善，诸侯多叛纣而往归西伯。古代“虞夏之兴”，“汤武之王”，因修仁行义，“德洽百姓”①；而桀、纣、幽、厉之亡，则是因暴虐不仁。中古春秋时期，“弑君三十六，亡国五十二，诸侯奔走不得保其社稷者不可胜数”，而“察其所以，皆失其本已”②。这里所说的本，就是仁义之本。近世楚亡汉兴，也因“子羽暴虐，汉行功德”③。汉兴百年之间，“诸侯或骄奢，忕邪臣计谋为淫乱，大者叛逆，小者不轨于法，以危其命，殒身亡国”④。所以司马迁更明确地宣称，他写作《汉兴以来诸侯王年表》的目的，就是“臣迁谨记高祖以来至太初诸侯，谱其下益损之时，令后世得览。形势虽强，要之以仁义为本”⑤。

司马迁崇尚德治，反对暴政，但并不排斥“法治”，而只是认为“刑法”不是治政的根本，不能带来太平，更不应酷烈。循吏、酷吏两传“序”论对照极为鲜明。《循吏列传·序》云：“法令所以导民也，刑罚所以禁奸也。文武不备，良民惧然身修者，官未曾乱也。奉职循理，亦可以为治，何必威严哉？”《酷吏列传·序》云：“法令者治之具，而非制治清浊之源也。”十分明显，司马迁认为暴力和法，是治政之“具”，不可缺少。但“具”只是手段，不是治政的目的。“汉兴，孝文施大德，天下怀安”，

① 《史记》卷一六《秦楚之际月表·序》。
②③⑤ 《史记》卷一三〇《太史公自序》。
④ 《史记》卷一七《汉兴以来诸侯王年表·序》。

这才是目的。为政之道，是以“德治”导致天下太平。

“德治”是儒家政治的根本。“德治”即“仁政”，出发点虽然是为了巩固封建统治，具体内容却是轻徭薄赋，主张节制对人民的剥削，缓和阶级矛盾。这一政治的理论基础是“民惟邦本，本固邦宁”①。司马迁用古今的历史事实来说明“得民心者得天下，失民心者失天下”这一民本思想，可以说贯穿《史记》全书。但司马迁并没有到此止步。他不仅认识到了人民力量对历史的演进起最后的决定作用，而且肯定人民的反暴斗争，大声赞美革命行动。

所谓“革命”，即变革天命，有道伐无道。“革命”词源有两个出处。一是《逸周书·克殷解》，记载武王克商的告天之词，曰：“膺受大命，革殷，受天明命。”一是《周易》卷五孔子所述《革卦·彖辞》曰：“天地革而四时成，汤武革命，顺乎天而应乎人，革之时义大矣哉。”战国时，孟子更发展成为民贵君轻说，盛赞武王革命诛“一夫纣”②。汉代景帝时还发生了儒学博士辕固生与道家博士黄生展开的一场汤伐桀，武王伐纣是不是革命的辩论。黄生认为汤、武之举是“臣弑君”，大逆不道。辕固生认为汤、武革命是“汤、武与天下之心而诛桀纣”③。可见“革命”是先秦至汉初儒家的一个进步观点。但是，到汉武帝时，罢黜百家，独尊儒术，加强了大一统的思想控制，这时的儒家学说是以董仲舒的三纲五常为基准，原始儒家的民贵君轻说，已被束之高阁。在这样的背景下，司马迁不仅继承了原始儒家民主性的精华，并发扬汤、武革命的观点，又向前推进了一步，提出了反暴政的思想。司马迁为陈涉作世家，把他与汤、武并论：“桀、纣失其道而汤、武作，周失其道而《春秋》作，秦失其政而陈涉发迹。诸侯作难，风起云蒸，卒亡秦族。天下之端，自涉发难”④。项羽灭秦，司马迁热情地歌颂了他，为之立本纪；而项羽暴虐，

① 《尚书》伪古文《五子之歌》。
② 《孟子》卷二《梁惠王下》第八章及卷十四《尽心下》第十四章。
③ 《史记》卷一二一《儒林列传》。
④ 《史记》卷一三〇《太史公自序》。

同样受到司马迁无情的批判。《刺客列传》和《游侠列传》，大旨都是颂扬反暴的精神。所不同的是，《刺客列传》反映的是政治斗争，宣扬扶弱锄强的正义精神。至于游侠，可以说是颂扬绿林义气，宣扬下层人民扶弱救困的“仁义”道德。游侠的出现，是封建社会法制瓦解，匹夫抗愤的一种形式。游侠为受压迫、受冤屈的下层人民伸张正义，而不惜牺牲性命，司马迁歌颂他们，表现了他同情广大人民的反暴愿望，这已经越出了传统的儒家思想，受到正统史家的非难。但这正是司马迁思想闪光的精华之一。

2. 主张顺民之俗，颂扬无为政治

无为政治在理论上是“因循为用”与“多欲滋事”正相反对。纵观《史记》，司马迁所歌颂的圣君贤相，皆“因循为用”；所抨击的暴君污吏皆“多欲滋事”。五帝三王与汉初君臣都是“因循为用”的；三代末主与秦皇、汉武都是“多欲滋事的”。前者兴盛，无为而无不为；后者衰败，为所欲为而国破家亡。

司马迁所讲的“因循为用”，采自道家的思想资料，但却与老庄之道有本质的区别。老子的“无为”，主张绝圣弃智，灭去人欲，要把历史拉回到古朴的原始社会中去[①]。司马迁所讲的“因循”却是顺民之俗，给人之欲。他在《货殖列传》里明确地提出了欲望是历史发展的动力的观点，主张施政要随从民俗。他说：“故善者因之，其次利导之，其次教诲之，其次整齐之，最下者与之争。”因此，《货殖列传》一开篇就把老子的小国寡民主张作为批判的靶子引用。其实，《老子》五千言中连一个“因”字也没有。司马迁从“无为”学说中引出“因循”是一种创新和发展。“因循”不是消极的率由旧章，无所作为；恰恰相反，而是“因势利导”之“因”，积极地与时迁移。《论六家要指》说“与时迁移，应物变化，立俗施事，无所不宜”，是用道家的语

① 《老子》第三章：“不尚贤，使民不争……常使民无知无欲，使夫智者不敢为也，为无为，则无不治。”第十九章：“绝圣弃智，民利百倍。”第十八章：“小国寡民，使民有什伯之器而不用，使民重死而不远徙……鸡犬之声相闻，民至老死不相往来。”老子的这些政治主张，均受到司马迁的批判（详见《货殖列传》）。

言，表达了法家的进化论思想。司马迁把老庄申韩合传，是发人深思的。韩非说："是以圣人不期修古。不法常可，论世之事，因为之备。"又说："世异则事异"，"事异则备变"[①]。司马迁还说："秦取天下多暴，然世异变，成功大。传曰：'法后王'何也？以其近己而俗变相类，议卑而易行也"[②]。"法后王"出自《荀子·非相篇》。司马迁所讲的"因循"，其治政内容与韩非的"随俗施事"和荀子的"法后王"是一脉相承的。

"因循为用"的政治实践是汉初的无为政治，受到司马迁的称赞；"多欲滋事"的政治是武帝的文治武功，因其过度使用民力而受到司马迁的批判。汉初无为在指导思想上是"国家无事"，"君臣无言"；具体措施则是约法省禁，与民休息。无为治国的原则，高帝在世时已经贯彻，如除秦苛法，开关梁弛山泽之禁，十五税一等等。汉高祖起自匹夫而得"天统"，原因就是他顺民之俗，"承敝易变，使人不倦"。吕太后无为，"民务稼穑，衣食滋殖"。汉文帝"能不扰乱，故百姓遂安"，司马迁许之为"德至圣"的"仁"君。萧何为相，"因民之疾秦法，顺流与之更始"。曹参因循，"天下俱称其美"。文景之世的社会，在司马迁笔下，被描绘成理想的社会。《律书》云："太史公曰：文帝时，会天下去汤火，人民乐业，因其欲然，能不扰乱，故百姓遂安。自年六七十翁未尝至市井，游敖嬉戏如小儿状。孔子所称有德君子者邪！"

司马迁在《平准书》中明确地指出，汉兴七十年之"盛"的原因，是"国家无事"。所谓"国家无事"，并不是没有事和不做事；这乃是与汉武帝时国家多事相对而言。查《汉书》各帝纪。惠帝有城长安之事；高后元年有置孝弟力田官劝农之事，二年有改行八铢钱之事；文帝有平济北王刘兴居叛乱之事；景帝有平吴楚七国之乱之事。这些事是必须要办的，它不是君臣们人为制造出来的，而且在办事时又有所节制，所以说"无事"。例如惠帝几次城长安，都在农闲进行，三十日而罢。"国家无事"的前提

① 《韩非子·五蠹》。

② 《史记》卷一五《六国年表·序》。

是“君臣无言”。曹参为相，“日夜饮醇酒”。“卿大夫已下及宾客见参不事事，来者皆欲有言。至者，参辄饮以醇酒，间之，欲有所言，复饮之，醉而后去，终莫得开说，以为常。”曹参对惠帝说：“高帝与萧何定天下，法令既明，今陛下垂拱，参等守职，遵而勿失，不亦可乎?”惠帝曰：“善。”[①] 可见无事、无言就是垂拱无为，守职尽责，依法办事，不滋事扰民。武帝即位则不然。他大事兴为，臣下争言利害，一事未就，一事又起，这就是西汉由盛转衰的原因。《平准书》也有具体描述，“武力进用，法严令具”，加之“兴利之臣自此始也”，超过了整个国家和人民所能负担的极限，给社会带来了灾难。到了武帝晚年，国家呈现“海内虚耗，户口减半”的残破景象，大类亡秦之迹。汉武帝后期的衰败，司马迁早在元封年间兴隆景象之时就觉察了。所以《平准书》赞语的结尾意味深长地以秦喻汉，用历史的教训来向汉武帝敲警钟。请看司马迁的批评：

> 及至秦，中一国之币为二等，黄金以溢名，为上币；铜钱识曰半两，重如其文，为下币。而珠玉、龟贝、银锡之属为器饰宝藏，不为币。然各随时而轻重无常。于是外攘夷狄，内兴功业，海内之士力耕不足粮饷，女子纺绩不足衣服。古者尝竭天下之资财以奉其上，犹自以为不足也。无异故云，事势之流，相激使然。曷足怪焉。

这里所说的秦统一币制，“然各随时而轻重无常”，乃是隐喻汉武帝垄断盐铁财货，随意变革币制搜刮民财的写照。集天下之财，用于“外攘夷狄，内兴功业”，以至于“海内之士力耕不足粮饷，女子纺绩不足衣服”的境地，而专制者“犹自以为不足”。司马迁批评武帝的多欲，讥刺他的迷信荒诞，就在这“犹自以为不足”上，而并不是对他整个事业的否定。西汉政治从“无为”转向“多欲”，乃“事势之流，相激使然”，是历史大势和必然发

① 《史记》卷五四《曹相国世家》。

展。雄才大略的汉武帝外征内作，把西汉推向极盛。封禅、改制、正历、四夷归服，一派博大气象。《太史公自序》云："汉兴以来，至明天子，获符瑞，封禅，改正朔，易服色，受命于穆清，泽流罔极，海外殊俗，重译款塞，请来献见者，不可胜道。"这是前所未有的大一统鼎盛局面，司马迁怎能不歌颂呢？由此可见，司马迁对汉武帝多欲滋事的批判，是指他好大喜功，过度使用民力而言，并用以表现他提倡德治，顺从民望的政治观点，以及对文景之世无为政治的依恋和向往。

总之，司马迁赞颂汉初"无为"，但并不认为"无为"是不应变化的；他批评武帝多欲，也并不认为武帝的功业一无是处。司马迁的赞颂与批评，均是从顺民之欲的立场出发，总结历史的经验，警告为政者要顺应历史事势办事，以德为治，建立巩固的统治。这反映了西汉新兴地主阶级奋发向上的精神，是应该肯定的。

3. 反对分裂割据，颂扬秦汉大一统

清钱大昕说："《史记》微旨有三，一曰抑秦，二曰尊汉，三曰纪实。"[①] 这个评价是十分中肯的。司马迁尊汉，从历史观来说是主张大一统，从政治观来看是拥护秦汉以来的中央集权制度。这可从两个方面来论证。一是肯定秦的统一事业，再是颂扬景武之世的削藩政策。

司马迁抑秦是反对秦政暴虐。他为陈涉立世家，为项羽立本纪，为张耳、陈馀、魏豹、田儋等人立传，主旨就是颂扬他们反暴政。但司马迁抑秦却有别于那些全盘否定秦朝的"耳食"腐儒，而不同凡响地肯定了秦朝的历史地位。司马迁认为统一天下是十分不容易的，慨叹"盖一统若斯之难也"[②]。因此，对于秦取天下多暴这一历史事实，司马迁评论说："世异变，成功大"[③]，肯定天下一并于秦，秦王政立号为皇帝这一制度。

汉承秦制，推行郡县制度，景帝、武帝削藩平乱，加强了中央集权。司马迁颂扬秦朝的统一，乃是为景武之世削藩平乱

---

① 《潜研堂文集》卷三四《与梁耀北论史记书》。

② 《史记》卷一六《秦楚之际月表·序》。

③ 《史记》卷一五《六国年表·序》。

制造舆论，提供历史的依据。吴王刘濞、淮南王刘安、衡山王刘赐因先后谋反，国除，司马迁不立世家，降为列传，以示贬抑。司马迁在《淮南衡山列传·赞》中评论说："淮南、衡山亲为骨肉，疆土千里，列为诸侯，不务遵藩臣职以承辅天子，而专挟邪僻之计，谋为叛逆，仍父子再亡国，各不终其身，为天下笑。"对诸侯王的叛逆行为做了深深的谴责。在《吴王濞列传·赞》中指出："古者诸侯地不过百里，山海不以封。"高帝大封同姓王，诸侯跨郡连城，司马迁认为不合周封五等，地"上不过百里，下三十里"① 的亲亲树藩之义，而赞扬景武时期的"削藩"政策。齐分为七，赵分为六，梁分为五，淮南分三，天子支庶子为王，王子支庶为侯，王侯之国一百有余，这样的政治局面，司马迁认为是"强本干，弱枝叶之势，尊卑明而万事各得其所"② 的好措施。他颂扬景帝平乱，使"天下翕然，大安殷富"③；称赞武帝推恩分削诸侯，说："盛哉，天子之德！一人有庆，天下赖之。"④

颂扬秦汉一统，肯定景武之世的削藩，符合历史的发展进程。司马迁在《货殖列传》中说："汉兴，海内为一，开关梁，驰山泽之禁，是以富商大贾周流天下，交易之物莫不通，得其所欲而徙豪杰诸侯强族于京师。"国家的统一，政治的稳定，这是社会经济文化发展的前提。所以司马迁对汉政权的统一和强盛，是倍加赞颂的。《史记》以昂扬的情调反映西汉盛世，颂扬伟大的时代，历史观和政治观都是进步的。

三、经济观

在中国古代史上，司马迁第一个系统地考察了商品经济的特

①② 《史记》卷一七《汉兴以来诸侯王年表·序》。
③ 《史记》卷一三〇《太史公自序》。
④ 《史记》卷二一《建元以来侯者年表·序》。

征，还考察了经济与政治、经济与道德民俗的关系，提出了一整套发展生产，扩大交换、富国富家的经济理论，闪耀着朴素唯物史观的思想光辉，达到了划时代的最高水平。司马迁的新思想、新观点出现在汉武帝独尊儒术，强化对思想控制的时候，实在难能可贵，是值得认真清理的一笔宝贵的文化遗产。

1. 首创经济史传，并重农工商虞

司马迁创作的经济史传有两篇。其一，《平准书》，概述从汉初到武帝元封元年近一个世纪的经济发展和财政政策，重点评述汉武帝的平准、均输政策，故名《平准书》。其二，《货殖列传》，主人公是商人，故以货殖命名。货指财富，殖言增长，也就是如何增长财富。《货殖列传》通篇记载那些使财富增长的商人的言论和行事，用以肯定商人的历史作用，鼓励发财致富。

从《史记》的笔法义例看，《平准书》《货殖列传》是异军突起，与全书其他篇目迥然不同。《货殖列传》夹叙夹议，以论为主，篇中所述货殖三十人仅仅是作为议论的例证，有别于其他人物列传。《平准书》侧重评述汉武帝时期争利政策所导致的经济衰败，有别于八书贯通古今的其他篇目。这两篇是用丰富的历史事实充实起来的经济史论，也可称之为经济史传，有史有论，从内容到形式都是司马迁的首创。从此以后，正史里面才有记载社会经济的篇目。值得注意的是，尔后正史中的《食货志》和《货殖列传》等经济史专篇，虽然在记述的内容上有扩大，但理论体系和思想高度没有一个超越司马迁的。即此一端，司马迁首创的这两篇经济史传，在中国正史系统中堪称空前绝后的奇作。

在《史记》中，《平准书》与《货殖列传》编目悬远，是因体例不同，而内容却是互文相补，不可分割的表里之文。《平准书》指陈时弊，寓意讥刺，赞语中意味深长地提出一个“古者尝竭天下之资财以奉其上”的问题，以古喻今，讥刺桑弘羊的平准、均输等经济政策，造成了经济的下降运动。《货殖列传》则以文景时期“因之”的政策为背景，追叙春秋战国以来至当代商品货币经济的发展，描述了汉初经济的上升运动。两种背景，相反相成，形成鲜明对照。司马迁进步的经济思想以及与桑弘羊的分歧也在鲜明的对照之中，清晰地表达出来。

桑弘羊出生贾人之家，官至御史大夫，他是西汉著名的理财家，汉武帝时期经济政策的制定者和执行者。盐铁官营、平准均输，都出自桑弘羊之手。汉武帝长期大规模的外征内作，全靠桑弘羊"事析秋毫"的理财来支撑。司马迁承认桑弘羊是一个称职的理财家。《平准书》记载说："一岁之中，太仓、甘泉仓满，边余谷，诸物均输，帛五百万匹。民不益赋，而天下用饶。"但结尾却借卜式语云："县官当食租衣税而已，今弘羊令吏坐市列肆，贩物求利，亨弘羊，天乃雨！"司马迁不赞成国家垄断经济的政策，而主张"人各任其能，竭其力，以得所欲"的市场经济[①]，所以《货殖列传》对商人活动热情歌颂，总结治生之术。一个是专事聚敛，一个是发展生产，这就是桑弘羊与司马迁两人经济思想分歧的根本所在。平准均输，说到底，是国家用剪刀差的办法剥削农民，它离不开垄断。因此桑弘羊把富商大贾及盐铁之家，称为"并兼之徒"，主张以"王法禁之"[②]，这与《货殖列传》的颂扬形成鲜明对比。

桑弘羊对司马迁十分推重，称司马迁为司马子。昭帝始元六年召开盐铁会议，桑弘羊在辩论中多次引用《货殖列传》来为推行平准均输等政策作辩护，称"司马子言"，这说明桑弘羊非常赞赏司马迁总结的经济理论。但司马迁却鄙视桑弘羊为"兴利之臣"，不为他作传。桑弘羊作为国家大臣，受命理财，他要竭其所能为现政权服务，所以表现为聚敛；司马迁是历史学家，他从生产发展规律总结治生之术，无拘无束。两人立场不同，不能简单评论两人的高下。单就从经济理论方面说，司马迁的识见，在许多方面却是超过桑弘羊的。

司马迁首创经济史传，奠基于他的卓越史识。司马迁认为，农、工、商、虞是人民"衣食之原"，主张农、工、商、虞四业

① 司马迁对市场经济的论述，详《史记》卷一二九《货殖列传》。
② 《盐铁论·禁耕第五》。

并兴，各具其用，缺一不可，这是总结客观经济规律获得的正确观点。桑弘羊则只强调工商而不重视农业，他说“工不出则农用乖，商不出则宝货绝”①，又说“无末利，则本业无所出”②，“富国何必用本农，足民何必井田也”③。而桑弘羊强调工商的重要，并不是发展工商，只不过是为自己的官营盐铁均输等政策辩护。从秦商鞅变法以来，我国封建统治者就一直推行“重农抑商”的经济政策。汉武帝强化中央集权，“重农抑商”政策得到全面的推行和发展。“于是商贾中家以上大率破。”④ 由此可见，官营盐铁，平准均输等政策不是发展工商业，而是“重农抑商”经济政策变本加厉的新形式。而且桑弘羊用剪刀差剥削农民，制造质次价重的铁器，提高盐价苛敛农民，连重农的意味也没有了。所以司马迁批评他是“兴利之臣”。在兴利之臣全面推行“抑商”而搞国家垄断的历史背景中，司马迁却去研究商人的活动，认识到商业的兴起是历史发展的必然之“势”，强调农、工、商、虞四业并重，真是了不起的识见。

《货殖列传》一开篇就讲经济发展之“势”，人俗变迁之理。他引用老子小国寡民的主张作为批判的靶子，指出自《诗》、《书》所述虞夏以来，“耳目欲极声色之好，口欲穷刍豢之味，身安逸乐，而心夸矜势能之荣使”这一人俗是随着经济的发展而逐渐形成的。小国寡民的无知无欲是生产不发达时代原始社会的人俗；最大限度地追求欲望的满足是生产不断发展所形成的文明社会的人俗。这种变化是不可阻挡的“势”，司马迁称之为“俗之渐民久矣”。谁要想把历史车轮拉向后转，使人回到“小国寡民”的蒙昧中去，即使把人的耳目都堵塞起来，挨家挨户进行教化，也是办不到的。司马迁这一形象的假设譬喻，深刻地表明了他用进化的观点看待社会的变化，这是符合唯物主义的认识论的。

司马迁正是从经济、人俗发展之“势”的观点出发，认识到

---

① 《盐铁论·本议第一》。
② 《盐铁论·通有第三》。
③ 《盐铁论·力耕第一》。
④ 《史记》卷三〇《平准书》。

社会出现农、工、商、虞分工是不以人们的意志为转移的客观规律，即自然之势。司马迁认为，中国地大物博，人们奉生送死的物质生活资料分布在各个不同的地区。“夫山西饶材、竹、谷、纑、旄、玉石；山东多鱼、盐、漆、丝、声色；江南出楠、梓、姜、桂、金、锡、连、丹沙、犀、玳瑁、珠玑、齿革；龙门、碣石北多马、牛、羊、旃裘、筋角；铜、铁则千里往往山出棋置：此其大较也。”大自然所提供的这些物质财富，不可能每一个人都去从事所需的直接生产，因此必须分工协作，互相依存。“故待农而食之，虞而出之，工而成之，商而通之。”司马迁还强调指出：“此四者，民所衣食之原也。原大则饶，原小则鲜。上则富国，下则富家。”人们要满足自己的衣食之需，国家要富强，就必须扩大农业、手工业生产，还要开发山泽，发展商业。司马迁引用《周书》的话说：“农不出则乏其食，工不出则乏其事，商不出则三宝绝，虞不出则财匮少。”同时又引证齐国的发展历史来说明农工商虞四业早就是古代社会经济的基本结构，国家的盛衰强弱决定于经济基础的厚薄。四业兴旺，国家富强；四业不齐，国家贫弱。就这样，司马迁不仅突破了重农抑商的传统观念，而且强调了四业并重，缺一不可。早在战国时代的孟子曾经和农家许行辩论，肯定了社会分工的进步意义。孟子的辩论是为了引出“劳心者治人，劳力者治于人”的结论[①]，为统治阶级的剥削辩护。司马迁发展了孟子的理论，认识到农工商虞的分工是生产发展之“势”，是富国富家的基础。他在《平准书》的赞论中有这样两句话：“事势之流，相激使然”。这两句是点睛之笔，极为重要。它说明了司马迁述货殖，载平准，以事势变化的观点对社会经济的发展作规律性的探索，这就是他高人一筹的卓越史识。司马迁站得高，看得远，敢于首创，从而作出了超越前人的伟大贡献。

2. 宣扬欲望动力说，批判了“最下者与之争”的政策

欲望是指人体感官对于物质利益的追求，这是一个活生生的存在。司马迁的前辈，先秦诸子发起的人性之争，都把欲望归之

① 《孟子》卷五《滕文公上》第四章。

为人性，作出了各自的论述，道家主张绝圣弃智，即灭欲，老子说："罪莫大于可欲。"[①] 儒家主张用礼节欲。孔子教育学生的口头禅就是"君子喻于义，小人喻于利"[②]。孟子倡导养心节欲，他说："养心莫善于寡欲。"[③] 法家与儒家对立，是功利主义者，主张利益至上。如商鞅就说："民生则计利，死则虑名。"[④] 但法家讲利，重在富国，而对人民则主张用刑赏制欲。韩非就把工商之民列为"五蠹"之一，要对其实行专政。总之，诸子百家莫不承认人人有欲，但都主张遏制欲望，统治阶级要维护其剥削利益，从而视人的欲望为洪水猛兽。西汉统治阶级鉴于秦末农民战争的风暴，更是不遗余力地大造舆论，挞伐人欲。例如贾谊就说："其慈子嗜利，不同禽兽者亡几耳。"[⑤] 司马迁的老师董仲舒替统治阶级完成了一套防范人欲的理论，提出用三纲五常的道德礼教来陶冶人欲。他说：

> 夫万民之从利也，如水之走下，不以教化堤防之，不能止也。是故教化立而奸邪皆止者，其提防完也；教化废而奸邪并出，刑罚不能胜者，其提防坏也。古之王者明于此，是故南面而治天下，莫不以教化为大。[⑥]

司马迁在统治阶级提倡礼义提防以遏制人欲的时代，不同凡俗地自成一格，奏出了透视人欲的异响。司马迁认为逐利求富是所有人的共性，并不是什么邪恶。他引用俗谚说："天下熙熙，皆为利来；天下攘攘，皆为利往。"他用那支犀利的笔锋，饱蘸浓墨，淋漓酣畅地描绘了一幅社会的逐利图。"深谋于廊庙，论议朝廷"的达官显贵，"守信死节，隐居岩穴"的清雅之士，都为的是"归于富厚"。具有讽刺意味的是"廉吏久，久更富"。至

① 《老子》第六十四章。
② 《论语》第四《里仁》第十六章。
③ 《孟子》卷十四《尽心下》第三十五章。
④ 《商君书·算地》。
⑤ 《汉书》卷四八《贾谊传》。
⑥ 《汉书》卷五六《董仲舒传》。

于“陷阵却敌”的军士，“攻剽椎埋”的少年，“走死如骛”的侠士，“不择老少”的歌伎，“饰冠剑，连车骑”的游闲公子，“不避猛兽”的猎者，“博戏驰逐”的赌徒，“舞文弄法”的吏士，以及医农工商等等百工之人，无不是为了追求财富而忙忙碌碌。在司马迁笔下，凡社会之人，不分贵贱，无论千乘之王，万家之侯，百室之君，还是匹夫编户之民，统统纳入了求利的轨道，彻底打破了儒家宣扬的纲常名分和君子小人的界限，追求财富就是人的共性。“此有知尽能索耳，终不余力而让财矣。”所以司马迁用“富者，人之情性，所不学而俱欲者也”这句话对人性做了总括。

如果司马迁到此为止，仅仅指出人性欲财，算不上是一种经济理论，也没有超出先秦诸子学说的水平。司马迁的杰出贡献，正在于他跨出了人性论之争的思辨哲学范畴，进入了生产领域作实地考察，不仅生动地描绘了一幅社会人群的逐利图，而且洞察到“人各任其能，竭其力，以得所欲”是自然之理，是合理的行为。司马迁的前辈思想家只看到人欲争利的一面，而没有看到人欲是动力这一更本质的东西。司马迁第一个提出了人欲动力说。他说：

> 故待农而食之，虞而出之，工而成之，商而通之。此宁有政教发征期会哉？人各任其能，竭其力，以得所欲。故物贱之征贵，贵之征贱，各劝其业，乐其事，若水之趋下，日夜无休时，不召而自来，不求而民出之。岂非道之所符，而自然之验邪？

生产领域中农虞工商的社会分工，流通领域中的物价波动，都不是人为的政教期会设置的，而是在人欲的推动下自然形成，符合于“道”的规律而运动。恩格斯说：“自从阶级对立产生以来，正是人的恶劣的情欲——贪欲和权势欲成了历史发展的杠杆，关于这方面，例如封建制度的和资产阶级的历史就是一个独一无二的持续不断的证明。”[①] 我们不能苛求两千多年前的司马迁

---

① 《马克思恩格斯选集》第四卷，第23页。

去发现人欲背后的阶级斗争，但他提出人欲动力说本身已经接近了真理的边缘，这是那个时代最卓越最有价值的认识。司马迁比他的任何一个前辈思想家都站得高，看得远。

从人欲动力的观点出发，司马迁提出了“善者因之”的主张，批判了“最下者与之争”的政策。他说：

> 故善者因之，其次利道（导）之，其次教诲之，其次整齐之，最下者与之争。①

司马迁所说的“因之”、“利道之”、“教诲之”、“整齐之”、“与之争”都是针对统治者的理财政策而说的。这五种政策方针的具体内容，司马迁没有明确论述。这是因为“其切当世之文而罔褒，忌讳之辞也”②。由于忌讳，司马迁用寓论断于序事的手法，把五种政策的具体内容分散在《货殖列传》和《平准书》中，两相对照可以看出，司马迁鲜明地批判了汉武帝“最下者与之争”的政策，用以衬托出“因之”的“善”。

“因之”的政策就是遵循经济发展的自然规律，放手商人活动，听凭人们追逐财富，发展生产，国家可以得到用不完的财富。司马迁说：“汉兴，海内为一，开关梁，驰山泽之禁，是以富商大贾周流天下，交易之物莫不通，得其所欲，而徙豪杰诸侯强族于京师。”这就是汉初实行的“因之”政策，它带来了经济的繁荣。《平准书》说，汉兴七十年间，“民则人给家足，都鄙禀庾皆满，而府库余货财”。国家储备的钱财以亿计，“贯朽而不可校”，太仓的粮食多得“陈陈相因”，以“至腐败不可食”。“因之”带来了民殷国富，所以司马迁许之以“善”，认为是最好的政策。

反之，“与之争”则“最下”，那就是汉武帝所实行的盐铁专卖与平准的政策。《平准书》详尽地揭露了“与之争”的每一项

---

① 《史记》卷一二九《货殖列传》。
② 《史记》卷一〇〇《匈奴列传·赞》。

政策所带来的弊端，终于导致了经济的衰败。《平准书》从秦亡汉兴的经济凋敝开始述起，经过七十年的休养生息，到汉武帝即位之初，西汉经济发展到了它的高峰，紧接着笔锋一转详细记载汉武帝与民争利的竭财政治，至元封元年止，用卜式语“亨弘羊，天乃雨”作结，意味深长地示意“见盛观衰”。然后在“太史公曰”的评论中简略地追溯殷周以来的经济变革至秦统一为止。这一精心布局的内容安排，以便把汉武帝的事业与秦始皇的功业相对照，引人深思。司马迁明责始皇，暗喻武帝，指出他“无限度”地耗费民力，违背了经济发展的规律，造成了对生产的破坏，应引为借鉴。《平准书》是一篇全面地揭露和批判汉武帝“最下者与之争”的经济政策的战斗文献。

“因之”是放任商品经济的发展；“与之争”是国家粗暴地干预经济，全面地抑制商品经济，是两个极端。“利道之”、“教诲之”、“整齐之”是这两个极端之间的层次，在西汉的现实政策中都不同程度地实行过。“利道之”是指“平粜齐物”一类的经济调整政策，保护农工得到均衡的利益，贾谊论“积贮”，晁错论“贵粟”等措施，都是“利道之”。“教诲之”则是儒家主张的以礼节欲的政策。丞相公孙弘以汉相之尊，“布被，食不重味，为天下先”；武帝尊显卜式“以风百姓”，劝民输费佐国家之急等，这些是教诲的内容。但公孙弘的俭约“无益于俗”，尊显卜式亦未见效果，“百姓终莫分钱佐县官”。“整齐之”即是传统的重农抑商，它的强化就是“与之争”了。

单纯从经济的发展来看，“因之”是最“善”的政策，但它也带来了新的问题。《平准书》在叙述汉初经济繁荣的同时，指出了“物盛而衰”的道理。司马迁说：

> 当此之时，网疏而民富，役财骄溢，或至兼并豪党之徒，以武断于乡曲。宗室有土公卿大夫以下，争于奢侈，室庐舆服潜于上，无限度。物盛而衰，固其变也。

司马迁看到了在经济繁荣的背后，潜伏着新的社会矛盾。一是社会财富的两极分化，“兼并豪党之徒，以武断于乡曲”；二是统治阶级骄奢淫逸，“无限度”。因此，司马迁赞美“因之”，并不等于主张放任政策。为了避免“物盛而衰”的发展趋势和国家的整体利益，司马迁也是赞成适当的“利道之”“教诲之”的。但是，司马迁反对违反经济规律的“最下者与之争”的政策，批判它阻遏人欲动力，也就是阻遏了生产的发展。由此可见，司马迁宣扬人欲动力说是有利于人民，有利于经济生产发展的理论，是应该肯定的。

3. 为商人立传，总结治生之术

从生产发展的历史来看，商人的出现是以农业、手工业的分工为前提的。虽然商人不从事直接生产，但他们沟通各地的物产交流，大大地推动了生产的发展。《太史公自序》说：“布衣匹夫之人，不害于政，不妨百姓，取与以时而息财富，知者有采焉。作《货殖列传》第六十九。”司马迁充分肯定了商人的活动对于富国富家的意义，敢于为巨商大贾范蠡、子贡、白圭、猗顿、乌氏倮、巴寡妇清、卓氏、程郑、孔氏、邴氏、刁间、师史、任氏、桥姚等古今三十个商人立传，并为他们在秦汉时遭受贱视的政治地位鸣不平。司马迁通过白圭之口，把商人与历史上最伟大的政治家、军事家相提并论，许以智、勇、仁、强的品德，做了高度的赞扬。白圭说：“吾治生产，犹伊尹、吕尚之谋，孙吴用兵，商鞅行法是也。是故其智不足以权变，勇不足以决断，仁不能以取予，强不能有所守，虽欲学吾术，终不告之矣。”一个人设若没有智、勇、仁、强的品德是不能成为富商大贾的。司马迁把商人看作人类的精华，因为他们对社会的发展作出了贡献。所以《货殖列传》不着眼于典型人物形象的塑造，而是把古今货殖之人作为一个整体来叙述，总结他们的治生之术供“智者”吸取借鉴，用意在于提倡发展生产。

司马迁总结治生之术有两个方面。一是考察商品的流通，总结财货增殖的经验；二是考察自然地理经济和民俗，总结商业活动推动生产发展的作用。这两个方面都是司马迁的首创，并且取得了卓越的成就。

司马迁对商品流通的考察，获得了一系列符合价值规律的珍贵见解，主要之点有四。（1）知时。计然“旱则资舟，水则资车”；范蠡“与时逐”；白圭“乐观时变”。这都说的是掌握商业行情，调查市场需要，“逐时而居货”，利用供求规律，牟取大利。（2）知物。“积著之理，务完物”，“腐败而食之货勿留，无敢居贵”。这是说要研究商品学，提高商品的竞争能力。（3）无息币。即加速资金流转，使“财币其行如流水”。为此，必须研究物价涨落规律，懂得“贵上极则反贱，下极则反贵”，而敢于“趋时若猛兽挚鸟之发”，“贵出如粪土，贱取如珠玉”。（4）择地择人。范蠡居陶，因陶为天下之中，“诸侯四通，货物所交易也”。范蠡治产积居，“十九年之中三致千金”。刁间善用“桀黠奴”，使他们“逐渔盐商贾之利”，“终得其力，起富数千万”。

司马迁对自然地理经济和民俗的考察，总结了商业活动生产发展的作用。司马迁分中国为四大经济区。长江以南谓之江南；长江以北分为山东、山西两区，中以华山为界；龙门、碣石一线以北为北方区。在每一个大区下面又分为若干小的经济区。山西区分为关中区、巴蜀区和陇西区。山东区分为三河区、燕赵区、齐鲁区、梁宋区。江南区分为东楚区、西楚区、南楚区、岭南区。北方区基本上是以牧畜业为主的经济区，比较单一。各区之下的经济中心是都市。恩格斯指出，商人的使命“现在已经不仅仅从一个人手中转到另一个人手中，并且从一个市场转到另一个市场上去”①。司马迁充分认识到历史赋予商人的这一使命，描写了全国各地的物产、交通、民俗和都市经济。司马迁认为各地的物产提供了人民衣食之源，但要把这些资源变成财富，必须发展生产以求流通。江南地势饶富，无饥饿之患，但生产落后，人民“无积聚而多贫”。齐鲁区，本来地瘠民贫。由于太公望鼓励人民极技巧，通鱼盐，则人物归之，齐国竟成为“冠带衣履天下”的富庶之邦。三河区地狭民稠，习俗纤俭习事；从事经商；足迹通天下。农工商虞四业兴旺，关键靠商人来流通。但商业最终依赖

① 《马克思恩格斯选集》第四卷，第 171 页。

于农业、手工业生产，所以司马迁又说："本富为上，末富次之，奸富为下。"本富指农、林、畜、牧的生产。司马迁列举了一长串本富生产的项目，遍及全国各地的物产。末富指经营商业，周流天下。奸富指劫人作奸，掘冢铸币，舞文弄法，刻章伪书等。经营本富的人，"不窥市井，不行异邑，坐而待收，身有处士之义而取给焉"。不但声誉好，而且收入稳当，故为上。末富资金周转快，"夫用贫求富，农不如工，工不如商"。但经商要资本，又担风险，只有能者巧者才能经营，所以说次之。奸富危身取给，用生命冒险，所以说最下。论者多认为司马迁残存有重本抑末的思想，这是断章取义的失察。司马迁所说的上、次、下，是总结治生之术供后人采择，这和统治者推行的重本抑末政策毫不相干。司马迁分区考察全国各地自然地理经济，着重物产、交通、民俗这些要素，也是总结的治生之术。富商大贾在全国范围内经商，必须掌握各地的物产、交通、民俗，才能知时逐利，用奇制胜。司马迁的总结正是给他们提供的"周流指南"。

以上所述两个方面的治生经验，都只适用于有雄厚资本的"智者""巧者"。对于一般的"拙者"又该怎样治生呢？司马迁提出了由穷致富的普遍原则和分阶段渐进的理论。他说：

> 夫纤啬筋力，治生之正道也，而富者必用奇胜。田农，掘业，而秦扬以盖一州。掘冢，奸事也，而田叔以起。博戏，恶业也，而桓发用（之）富。行贾，丈夫贱行也，而雍乐成以饶。贩脂，辱处也，而雍伯千金。卖浆，小业也，而张氏千万。洒削，薄技也，而郅氏鼎食。胃脯，简微耳，浊氏连骑。马医，浅方，张里击钟。此皆诚壹之所致。①
>
> 是以无财作力，少有斗智，既饶争时，此其大经也。②

这两段话的内容具有辩证的统一。"力"是"力作"，人人都具有，所以说勤俭力作是治生的正道。"智"是"计谋"，需要有

①② 《史记》卷一二九《货殖列传》。

资本。“时”是“机运”，需要大资本，大识力。力作不能致富，但只要“诚壹”力作，必有积蓄；运用智巧，投入市场，这就完成了从“无财作力”到“少有斗智”的过渡。等到财力充裕，就要用“奇”，创造机运，这就是“既饶争时”。“力作”和“诚壹”是治生的普遍原则，“斗智”与“争时”是创造用“奇”致富的条件。一个人只要“诚壹”，无论从事什么职业都要务实和专精，再用智巧求奇，就没有不富裕的。司马迁列举了一系列贱业的事例来证明。秦扬田农，田叔掘冢，桓发博戏，雍乐成行贾，雍伯贩脂，张氏卖浆，郅氏洒削，浊氏胃脯，张里马医等等卑贱职业，都能致富千金，成了击钟鼎食之家。至此，司马迁的治生理论体系已经完成，可用八个字来概括，即：人人有欲，人人致富。

4. 司马迁经济思想的历史意义及其局限性

司马迁创作《货殖列传》和《平准书》是学术史上的一件大事，它开创了我国正史记载生产活动的先例，提供了大量的经济史料，成为中国史学的优秀传统。司马迁以他天才的洞察力从人欲争利的行为中看到了人欲是生产的动力。他考察了生产领域中的社会分工，并重农工商虞，认识到这是古代社会基本的经济结构。司马迁总结了治生之术，获得了许多符合价值规律的见解，肯定了商业活动在促进生产发展中所起的纽带作用，颂扬货殖，为商人立传。司马迁还提出了“素封论”的财富观，剥去了仁义道德的虚伪面纱。关于“素封论”，我们将在本章“道德观”一节详论。按“素封论”的观点，司马迁鼓励人人发财致富，并断言人人可以致富。这一切都是离经叛道的异端思想，也就是司马迁超越前辈思想家的卓越贡献。

两千年前的司马迁不可能有价值规律、唯物主义、辩证法这一类概念。但只要有商品经济流通，就有价值规律的客观存在。战国秦汉几百年来商品经济异常活跃，这就给司马迁提供了认识价值规律的客观条件。司马迁是一个游踪极广的历史学家，他壮游全国，深入考察了各地的物产、交通、民俗和都市经济，还研究了古今商人活动的历史资料，使他的每一个观点都有生活经济基础。司马迁又受“腐刑”之祸，思想感情发生了重大转变，把眼光投向下层社会，同情人民。这些是司马迁形成先进思想的主观条件。这些主观条件很难集中在一个人身上，这就是在几百年的商品经济活动中，只产生了一个司马迁的历史原因。

在中国思想史上，司马迁进步的经济思想就像一束火花一样，只在天空一闪即逝，这也有深刻的历史原因。首先，商品经济的发展为以自然经济为基础的封建社会所不容。汉武帝加强中央集权，用“与之争”的政策取代了“因之”的政策，把重农抑商推向极端化，商贾遭摧残，“中家以上大率破”。中国古代自由竞争的商品经济从此衰落了。皮之不存，毛将焉附。此后，再也没有人去研究价值规律了。其次，司马迁的异端思想未能产生在百家争鸣的战国时代，没有形成一个学派。他是一花独放在漫长的寒夜，很快凋落，这是必然之理。此外，司马迁的经济思想是从直观中得来的经验。这种直观经验，一方面它本能地符合唯物主义的认识路线，并具有朴素的辩证法思想；另一方面，它不能形成科学的体系，最终的结论又退回到了唯心主义的立场上来，不能解释客观存在的现实社会。司马迁的最终结论是人人可以致富。但是，客观的现实是成千上万的人民受少数人压迫、剥削，永远不能改变他们悲惨的命运。司马迁不但未能认识阶级斗争，而且把“千则仆，万则役”看成是天经地义的规律，这就掩盖了阶级斗争。“能者辐凑，不肖者瓦解”，在现实生活中是个别现象，司马迁上升为一般规律，因而用“巧”与“拙”来解释阶级压迫，这当然是唯心主义的认识论。在思想资料的继承上，司马迁儒道兼容，形成了理论体系中的矛盾。他在《孟子荀卿列传》中对孟子答梁惠王问击节叹赏，感慨“利诚乱之始也”，批判上下交争利。所以他又在《平准书》里说，要“以礼义防于利”。这些论述是儒家思想。《货殖列传》主张“因之”为上，顺其自然，这是道家思想占主导。追本溯源，是人人皆为利，“天下熙熙，皆为利来；天下攘攘，皆为利往”。司马迁甚至把人们的一切活动都归结为一个“利”字，抹煞了不同阶级、不同阶层的人对利的追求的区别。因而把战士的攻城陷阵、农工之民的生活奔波与富商大贾的巧取豪夺，以及攻剽椎埋的犯罪活动混为一谈。这一切就是司马迁经济思想中的历史局限性。虽然我们不能苛责于前人，但这也是造成司马迁的经济理论不能具有实践性的原因之一。也就是说，司马迁总结的治生之术不能引导人人致富，应该说这也是他的先进经济思想在中国封建社会得不到发展的一个原因。

四、历 史 观

司马迁把他对社会历史的研究，概括为“通古今之变”，即所谓历史观。主要内容有以下三个方面。

1. 大一统历史观

司马迁所处的时代，是中国封建社会中央集权制确立和巩固的时代。中央集权制度加强了国家的统一，结束了长期的分裂战乱，是当时最先进的制度。所谓大一统历史观，就是对这一先进制度的赞颂和提供理论基础。中国走向大一统，是历史长期发展的必然结果。邹衍的五德终始说，董仲舒演化的春秋公羊学，都是应运而生的大一统理论。汉武帝封禅、制历、改制，罢黜百家定儒学于一尊，正是在贯彻五德终始和天人合一的政治哲学。因此，尽管邹衍和董仲舒，对大一统历史的发展做了唯心主义的解释，提出了历史循环论的理论，但其旨归是宣扬大一统，在当时来说，不仅是进步的历史观，而且对强化大一统的中央集权制度制造了合法的理论，在政治上产生了直接的影响。司马迁继承了前代思想家大一统的理论，用以作为考察历史发展的指导思想，从而又系统地发展了这一理论，形成了《史记》独具的大一统历史观，对后世产生了深远的影响。

邹衍和董仲舒是哲学家，他们构思的大一统理论是思辨哲学，空言论道，直接服务于当时的政治。司马迁是历史学家，他构思的大一统理论是对历史发展过程的升华，目的是从历史经验教训中探寻治乱规律，所以具有丰富的历史内容。前述第四、五、六三章，均已触及了司马迁的历史观。《论六家要指》强调儒、名、法各家序君臣之礼，正上下之分，殊途同归，百家之学皆务为治世，就是大一统理论的反映。《史记》五体的体制结构，形象地照映了大一统的封建制等级秩序。司马迁修正断限，起于黄帝，讫于太初，更明显地表达了大一统历史观。这里，我们再总括起来，说一说司马迁的大一统历史观，在中国历史上究竟产生了什么样的影响，就可以了解它的进步意义了。

司马迁贯通叙述历史，从黄帝的统一到汉武帝的大一统，象征着历史的发展方向，象征着帝王德业的日益兴盛。中华民族不断壮大，各民族互相融合，远方殊俗日益统一，这样一条叙史红线，贯穿在《史记》全书中。夏、商、周三代之君，春秋以来列国诸侯，秦、汉帝王，四方民族，无不为华夏子孙。匈奴是夏桀之后，勾吴与中国之虞为兄弟，越王勾践禹之后，楚是颛顼之后，其苗裔为滇王。中华民族皆华夏子孙，这一民族一统观念就奠基于《史记》。司马迁的这一伟大思想成为历代以来进行爱国主义传统教育的宝贵历史资料，数千年来激励了无数的仁人志士为中华民族的生存、繁荣和进步而斗争。“黄帝子孙”、“华夏子孙”，至今仍是一个神圣的名词，具有无限的号召力。被黄帝战败的炎帝，教民稼穑，号“神农氏”，也是一个企图统一天下的历史人物，常与黄帝并称。所以“黄帝子孙”这一口号也称“炎黄子孙”。以今日观点来看，五帝三王是一家，就是中华民族，这完全是一个人造的历史系统，它是以父权制代替母权制这一历史背景的传说史影为依据，用以消除各种氏族的畛域所生出的大一统要求而产生的，其进步意义显而易见。司马迁还把周边民族匈奴、西域、西南夷等都纳入黄帝子孙的范围，用以表达他的民族一统思想，更属难能可贵。北齐魏收作《魏书》亦云：“黄帝以土德王，北俗谓土为托，谓后为跋，故以为氏。”[①] 附会托跋为黄帝子孙，为胡人入主中原制造正统的舆论。由此可见，司马迁

① 《魏书》卷一《序纪》。

的大一统历史观，在中华民族大融合的历史上起了巨大的进步作用。

2. 发展、进化、变革的历史观

历史是周而复始的循环，还是在变化、发展？历史是因循守旧，回顾往古，还是在随俗进化，不断革新？这些是司马迁在《史记》中所要探索和回答的问题。司马迁是怎样回答的呢？

第一，司马迁对董仲舒的“三统循环论”做了扬弃和改造，认为历史是不断发展和变化的。不容否认，司马迁的历史观仍带有循环论的色彩。《历书·序》云：“夏正以正月，殷正以十二月，周正以十一月，盖三王之正若循环，穷则反本。”这是讲天道循环。《高祖本纪·赞》云：“夏之政忠。忠之敝，小人以野，故殷人承之以敬。敬之敝，小人以鬼，故周人承之以文。文之敝，小人以僿，故救僿莫若以忠。三王之道若循环，终而复始。”这是讲人道循环。于是有人认为司马迁的历史观就是“古今社会按照‘忠’—‘敬’—‘文’这套公式周而复始地‘变’”，因而也称司马迁的历史观是“三统循环论”。其实这是极大的误解。董仲舒《天人三策》讲“夏上忠，殷上敬，周上文”，是“百王之用，以此三者”，又云“三圣相受而守一道”，结论是“今汉继大乱之后，若宜少损周之文致，用夏之忠者”。显然，董仲舒所讲的“变”，才是“忠—敬—文”的循环往复，强调“道”是不变的。司马迁只是借用循环的语言，着意讲“变”。司马迁的用语是“三王之道若循环”，言“若”者，像也，似也，好像是循环，这和我们现今用语“螺旋式”上升有些相似。“若循环”与董仲舒的“百王之用，以此三者”是大相径庭的。

此外，我们还须指出，在秦汉之际，循环论历史观是当时人们认识历史发展所能达到的认识论的制高点，初起是一种进步的历史观。在先秦诸子百家争鸣时代，老子法太古，主张小国寡民的社会为至治之极，儒家法尧舜，也是向后看。道儒两家历史观的理论基础，都认为世风日坏，人心益恶，历史向着衰败的方向演变。主张法后王的法家，赤裸裸地以人性恶为其理论基础，政治方针刚毅刻深。而邹衍倡导的五德终始循环论和董仲舒构思的三统循环论，却是宣扬大一统，是适应秦汉大一统政治需要而出现的。循环论摒弃了人心益恶而讲天道惩恶佑善，本来的意愿是劝诫人君重视历史变化，施行仁政，争取民心，争取天命，获得五德之属。“循环”二字包含着发展和变化的思想，只不过是转圆圈。转圆圈也是一种运动。邹衍对历史的阐述是，“先序今以上至黄帝，学者所共术，大并世盛衰，因载其机祥度制，推而远之，至天地未生，窈冥不可考而原也”①。从开天辟地讲到当今社会的大一统，不就是一部生动的历史发展进化史吗？“大并世盛衰”，《索隐》云：“言其大体随代盛衰，观时而说事。”“随代盛衰”，不就是讲变化吗？不过邹衍阿世取容，妄说机祥，其语闳大不经，受到了司马迁的批判。董仲舒维护道统，把循环论引向随顺人主的意志，成了官方哲学，扼杀变化，宣扬神意史观，才日益走向反动的。司马迁接过循环论，把它发展为变革的历史观。《天官书》云：“夫天运，三十岁一小变，百年中变，五百载大变；三大变一纪；三纪而大备，此其大数也。为国者必贵三五。上下各千岁，然后天人之际续备。”“三五往复”仍带循环论的框架，但重点是讲“变”，称“三五之变”。“三”即三十年，是一代人。司马迁认为每一代人都有变化。“五”即五百年，是一个大的周期变化。司马迁“究天人之际”，得出“三五之变”符合天道人事，为讲历史之“变”提供理论根据。这就是司马迁对循环论的扬弃和改造。

第二，司马迁“通古今之变”，从人事和历史思考中，突破了循环论的框架，认为历史发展的本质就是“变”，而且是不断进化的。“通古今之变”这一命题就是与董仲舒宣扬的“天不变，道亦不变”针锋相对的。“变”是司马迁朴素唯物主义历史观的核心。他认为宇宙间一切事物都在“变”，只有用“变”的观点才能探究事物的规律。他说：“无成势，无常形，故能究万物之情。”② 没有一成不变的态势，没有永恒存在的形体，所以才能洞

① 《史记》卷七四《孟子荀卿列传》。
② 《史记》卷一三〇《太史公自序》。

悉万物的真情。从“变”的理论观点出发，决定了司马迁用发展变化的眼光看待人类社会的历史，他名之曰“变”，曰“渐”，曰“终始”。他说：“天人之际，承敝通变”，“略协古今之变”；“臣弑君，子弑父，非一旦一夕之故也，其渐久矣”①；“是以物盛而衰，时极而转，一质一文，终始之变也”②。司马迁在这方面的言论是很多的。“物盛而衰，固其变也”，“儒者断其义，驰说者骋其词，不务综其终始”③ 等等，不胜枚举。“变”，指社会不断地进化和发展；“渐”，指的是进行、运行，即进化和发展的过程；“终始”，指的是因果关系，人类社会发展的一个个里程是有因果相联的关系，即有规律可以认识的。总括为一句话，“通古今之变”的目的就是“稽其成败兴坏之理”④，探寻社会治乱的规律。

怎样认识历史之“变”，就是要作贯通的思考，即“略协古今之变”。“略协”就是综合、考察而把握大纲的意思。“厥协六经异传，整齐百家杂语”，这是整部《史记》的写作要领。“略协”、“厥协”、“整齐”都有综合、总结之意。司马迁综合历史，鲜明地表现了历史是不断发展、进化和变革的观点，而且愈向前发展，变革愈烈。司马迁的这一思想，在《秦楚之际月表·序》中用史实做了高度的理论概括。司马迁说：

> 昔虞、夏之兴，积善累功数十年，德洽百姓，摄行政事，考之于天，然后在位。汤、武之王，乃由契、后稷修行仁义十余世，不期而会孟津八百诸侯，犹以为未可，其后乃放弑。秦起襄公，章于文、缪，献、孝之后，稍以蚕食六国，百有余载，至始皇乃能并冠带之伦。以德若彼，用力如此，盖一统若斯之难也。

这段议论，十分简括地勾画了中国历史从虞、夏至秦汉大一

① 《史记》卷一三〇《太史公自序》。
② 《史记》卷三〇《平准书》。
③ 《史记》卷一四《十二诸侯年表·序》。
④ 《报任安书》。

统发展变化的轮廓。社会走向一统这就是两千多年间历史发展的方向，经历了漫长的历程，所以司马迁慨叹“盖一统若斯之难也”。这里一丝一毫循环论的影子也没有。秦楚之际的巨变，司马迁更是惊叹万分。他说:“五年之间，号令三嬗，自生民以来，未始有受命若斯之亟也。”陈涉、项羽、刘邦，都“起于闾巷”，与虞、夏之兴和秦王朝之兴又是一番新气象。对于这种巨变，司马迁也是从历史的原因加以探索。他得出结论是“向秦之禁，适足以资贤者为驱除难耳”。秦朝禁忌太苛，它所施行的暴政引起了人民的反抗，于是“王迹之兴，起于闾巷”。这就是司马迁探索历史之变所取得的辉煌成就，发现了人的活动是历史的主体，从而写出了以人为中心的历史，排除了神意史观。

司马迁发展、进化、变革的历史观，不仅表现在议论中，而且更加鲜明地表现在《史记》的具体内容中。朝代更替，制度建立，对民施政等各个方面都表现了这些进步的历史观点。《史记》卷首《五帝本纪》，就是一个集中表现进化观点的鲜明例证。黄帝之世，部落互相攻战，生产落后。黄帝“修德振兵”，统一了天下。他举风后、力牧、常先、大鸿以治民，按时播百谷，草创制度。黄帝本人“披山通道，未尝宁居”。颛顼、帝喾相继，大体仿黄帝之治。当尧之世，历法、生产、治政都有了很大的发展。尧用羲氏、和氏为历官，有了专门的推历机构。尧年老举舜摄政，经过了长期的考验，证明舜很贤能而授之以政。尧举贤、禅让，很重视人民的态度。当舜之时，礼仪制度都建立起来。舜举了二十二个贤人治理国家，各种事业都兴办起来。司马迁说，“天下明德皆自虞帝始”。这句话就是《五帝本纪》的主题。历史经历了从黄帝到虞舜的不断发展，国家建制才初具规模。可以说《五帝本纪》的思想脉络对于读《史记》全书是一个示例。全篇仅三千余字，具体生动地描绘了五帝相承的发展变化，鲜明地表达了司马迁进化论的历史观。

如上所述，司马迁扬弃和改造了循环论，借用循环论的语言来表述历史之“变”，发展成为进化论的历史观，这是司马迁对历史学的一大贡献。

3. 带二元论色彩的朴素唯物论历史观

历史是怎样向前发展、变化的，即是谁在创造历史，司马迁的回答具有浓厚的二元论色彩，但基本倾向是朴素唯物论历史观。本章前已论证，司马迁的天人观是二元论，他认为天人相感，天能支配人事，却又不受星占术荒诞迷信的束缚，对惩恶佑善的天道提出了质疑。这里着重评述司马迁在人事论述上的二元论，即他认为圣君贤相可以治平天下，但又承认人心向背起最后的决定作用。

《史记》以人物为中心，主体是帝王将相。司马迁不遗余力地歌颂“明主贤君忠臣死义之士”，强调英雄的创世作用。但司马迁在英雄史观的内核中有两个显著进步的历史观点，符合唯物主义的认识论，为封建社会的后世史家所不能望其项背。分述于下。

第一个观点，司马迁认为，任何个人不能专有一切智慧，英雄个人不能创世。五帝三代之主，圣明的表现就是举贤授能。他说：“尧虽贤，兴事业不成，得禹而九州宁。”[①] 刘邦得天下，文臣如雨，猛将如云，但对强大的匈奴束手无策，国家定都不能决。陇西戍卒娄敬，脱挽辂，衣羊裘见高帝，建言定都关中，与匈奴和亲，国家赖其便。司马迁感慨地说：“语曰‘千金之裘，非一狐之腋也；台榭之榱，非一木之枝也；三代之际，非一士之智也’。信哉！夫高祖起微细，定海内，谋计用兵，可谓尽之矣。然而刘敬（娄敬赐姓刘）脱挽辂一说，建万世之安，智岂可专邪！”[②] 两千年前的司马迁从一个下层士兵的建言中看到了人民的智慧，不仅特为之作传，还上升为哲理，“智岂可专邪”，从而否定了最最最的超人，实在了不起。为此，司马迁为侠客、医卜、商贾、俳优、博徒、妇女等等下层人物作传，创立类传，使《史记》反映了广阔的社会生活。

第二个观点，国家兴亡，民心向背起最后的决定作用。“民

① 《史记》卷一一〇《匈奴列传·赞》。
② 《史记》卷九九《刘敬叔孙通列传·赞》。

惟邦本”，这本是儒家宣扬仁政的基本观点。孟子进一步发挥为“得民心者得天下，失民心者失天下”的著名理论[①]。司马迁的贡献，他第一个真正用这一观点考察了历史的变迁，生动地描绘了人民群众的创造力量，从正反两个方面贯穿全书。正面描写，三代之王都是祖上积德累善赢得了百姓拥戴。“子羽暴虐，汉行功德”而得天下。孝文帝“专务以德化民，是以海内殷富，兴于礼义”[②]。这是得人心者得天下。反面描写，武王伐纣，“纣师皆倒兵以战，以开武王”，“武王至商国，商国百姓咸待于郊”[③]。秦之亡，是因为“天下同心而苦秦久矣”[④]，故陈涉发难，“风起云蒸，卒亡秦族”[⑤]。“风起云蒸”四个字形容了人民群众具有铺天盖地的力量。韩信亡楚归汉，论项羽必败，其言曰：“项王所过无不残灭者，天下多怨，百姓不亲附，特劫于威强耳。名虽为霸，实失天下心，故曰其强易弱”[⑥]。事实一步步按着韩信的预言演进，楚亡汉兴，失民心者失天下。

更能表现司马迁朴素唯物论历史观的是，他在《货殖列传》中提出的欲望动力说，也就是人类对于社会物质生活的依赖和追求是历史必然向前发展的“势”，是任何力量也不能使之倒转的。这在前节经济观中已有详论，兹从略。

综上所述，司马迁大一统历史观是对西汉王朝政治制度的肯定，《史记》的主题是尊汉。司马迁朴素唯物论历史观呈现二元论的色彩，不仅仅是反映了那个时代人们认识的历史局限性，而且更主要地反映了司马迁走向进步的足迹。形成司马迁独特历史观具有多种因素。思想资料的继承是一个重要方面。但就在这一个方面司马迁也不是墨守一家。他广泛地吸取先秦诸子以来百家学说中的进步观点和合理内核，形成自己朴素的唯物论历史观。

---

① 《孟子·离娄上》载孟子之曰：“桀纣之失天下也，失其民也；失其民者，失其心也。得天下有道：得其民，斯得天下矣；得其民有道：得其心，斯得民矣。”

② 《史记》卷一〇《孝文本纪》。

③ 《史记》卷四《周本纪》。

④ 《史记》卷八九《张耳陈馀列传》。

⑤ 《史记》卷一三〇《太史公自序》。

⑥ 《史记》卷九二《淮阴侯列传》。

如儒家的“民惟邦本”思想，法家的“法后王”思想，阴阳家的“循环论”变化思想，公羊家的“大一统”思想等等，司马迁都加以吸收、扬弃和改造。更重要的是司马迁具有广博的知识和实录史事的科学精神，使他不断突破信仰的束缚，走向进步。正因为他精通天文、历法，加之求实的科学精神和大无畏的探索勇气，才使他运用观测资料批判星气之书的“机祥不经”。此外，司马迁的生活经历也是形成他进步历史观的重要因素。例如升华了朴素唯物论历史观的《货殖列传》，就是司马迁二十壮游的成果之一。知识的扩展和生活的体验，使司马迁不断走向进步，终于突破帝王中心论而面向广阔的社会，熔铸了一定成分的人民的历史，从而表现了二元论的色彩。所谓二元论，是我们今天用马克思主义观点回顾前人的思想体系所发现的矛盾，这是人类认识论的进步。在司马迁时代，他并不认为二元论是一个矛盾，而是很和谐的思想体系。所以司马迁自豪地宣称自成“一家之言”。

五、战争观

清代历史学家顾炎武说：“秦楚之际，兵所出入之途，曲折变化，唯太史公序之如指掌，以山川郡国不易明，故曰东曰西曰南曰北，一言之下，而形势了然。盖自古史书兵事地形之详未有过此者。太史公胸中固有一天下大势，非后代书生之所能几也。”[①] 三百年前顾炎武提出了问题，但未作论证，本节阐述如次。

《史记》是一部古代最完备的战争史。中国古代春秋战国及秦楚之际，是一个发生历史巨变的长期战乱的时代，历时长达五六百年之久。只有约十八万字的《左传》，就记载了春秋二百四

① 《日知录》卷二六《史记通鉴知兵事》。

十二年中的动乱及战争五百五十余次。春秋之后是战国时代，更是无岁不征，无年不战。接着又是秦楚之际的大动乱。数百年间，不仅战争越来越频繁，而且规模越来越大。春秋时的大战，如晋楚城濮之战，晋齐鞍之战，双方出战兵车已达一二千乘，士卒一二十万，是相当规模的大战了。但这些大战若与战国及秦楚之际的大战相比，只不过是小巫见大巫。战国时秦赵长平之战，秦灭楚之战；秦楚之际巨鹿大战，楚汉成皋之战，双方动员的直接参战兵力以百万计，往往相斗数月乃至经年，在中外战争史上都可叹为奇观。长平之战前后历时八年，决战阶段在秦昭王四十七年（前 260 年），决战从四月至九月，历时半年。秦国“发年十五以上悉诣长平”①，进行了全国总动员，倾国远斗，秦胜赵败，“前后斩首虏四十五万人”②。秦卒多于赵卒，双方参战兵力一百余万。公元前 223 年秦灭楚之战，秦将王翦率六十万大军入楚③，楚悉发国中之兵对抗秦军，双方参战兵力亦百余万。公元前 207 年的巨鹿之战是起义军推翻暴秦的一场决战。诸侯之兵四十余万。秦军两支，王离率秦戍守长城的边防军三十万，章邯军二十余万。此役各方参战兵力近百万，决战从十二月至七月（秦历以十月为岁首），历时八个月。楚汉成皋之战，相持两年零七个月，双方前后投入的兵力有几百万④。这些大战役，影响历史的进程，司马迁做了绘声绘色的记载。交兵始末，兵略战术，局势变化，序之如指掌。这说明司马迁是一个精通兵略的历史学家。

《史记》继承了《左传》的优良传统，系统地记载了古代的战争，使《史记》具有战争史的规模体制。《史记》五体，本纪、年表、八书、世家、列传均载有战争的内容，有史有论，自成体系。单从篇目字数的数量来看，战争史内容就是《史记》最重要的组成部分。《史记》一百三十篇，五十二万六千五百字，载有

①②③ 《史记》卷七三《白起王翦列传》。

④ 刘邦“将数十万之众”，距楚于巩雒，“数失军遁去”，萧何辄发关中卒补缺。刘邦又南走宛、叶，收淮南兵北入成皋，并数发河北之兵南下。汉王一方前后已不下一二百万。见《史记》高纪、淮阴侯列传、萧相国世家。

战争内容的篇目达八十二篇①，字数十余万言，约占四分之一的篇幅。这些篇目记载擅长兵略战阵的帝王将相六十余人，记述古代战争五百余次，其中重大战争从黄帝涿鹿之战到汉武帝兵征大宛共七十余次，春秋战国及秦楚之际为五十八次。凡重大战争，年表载其目，纪、传、世家载其事。《十二诸侯年表》、《六国年表》、《秦楚之际月表》的三表之序、《律书·序》，以及各兵家传记篇末之“太史公曰”，则构成了司马迁系统的战争论。若把上述内容摘载出来，就可鲜明地看出《史记》是一部有史有论的、最系统而完备的战争史，这是我们研究司马迁战争观的资料依据。

《史记》原有《兵书》，残缺。后世补亡者分《律历书》为《律书》、《历书》以补缺。今本《律书》前半篇习惯称为《律书序》，是《兵书》残篇。这就是司马迁系统阐述战争思想的一篇战争论。司马迁对战争的基本观点可以概括为以下三个方面：

1. 认为战争是诛暴救危的自强工具，它既可以兴邦，也可以丧邦，应当慎重使用

司马迁给战争下了一个定义。《律书序》说：

> 兵者，圣人所以讨强暴，平乱世，夷险阻，救危殆。

这个定义指出战争是诛暴救危的工具，它是不可避免地要使用的。接着司马迁更进一步用昆虫鸟兽的毒针爪牙来比喻战争，视为自卫的工具。司马迁说：“自含齿戴角之兽，见犯则校，而况于人怀好恶喜怒之气，喜则爱心生，怒则毒螫加，情性之理也。”这只是一个简单的类比，是不科学的。这是从直观中形成的自然主义战争观，把人类社会视同生存竞争的动物界，所以得

① 记有战争的82个篇目，较为重要的有58篇。本纪有：五帝、周、秦、始皇、项羽、高祖等六篇。表有：十二诸侯、六国、秦楚之际等三篇。书一篇，即律书。世家有：吴太伯、齐太公、燕召公、晋、楚、越王勾践、赵、魏、韩、田齐、陈涉、曹相国、留侯、周勃等十四篇。列传有：司马穰苴、孙吴、伍子胥、苏秦、张仪、樗里子甘茂、穰侯、白起王翦、魏公子、乐毅、廉蔺、田单、蒙恬、张耳陈馀、魏豹彭越、黥布、淮阴侯、田儋、樊郦滕灌、傅靳蒯成、吴王濞、韩长儒、李将军、匈奴、卫霍、南越、东越、朝鲜、西南夷、大宛等三十四篇。

出战争起源是“情性之理”的结论。司马迁不懂阶级斗争，这样的认识是难免的。但司马迁并未就此止步。他从“通古今之变”的历史中认识到战争与政治的关系，两者相辅为用。《太史公自序》说：“非兵不强，非德不昌，黄帝、汤、武以兴，桀、纣、二世以崩，可不慎欤?”“非兵不强，非德不昌”，这八个字是司马迁战争观的理论核心。兵，即战争；德，指政治。国家缺少战争手段就不能自强，但注重战争而缺少礼、义之德，国家也不会昌盛。儒家排斥战争，法家专注暴力，两家都不免有片面性。但司马迁的观点并非儒法两家的折衷，而是总结了几千年的战争史，尤其是总结了春秋战国以来近世的战争史升华的理论，当然也吸收了儒法两家理论中的合理内核。“黄帝、汤、武以兴，桀、纣、二世以崩”，就是生动的历史例证。“可不慎欤”，不是废弃战争，而是要注重战争和慎用战争。

2. 认为战争“行之有逆顺”，颂扬顺天而行的正义战争，反对逆理而动的非正义战争

“行之有逆顺”，就是把战争分为正义与非正义两类，既不笼统地反对一切战争，也不盲目地支持一切战争；而是支持正义战争，反对非正义战争。司马迁对战争的这种认识和态度，超越了前人，是值得称赞的。

首先，从司马迁给战争所下定义来看，他明确地提出了区分两类战争的理论。“兵者，圣人所以讨强暴，平乱世，夷险阻，救危殆”，即诛暴、平乱、夷险、救危这四个方面的战争是正义的，反之是非正义的。对照先秦兵家及东汉班固给战争所下的定义，就可以清楚地看出司马迁战争观的进步性。先秦的大军事家孙子竟宣称战争的目的就是“掠乡分众，廓地分利”[①]，这就混淆了两类战争的界线。班固说：“凡兵，所以存亡继绝，救乱除害也。”[②] 这是儒家的正统观点。“救乱除害”是正确的，儒家颂扬汤武革命就基于此，为司马迁所吸收。但“存亡继绝”却是倒退

① 《孙子》中卷《军争篇》。
② 《汉书》卷二三《刑法志》。

的历史观。孔子倡言“兴灭国，继绝世”①，目的是维护西周那样的封建局面。按照这一观点，远古的黄帝和近世的秦始皇所进行的统一战争就要被否定，这正是汉儒们的观点。司马迁批评他们是“不察其终始”的“耳食”之儒，是完全正确的。

其次，司马迁对历史上两类战争做了具体区分，鲜明地颂扬正义战争，谴责非正义战争。具体区分两类战争，比起从理论上下一个定义更加困难。所以《律书》列举了一系列两类战争的实例来揭示。哪些是正义的战争呢？“昔黄帝有涿鹿之战，以定火灾；颛顼有共工之陈，以平水害；成汤有南巢之伐，以殄夏乱。递兴递废，胜者用事，所受于天也。”黄帝、颛顼统一乱世，成汤讨伐暴君，均为民除害，诛暴止乱，符合天理，是正义的战争。哪些是非正义的战争呢？“夏桀，殷纣手搏豺狼，足追四马，勇非微也；百战克胜，诸侯慑服，权非轻也。秦二世宿军无用之地，连兵于边陲，力非弱也；结怨匈奴，絓祸于越，势非寡也。及其威尽势极，闾巷之人为敌国。咎生穷武之不知足，甘得之心不息也。”桀、纣、秦二世穷兵黩武，贪得无厌，是非正义的战争，因此终究败亡。正义战争必胜，非正义战争必败。逆天而动，武力不可恃。

综观《史记》褒贬抑扬的两类战争，可以概括为三种类型。一是颂扬平乱世的统一战争，反对分裂割据的战争；二是颂扬有道伐无道的革命战争，反对暴虐人民的昏乱之君；三是颂扬诛暴战争，反对穷兵黩武的战争。颂扬统一战争，是《史记》载述战争的一大主题。“春秋无义战”②，这是孟轲的观点。若单从争城争地来看，兼并战争确实是无正义可言。但从历史进程来看，兼并战争推动历史走向统一，它又是进步的，最后的胜利者应该占有一定的历史地位。司马迁对秦朝的统一战争和对楚汉相争刘邦的统一战争就是这样来评价的。项羽分裂天下，是他“暴戾”行事的一种反映；西汉吴楚七国之乱，破坏统一，

① 《论语》第二十《尧曰》第一章。

② 《孟子》卷十四《尽心下》第二章。

均受到司马迁的批评。“子羽暴虐，汉行功德；愤发蜀汉，还定三秦；诛籍业帝，天下惟宁，改制易俗。作《高祖本纪》第八。”司马迁热情地颂扬刘邦的统一之功，称他为“大圣”。吴王濞首谋反叛，司马迁降为列传，以示贬抑。“吴之叛逆，瓯人斩濞，葆守封禺为臣。作《东越列传》第五十四。”[①] 越人内附，西南夷“请为内臣受吏”[②]，各民族融合走向一统，司马迁肯定了这一历史的趋向。

《周本纪》和《陈涉世家》颂扬了有道伐无道的革命战争。武王灭纣，在朝歌举行了盛大的告天仪式。武王再拜稽首说：“膺更大命，革殷，受天明命。”[③] 司马迁为陈涉立世家，高度评价他发难的反暴战争。“桀、纣失其道而汤、武作，周失其道而《春秋》作。秦失其政，而陈涉发迹，诸侯作难，风起云蒸，卒亡秦族。天下之端，自涉发难。”[④]

《匈奴列传》以实录史事的手法谴责匈奴侵扰中国。冒顿单于犯边，高祖发三十二万兵征讨，被困平城，忍辱和亲。吕后当政，冒顿单于又遗书戏辱，蔑视汉朝。文、景时期，匈奴时常背约，入盗寇边，杀略吏民。反击匈奴的侵暴掠夺是正义之战，不可避免。“自三代以来，匈奴常为中国患害；欲知强弱之时，设备征讨，作《匈奴列传》第五十。”[⑤] 司马迁肯定了汉武帝反击匈奴的诛暴战争。但是汉武帝的后期对匈奴战争，却是要臣服匈奴，结果导致了李广利连年动众的失败，受到了司马迁的讥评。这反映了司马迁战争观的人民性思想。正义的反侵暴战争，如果走上黩武主义，不符国家利益，司马迁也予以谴责。

3. 认为战争“用之有巧拙”，要兴建功业，必须详参彼己，慎择将相，认真研究用兵作战的方略

《匈奴列传·赞》云：“世俗之言匈奴者，患其徼一时之权，而务谄纳其说，以便偏指，不参彼己；将率席中国广大，气奋，人主因以决策，是以建功不深。尧虽贤，兴事业不成，得禹而九

①③④⑤《史记》卷一三〇《太史公自序》。

② 《史记》卷四《周本纪》。

州宁。且欲兴圣统，唯在择任将相哉！唯在择任将相哉！”匈奴之众，不过当汉一郡。但汉匈战争在武帝之世从元光三年（前132年）设谋马邑到征和三年（前90年）李广利降匈奴止，进行了四十三年，耗尽了西汉盛大的国力，而并未臣服匈奴，所以说“建功不深”。司马迁从这一战争实践中总结出两条慎用战争、巧用战争的方略，即一为“详参彼已”，二为“择任将相”。

详参彼已。司马迁反说，“不参彼已”则败，正说即是“详参彼已”，乃取胜之道。“详参彼已”，就是“知彼知已”。毛泽东同志指出：“孙子的规律，‘知彼知己，百战不殆’，仍是科学的真理。”[①]《淮阴侯列传》述韩信破赵的井陉之战，先侦知赵将陈馀不用李左车之奇计，而要打堂堂之仗；又深知己军是一支新军，“其势非置之死地，使人人自为战”，故置背水阵，出奇制胜，一战而破赵军。但若是两大国交兵，一战之得失并不能决定全局的胜败。因为战争胜败“不但是军力和经济力的对比，而且是人力和人心的对比”[②]。司马迁所讲的“详参彼已”发展了孙子“知彼知已”的战术思想，而是详参交战双方社会总力量的对比。《张仪列传》载张仪说齐湣王曰：“臣闻之，齐与鲁三战而鲁三胜，国以危亡随其后，虽有战胜之名，而有亡国之实。是何也？齐大而鲁小也。今秦之与齐也，犹齐之与鲁也。秦赵战于河漳之上，再战而赵再胜秦；战于番吾之下，再战又胜秦。四战之后，赵之亡卒数十万，邯郸仅存，虽有战胜之名而国已破矣。是何也？秦强而赵弱。”这说明，两国交兵，双方强弱形势，财力大小，人力众寡，不可不详参彼已。《淮阴侯列传》载韩信论项羽必败的形势分析，又说明强弱之势并非一成不变，形势消长，人心向背，不可不详参彼已。此外，敌国政治之措置，人民之习性，兵卒之素质都必须详究。苏秦、张仪两传借纵横家之口说明和与战的策略关系国家存亡，不可不详参彼已。汉武帝反击匈奴，不趁元狩四年（前119年）漠北大战的胜利形势，与匈奴和

① 《毛泽东选集》第2卷，人民出版社1966年版，第458页。
② 同上书，第437页。

亲，而误听“谄纳其说”，制定了臣服匈奴的错误战略。匈奴军虽寡，但匈奴是一个全民习骑射的国家，东西广袤万里，南面大漠为屏障。汉军虽众，但骑射不如匈奴，出塞千里，后方传输，“率三十钟而致一石”，势成强弩之末。匈奴却休兵于漠北，“无城廓之居，委积之守，迁徙鸟举”[①]，先占地利，以逸待劳，汉军难以取胜。司马迁对汉武帝伐匈奴“不参彼己”之批评，切中要害。

择任将相。司马迁给古今众多的兵家战将作传，高度评价司马穰苴、太公、孙、吴等人的兵法学，“切近世，极人变”，既切合近世社会的实用，又是人类最高智慧的结晶，与儒家“善战者服上刑”的主张形成了鲜明的对照。井陉之战，赵将成安君陈馀不用广武君李左车的奇计，结果兵败身死为天下笑。司马迁以颂为讥评论说：“成安君儒者也，常称义兵，不用诈谋奇计。”《田单列传》记述田破燕以五千之众胜数十万燕军，全靠奇谋取胜。太史公赞曰：“兵以正合，以奇胜。善战者出奇无穷。奇正还相生，如环之无端。”所谓“正”，即堂堂的攻守之战，攻则无坚不摧，守则坚如磐石，这拼的是兵锐将勇。所谓“奇”，就是不依正规，不行常道，用奇谋智计取胜，斗的是兵略权谋。兵锐将勇，是战争取胜最基本的要素；兵略权谋，是常胜的决定因素，两者相辅为用。百战百胜的将军总是智勇兼备，用兵置陈，正奇相依，变化无穷，如“环之无端”，无懈可击。让我们看看司马迁所写的战争实例。

秦赵阏与之战，借赵奢之口说，两军相斗，“譬之如两鼠斗于穴中，将勇者胜”[②]。赵军如鹰击狡兔，迅猛而又出其不意地直趋秦军，获得了全胜。巨鹿之战，项羽破釜沉舟，勇往直前，以泰山压顶之势冲击秦军，赢得了大胜。项羽起兵八年，身经七十余战，未尝败北。彭城之战，他以三万精兵击溃刘邦五十六万大军。乌江岸边，他以二十八骑决战汉兵五千追骑，溃围、斩将、

① 主父偃：《谏伐匈奴疏》，载《史记》卷一一二《平津侯主父列传》。

② 《史记》卷八一《廉颇蔺相如列传》。

夺旗。这都是一鼓作气取得的胜利。打仗就要有这样的气势。乌合之众、怯懦之将是不能打胜仗的。但是两军置阵对抗，“多算胜，少算不胜”①，善战者是斗智而不是斗力。拔山盖世之雄的项羽终于败在刘邦手下，可见智胜勇。垓下之战，韩信指挥三十万大军与项羽战，以密集之大军伪作山崩瓦解之败，诱使项羽逐胜，分散楚军兵势，使孔将军、费将军从左右横击楚军，“楚兵不利，淮阴复乘之”②，于是把项羽团团围困在垓下，更是智胜勇。战国时孙膑围魏救赵的桂陵之战，“批亢捣虚”，避实击虚；马陵之战，外示以弱，诱敌中伏，擒杀庞涓。秦魏安邑之战，商鞅诈赚公子卬；王翦灭楚，计引楚军东归，在追击中取胜。这些都是用奇斗智的战例。常胜将军白起和淮阴侯韩信是勇略兼备。秦赵长平之战，秦军正面佯败使赵军攻坚，而另出两路奇兵，一路冲断赵军，分割包围，一路切断粮道，困迫赵军投降。井陉之战，韩信不但用智，而且也是斗勇。凡以少胜众，以弱克强的将军，都是智勇双全的良将。司马迁绘声绘色地记载了古今大大小小的各种斗奇用智的战例，说的就是这个道理，欲“巧”用战争，必须慎择良将。

兵锐将勇，出奇用智，还在于有严格的训练，赏罚必信，官兵一体，成为一支有素养的军队。廉颇用赵卒则胜，带楚兵则无功，就是生动的例证。《孙子吴起列传》、《司马穰苴列传》，载述孙武练兵，吴起爱士，穰苴立信，这都是良将的治兵方略。他们带领的军队，官兵一体，纪律严明，就没有不打胜仗的。汉武帝伐匈奴，以外戚为大将，卫青、霍去病尚能“用材能自进”，常打胜仗。但霍去病不恤士卒，“重车余弃粱肉，而士有饥者”，比古之良将已逊一筹。至于贰师将军李广利更是庸劣无比，兵征大宛，上下贪冒，使汉军前后丧师十余万众，多数士兵都不是战死沙场，而是物故于贪将之手。最后李广利兵败降匈奴，成了可耻的叛徒。司马迁对汉武帝不慎择将相的批评，

① 《孙子》上卷《计篇》。
② 《史记》卷八《高祖本纪》。

也是切中要害。

从上述三个方面来看，司马迁十分精通兵略，娴于权谋，故载述兵事战阵有声有色。他虽然没有带过兵，打过仗，但对于兵学理论有深入的研究，尤其注重当世战争的经验总结。所以司马迁的战争观带有浓厚的政治色彩，在当时具有切中时弊的现实意义，为西汉统治者敲警钟；在今天来看具有很高的史料价值，反映了中国封建社会走向大一统时代人们的战争观念，是研究古代战争史的重要资料。

纵观司马迁的战争观，立于治国平天下的政治高度，系统地总结了历史上的战争经验和兵学理论，形成了一套“志古自镜”的历史兵略学，供善为治国者览观。司马迁对兵政关系做了辩证的理论概括，认为兵与政是保国安民的两件不可缺一的工具。他借主父偃《谏伐匈奴疏》引《司马法》曰：“国虽大，好战必亡；天下虽平，忘战必危。”这说明司马迁倡导注重战争，研究兵略，不是好战，而是自强，抗暴御侮。这些思想，在今天看来无疑也是值得肯定的。

最后，谈谈形成司马迁战争观的历史条件，主要有三个方面。

其一，司马氏家学有着深厚的兵学渊源，给予司马迁以重大的影响。这已在本书第三章论及，兹从略。

其二，春秋战国以来兵法学的发展，已经形成了系统的理论。伴随着春秋战国及秦楚之际的战争，产生了无数杰出的军事家和常胜将军，兵法学因而大兴。《司马兵法》、《孙子兵法》、《孙膑兵法》、《吴起兵法》等等名著都是出自带兵打仗的常胜将军之手，是实战的总结，是经验的升华，所以具有朴素唯物论观点和辩证法思想。在秦汉之际，兵法学十分普及，广为流传。《汉书·艺文志》专设“兵书略”，分权谋、形势、阴阳、技巧四类，总计兵书五十三家，七百九十篇，图四十三卷。由此可见秦汉之际兵法学发展的盛况。司马迁就生活在这兵法学昌盛的时代，广读兵书，内藏韬略，也就毫不奇怪了。

其三，时势的推动，使司马迁注重兵学。汉武帝元朔三年

（前 126 年），司马迁二十壮游，网罗天下放失旧闻。其时汉匈战争已经进行了七年，天下飞刍輓粟，萧然烦费。骚动全国的战争动员给司马迁提出了研究兵学的课题。他二十壮游详细考察秦灭六国以及楚汉相争的战场。他徘徊于大梁之墟，考求侯生所居夷门，遥想当年魏公子窃符救赵的壮举，激发报国之志。司马迁奉使西征巴蜀以南，亲历军阵，渡越关山。他扈从武帝，目睹了盛大的阅兵典礼和围猎军事演习，使书本上治兵置阵的兵学得到实际生活的验证。尤其是汉匈战争兵连不解数十年，深深地影响了当时人们的生活，不能不使忧国忧民的司马迁加倍地关注战争。所以司马迁的战争观，不只是来源于读兵书史乘和家学承传，而是更有对现实的战争体察和亲身实践。这就是司马迁的战争观如前所述具有进步性、唯物性和人民性的根本原因。

六、民 族 观

司马迁的民族观，是他的进步历史观的一个重要组成部分，在我国历史上闪耀着夺目的光辉。

1. 司马迁首创民族史传

自古以来，中国就是一个由多民族组成的国家。周初分封时就有许多内附的“夷狄”之国。中华民族的历史，是汉族和各个少数民族共同创造的历史。但是，儒家的正统思想却一再宣扬“夷夏之辨”，贬称我国周边民族为东夷、西戎、南蛮、北狄，视为荒服之地。孔子修《春秋》，内诸夏而外夷狄。西汉大儒董仲舒提出的纲常伦理学说，也推广到民族关系上来。董仲舒说：

> 《春秋》慎辞，谨于名伦等物者也。是故小夷言伐而不得言战，大夷言战而不得言获，中国言获而不得言执，各有辞也。有小夷避大夷而不得言战，大夷避中国不得言获，中国避天子而不得言执，名伦弗

予，嫌于相臣之辞也。是故大小不逾等，贵贱如其伦，义之正也①。

中国，即华夏诸侯。按照董仲舒的上述说法，诸侯不能与天子平等，大夷小夷不能与华夏诸侯平等，甚至小夷与大夷也不能平等。各民族的大小被董仲舒说成是天然的等级序列，在民族关系的用语中都要表现出等级次序来。随着儒家思想取得独尊地位，“大小不逾等”的大汉族主义逐渐形成了。因此，民族史在中国正史中也就不可能得到应有的地位。

但是，司马迁却在“罢黜百家，独尊儒术”的汉武帝时代，独步史坛，在他的《史记》中首创民族史传。司马迁写了匈奴、南越、东越、朝鲜、西南夷等五个少数民族史传。各篇史传独立成篇，详今略古，着重叙述汉武帝时期各周边民族与中原王朝的关系。尽管当时汉武帝征伐四夷，尤其是汉匈关系，长期处于战争胶着状态；在上古以至周秦，民族关系史固然有“和平友好”，但更多的是“兵戎相见”，西周就灭于犬戎，可是司马迁却看到东西南北各少数民族，他们的历史发展是走向与中原华夏民族的融合与一统，不仅记载了民族史，还把民族史传与名臣将相的列传交错等列。这样，司马迁打破了董仲舒的所谓“小夷避大夷”、“大夷避中国”等等的“名伦秩序”，表现了他的民族一统和等列天子臣民的思想，这在当时确实难能可贵。其后，班固写《汉书》，他认为“西南外夷，种别域殊”②，而把民族史传排在列传之末。班固以后的史学家，大都效法《汉书》，把民族史传侧于列传之末，可以说这是民族史观的一个倒退。

此外，司马迁对《大宛列传》的处理十分引人注目。《大宛列传》记叙外国史事远至中亚，故特别分出，编于类传之中。司马迁在《太史公自序》中作了明确交代。他说：“汉既通使大夏，而西极远蛮，引领内向，欲观中国，作《大宛列传》第六十三。”

① 《春秋繁露·精华》。
② 《汉书》卷一〇〇《叙传》。

从汉的立场是“通使大夏”；从西域各国立场是“欲观中国”，很明显，作《大宛列传》以国际交往为主题。对比见义，《太史公自序》对民族史传的点题却说：“佗能集杨越以保南藩”，作《南越列传》；瓯人“葆守封禺为臣”，作《东越列传》；夜郎、邛笮之君“请为内臣受吏”，作《西南夷列传》。这就是说，两越、西南夷等周边民族，都愿在天子治下，并入中原版图。两相对照，司马迁对中外的界限是区分显然的。班固《汉书》内外不分，将国内周边民族史传合成一传，也视为外纪，这也是班固史识逊于司马迁的一个表现。

我们比较了马班史识，指出了班固民族史观的倒退。但是，我们也应看到，《汉书》毕竟为周边民族立了史传，并在断代史中详究了民族史的发展过程。继班固之后的纪传史学家，大都继承了这一作法。例如《后汉书》这部断代史也详细地记述了少数民族的历史发展，尤其是《西羌传》对羌族历史的记叙十分精当，保存了丰富的民族史料。这说明，司马迁为少数民族立史传的思想在断代的正史中被肯定下来，《汉书》起了榜样的作用，班固之功不可泯没。当然，创始之功是属于司马迁的，这是中国古代史学上的一个重要成果。

2. 司马迁民族一统思想的基本内容

主要有三个方面：民族等列思想；中国各民族皆黄帝子孙；承认周边各民族有同等的“革命”权利。

民族等列思想。所谓民族等列思想，并非今日的民族平等观念，而是指司马迁打破儒家传统的“种别域殊”的内外之别，把民族区域纳入统一的封建帝国版图之内来叙述，视各民族皆为天子臣民，从而承认各民族的风俗习惯，必须把各民族作为客观存在的民族实体而记叙他们的历史。

各个民族实体有着各自独特的标帜而互相区别开来。对于现代民族实体，斯大林概括为四大要素，即有共同的语言，共同的地域，共同的经济生活，共同的文化习俗。司马迁写民族史传，虽然没有这样科学的概括，但他通过实录历史，从直观中觉察了各个不同民族之间的区别，分别立了五个民族史传，这不能不说是司马迁民族实体思想的反映。

司马迁写《匈奴列传》，主要内容是记述匈奴与汉朝的争逐、进退情况，对匈奴民族的历史发展的叙述极其概括简练。司马迁在开头一节只用了二百二十个字就把匈奴民族生活的地域，经济、文化及风俗习惯介绍了出来。尽管匈奴内部的民族成分十分复杂，但他们都长期过着“逐水草迁徙”的游牧生活。匈奴人民食畜肉，饮湩酪，衣皮革，被毡裘，住穹庐，其畜产多马、牛、羊、骆驼、驴鸁、駃騠、騊駼、驒騱等。游牧生活，驰逐原野，养成了人们善于攻战的天性。其俗“贵壮健，贱老弱，父死，妻其后母；兄弟死，皆取其妻妻之”。司马迁正是抓住了这些共同特征，所以把居地万里的匈奴作为一个民族实体来叙述的。

对于匈奴习俗的评述，司马迁通过一个投降匈奴的汉人中行说与汉使的对答表示态度。汉使讥笑匈奴轻视老人。中行说认为，匈奴人常骑马征战，老弱不能战斗，因而把肥美的东西供给健壮的人，这是加强自身力量，长保父子的表现，并不是轻老。汉使说匈奴无衣冠宫室、礼仪制度。中行说认为，匈奴人畜牧，逐水草而居，时常迁徙，不需宫室；束装轻便，为的是便于行走；匈奴人没有烦琐礼节，是为了抢时间干正事；父亲兄长死了，儿子兄弟娶其后母寡嫂，为的是种姓繁衍。中行说还反问汉使，衣冠之邦的中原汉人为了争名逐利，互相残杀，甚至灭族改姓，礼义又有什么值得骄傲的呢？中行说是一个无耻叛徒，他用诡辩术以作惊世骇俗之论，抹煞进步与落后之分，为匈奴主效力，未可为正论。但中行说也说出了这样的事理，各个民族的生活习俗，自有其形成的经济的、文化的原因，它在具体历史环境中是合理的。一个民族，即使是先进民族，不能把自己的生活方式强加于人。司马迁很有兴味地记载中行说和汉使的对话，正是他民族实体思想的一种反映。

司马迁写《西南夷列传》，与写匈奴大不相同。西南夷也有着广阔的地域，但比起匈奴来却小得多。由于西南夷地理形势较复杂，交通闭塞，所以西南夷内部各部族有着独自的特点。西南夷不是一个整体民族，它是一个地域概念。西南夷是以汉王朝西部的巴郡、蜀郡为中心，以南为南夷，以西以北为西夷。南夷分为东部僰人居住区和西部的越嶲族、昆明族居住区。西夷主要是氐人。西南夷各民族的社会文化、经济生活发展很不平衡，君长以什数。各部族君长与汉王朝的联系，以及内附具有不同的轻重层次。西南夷内属后设郡置吏，司马迁很欣赏汉武帝的“且以其故俗治，勿赋税”。在西南夷地区设郡置吏是司马迁奉使执行的。也许“且以其故俗治，勿赋税”的政策就是司马迁提出的。这表明司马迁对各个民族，不论其大小，充分尊重他们的生活习俗的等列思想。

中国境内各民族皆黄帝子孙。这是司马迁从传说和历史中提炼出的民族一统理论。《史记》在许多篇章中都有所阐述。如说“中国之虞与荆蛮勾吴兄弟也”，“楚之先祖出自帝颛顼高阳”，“越王勾践，其先禹之苗裔”，“匈奴，其先祖夏后氏之苗裔也”[①]。

承认周边各民族有同等的“革命”权利。这也是司马迁的独到思想。所谓“革命”，是指革故鼎新，变革天命。具体说，就是参与中原事务，在改朝换代中支持得天命者即位。秦汉之际，南方越族参加了中原人民的反暴政斗争。东越人无诸与摇率越人归属鄱阳令吴芮反秦，其后又助汉攻项籍，刘邦封无诸为闽越王，封摇为东越王。东越反秦佐汉，参与中原的政治斗争，司马迁特别加以记载。表现了他承认周边各民族有同等的“革命”权利的思想，这是值得肯定的。

3. 司马迁民族一统思想形成的历史条件

如前所述，司马迁首创民族史传，区别国内外民族，等列国内各民族均为天子臣民，分别立传，这一系列体例，不仅反映了他的博学和才华，而且更重要的是反映了他的杰出的思想和史识。司马迁意识到各个民族都是各有历史渊源的实体，并从心理

① 分别见《史记》卷三一《吴太伯世家》，卷四十《楚世家》，卷四十一《越王勾践世家》，卷一一〇《匈奴列传》。

要素，即各民族皆为黄帝子孙，以及经济文化等方面的联系，论证各民族的历史发展是归向一统。这些就是司马迁独具的先进的民族一统思想。司马迁民族一统思想的形成，除了他个人的天才思考与历史总结外，更主要的是那个时代的必然产物。客观原因，一是各民族人民之间的经济、文化交流走向民族一统，司马迁在史传中做了生动记载，这里不必复述。二是汉武帝向周边民族地区推广郡县制度，造成了促进民族一统的政治形势。主观原因，司马迁生逢其时，躬奉其事，他奉使西征，设郡置吏于西南夷地区，获得了一次对民族地区的亲身经历和考察。这些条件与司马迁进步的历史观相结合，于是将实地的考察经验，上升条理为系统的古代民族一统思想，并在历史序事中反映出来，更加亲切。这就是司马迁民族观独步当时的原因。

七、道 德 观

《太史公自序》高度评价《春秋》为“礼义之大宗”，这表明了司马迁对道德伦理的重视，隐喻《史记》也是一部“礼义之大宗”的道德全书。司马迁在《史记》中涉及了极为广泛的道德范畴，可以说是全方位地反映了我国古代的民族道德和道德观念。司马迁进步的道德观，以及他颂扬的许多人伦准则和优良品德，不仅是我国传统文化的宝贵财富，而且已根植于民族性之中。因此，对于司马迁的道德观，要说的话很多，限于篇幅，只能略谈几个主要方面。

1. 礼生于有而废于无

此语出自《史记·货殖列传》，是讲礼的起源。译成今语就是：礼生于富有而消失于贫穷。反过来解读，就是经济基础决定礼仪制度和道德观念。司马迁有这样的认识是了不起的唯物史观。可是在《礼书》开篇则说：“观三代损益，乃知缘人情而制礼，依人性而作仪。”这是说礼产生于人性。人性从哪里来？按儒家的观点，“天生蒸民”[1]，必然要归之于天命，这是唯心主义的认识路线。礼，是道德的最高表现。《论语·为政》孔子曰：“齐之以礼。”朱熹注云：“礼，谓制度品节也。”在汉代，三纲五常是其主要内容。三纲是：君为臣纲，父为子纲，夫为妻纲。五常是：君臣有义，父子有亲，夫妇有别，长幼有序，朋友有信。贵贱尊卑都有着明确的等级规定和从属关系。这种等级的区分，在日常的衣食住行中有着明确的标记，服饰颜色车骑冠戴均有严格规定，上下不可逾越。僭越礼制则意味着社会动乱。把这种维护封建等级制度的礼，说成是依人性需要而制定，不借助于天命是不能成立的。司马迁论礼，列为八书之首，说明他基本立场是拥护儒家的礼仪制度和道德准则的。所以《史记》要论载那些忠臣死义之士，表彰忠、孝、仁、义、礼、让、节、烈等等美德。在讨论司马迁的道德观之前，说明这一前提是必要的。

先秦诸子百家对人性的争论十分激烈，已经涉及了道德的起源问题。儒家主张道德起源于天。孔子说“天生德于予”[2]，并认为“唯上智与下愚不移”[3]。孟子全面论证仁义礼智等道德皆出之于天[4]。这当然是唯心主义的道德观，但它适应了封建制度君权神授的政治需要，在秦汉时发展成了董仲舒的三纲五常一整套道德体系。法家主张道德的产生是以一定的物质条件为前提的。如《管子·牧民》说：“仓廪实而知礼节，衣食足而知荣辱。”《韩非子·五蠹》说：“饥岁之春，幼弟不穰；穰岁之秋，疏客必食，非疏骨肉爱过客也，多少之实异也。”显然这是朴素唯物主义的认识路线。但管仲、韩非只看到了道德与物质基础的联系，却尚不能认识道德还要受一定的阶级和政治的制约，所以还有待发展。

司马迁的道德观，对历史资料的继承是兼收并蓄的。他在《货殖列传》中提出了“礼生于有而废于无”，“人富而仁义附焉”

① 《孟子》卷一一《告子上》。
② 《论语》第七《述而》。
③ 《论语》第一七《阳货》。
④ 《孟子》卷一三《尽心上》。

的命题，继承了法家的道德观，司马迁还引用《管子》的话为佐证。但是，司马迁在《乐书》中却又说："故为善者，天报之以福；为恶者，天与之以殃：其自然者也。"这又认为"福善祸淫"为天道之自然。《乐书》摘自《乐记》，是否为司马迁手笔还有待考证。但《史记》书中记载"阴德""阴祸"的故事却不少。《晋世家》载，赵盾食桑下饿人示眯明，后得其报答而免于祸。《韩世家》载，韩厥荐赵氏之孤赵武，结下了阴德而为诸侯。《田敬仲完世家》载，田釐子行阴德于民，齐政归田氏。《陈丞相世家》载，陈平多为阴谋，后嗣失侯。《白起王翦列传》载，白起为将，多杀降卒，伤天害理，故不得善终。王翦三世为将，其孙王离为项羽所虏。这些记载表明天网恢恢，疏而不漏。可是《伯夷列传》，司马迁对"天道无亲，常与善人"提出了质疑。这种观念体系上的矛盾，既是兼收并蓄儒法两家道德资料而形成的矛盾，同时更主要的是司马迁哲学二元论的反映。司马迁接受儒家的理论，主要是用于解说国家制度，或劝人行善；司马迁接受法家的理论，主要是用于理性论证，或颂扬布衣之德。司马迁尤其注重实证。他在实际生活体验中，在激烈的历史事件的思考中，不仅对"惩恶佑善"的天道观提出了质疑，而且表彰奇行卓异之士，往往突破了儒家的道德规范，发展了法家的理论，形成了具有新思维的一家之言。例如他颂货殖，赞游侠，推许刺客，就是生动的例证。

在道德起源的理性探讨上，司马迁的主要倾向是继承和发展了法家的理论。他不仅认为经济地位决定道德观念，而且还进一步朦胧地触及了道德的阶级性，提出了"侯门"道德与"鄙人"道德的区别与对立。司马迁在《游侠列传》中说：

> 鄙人有言曰："何知仁义，已享其利者为有德。"故伯夷丑周，饿死首阳山，而文武不以其故贬王；跖、蹻暴戾，其徒诵义无穷。由此观之："窃钩者诛，窃国者侯，侯之门仁义存，"非虚言也。

同一件事，同一个行动，不同地位的人看法截然不同。武王伐纣，从反暴政的立场看是革命义举；从忠君立场看则是犯上作乱。跖、蹻是古代人民起义的首领，所以其徒诵义无穷；而统治者看来，则是扰乱社会的暴戾之人，而称为“盗”。

在《史记》一书中，司马迁对于侯门道德的虚伪性给予了无情的揭露和猛烈的抨击，而对鄙人道德则十分赞赏。这更是司马迁道德观中闪光的精华。

所谓“侯门”道德，即统治阶级的仁义道德。在上位的统治者满口仁义道德，却言行不一，并不遵行。司马迁在《汲郑列传》中，借汲黯之口批评汉武帝“陛下内多欲而外施仁义”，揭露了汉武帝鼓吹仁义的虚伪性。在《平津侯主父列传》中，对道貌岸然的儒学宗师，身为丞相的公孙弘的伪君子面目，作了淋漓尽致的刻画和辛辣讽刺，说他“外宽内深”、“怀诈饰智”。最具讽刺意味的是，《李斯列传》以生动的对话描写和揭露了赵高、李斯和胡亥，他们恰恰是在标榜忠孝节义声中完成了篡弑逆谋，发动宫廷政变的。所谓忠孝，所谓仁义礼信，只不过是当政者掩盖他们贪欲和卑鄙行径的遮羞布而已。

所谓“鄙人”道德，即乡野下民奉行的道德准则。鄙人，主要指游侠、刺客，也包括在下位的人，如鲁仲连、程婴、公孙杵臼、侯嬴、朱亥、毛公、薛公等等。对鲁仲连，司马迁说：“鲁连其指意虽不合大义，然余多其在布衣之位，荡然肆志，不诎于诸侯，谈说于当世，折卿相之权。”[①] 对曹沫、荆轲等刺客，司马迁说：“自曹沫至荆轲五人，此其义或成或不成，然其立意较然，不欺其志，名重后世，岂妄也哉！”[②] 对朱家、郭解等游侠，司马迁说：“以余所闻，汉兴有朱家、田仲、王公、剧孟、郭解之徒，虽时扞当世之文罔，然其私义廉洁退让，有足称者。”[③] 司马迁不仅赞扬这些人的高尚之义，而且明确指出他们居于下位，或布衣之士，所作所为不合统治阶级的“大义”是“扞当世之文罔”

① 《史记》卷八三《鲁仲连邹阳列传·赞》。
② 《史记》卷八六《刺客列传·赞》。
③ 《史记》卷一二四《游侠列传·序》

的。这鲜明地表现了司马迁已经朦胧地触及了道德的阶级性，这的确是了不起的发现。

在阶级社会里，道德具有强烈的阶级性。统治阶级与被统治阶级的道德观念往往是对立的，这正是经济地位所决定的。但是统治阶级的道德又总是以普遍性的形式来表现的。普遍性掩盖阶级性，在古代只有先进思想家才能够朦胧体会，或直觉发现统治阶级道德的虚伪性，但还认识不到用阶级观点来解释。司马迁认识到"礼生于有而废于无"，发现了"侯门"道德与"鄙人"道德的区别，已经是朦胧触及了道德的阶级性，这就是司马迁道德观的进步意义，不仅超越了前人，而且还受到后世正统儒家卫道士的批评。班固说司马迁"退处士而进奸雄"，"是非颇谬于圣人"[①]，从反面说明了司马迁进步思想的实质，那就是有一部分离经叛道的异端思想。

2. 司马迁的义利观

孔子罕言利，孟子极端抨击利，儒家认为义与利二者是绝对排斥的。董仲舒主张用礼义来遏制人欲。司马迁颂货殖，发现了人欲是创造物质财富的动力，他不但言利，而且鼓励人人发财致富，为人们总结治生之术，还进一步提出了"素封论"的理论，揭露侈谈仁义之士的虚伪性。但司马迁并不排斥儒家的礼义，他在许多篇章中对于逐利又提出了抨击。在司马迁道德观中，义与利是一对矛盾，同时又缺一不可。他认为偏执一端，言利与言义都是敝，而应该协调统一，二者并存。试析之如下。

司马迁"素封论"的内容。何谓素封？司马迁说："今有无秩禄之奉，爵邑之人，而乐与之比者，命曰'素封'。"[②] 那些有钱有势而与王者同乐的人，司马迁称之为"素封"，即无冕之王。司马迁是在考察古今商人的活动中作出的结论。秦汉时法律贱商人，《平准书》有生动记载。汉高祖不准商人"衣丝乘车"，不准他们的子孙"仕宦为吏"，还用重租税来"困辱"他们。但是商

① 《汉书》卷六二《司马迁传·赞》。
② 《史记》卷一二九《货殖列传》（下引《货殖列传》不再注）。

人“因其富厚，交通王侯，力过吏势，以利相倾；千里游敖，冠盖相望，乘坚策肥，履丝曳缟”[1]。这是晁错所描述的文景时期商人的情形。他对此发出了“今法律贱商人，商人已尊贵矣”[2]的惊呼，认为是不合理的。司马迁对此却提出了崭新的看法。他认为：“凡编户之民，富相什则卑下之，伯则畏惮之，千则役，万则仆，物之理也。”这里，司马迁从直觉的经济的观点揭示了人剥削人，人压迫人的现实，把“劳心者治人，劳力者治于人”的本质揭穿了。国君、王侯、官吏之所以那么神气，不就是他们通过权力压迫剥削了大量财富吗？王侯封君食租税，“岁率户二百”，千户之君年收入二十万。富商大贾只要有一百万资本，每年就可获得二十万的年利收入，与千户之君相等。秦汉时的巨富大贾不仅与王者同乐，甚至受到了万岁皇帝的尊礼。例如，乌氏倮畜牧致富，“秦始皇帝令倮比封君，以时与列臣朝请。”而巴寡妇清开丹矿发财，“秦始皇帝以为贞妇而客之，为筑女怀清台”。对此，司马迁发出了有力的质问：“夫倮鄙人牧长，清穷乡寡妇，礼抗万乘，名显天下，岂非以富邪？”又如蜀卓氏、程郑，本来祖上是秦始皇统一六国时的东方迁虏，他们冶铁致富，“富至僮千人”，“田池射猎之乐，拟于人君。”南阳孔宛氏，大冶铁家，因其家致富数千金，“连车骑，游诸侯”，享有游闲公子的雅号。相反，汉初的许多封君王侯，有的衰败了，只能乘牛车。吴楚七国反时，许多居于长安中的列侯封君要置办行从军资，穷得向高利贷者无盐氏借债。全国各地的富翁商贾，“大者倾郡，中者倾县，下者倾乡里者，不可胜数”。司马迁正是根据这生动的历史及其现实，提出了“素封论”的观念。他认为这是无可辩驳的，大声发出了诘问。司马迁说：“千金之家比一都之君，巨万者乃与王者同乐。岂所谓‘素封’者邪？非也？”“巨万者与王者同乐”，这就是“素封论”的最简洁的概括。

“素封论”有两个基本内容。除上述“巨万者与王者同乐”外，还有一个内容是“人富而仁义附”。司马迁提出这一命题有

---

①② 《汉书》卷二四《食货志》。

两层含意：一层是证明“礼生于有而废于无”，说明仁义道德是建立在经济基础上的；再一层是深刻地说明统治阶级的道德只不过是所占财富势利的附属物而已。前引《游侠列传》的议论，“何知仁义，已享其利者为有德”，说的是只要有钱有势，也就有仁义。“窃钩者诛，窃国者侯，侯之门，仁义存”，这是司马迁引用的庄子的话来为自己的观点作佐证，同时也是愤激语。可以说司马迁一针见血地揭穿了统治阶级的虚伪道德，因为司马迁就是曾因“家贫财赂不足以自赎”而惨遭“腐刑”的人，对统治者的残暴和虚伪面目有切身的体会。司马迁甚至把批判的锋芒指向了孔子。他说，孔子的学生原宪连糟糠都吃不饱，只好默默无闻地在穷巷过日子；子贡经商发了大财，与列国诸侯分庭抗礼，孔子的名声是依靠子贡才显扬起来的。因此，那些“羞贫贱”而“好语仁义”的“岩处奇士”们是欺人的伪君子，应该竖起指头来刮他们的脸皮。司马迁的批判所指有着明确的对象，他不仅没有针对广大贫民，而且可以说是在为广大贫民鸣不平。司马迁所指是揭掉了罩在达官贵人和好语仁义的伪君子们脸上的仁义道德面纱，是对“已享其利者为有德”者的辛辣讽刺。班固歪曲司马迁似乎在歌颂富人，鄙视穷人，批判司马迁“述货殖则崇势利而羞贱贫”[①]。班固《汉书》的《货殖传》赞扬颜渊“箪食瓢饮”的陋巷生活，引用孔子的话批评子贡货殖“不受命”。两相比较，班固与司马迁两人的识见高下，不可同日而语。过了一千多年，金代王若虚还愤愤不平地说：“迁之罪不容诛矣！”[②] 由此可见司马迁“羞贱贫”的确是击中了封建仁义道德的要害，引起了正统文人学士们的切齿痛恨。

综上两点，“巨万者与王者同乐”，“人富而仁义附”，这就是“素封论”的基本内容。司马迁提出“素封论”，并不是号召人民投向统治者的怀抱，崇尚势利而鄙弃穷人。恰恰相反，司马迁用“素封论”揭示了富贵礼义的本质，讽刺那些荒淫无耻而又“口

① 《汉书》卷六二《司马迁传》。
② 《滹南遗老集》卷一九《史记辨惑》。

不言利”的统治者，他们欺骗人民，只要人民讲“义”而不要人民讲“利”。司马迁用“素封论”鼓励人人发财致富，改变“侯之门，仁义存”这一不合理的现实，具有特殊的战斗作用，所以遭到封建正统史学家和卫道士们的歪曲和攻击。我们还须指出，在秦汉法律贱商人的政治背景下，司马迁提出“素封论”具有现实意义。这一观点不仅是崭新的，而且是大胆的挑战性的，它的战斗性作用在于不承认天生的贵贱等级之分，各行各业的人都可运用自己的聪明才智发财致富，与王者同乐。司马迁的“素封论”与陈胜吴广起义时发出的口号，“王侯将相宁有种乎”具有异曲同工之妙，都是战斗的朴素唯物主义认识论。班固歪曲为“崇势利”，反映了正统史家的无识。《汉书》的《货殖传》全部删去“素封论”的议论，批判富商大贾“皆陷不轨奢僭之恶”，说他们的发财致富是“伤化败俗，大乱之道”。班固的这些激烈评论，恰好从反面衬托出了司马迁“素封论”的战斗意义。

司马迁对逐利的批评。逐利，指对财富无限的贪欲，统治者不顾人民的生存而聚敛；富商大贾不佐国家之急而积贮；个人沦丧道义而势利交等等；上下交争利，都是逐利的行为。司马迁对逐利提出了激烈的批评。首先，对统治者的聚敛提出谴责。《孟子荀卿列传》：“余读《孟子》书，至梁惠王问‘何以利吾国’，未尝不废书而叹也，曰：嗟乎，利诚乱之始也！夫子罕言利者，常防其原也。故曰‘放于利而行，多怨’。自天子至于庶人，好利之弊何以异哉！”《魏世家》：“孟轲曰：‘君不可以言利若是。夫君欲利则大夫欲利，大夫欲利则庶人欲利，上下争利，国则危矣。为人君，仁义而已矣，何以利为！”这是引用孟子的话来批评统治者逐利。同时司马迁也赞成儒家的以礼义防于利。《平准书》云：“故《书》道唐虞之际，《诗》述殷周之世，安定则长痒序，先本绌末，以礼义防于利。”《平准书》就是对汉武帝时代各项逐利政策的批评。司马迁对兴利之臣尤为痛切，他在《平准书》结尾时引用卜式语说：“县官当食租衣税而已，今弘羊令吏坐市列肆，贩物求利，亨弘羊，天乃雨。”可以说这是对官商表示的愤慨。

其次，是对商人逐利的批评。司马迁颂扬货殖，是颂扬商人周流天下财货的作用，但不赞成他们囤积居奇，使“黎民重困”，而又“不佐国家之急”[①]。司马迁在《货殖列传》中特别颂扬范蠡。因为范蠡“十九年之中三致千金，再分散与贫交疏昆弟，此所谓富好行其德者也”。在《平准书》中更塑造了一个爱国者大财主卜式的典型形象。他“躬耕牧”以田畜致富，居家时救助亲戚兄弟，国家有战争，他多次输财助县官。卜式拜为御史大夫后，不怕丢官杀头，敢于直陈官营盐铁之弊，指斥桑弘羊，被武帝贬官。

再次，司马迁痛恶“以势利交”。司马迁受刑，左右交游莫救，对以势利相交深恶痛绝。他在《郑世家》、《孟尝君列传》、《平原君虞卿列传》、《张耳陈馀列传》、《廉颇蔺相如列传》、《魏其武安侯列传》、《卫将军骠骑列传》、《平津侯主父列传》、《汲郑列传》等列传中，对利尽交疏的友道和世情进行了尖锐的抨击。张耳、陈馀“以势利交”，受到了司马迁的无情鞭挞。张耳长于陈馀，危难时两人为忘年交，陈馀父事张耳。当两人拜将入相后，争权夺利势若水火。后来张耳投靠刘邦，佐韩信领兵击斩陈馀，化友为仇，以至于死。司马迁感慨系之，评论说：“张耳、陈馀，世传所称贤者，其宾客厮役，莫非天下俊杰，所居国无不取卿相者。然张耳、陈馀始居约时，相然信以死，岂顾问哉。及据国争权，卒相灭亡，何向者相慕用之诚，后相倍之戾也！岂非以势利交哉？”[②]

司马迁对世态炎凉的揭露，更为生动。主父偃一生的坎坷与发迹便是典型。他贫贱时，游学四十余年，身不得遂，“亲不以为子，昆弟不收，宾客弃我，我厄日久矣”；当他一步登天为天子大臣时，“宾客以千数”；后来主父偃得罪被灭族时，却“无一人收者，唯独洨孔车收葬之。”对此，司马迁感触极深，他说：“主父偃当路，诸公皆誉之，乃名败身诛，士争言其恶，悲夫！”[③]

① 《史记》卷三〇《平准书》。

② 《史记》卷八九《张耳陈馀列传·赞》。

③ 《史记》卷一一二《平津侯主父列传》。

在《汲郑列传》中，司马迁借翟公之口抨击了那些趋炎附势之徒。翟公始为廷尉，宾客阗门，等到罢官之后，门外可设雀罗。翟公复为廷尉，宾客欲往，翟公乃大署其门曰："一死一生，乃知交情。一贫一富，乃知交态。一贵一贱，交情乃见。"

从司马迁对以上史实的记述和评论来看，他又认为逐利是一件恶事。国家逐利，经济失调，政治不稳。商人逐利，巧取豪夺，黎民重困。社会之人逐利，品德堕落，世风败坏，人际关系冷酷。上下争利，邪恶漫延，是必须加以防止的。这又使司马迁回到了以礼义防于利的儒家立场。

孔子、孟子倡导仁政，言义不言利；董仲舒倡导三纲五常加强君权，以礼义防于利。这些儒家圣贤着眼点是纯正人心，同时也限制君权贪利，尽管其学说有虚伪性，而理论上是一元论，政治上也切合当时的时势需要。不用说儒家学说在先秦两汉不失为一种先进的思想体系。孔子、孟子、董仲舒，他们是哲学家，以教主身份凌驾于社会之上，故思辨精密。司马迁继承儒家礼义的合理内核以正人心，同时又以实学观点研究经济理论，所以又倡导利欲论，突破了儒学的规范，在体系上形成矛盾，是二元论。司马迁是历史学家，他着眼的是社会发展。司马迁的理想是崇尚儒家仁政的实现，希望人们求富之后致力于奉献，举世礼让无争，天下和乐太平。而现实却又是上下交争利，世态炎凉，人心逐利。司马迁还看到农、工、商、虞是社会的必然分工，任缺其一，民生维艰。所以司马迁述货殖提出了一个社会发展的模式，他说："本富为上，末富次之，奸富最下。"即务农致富为上，经商致富次之，犯法投机致富最坏。他又在《太史公自序》里说明作货殖列传的目的是："布衣匹夫之人，不害于政，不妨百姓，取与以时而息财富，智者有采焉。作《货殖列传》第六十九。"也就是司马迁劝导商人正正经经营业，只取百分之二十的利益，不乱政，不害民。国家应顺其自然，鼓励商业及百工技艺之人的发展。司马迁称之为"因之"的政策。对奸巧不法者，国家也要进行整齐之，教导之。至于普通民众，则"纤啬筋力，治生之正道也"。这幅图画就是司马迁构想的义利和融的理想图，它是从对商品经济考察中直觉引申出来的带民主性色彩的乌托邦。

3. 道德是司马迁评价历史人物的重要标准

司马迁为历史人物立传，不只是载录事功，而且十分重视道德。《史记》一书载述的道德内容非常广泛。社会伦理，君臣、父子、夫妇、朋友等各种人际关系，荣辱、生死、爱国、礼让、忠义、孝悌、诚信等各种人生观念，司马迁能以飞扬的神笔写出各种伦理道德的典型人物，成为激励人们学习、效法的榜样。例如爱国主义，有以国家大局为重的蔺相如，有以身殉国的屈原，有捐躯守义的王蠋，有冲锋陷敌的李同，有发愤图强的越王勾践，有输财助边的卜式等各种典型。司马迁不以成败名位论英雄，褒扬对历史作出贡献的人，对于失败的英雄，道德更是主体的内容。如田横的高节，程婴、公孙杵臼的义，伯夷、叔齐及吴太伯的让，延陵季子之信，晏婴之知人，这些人物主要是以道德精神立于史林的。对历史有着轰轰烈烈贡献的项羽，他不肯过江东而自刎的豪举，体现的是一种抗争的精神和品德。司马迁以是非鲜明的笔触，歌颂我们民族的美德，批判民族成员中某些恶德，即所谓采善贬恶，一正一反，淋漓尽致地表现我们的民族精神，对于促进中华民族传统道德的发展，起了不可估量的作用。

司马迁歌颂勤劳、俭朴、勇敢、智慧、公正、廉洁、尚义、知耻等美德；他批判暴虐、荒淫、奸佞、刻毒、谗忌、怯懦等恶德，一般是以儒家的忠孝节义作为道德标准的。但司马迁在许多方面却又突破了儒家道德的藩篱而赋予了民主性和人民性的内容。例如颂扬刺客的反暴，颂扬游侠的信义和扶危救困，就不与圣人同是非。司马迁对传统忠孝道德的颂扬，也扩大了它的内涵。例如写屈原的忠君，司马迁说："虽流放，眷顾楚国，系心怀王，不忘欲反，冀幸君之一悟，俗之一改也。"屈原系心怀王，希望怀王觉悟改俗，把忠君与革新政治、爱护人民联系起来，则屈原的高远志节，就不是传统的"忠"字所能范围的了。司马迁颂扬伍子胥的孝，是"弃小义，雪大耻"，完全不是原有的"孝"的内容了。司马迁赞扬李广的忠实诚信，是以关心士兵疾苦来充实的，所以他死之日，天下知与不知"皆为尽哀"。反之，对于赫赫声名的暴虐人物，司马迁则投之以讥酸的感情。他批评秦始皇“自以为功过五帝，地广三王，而羞与之侔”；批评商鞅“天资刻薄”；王翦“偷合取容”，其孙“王离为项羽所虏”；李斯“阿顺苟合，严威酷刑”；蒙恬“固轻百姓力”而“阿意兴功”。始皇及其辅秦人物，个人功业虽就，但不恤人民，最终不免身败名裂，都受到了司马迁的笔诛。

司马迁评论历史人物兼有历史学家的严肃和文学家的激情。他评论人物爱憎分明，色彩鲜艳，感情激荡，是非皎然，以道德善恶为取向，表现一种诗人的激情，与古代人民的思想情怀相一致，往往带有生活直观的感情，但是生活直观的感情与深思熟虑的哲学理智及现实史事往往有差别。一个公正实录历史的历史学家，他的卓越见识，不仅要反映人民的直观感情，而且要忠实地记载史事，还要做出历史学家的客观分析，也就是要做到爱不虚美，恶不毁功，把感情与史事二者统一起来。在这方面司马迁作出了很好的实践。一是载述和评论人物运用了冷静的理智分析；再是编纂方法运用互见法对材料作了艺术的布局。具体说，《史记》的“论”、“赞”往往直抒胸臆，表达强烈的感情倾向，而传记载述则善恶必书；《太史公自序》撮其要旨，侧重史事分析，又十分冷静。例如司马迁对李广、卫青、霍去病等征伐匈奴的将领所作的载述和评论，就构成了鲜明的对照。

司马迁写李广一唱三叹，对老将军的不平遭遇，寄予了深厚的同情，论赞达到高潮，对李广忠实诚信的品德的赞颂一往情深。记载卫、霍，则多曲笔讽喻，论赞借苏建语批评卫、霍两将军虽声威赫赫，而“天下之贤大夫毋称焉”，又云“其为将如此”，蔑视口吻，运于笔端。司马迁还说，“李广才气，天下无双”；卫、霍不败，是“军亦有天幸”。这些评论着重从道德立论，因卫青不荐士，霍去病不爱护士卒，表达了人们直观的感情。这种直观感情的倾诉，旨在打动读者对李将军的同情，谴责专制政治亲亲疏贤的不公平待遇，吐发内心的不平。但感情并不是史实本身，因此司马迁在传中对史实作了详载。他实录了李广“自负其能”，几次覆军的事实，还记载了李广心胸狭窄，枉杀霸陵尉的事实，以及还有杀降的残忍行为等等，并不因爱而虚饰，因德而掩过。反之，对于卫、霍敢于深入敌后，屡立战功的事迹，并不因恶而抹煞。同样，对陈涉、项羽、彭越、韩信等人的过失并不隐晦，而对秦始皇及辅秦人物的功绩也不抹煞。总之，司马迁是一个善于表露感情，而又善于克制感情，理智冷静的历史学家，他能够做到评论历史人物既重视道德，而又不以道德为唯一标准；既重视功过是非的分析，又不以成败名位论英雄，发扬了中国古代实录历史的优良传统。司马迁的杰出贡献更表现在他既能实录史实，而又表达了强烈思想感情倾向，反映了古代庶民的喜怒情绪和道德取向，这是司马迁"一家之言"的精华。

八、人 才 观

司马迁第一个创造了以人为中心的纪传史，所以他是中国历史上第一个有系统理论的人才学论者。给人物立传，实际上就是对人才的发现。司马迁通过对众多历史人物功绩德行及其成长过程的记述，比较系统地表达了他的人才学思想，而且往往在"论"、"赞"中加以表述。

1. 立德立言立功者皆为人才

什么样的人，才可称为人才，古代思想家没有下过定义。司马迁的用语已经有了明确的概念。《太史公自序》说："扶义俶傥，不令已失时，立功名于天下，作七十列传。"可以说这就是司马迁对人才的定义。《太史公自序》揭示立篇旨意，喜欢用"嘉"字和"能"字。如"嘉仲悔过，作《管蔡世家》"，"鞅去卫适秦，能明其术，强霸孝公，后世遵其法，作《商君列传》"。三十世家序目用了二十个"嘉"字，七十列传序目用了十八个"能"字，这一区别谨严的用字，表现了世家、列传的等级序列。诸侯为藩辅，将相乃爪牙。蔡仲悔过为藩辅，司马迁用

"嘉"字以彰其善。商鞅以策谋辅秦立大功，司马迁用"能"字以扬其才。这些评论表现了司马迁对人才的珍惜，充分肯定了人才的社会作用。在《史记》人物传记的画廊里，除帝王将相之外，有儒墨诸子、刺客、游侠、医卜、俳优、商贾、食客等等社会各色人物。《货殖列传》记述盐铁巨商之外，有田农、货郎、贩脂、卖浆、洒削、胃脯、马医，甚至作奸犯科的掘冢、博戏之徒，都列入了人才的范围。显然司马迁是把百工技艺之人都视为人才，所以为布衣之士以及卑贱者立传，这是非凡的进步思想。

什么是理想的人才？司马迁认为，那些为民立德，为事业立言，为国立功的人可以垂名后世，是对社会最有贡献的人。他说："迁闻君子所贵乎道者三，太上立德，其次立言，其次立功。"① 《史记》的人物传记，主要内容就是记叙这三方面人物的言行。

从《史记》的具体记载中，立德的内容，大者指帝王的德政，小者指臣民的德义。如《五帝本纪》说轩辕"修德振兵"，称高辛"其德嶷嶷"，称帝尧"能明驯德"，称帝舜"天下明德皆自虞帝始"。《六国年表·序》称，"虞、夏之兴"，"德洽百姓"。《殷本纪》说，"汤德至矣，及禽兽"。《周本纪》说，周文王"与吕尚阴谋修德，以倾商政"。《孝景本纪》说，"孝文施大德，天下怀安"。至于一般人立德，指尚义、重信。如为义献身的人伯夷、叔齐，救孤的程婴、公孙杵臼，反暴的刺客，扶危救困的游侠等。立功，指为国家和人民作出贡献的人物。主体是指历代有建树的将相大臣，也包括社会各阶层的杰出人物，即医卜、星相、滑稽、货殖等。司马迁评论立功的人物，也以爱民为前提，如对秦朝酷烈将相的批评，与对汉初将相无为治国的赞颂就是生动的例证，不必引述。立言，指留下著作传世的人，以及儒林经师。立功与立言二者，司马迁把立言者排在第二位，但他对立言者的赞颂却是最高的。他在《报任安书》

① 《与挚伯陵书》，载皇甫谧《高士传》，收入《全上古三代秦汉三国六朝文》。

中说："古者富贵而名摩灭，不可胜记，唯俶傥非常之人称焉。"接着他历数了演《周易》的西伯，作《春秋》的孔子，赋《离骚》的屈原，著《国语》的左丘明，修《兵法》的孙膑，传《吕览》的吕不韦，写《说难》、《孤愤》的韩非。对传道授业的孔子，更是推崇备至，称为"至圣"。司马迁本人就是追步孔子"成一家之言"的立言者。

2. 自奋成才

人才从哪里来？是天生的，还是后天成长的，这是唯心与唯物认识的分野。儒家学说主张天才论。孔子说："天生德于予"[①]，又说："唯上智与下愚不移。"[②] 孟子更进一步说："天之生斯民也，使先知觉后知，使先觉觉后觉。予，天民之先觉者也。"[③] 汉代天人感应学说盛行，司马迁尚未完全摆脱天命论的影响，例如说刘邦就是得天命的大圣。但他主要强调人的作用，认为人才不是天生的，而是时势造成的。他借陈胜之口喊出了"王侯将相宁有种乎"[④] 的名言。汉初将相多布衣之士，如萧何、曹参为小吏，陈平、韩信少时都是贫民，周勃织薄曲，樊哙是狗屠，灌婴是小贩，夏侯婴是车夫，他们都是秦汉之际的时势风云造成的。他在《樊郦滕灌列传·赞》中说："吾适丰沛，问其遗老，观故萧、曹、樊哙、滕公之家，及其素，异哉所闻！方其鼓刀屠狗卖缯之时，岂自知附骥之尾，垂名汉廷，德流子孙哉？"所谓"附骥"，指的就是乘时起事，追随刘邦成就了功名。

个人成名，不排除机遇和幸运，然而发愤自强才是成功的根本条件。司马迁在《傅靳蒯成列传·赞》中指出，阳陵侯傅宽、信武侯靳歙、蒯成侯周緤等平庸之将，他们追随高祖刘邦攻城野战，诛杀名将，却"未尝困辱，此亦天授也"。所谓"天授"，就是命运好。刘邦与项羽战，经常败北，傅宽等人是幸运

① 《论语》第七《述而》。
② 《论语》第一七《阳货》。
③ 《孟子》卷一〇《万章下》。
④ 《史记》卷四八《陈涉世家》。

者。但他们“操心坚正”，忠诚于刘邦的品德却是成功的根本。司马迁又在《范雎蔡泽列传·赞》中评论范、蔡游说诸侯“至白首无所遇者”，而入秦取卿相，可以说是“士亦有偶合”，他们得到了机遇。司马迁感慨地说：“贤者多如此二子，不得尽意，岂可胜道哉？”为什么许多人得不到机遇呢？司马迁用“长袖善舞，多钱善贾”这两句当时流行的谚语来说明。没有飘然自如的长袖，就难以创作优美的舞姿；没有雄厚的经济实力，就不可能得心应手地经商创业。这讲的是人才成长要有机遇。秦国图强招士，这一政治舞台给范、蔡二人提供施展才能的机遇。但是，“二子不困厄，恶能激乎”？范、蔡两人不在东方遭困顿，怎么肯西入秦国呢？这讲的是主观努力。机遇只能给勤奋自强的人。苏秦、张仪两个人也是在失败中取得成功的。

司马迁遭受腐刑备受人生奇耻大辱，隐忍苟活完成《史记》，所以他对于历史上自奋立名的人备加赞赏。他在《报任安书》中说：“立名者，行之极也。”司马迁把修身立名推崇到极致，认为是人生道德的最高表现，就是强调自奋图强是成才的根本条件。

3. 主张任贤使能，颂扬治平天下的贤相良将

司马迁人才思想的核心内容是得贤才者得天下，主张用贤相良将以治平天下。《刘敬叔孙通列传·赞》引谚语曰：“千金之裘，非一狐之腋也；台榭之榱，非一木之枝也；三代之际，非一士之智也。”治平天下需要众多的贤才。《楚元王世家·赞》又说：“国之将兴，必有祯祥，君子用而小人退；国之将亡，贤人隐，乱臣贵。……贤人乎，贤人乎，非质有其内，恶能用之哉！甚矣，‘安危在出令，存亡在所任’，诚哉是言也！”三代的兴亡如此，春秋列国的争战如此，楚亡汉兴尤其如此。司马迁批评汉武帝用人不当，主观决策，“是以建功不深”。他十分感慨地说：“尧虽贤，兴事业不成，得禹而九州宁。且欲兴圣统，唯在择任将相哉！唯在择任将相哉！”[①] 由此可见，司马迁对于

① 《史记》卷一一〇《匈奴列传·赞》。

贤相良将治平天下的作用有着深刻的认识。他把用人得失强调到关系国家兴亡的高度。

殷周之际，纣王昏乱，诸侯多叛纣而往归西伯。王子比干不谏，不听。商容贤者，百姓爱之，纣废之，西伯乘机灭饥国。大臣祖伊奔告纣："维王淫虐用自绝，故天弃我……今王其奈何？"纣王拒谏说："我生不有命在天乎！"祖伊深深叹息说："纣不可谏矣。"① 其后，武王观兵孟津，不期而会者八百诸侯。诸侯说："纣可伐矣。"武王说："女未知天命，未可也。"又过了两年，纣杀王子比干，囚箕子，太师疵、少师强抱其乐器奔周。于是武王遍告诸侯说："殷有重罪，不可以不毕伐。"② 一战而灭纣。

春秋时，齐桓公得管仲、鲍叔、隰朋，高傒，"修齐国政，连五家之兵，设轻重鱼盐之利，以赡贫穷，禄贤能，齐人皆悦"③。桓公称霸，"九合诸侯，一匡天下，管仲之谋也"④。战国时，燕昭王用乐毅为将，率兵伐齐，势如破竹，下齐七十余城，唯莒城和即墨不下。燕惠王逐乐毅，齐田单施奇计，用火牛攻燕军，"遂存齐社稷"⑤。秦国的富强，更是得人才以兴的典型。战国之世，司马迁写了二十一个传，秦国人物就占了九个传。《商君列传》、《张仪列传》、《樗里子甘茂列传》、《穰侯列传》、《白起王翦列传》、《范雎蔡泽列传》、《吕不韦列传》、《李斯列传》、《蒙恬列传》这九传都是记载秦之所以兴的贤才。秦孝公用商鞅，民富国强；秦惠王用张仪，连横告成；秦昭王用白起，破赵长平；范雎建远交近攻之策，南拔楚鄢郢，北困三晋，东破齐，各个击破了东方六国。秦始皇奋六世之余烈，在李斯、王翦、蒙恬等人的辅佐下，终于一统天下，北却匈奴；反之，东方六国，楚王流放屈原，地日以削；魏不用信陵君；

① 《史记》卷三《殷本纪》。
② 《史记》卷四《周本纪》。
③ 《史记》卷三二《齐太公世家》。
④ 《史记》卷六二《管晏列传》。
⑤ 《史记》卷八二《田单列传》。

赵杀良将李牧，导致国家速亡。当苏秦拜六国相之时，秦人不敢东出函谷关者十五年。齐王用奸佞之后，“不修攻战之备，不助五国攻秦，秦以故得灭五国。五国已亡，秦兵卒入临淄”，齐亦亡。[①]

楚亡汉兴，用人的得失更是起了至关重要的作用。萧何、曹参、留侯、陈平、周勃、张耳、彭越、黥布、韩信、卢绾、樊哙、郦商、夏侯婴、灌婴等一大批贤相良将佐刘邦打天下，真是人才济济。项羽手下的贤才都跑到刘邦那边去了，剩下一个范增还不用，成了孤家寡人。

值得注意的是，司马迁记叙贤相良将的治平作用，总与“天”字相连。这是接受“天人相与”说影响的流露。但司马迁更重视人为而不信天命。他对项羽战败，引“天亡我”以自解的言论，直斥为“谬”，这是人们熟知的。又如写纣王一味迷信得天之助，不施善政，不用贤才，结果天命就完蛋了。看来，司马迁是继承了孟子的以民心视天心的思想观点而做了积极的发挥。又如前引《楚元王世家·赞》，是发挥《中庸》的一个观点。原语是“国家将兴，必有祯祥；国家将亡，必有妖孽”，带有浓厚天人感应的宿命论色彩。司马迁赋以“君子用，小人退”，“贤人隐，乱臣贵”的历史内容，接过古代人们天命论的语言，改造灌注以具有唯物主义的新思想，对历史的成败盛衰提出了合理的新解释，这是一个大胆的创新。司马迁赞贤才为君子，称他们的用世是国家的祯祥；斥乱臣为小人，说他们的尊贵是社会的妖孽。他一往情深地称赞屈原的崇高品德可“与日月争光”，读其赋，悲其志，观屈原所自沉渊，“未尝不垂涕，想见其为人”。[②] 因为屈原忠君爱国，他同邪恶势力作了决不妥协的斗争，与人民的爱憎一致。反之，对暴虐人民的成功者，如辅秦富强而一并天下的商鞅、王翦、李斯等人，既颂其功业而贬其德行，亦是表现人民的爱憎感情。可以说这些思想是

① 《史记》卷四六《田敬仲完世家》。

② 《史记》卷八四《屈原列传·赞》。

《史记》人民性之一。

4. 不同凡俗的德才兼备观

对人才的要求“德才兼备”，这是古今同论。贤人政治本来是儒家的传统主张，孔子论为政就说“举贤才”①。又说：“举直错诸枉，则民服；举枉错诸直，则民不服。”② 儒家也讲德才兼备，但强调用人以德为先。儒家之德以忠孝为本，礼义为耻，所以在实际政治中，以愚忠愚孝之人为贤才，因此封建统治者总是用奴才而不用人才。司马迁颂扬德才兼备，但对人君更要求德，而对忠臣良将则要求才。司马迁认为人才不是完美无缺的，他不求全责备。他写的许多历史人物都有缺点，甚至有恶行，并对缺点和恶行进行猛烈的抨击，但却不埋没他们的功绩。例如吴起杀妻求将，品行可谓大恶，但魏文侯却看重他的军事才能，用为西河守，秦人不敢出。又如白起杀降，陈涉诛故人，陈平盗嫂受金，他们都不是完人。但并不影响他们成为顶天立地的男子汉。这些例证，举不胜举。

扬雄《法言·君子篇》说：“多爱不忍，子长也！仲尼多爱，爱义也。子长多爱，爱奇也。”李长之先生指出：“司马迁爱一切奇，而尤爱人中之奇。人中之奇，就是才。司马迁最爱才。司马迁举称他爱的才为奇士。”③ 这一评论是符合实际的。司马迁对于人才，不论门第尊卑，也不管职业高下，只要是奇才，就为之立传颂扬。至于他倾心颂扬的陈涉死国，伍子胥雪耻，荆轲抗暴，游侠犯禁，这些人的奇行异趣，都是向国君、帝王挑战，要改变不合理的社会，更是突破了传统愚忠愚孝的德行界限，远远地超越了时代，闪耀着民主性的光辉。

5. 司马迁人才思想形成的历史条件

中国古代的人才学研究，实践走在理论的前面。春秋战国之世，列国纷争，变法图强，打破了世卿世禄的门第垄断，时势需要，各种各样的人才脱颖而出。列国争相招揽人才，“至有

① 《论语》第一三《子路》。

② 《论语》第二《为政》。

③ 《司马迁之人格与风格》，三联书店 1984 年版，第 93 页。

画半策而绾万金，开一说而锡琛瑞。或起徒步而仕执珪，解草衣以升卿相。”① 战国四公子养士，鸡鸣狗盗之徒皆得以展其所长。孔子及诸子百家开门授徒，实际是进行人才培养。儒家贤人治国的理论就是一种人才学思想。墨子也提出了“尚贤”的主张。但这些“尚贤”的主张，只是一般的理论阐述，儒家“尚贤”，着重是道德修养，严格说还不具备人才学理论。发展到汉儒，提倡以礼义防人欲，更是抹煞人才成长的理论。但是汉武帝的功业，造就了大批人才的成长。司马迁的人才学思想，主要是在“通古今之变”的历史总结中形成的。他继承了儒家的思想资料而大大地向前发展。司马迁哲学历史观的二元论在人才学思想上也有突出的反映。他主张人才不是天生的，是时势造成的，但又没有完全脱离天命论的色彩；他认为民心向背对历史的发展起最后决定性的作用，却又认为得人才就能得天下，宣扬英雄史观。司马迁人才思想最杰出的成就，是论证了人才的成长需要磨炼，既强调机遇的客观条件，更重视自奋立名的主观努力。司马迁的人才思想，既通过评论，而又更是通过活生生的人物形象来表达的，深奥之理变得十分亲切而通俗。这些都是司马迁的一家之言。

① 《后汉书》卷六十七《党锢列传序》。

第九章　大一统时代的骄子

本章评述司马迁对《史记》的修订及卒年，重点探讨《史记》成书的历史条件，以及如何评价司马迁。可以看出，《史记》的产生，是时代的呼唤。司马迁是大一统时代的骄子。

一、《史记》完稿与修订

1. 太始四年，《史记》基本完稿

《史记》完稿，《太史公自序》云："凡百三十篇，五十二万六千五百字，为《太史公书》。"司马迁计点篇目字数寓有深意。他在《报任安书》中说："仆诚已著此书，藏之名山，传之其人通邑大都，则仆偿前辱之责，虽万被戮，岂有悔哉！"计点篇目字数，表明自己十分美满地在有生之年完成了雪耻的心愿，发愤之作大功告成，这是多么惬意的事啊！此其一。司马迁在《孔子世家》中说孔子著《春秋》，"笔则笔，削则削，子夏之徒不能赞一辞。弟子受《春秋》，孔子曰：'后世知丘者以《春秋》，而罪丘者亦以《春秋》'。"《史记》效《春秋》，是非裁夺一出于司马迁之手，“俟后世圣人君子”评说，增一字与减一字都是不可以的，表现了司马迁的自信与超越，追步圣人毫不逊色！此其二。此外，司马迁留下的这一篇目及字数统计，可为今天研究《史记》断限与“十篇缺”的重要标尺，这或许是司马迁先知先觉的预设，也或许是他非始料所及之事。司马迁死后，两汉儒者竞相续补，或遭当路者删削，这篇目字数的统计成了《史记》一书无形的护法神。

《太史公自序》作于何年，无法考知。但司马迁却在《报任安书》中透出《史记》基本完稿的消息，考知《报任安书》的写作时间，就大体可知司马迁的写作进程。《报任安书》云：

> 仆窃不逊，近自托于无能之辞，网罗天下放失旧闻，考之行事，稽其成败兴坏之理，（上计轩辕，下至于兹，为十表，本纪十二，书八章，世家三十，列传七十），凡百三十篇，亦欲以究天人之际，通古今之变，成一家之言。

上述引文中括号内“上计轩辕”以下七句据五臣注《文选》本补入。计，借为记。这几句总括《史记》五体篇数与《太史公自序》相符，所以它透露了《史记》已基本完成，但还没有最后定稿。试与《太史公自序》的总括文字作一对照，就可看出问题。《自序》曰：

> 网罗天下放失旧闻……上记轩辕，下至于兹，著十二本纪……作十表……作八书……作三十世家……作七十列传，凡百三十篇，五十二万六千五百字，为《太史公书》。

对照两段文字有三点不同：第一，《史记》五体的编次顺序不同。《报任安书》序列为：表、本纪、书、世家、列传；《太史公自序》排列为：本纪、表、书、世家、列传，与今本《史记》吻合[1]。第二，《报任安书》未定书名；《太史公自序》定名为《太史公书》。第三，《报任安书》无字数统计，《太史公自序》总计全书为五十二万六千五百字。三点不同，说明《报任安书》作于《史记》即将完稿之时，而早于《太史公自序》。司马迁作《报任安书》之后，仍在继续修订。

《报任安书》的内容，本书第五章已做了剖析，它是司马迁痛定思痛的回溯，正因为《史记》已大体完成，他才写了这封回信，向知心朋友一倾忍辱著书的郁闷，并表达他的抗争精神。所以，考证《报任安书》的写作时间成了一个重大的学术问题，它对于了解司马迁的写作进程及推知卒年都具有重要意义，因而成为长期以来争论的问题。主要有两说。

清赵翼在《廿二史劄记》中认为写于汉武帝征和二年（前91年）。征和二年巫蛊事发，太子刘据起兵讨权臣江充。当时任安任北军使者护军，太子授节给他，命令出兵助战。任安受节却闭门不出，首鼠两端。事平，任安被钱官小吏揭发，处以腰斩。赵翼根据“今少卿抱不测之罪”等语，认为任安在巫蛊案中下狱，于狱中写信给司马迁，要他“推贤进士”，援救自己。清包世臣认为“推贤进士”四字是任安征和二年蒙罪后求援的隐语[2]。今世时贤又多解“会东从上来”，为征和二年司马迁扈从武帝由甘泉回长安。据此，任安致函司马迁和司马迁回信任安，均在征和二年。

王国维《太史公行年考》则根据《报任安书》中“书辞宜答，会东从上来……涉旬月，迫季冬，仆又薄从上上雍”这几句话推定《报任安书》作于太始四年。因为《武帝纪》载，武帝出巡，在一年中既东巡，而后又西上雍，只有太始四年。又据《任安传》载汉武帝语“安有当死之罪甚众，吾常活之”云云，任安于太始四年另犯有“不测之罪”，而非巫蛊案。依照王说，我们可以推知，任安在太始四年所犯“不测之罪”，终因司马迁营救

① 《报任安书》列《史记》五体，“表”在“本纪”之前，表明写作程序，先完成十表以正史事纪年为写作指导，全书完成调整五体序列，移“表”为“本纪”之后。

② 《艺舟双楫·复石赣州书》。

而获免。正由于司马迁营救了任安，所以才在《报任安书》中诉说衷肠，让任安做两手准备，或自裁，或侥幸，但对喜怒无常的汉武帝不要抱幻想。按王国维说，两人通信在太始四年，早于征和二年两年。

按核事实，王说比赵说为优。首先“会东从上来”，方位词“东”的用法，叙事者若系离去才能解为“往东”①；若系归来，只能解释为“自东”。《史记·秦始皇本纪》“谒者使东方来，以反者闻二世”，可为此作注脚。司马迁接任安信，“会东从上来”，即正赶上从巡武帝自东边回长安来。太始三年武帝东巡海上；太始四年，武帝东封泰山，五月还京师。任安致函司马迁必在这两年，在太始四年可能性最大。因封禅泰山是国家大事，巡幸海上是求仙。“推贤进士”属国家大事。元封元年封禅泰山，此后五年一修封成为定制。太始四年修封泰山是例行典礼，任安选此时机劝勉司马迁“推贤进士”顺理成章。包世臣认为“推贤进士”是任安求援的隐语，此说甚辨，但与情理事实不符。试想任安犯了死罪向知心朋友司马迁求援，却转弯抹角用隐语；而司马迁却迟迟不回信，直到临刑前才回信，不但不谈救援之事，倒诉说起自己的衷肠，还在“推贤进士”隐语上大做文章，这种滑稽戏，绝非任安、司马迁两人之所为。又，武帝诛杀任安，应在征和三年春夏之交。巫蛊案武帝视太子为叛逆而大封功臣，直到田千秋上书讼太子冤，武帝思子改变了对任安的态度，才得以被小人乘间。任安、刘屈氂等人均被诛杀，这是征和三年的事。当然，由于史事久远，具体时间缺载，合理推论也难免有差错。也有这样的可能，任安致函司马迁在太始四年，司马迁回信在征和二年，因“阙然不报”，两信间隔可以是几个月，也可以是一两年。那就存疑待考吧。本书依从王说。

2. 司马迁对《史记》的修订

司马迁在《报任安书》中说，天汉三年他受祸之时“草创未

---

① 甘泉宫在长安北面偏西，由甘泉回长安建章宫，与其说往东，毋宁说往南，充其量只能说往东南行，按地理位置也不能说“往东”。

就”，即《史记》一书尚未完成。《报任安书》又说“鄙没世而文采不表于后也”，则是对已成之篇的修订润饰。这两项工作当是交叉进行，太始四年以后则主要是最后的编定工作。由于史料无征，我们难以查考《史记》篇目的写作编年，但从篇中所透露的生平印记，特别是李陵案的余响，可以大体推测出司马迁作史阶段及修订内容，并从中领略他的发愤精神和诗人气质。先说修订内容，主要有四个方面。

（1）调整篇目与编定次序。《史记》规划，元狩元年起司马谈已发端述作，元封三年司马迁相继撰述，至太初元年开始定稿，大约《史记》规模已粗具。天汉三年，司马迁受祸，思想立场从温和刺讥转到激烈抗争，对全书篇目以及已完成的篇目内容必有相当大的调整，用以寄发感慨，留下李陵案的余响。像酷吏、游侠等篇，感情愤激，必是写于受祸之后。试作简要分析。《酷吏列传》，集中写武帝一朝的酷吏，他们一个比一个苛暴，而“上以为能”，讥刺刻骨。司马迁恨透酷吏，写他们的下场一个个不得好死，杀头，弃市，族灭！而直接迫害司马迁的杜周，专以人主意指为狱，既苛酷又贪婪。杜周初为廷史，只有一匹鞍辔不全的马，等到他做御史大夫时，子孙尊官，家资累巨万。杜周善终，死于太始三年，司马迁独不书卒，留给读者去悬想，言外他不配有善终的下场。《游侠列传》为一干犯朝廷纲纪的侠义之士立传，开篇议论立传理由：“今游侠，其行虽不轨于正义，然其言必信，其行必果，已诺必诚，不爱其躯，赴士之厄困，既已存亡死生矣，而不矜其能，羞伐其德，盖亦有足多者焉。”寄寓了对理想友谊的向往。司马迁一则曰：“缓急，人之所时有也。”再则曰：“要以功见言信，侠客之义又曷可少哉！”司马迁之横遭极刑，“交游莫救”，在此发出对真挚友谊的呼唤与渴求，不是跃然纸上吗！《伯夷列传》对惩恶佑善的天道提出质疑，其中更多有愤世之言，如“时然后言，行不由径，非公正不发愤，而遇灾者，不可胜数也”，是极为显明的李陵案余响。这些篇目不仅写成于受祸之后，更有可能是受祸后调整篇目新增加的内容。《管晏列传》亦以议论为主，不载传主事功而载轶事。这样选材，便于抒发议论。本篇论友道，论不羞小节，论荐士，慷慨激昂，可以说是司马迁写的一篇知己论，亦当是李陵案之余响。又《魏其武安侯列传》，为平庸外戚作传，深刻地揭露了西汉盛世下的宫廷斗争，描写了上层统治集团的互相倾轧，表现了对专制主义黑暗政治的批判和谴责。笔锋犀利，语言简洁，人物富有个性，对话宛然，声口毕肖。此篇立意与笔力，非受祸之后不能写出。

至于全书编次，参阅本书前述第六章关于“五体篇数及序列义例”一节，既然《史记》五体结构是一个人工创作的系统工程，在全文完成后再做精意编排，那是不言而喻的。

（2）抒愤寄托，鸣写不平。司马迁受祸，“鄙没世而文采不表于后”，故于书中极力抒写，借他人事迹寄寓感慨。这是修订的主要内容。抒愤寄托，首推《屈原贾生列传》。首先，司马迁的人格、遭遇及写作心情，自己与屈原两人相似而相通。“屈平正道直行，竭忠尽智，以事其君”，结果“谗人间之”，“信而见疑，忠而被谤”；司马迁“绝宾客之知，忘室家之业，日夜思竭其不肖之才力，务一心营职，以求亲媚于主上”，结果横遭口祸，被刑蒙耻。司马迁说，“屈平之作《离骚》，盖自怨生也”；《史记》“述往事，思来者”，故司马迁高度评价屈原的“怨”，借以肯定《史记》的激扬抒愤精神。其次，司马迁强调《离骚》“作辞以讽谏，连类以争义”的战斗精神，正表明了司马迁以屈原为榜样，敢于触犯时忌，讽喻当世的黑暗。司马迁二十壮游就寻访屈原的足迹，感怀凭吊，读其书，想见其为人。所以屈原传记，当是早年所作。而今本《史记》的《屈原贾生列传》，又必为受祸后重新精意撰写，饱含深厚感情塑造了屈原“信而见疑，忠而被谤”而“怨”而“愤”的人物形象，托以自悼。清人李晚芳就说：“司马迁作《屈原传》，是自抒其一肚皮愤懑牢骚之气，满纸俱是怨辞。”[1]

其次，当数《伍子胥列传》。伍子胥不听昏庸楚王之乱令，违犯君臣之“义”，逃往吴国，借兵报仇，司马迁不加非难，反而高度赞扬他“弃小义，雪大耻”，是真正的男子汉，“烈丈夫”，

① 《读史管见》卷二《屈原列传》。

表现了反传统的叛逆精神。

赞扬忍辱负重，困厄发愤精神的有《虞卿列传》，说虞卿非穷愁，亦不能著书，以自见于后世；《范睢蔡泽列传》，说范蔡二人不困厄不能激发智慧以取卿相；《季布列传》，说季布斩将夺旗，是一个壮士，然而被通缉却为人奴不死，受辱不羞，终为汉名将，称得上是“贤者诚重其死”。这些议论，正是司马迁忍辱负重精神的寄托。[①]

司马迁写人际关系，痛恶“以势利交”，慨叹世态炎凉，在许多篇章中明显地渗透着他自己的人生体验[②]，并把他的爱恨强烈地在赞论中表现出来。《卫康叔世家·赞》云：“太史公曰：余读世家言，至于宣公之太子以妇见诛，弟寿争死以相让，此与晋太子申生不敢明骊姬之过同，俱恶伤父之志。然卒死亡，何其悲也！若父子相杀，兄弟相灭，亦独何哉？”在阶级社会中，权力与利欲扭曲了人性，即使是父子、兄弟之间的血缘关系也挡不住利害的冲突，何况于朋友之间的势利交！司马迁对臣弑君、子弑父、朋友反仇等等恶行进行了强烈的谴责。但司马迁并没有丧失对真善美追求的信念。他把吴太伯立为世家之首，塑造了吴太伯与延陵季子在竞相夺权逐利的世风背景下拱手让国的典型形象。如果一个连天下都可相让的人，他还有什么私心杂念不可以抛舍呢？司马迁在《张耳陈馀列传·赞》中，强烈谴责张耳陈馀以势利交的同时，倾心赞美吴太伯、延陵季子相让的仁心，这是有意安排的强烈对比。《平津侯主父偃列传》谴责趋炎附势的“宾客以千数”，同时赞颂了不怕忌禁杀头而收葬主父偃的孔车，这也是真、善、美与假、丑、恶的强烈对比，用以抒发“交游莫救”的愤世情怀。

在《史记》中，司马迁抒愤自况的例子无处不在，它表现了司马迁坦诚的胸怀，爱憎分明的感情，喜怒哀乐发自真情。他恨酷吏，就大声斥呵：“何足数哉！何足数哉！”他敬慕李广的为人，就热情赞叹：“桃李不言，下自成蹊。”他忻慕晏子荐贤，情

---

① 参阅本书第五章“发愤著书”一节中有关内容。

② 参阅本书第八章“道德观”一节中关于痛恶“以势利交”的有关内容。

不自禁地说，愿“为之执鞭”。他所写《屈原列传》、《伯夷列传》，语言如同诗一样回肠荡气，富于激情。清恽敬说：“今读伯夷、屈原等列传，重迭拉杂，及删其一字一句，则其意不全，可见古人所得矣。”① 如关于《离骚》的写作动机和主旨，就重迭复沓以致意。一则曰：“屈平疾王听之不聪也，谗谄之蔽明也，邪曲之害公也，方正之不容也，故忧愁幽思而作《离骚》。”再则曰：“信而被谤，能无怨乎？屈平之作《离骚》，盖自怨生也。”三则曰：“其存君兴国而欲反复之，一篇之中，三致志焉。”司马迁的评说，也是“一篇之中，三致志焉”。一唱三叹，把作者对屈原的敬仰、同情与对邪曲的愤慨，倾注于笔端，字字句句都迸发出感人的力量，所以增一字减一字都是不可以的。由此可见司马迁炽烈真挚的诗人气质与情怀。他对于自己所写的人和事，是倾注了全力，用尽了自己全部的赤诚。这就是司马迁“鄙没世而文采不表于后”的发愤精神。可以推想，渗透于《史记》许多篇章的抒愤情怀，如果不是晚年反复修订，不可能具有如此的深沉和纯熟。至于只在篇中插入或只在“论”、“赞”中发出的抒愤自况语言，显然留下修订痕迹。如《张耳陈馀列传》的赞语就是一篇典型的例证。

（3）附记太初以后大事。内容涉及十六个篇目，凡二十二人，集中在李陵案、巫蛊案两件大事上，可以看出是司马迁的精心布局，各体照映符合若节。十六个篇目为：书一篇，《封禅书》；年表四篇，《高祖功臣侯者年表》、《惠景间侯者年表》、《建元以来侯者年表》、《汉兴以来将相名臣年表》；世家三篇，《外戚世家》、《曹相国世家》、《梁孝王世家》；列传八篇，《韩信卢绾列传》、《樊郦滕灌列传》、《田叔列传》、《李将军列传》、《匈奴列传》、《卫将军骠骑列传》、《酷吏列传》、《大宛列传》。所记二十二人，其中记天汉间事六人：尹齐之死，大宛立昧蔡为王，李陵降匈奴，汉武帝封禅，梁平王刘襄卒，杜周为御史大夫。记太始间事一人：汾阳侯靳石，太始四年纵奸失侯。记征和间事十人：征和二年坐巫蛊案被族者七人：卢贺，公孙贺，韩说，曹宗，田

① 《大云山房文稿》二集卷一。

仁，公孙敖，赵破奴；征和三年三人：卞仁坐祝诅国除，李广利降匈奴，刘屈氂因巫蛊斩。记武帝末后元间事五人：郦终根，秋蒙，李则，唯徐光，四人均坐祝诅上，国除，乃巫蛊案之余波；韩曾复封为侯，因韩说在巫蛊案中无辜被杀，司马迁特记其后嗣侯。这些人和事集中在巫蛊案和李陵案两件大事上，寓有微旨。司马迁受李陵之祸，故详记李陵与贰师两将军投降匈奴始末，让历史证明武帝偏袒李广利是完全错误的。故《匈奴列传》记事止于征和三年贰师李广利降匈奴，又在《汉兴以来将相名臣年表》征和三年栏补上一笔"春，贰师将军李广利出朔方，以兵降胡"，特别醒目。《建元以来侯者年表》太初以后见侯三十一人，司马迁只记葛绎侯公孙贺、按道侯韩说二侯终始，因均与巫蛊案相关连。汉武帝求神拜仙，迷信猜忌，导致了晚年的巫蛊案，葬送了太子，自是一特大事件。司马迁以李陵案、巫蛊案两件大事终结武帝一生行事，本是太初以前记事的延续、互见，其势不得不附载。也就是说，李陵案与巫蛊案是司马迁修订《史记》，附记太初以后事的一条明显的脉络。

（4）补载或修订太初以前史事。《史记》中有十二篇记载太初以前史事而有"武帝"字样，不似后人窜乱文字。《汉兴以来诸侯王年表》、《汉兴以来将相名臣年表》表列汉武帝史事，起首皆为"孝武建元元年"。又，在诸侯王表中，在元狩六年四月乙巳下书武帝三子立王，均书"武帝子"。《孝景本纪》云："太子即位，是为孝武皇帝。"《外戚世家》载卫皇后一节，称"武帝"。联系前后文字，这一节是补插文字，显然是后加的，写于陈皇后之前。而在陈皇后一节文字中，又已经写了卫皇后事迹。《卫将军骠骑列传》，附载的公孙贺等十六人，一律书作"武帝"，显然是补写。此外，《屈原贾生列传》、《张释之冯唐列传》、《万石张叔列传》、《李将军列传》、《平津侯主父偃列传》、《汲郑列传》、《酷吏列传》，均有"武帝"字样。可以说这是司马迁在昭帝之初仍在修订《史记》留下的痕迹。

二、司马迁的卒年

司马迁的卒年比生年更加难以考定，因为更加缺乏直接的史料。学术界推定司马迁的卒年共有七种说法，没有一种说法具有能够足以成立的史证，为省篇幅不一一俱引。如果没有新的史料发现，司马迁卒年之谜就永远不可能揭开。在史料未备的情况下，迫不得已而运用推理论证，提出一个具有实际意义的说法以供评说。推理论证必须符合两个原则：第一，要从确定的已知条件中引申，而不能凭主观猜想；第二，要符合逻辑程序，而不能陷入因果互证，循环转圈。按这两点精神，推论亦能求得共识。

学术界推论司马迁的卒年，主要是以下两个方法。

（1）用《史记》记事的下限来估算，这是王国维的方法。他确信贰师将军李广利降匈奴为司马迁最晚之记事，时在征和三年。三年后汉武帝辞世。王国维假定司马迁享年六十岁，故估定司马迁死于昭帝之初的始元元年，但并无可靠依据，只是认为司马迁最晚记事已至征和三年临近武帝卒年，所以提出了一个情理上的假说。为了谨慎，王国维的结论是：

> 案，史公卒年，绝不可考。然视为与武帝相终始，当无大误也。

这再次体现了王国维存疑的考信精神。“史公卒年，绝不可考”，说的是没有证据，就不能考定司马迁的绝对卒年。由于《史记》是司马迁生前定稿之作，并不是一部未完之书，所以在逻辑上是不能用《史记》的记事下限来考证太史公卒年的。但是，又由于《史记》是一部有严格体例的著作，其下限在太初四年。太初以后，司马迁有附记增补，这在逻辑上就存在最后记事为绝笔的可能。所以王国维考定征和三年贰师将军降匈奴为司马迁手笔，并认为这是最晚记事之后，于是提出“然视为与武帝相终始，当无大误”的结论。由于王国维的这一案语符合逻辑程序，是能够成立的。但是王国维推论的证据不足，还需要进一步完善。

(2) 根据《太史公自序》的《集解》引卫宏《汉旧仪》说司马迁有怨言，下狱致死的话，以《报任安书》的写作之年来定司马迁的卒年，这是郭沫若等人的方法。清人成瓘首发此论。他在《箬园日札》卷五《史记》“为两汉人所乱非由褚先生”条认为，征和二年任安坐戾太子事下狱死，“而太史竟坐是以死，死固在武帝前”。郭沫若力主此说，今之时贤多有信从者，大有定论之势。由于对《报任安书》写作年代的不同看法，用此法推定司马迁的卒年就有四说，为太始元年说，太始四年说，征和二年说，征和三年说等等。但是按照推理论证要有确定的已知条件与符合逻辑两个标准来衡量，这一方法是不能成立的。从逻辑上说，司马迁果真因怨言而下狱死，那就是死于汉武帝的文字狱，《史记》岂能不被禁毁？汉武帝诛其人而留其书，这是不合逻辑的。如果司马迁写完《史记》，已无牵无挂，他要公开向汉武帝挑战，诉冤泄愤，写完《报任安书》而勇敢地自裁才合情理。如果司马迁不作自裁，他既要泄愤，而又等着汉武帝来把他投进监狱，再一次受刑辱，这既不合逻辑，也不符合《报任安书》的精神。再看事实，卫宏说“有怨言，下狱死”，这个已知前提就有争议，它不能成为推论的起点。试辨析如下。

其一，卫宏书多疏失，《太史公自序》的《集解》引臣瓒说，《汉书·司马迁传》注引晋灼说，都指出了卫宏所说多不实，“未可以为正”。

其二，卫宏所言的“怨言”，系指《史记》，今人移作《报任安书》，比卫宏走得更远。先看卫宏的原说：

> 司马迁作《景帝本纪》极言其短及武帝过，武帝怒而削去之，后坐举李陵，李陵降匈奴，故下迁蚕室，有怨言，下狱死。

《三国志·王肃传》及葛洪《西京杂记》，有类似记载，实为卫宏说的转录或派生，不可据以为旁证。卫宏说司马迁坐“举”李陵，就与《报任安书》所言“夫仆与李陵俱居门下，素非相善也，趣舍异路，未尝衔杯酒接殷勤之欢”相乖谬。再看卫宏所指怨言，从行文语气均指《史记》，并具体点出篇目系景、武之本纪。武帝削书，正如梁玉绳指出：“《封禅》、《平准》诸篇，颇讥切，又何以不削。”[①] 班固载宣帝时杨恽宣布《太史公书》只字未提削书事。西汉大儒刘向、扬雄都极为推重《史记》为“实录”，褚少孙、冯商等人皆受诏续补《太史公书》。西汉时《史记》未有谤书之议，故续作者前后相继。东汉禁网渐密，章帝时白虎观集议五经同异，随后又诏杨终“删《太史公书》为十余万言”[②]，谤书之说渐起，至魏晋之际才正式有此谤议。西汉时没有人提出《史记》有亡缺，东汉卫宏是第一个提出《史记》被削除景、武二纪的人，大约武帝纪的亡失是在两汉兴亡之际，或为东汉当路者删，卫宏言是适应东汉政治形势而制作的，如此推论，或许才合逻辑。

其三，班固《司马迁传·赞》所云“既陷极刑，幽而发愤”，显系指遭李陵祸受腐刑的事件，故不能以班书为卫宏言之佐证。班固也曾因作史被人诬告下狱，所以他同情司马迁，“《书》亦信矣”，“亦其所以自伤悼”云云，正讽刺汉武帝滥用“极刑”，牢骚情绪溢于笔端，《报任安书》就是赖《汉书》传下来的。这里班固并无“隐晦含混”之辞。今之时贤举班书证卫宏言，说班固有弦外之音，实在牵强。

与卫宏言相反，在两汉名人的言论著作中，除卫宏外，并无汉武帝杀司马迁的记载，倒有对汉武帝不杀司马迁表示不满的话。《三国志·董卓传》裴松之注引谢承《后汉书》记载王允的话说：

> 昔孝武不杀司马迁，使作谤书，流于后世。

---

① 《史记志疑》卷七。

② 《后汉书》卷四八《杨终传》。

又《三国志·韦曜传》载，孙皓凤凰二年（公元273年），左国史曜（昭）下狱，右国史华覈上疏救曜。华覈云：

> 昔李陵为汉将，军败不还而降匈奴，司马迁不加疾恶，为陵游说，汉武帝以迁有良史之才，欲使毕成所撰，忍不加诛，书卒成立，垂之无穷。今曜在吴，亦汉之史迁也。

王允切齿汉武帝不杀司马迁，华覈史官上疏暴君孙皓救曜，皆言之凿凿，这足以证明卫宏所言无根。按华覈上疏，司马迁之所以能够用腐刑代死，是汉武帝惜其才，让其毕成《史记》一书。《史记》是太史令职任所修官书，要上之朝廷。《史记》中的讥切，《报任安书》中的怨言，尚在武帝的包容之中，所以《史记》及《报任安书》才得以流传。也就是说以《报任安书》写作之年来定司马迁卒年是不能成立的。

（3）以现成史料推论，司马迁当卒于昭帝之初。可列举六证如下。

其一，本章前节已论证，《史记》完成有字数统计，《报任安书》没有字数统计，只是透露基本完成。也就是说，司马迁写《报任安书》后依然活着，还在修订《史记》，这是一个确定无疑的已知事实。王国维考定司马迁最后记事就是从这一事实出发的。

其二，与司马迁相去未远的褚少孙明确说，“太史公记事尽于孝武之事”①，这是司马迁在太初以后修订《史记》以及死于武帝之后的有力证据。褚少孙，颍川人，寓居于沛，大儒王式弟子。褚少孙生于汉宣帝本始三年（前71年），五凤四年（前54年）十八岁应博士弟子选，甘露元年（前53年）以高第为郎，出入宫禁十余年，元成间为博士②。褚少孙入宫，距司马迁之死只有三十余年，他在宫中读《太史公书》，访故旧逸闻，续补

---

① 《史记》卷二一《建元以来侯者年表》褚补。

② 关于褚少孙事迹的考证，详见拙著《史记研究·关于史记续补与亡篇散论二题》一文，甘肃人民出版社1985年版。

《太史公书》，是一个治学严谨的大儒。他为博士后，曾与张夫子，即博士张老先生讨论《史记》义理，褚少孙是一个权威。王国维未注意褚少孙，是他考据的疏失。

其三，前节评述了司马迁对太初以后史事的续补附记，是怎样考证的呢？或者说是如何验证褚少孙的话呢？方法是把《史记》太初以后记事进行全面数据统计与内容分析。我们发现太初以后从天汉元年至后元二年十四年中的记事内容，有16个篇目，涉及22人，字数仅1544字，集中在巫蛊案、李陵案两件大事上，可以说这是有计划的终始太初以前记事中的大事，合于司马迁“咸表终始”的述史方针，所以是司马迁附记。武帝之后的记事有十一篇，史事涉及昭宣元成诸朝，字数达4997字，与附记对照明显地有两点区别：第一，史事分散，漫无边际；第二，涉及武帝身后数朝，绝非司马迁手笔，故为后人增窜。通过全面的统计分析[①]，不仅为褚少孙说提供了有力的佐证，而且充实了王国维的考证，司马迁与汉武帝相终始，无可置疑。

其四，前节已经论及，在今本《史记》中有十二篇记载太初以前史事而有“武帝”字样，不似后人窜乱文字，而是司马迁在武帝死后仍在修订《史记》的痕迹。因其事均属太初以前事，符合《史记》断限太初的原则，当是司马迁手笔，而不应是后人的点窜。

其五，《屈原贾生列传》末：“贾嘉最好学，与余通书。至孝昭时，列为九卿。”末二句，崔适认为是褚少孙所补，以往失察信其说。今细审行文，与以上各条参验，应为司马迁之文。

其六，昭帝始元六年（前81年）召开盐铁会议，桑弘羊在论战中多次断章引用《货殖列传》为自己辩护，称“司马子言”[②]。桑弘羊以御史大夫之尊称六百石秩的司马迁为“司马子”，应是对已故学问家的敬称来增加自己观点的权威，合于先贤遗教。司马迁死后受到当世人的如此尊重，绝不会是下狱死。由此

① 对司马迁续补附记与后人增窜的统计分析考据，亦详见拙著《史记研究》一书中《史记断限考略》与《史记残缺与补窜考辨》两文。

② 《盐铁论》卷四《毁学》。

可知，司马迁在昭帝始元六年之前善终，这也是一个确知的史实。

综上六点，司马迁的绝对卒年尚不可知，但他死于武帝身后而在昭帝始元六年之前却是确定无疑的，姑定为昭帝始元元年（前86年）以待查考。则司马迁一生大约享年六十岁，与武帝相终始是完全可以成立的。

三、《史记》产生的历史条件

《史记》产生在西汉盛世汉武帝时代，这绝不是偶然的。东汉史家班固对这一时代曾作了高度的理论概括，写下了一段精彩的议论：

> 汉兴六十余载，海内艾安，府库充实，而四夷未宾，制度多缺。上方欲用文武，求之如弗及。始以蒲轮迎枚生，见主父而叹息。群士慕响，异人并出。卜式拔于刍牧，弘羊擢于贾竖，卫青奋于奴仆，日磾出于降虏，斯亦曩时版筑饭牛之朋已。汉之得人，于兹为盛……是以兴造功业，制度遗文，后世莫及。①

汉武帝是西汉第五代皇帝。西汉经过高、惠、文、景四代人的治理，中央集权日益巩固。全国一统，国力充实，“蓄积岁增，户口寖息”②。政治稳定，经济繁荣，必然带来文化学术的高涨。武帝即位，深感“四夷未宾，制度多缺”，为了适应大规模用兵和上层建筑的改革，不拘一格录用人才，所以“群士慕响，异人并出”，“汉之得人，于兹为盛”。范文澜先生指出：“西汉一朝各

① 《汉书》卷五八《公孙弘卜式兒宽传·赞》。
② 《汉书》卷三二《刑法志》。

方面的代表人物如大经学家大政论家董仲舒，大史学家司马迁，大文学家司马相如，大军事家卫青、霍去病，大天文学家唐都、落下闳，大农学家赵过，大探险家张骞，以及民间诗人所创作经大音乐家李延年协律的乐府歌诗，集中出现在武帝时期。这是历史上非常灿烂的一个时期，汉武帝就是这个灿烂时期的总代表。”① 司马谈、司马迁父子两代又恰与汉武帝君臣相知，长期侍从左右，参与机要，在统治集团最高层深深体验宏阔昂扬的时代精神，这就是《史记》产生的历史背景和主观条件。试分析如下。

1.《史记》产生是时代的呼唤

这可从五个方面来看。

首先，如何巩固西汉王朝的统治，需要总结历史的经验，作出学术的综合。早在高帝即位之初，这位马上得天下的开国皇帝，就让陆贾总结“秦所以失天下，吾所以得之者何，及古成败之国”② 的历史经验，寻求长治之术。陆贾总结秦亡的教训是：秦代“事逾烦天下逾乱，法逾滋而奸逾炽，兵马益设而敌人逾多。秦非不欲为治，然失之者乃举措暴众而用刑太极故也。”③ 针对秦政之失，汉王朝做到徭役不烦，刑法不滋，兵马少设，减轻对农民的压迫剥削，才能巩固政权。这一套治国理论，刘邦“称善”，左右呼“万岁”，从而确立了汉初的无为政治。孝惠皇帝和高后继续执行这一治国方针，“君臣俱欲休息乎无为”，天下晏然，“民务稼穑，衣食滋殖”④。到了武帝即位的时候，民则人给家足，而府库余货财。农业技术提高了，手工业发展了，城市兴起，商业发达，全国一片欣欣向荣。可是，若把时钟拨回一百年，在秦汉之际，“三十年之间，兵相骀藉”，“死人如乱麻”⑤。陈涉发难，项羽灭秦，刘邦兴起，“五年之间，号令三嬗，自生

① 《中国通史简编》，修订本第二编，人民出版社 1965 年版，第 39 页。

② 《史记》卷九七《郦生陆贾列传》。

③ 《新语・无为》。

④ 《史记》卷九《吕太后本纪・赞》。

⑤ 《史记》卷二七《天官书》。

民以来，未始有受命若斯之亟也”[1]。翻天覆地的历史变化是怎样发生和发展的？这需要学术界对历史作出综合的研究来回答。文帝时，贾谊作《过秦》，贾山作《至言》，总结秦亡的教训，是陆贾《新语》工作的继续，还是侧重于政治方面。到了汉武帝时代，理论的归纳，大大向前推进了一步。董仲舒倡导“罢黜百家，独尊儒术”，治“春秋公羊学”，宣扬大一统，已经是学术综合的工作了。与司马谈同时而与司马迁相及的淮南王刘安，他纠集学者编纂了一部“观天地之象，通古今之事”[2] 的《淮南子》，更是学术综合的工作。司马谈《论六家要指》，强调百家殊途同归，“皆务于治”，明确地阐述了学术综合与治政的关系。司马迁对这一问题有着更深刻的认识，追溯到春秋战国之世。《十二诸侯年表·序》云：

> 是以孔子明王道，干七十余君，莫能用，故西观周室，论史记旧闻，兴于鲁而次《春秋》，上记隐，下至哀之获麟，约其辞文，去其烦重，以制义法，王道备，人事浃。……鲁君子左丘明……因孔子史记具论其语，成《左氏春秋》。铎椒为楚威王傅，为王不能尽观《春秋》，采取成败，卒四十章，为《铎氏微》。赵孝成王时，其相虞卿上采《春秋》，下观近势，亦著八篇，为《虞氏春秋》。吕不韦者，秦庄襄王相，亦上观尚古，删拾《春秋》，集六国时事，以为八览、六论、十二纪，为《吕氏春秋》。

这段议论把学术总结与现实的政治紧密相连，表明了司马迁的学术思想，继承其父《论六家要指》的宗旨，综合学术为治政服务。清代学者钱大昕说，《史记》的“微旨”有三，“一曰抑秦，二曰尊汉，三曰纪实”[3]，这正是司马迁所处时代的精神和时代的使命。

---

① 《史记》卷一六《秦楚之际月表·序》。
② 《淮南子》卷二一《要略》。
③ 《潜研堂文集》卷三四《与梁耀北论史记书》。

其二，西汉的文化发展提供了修史条件。司马迁修纂《史记》，“是长期的历史研究成果的集中体现”①。如果没有《春秋》、《尚书》、《左传》、《国语》、《世本》、《战国策》等史书的先后问世，就不可能凭空冒出《史记》这样的历史巨著。司马迁能够运用这些典籍，是西汉的文化发展提供的条件。在秦汉时代，书籍的传播，主要用简策书写，得书十分困难，昂贵的缣帛书更非一般人所能得。秦始皇焚灭诗书史记，以愚黔首，还不准民间读书、藏书，制造了人为的困难。司马迁“紬史记石室金匮之书”，这些图书是西汉王朝长期收聚起来的。班固说：“汉兴，改秦之败，大收篇籍，广开献书之路。迄孝武世，书缺简脱，礼坏乐崩，圣上喟然而称曰：‘朕甚闵焉！’于是建藏书之策，置写书之官，下及诸子传说，皆充秘府。”颜注引刘歆《七略》云：“外则有太常、太史、博士之藏，内则有延阁、广内、秘室之府。”② 早在惠帝四年，汉朝就废除了挟书律，奖励献书，提倡讲学。汉文帝曾派晁错到济南记录整理九十余岁老人，故秦博士伏生口授《尚书》。汉武帝即位之初就“征天下举方正贤良文学材力之士，待以不次之位”③。汉武帝还下令，“天下计书，先上太史公，副上丞相，序事如古春秋”④。所谓“序事如古春秋”，就是进行年月日的编纂整理，使天下计书皆为有用史料。成帝时刘向校书，国家更投入了大量的人力物力。汉武帝“建藏书之策，置写书之官”，实际上就是进行文化整理。这个工作由太史令主持。司马迁说：“百年之间，天下遗文古事靡不毕集太史公。太史公仍父子相续纂其职。”⑤ 也就是司马谈、司马迁相继主持文化典籍的整理工作，得以阅读秘籍图书，成为最博学的人。太史府等于是国家给司马迁设立的书局。

其三，雄才大略的汉武帝，加强了中央集权的统治。宏阔昂

① 白寿彝：《史记新论》，求实出版社 1981 年版。
② 《汉书》卷三〇《艺文志》及注。
③ 《汉书》卷六五《东方朔传》。
④ 《史记》卷一三〇《太史公自序·集解》引如淳所述卫宏《汉仪注》。
⑤ 《史记》卷一三〇《太史公自序》。

扬的时代，是《史记》成书的直接背景。汉武帝击胡攘越，开拓疆土；内兴功作，改革了上层建筑，加强了大一统的皇权统治，造成了西汉王朝的博大气象。“汉兴五世，隆在建元，外攘夷狄，内修法度，封禅，改正朔，易服色，作《今上本纪》第十二。”司马迁充分肯定了汉武帝的事业。司马谈、司马迁父子，原本是汉武帝身边的亲信，积极参与了汉武帝事业的兴作。司马谈对封禅制礼，起了重要作用。司马迁从巡武帝，目睹各种盛大的典礼场面、阅兵仪式，以及游猎活动，领受了宏阔昂扬的时代精神。《史记》载武帝一朝史事，篇目和字数占了全书的五分之一。许多篇章都留下了司马迁活动的足迹。《史记》的体大思精，是和司马迁直接参与汉武帝宏伟事业的活动是分不开的。

其四，汉武帝的后期，社会阶级矛盾尖锐化，为司马迁“原始察终，见盛观衰”的方法论提供了现实的依据。“原始察终”，指历史研究要考察其发展变化的因果关系；“见盛观衰”，指洞察历史的变化，要能在鼎盛之时看到它衰败的征兆[①]。司马迁用这样的方法，认识到汉王朝的统一和制度，是继秦朝历史的发展，从而肯定了秦朝的统一之功。同时，从秦朝覆亡的原因，又看到了当代政治的危机。例如他在《平准书》中就指出，汉武帝步秦始皇的后尘，“竭天下之资财”以资其欲，并不以为怪。因为皇帝视“天下子民”为一人之私产，毫无节制地挥霍，把天下人民推入了火坑，其源盖出于皇帝高度集权之弊。“事势之流”，就是指汉武帝效秦始皇专制纵欲，带来了社会危机。他从各个方面揭露了当时的社会矛盾，得出“物盛而衰，固其变也”[②] 的结论。当汉武帝和臣僚们正在弹冠相庆的时候，司马迁却看出了汉王朝统治的危机，在《酷吏列传》中直言不讳地批评严刑峻法激起了农民起义，敲起了警钟，这实在是了不起的识见。可以说，“原始察终，见盛观衰”，具有辩证法的思想光辉。司马迁既尊汉而又批判，既看到它的鼎盛而又看到它的弊病。两千年前的司马迁

① 关于司马迁“原始察终，见盛观衰”的方法论，详述见本书第六章第二节。

② 《史记》卷三〇《平准书》。

有如此不凡的识见，来源于他对现实社会演变的深刻观察。西汉社会在“文景之治”的升平时期，就已隐伏着对立的阶级矛盾。贾谊、晁错在政论中就发出了呼喊。到武帝之时，矛盾有了进一步的激化。“当此之时，网疏而民富，役财骄溢，或至兼并豪党之徒，以武断于乡曲”[①]。到了武帝后期，由于武帝过度使用民力，造成了“海内虚耗，户口减半”的残破局面，阶级矛盾日趋尖锐，各地爆发了农民起义，动摇着汉王朝的根基。司马迁目睹这一事势的变化，不能不对天命论产生怀疑，不能不对“今上圣明”的述史主题进行修正。所以《史记》内容呈现出尊汉与暴露的双重内容，正是司马迁所处时代巨变的反映。

其五，文景之世开明政治的流风余韵，启迪了司马迁自成“一家之言”。汉文帝即位，发动了对秦王朝暴政的批判，吸取“雍蔽之伤国也”[②] 的历史教训，鼓励臣民直言极谏。举贤良方正的基本条件就是“直言极谏”。汉武帝专制有别于秦始皇的根本之点，就是还能容忍臣下直言，故有晚年悔征伐之事。汲黯在廷对时说：“陛下内多欲而外施仁义，奈何欲效唐虞之治乎！”[③] 武帝怒而不罪。所以在汉武帝时代，虽罢黜百家，而文网未密，臣工士庶，尚能直言议政。故司马迁述史，汉武帝未予干涉。尽管卫宏记载了武帝削除景纪、今上纪的流言，但未禁司马迁著书。在这一环境下，司马迁才敢直言，实录史事，虽有忌讳之辞，而能终成一家之言。

以上各点，是《史记》成书的客观条件。

2. 父子两代人的心血结晶

清赵翼论司马迁作史年岁，谓“迁为太史令即编纂史事，五年为太初元年，则初为太史令时，乃元封二年也。”又谓《报任安书》作于征和二年，从元封二年到征和二年，前后共十八年，故谓之曰：“统计迁作《史记》前后共十八年，况安死后迁尚未

① 《史记》卷三〇《平准书》。

② 贾谊：《过秦论》。

③ 《史记》卷一二〇《汲郑列传》。

亡，必更有删订改削之功，盖书之成凡二十余年也。”[①] 赵氏所论《史记》成书年限，已为学术界成说，考其实，却有很大误差。赵氏所论只言及司马迁后半生独立撰史阶段，既未言及司马谈发凡起例，亦未述及司马迁前半生助理司马谈的年限，显然不完备。司马迁作史，毕生投入，前后四十年，可分为三个阶段。元朔三年（前126年），司马迁二十壮游“网罗天下放失旧闻”，即为作史之始。到元封二年（前109年），前后十八年，司马迁为父亲的修史助手。这一时期，司马迁在其父谈的指导下，二十壮游，学公羊于董仲舒，受古文于孔安国，习家学于司马谈，襄助修史，成长为一个渊博的学者，打下了继承父志的坚实基础。元封三年（前108年）到太始四年（前93年），为发愤著书阶段，其间十六年，基本完成《史记》。征和元年（前92年）到武帝之末后元二年（前87年）或昭帝之初，约六年时间，司马迁编定《史记》，仍在继续修订。司马谈作史，准备在建元，元光间，正式述史在元狩元年（前122年）。司马谈卒于元封元年（前110年）。从元狩元年到元封元年，司马谈作史草创经营了十二年。司马迁发愤著书阶段十六年。就这样，《史记》写作基本完成就经历了前后二十八年，凝聚着司马谈、司马迁父子两代人的心血结晶，方能成为一部体大思精的著作。

唐刘知几论良史必须具备才、学、识三长，清章学诚又加之以德。这才、学、识、德四大要素，司马迁可谓兼备一身；司马迁聪颖勤奋，十岁诵古文，养育了他的才；得天独厚的家学渊源和师承，培植了他的学；壮游与受祸锤炼了他的识；史官世家的血统和气质，司马谈尽忠尽孝的诱导教育，临终遗言的嘱托，涵育了他的德。这些就是《史记》的主观条件。

在主观条件中，才、学、识、德四要素，最重要的是识。因为只有超卓的识，才能“原始察终，见盛观衰”，知其远，察其微，探其源，究其终，通古今之变。司马谈以其眼光远大，领略了时代的要求，立下述史壮志；司马迁以其识见超卓，才能追寻

① 《廿二史劄记》卷一。

历史之变，不断升华述史主题。在司马迁手中，《史记》主题随着断限的修正，做了两次飞跃式的升华[①]，从而使《史记》熔铸了人民性的成分。

《史记》成书的条件留给我们的启示是：一部不朽的传世名著，必须具备主客观条件的统一才能产生。西汉盛世为司马迁著作一部通史提出了时代的要求，也提供了物质条件，这是《史记》成书的历史背景。司马迁所受教育、修养及其经历是《史记》成书的著述内因。历史背景是客观条件，著述内因是主观条件。从历史背景来看，《史记》是适应秦汉大一统社会的历史使命而产生的，所以它的本始主题是颂扬帝王将相的功勋来为巩固封建统治服务。尽管《史记》注入了人民性的成分，但并未改变这一基本主题。学术界以往的论述，未能深究《史记》的成书条件，往往以后世个人的经验去看待《史记》，颠倒了两者的关系，把人民性看成是《史记》的基本主题，因而不能合理地解释纪传史产生的原因。《史记》是司马谈、司马迁二人以汉太史身份修成，在这个意义上，也可以说它是一部自成“一家之言”的官修史书[②]。《史记》的伟大价值，并不只是它揭露现实，表现为异端，而根本性在于它全面地反映了大一统的时代精神及其盛衰。当然，司马迁受祸发愤，在《史记》中熔铸了人民性，使它更加灿烂夺目，这是不言而喻的。

四、司马迁在中国文化思想史上的地位和影响

司马迁的一生全部贡献给了《史记》。司马迁和《史记》成为一个不可分割的名字。评价司马迁在中国和世界文化思想史上

① 司马迁修正《史记》断限，升华《史记》主题，详见本书第五章第三节。

② 《史记》为官书，详见本书第十章第一节。

的地位和影响，也就是评价《史记》的地位和影响。《史记》是一部空前的历史巨著，也是一部杰出的传记文学名著，自成一家之言。也就是说司马迁集史学家、文学家、思想家于一身，在中国古代史上是前无古人、后无来者的一位文化巨人，在世界古代史上也是罕见的天才。

1. 伟大的历史学家

作为历史学家，司马迁的《史记》被誉为“史家之绝唱”，在我国古代史学史上树立了一座巍峨的丰碑。司马迁的创作，是对先秦史籍和文献做了集大成的总结，给后来的史学发展不仅提供了范例，而且开拓了广阔的领域，从而奠定了史学的独立地位。

中国史学源远流长。文献可考，商、周时代，王室有史官①。左史记言，右史记事，所以我国古代史籍产生很早。《尚书·多士》篇说：“殷先人有册有典。”《墨子》书中记载有“百国春秋”。《国语·楚语上》记载申叔时为楚太子所开列的学习书目有九种，其中春秋、世、语、故志、训典等五种就是历史典籍。这些典籍都没有流传下来。今天能够看到的先秦史籍尚有《尚书》、《逸周书》、《春秋》、《左传》、《国语》、《周礼》、《仪礼》、《世本》、《竹书纪年》、《战国策》、《山海经》等。司马迁当时能看到的毫无疑问比现在的要多得多。可以说司马迁正是在我国古代这块史学沃土上耕耘培植才产生了《史记》这朵史学奇葩。但是，先秦史籍多为资料汇编，如《尚书》、《国语》；或为解经文献，如《左传》。一般成于众手，作者多为史官或士大夫，记载范围狭窄，历史重心限于国君的活动。文字疏简，史实与神话、传说、寓言并列，又多有后人增饰，真伪杂陈。最受司马迁推崇的《春秋》为六经之一，因此史学成为经书的附庸。这一切说明先

---

① 据陈梦家《殷墟卜辞综述》考证，卜辞中记载的商代史官有尹、多尹、又尹、某尹；卜某、多卜；工、多工、我工；史、北史、卿、御史、朕御史、北御史、某御史；吏、大吏、我吏、上吏、东吏、西吏等名称，其职掌为掌管祭祀、龟卜、记载和收藏等。至于周王室的史官，在《尚书》、《周礼》、《左传》、《国语》等多种典籍中均有详细记载，不具引。

秦史学尚处在童年时期。司马迁对《史记》体大思精的成功创作，把历史撰述从一个狭小的天地引向广阔的社会，从而创立了真正的历史学，结束了史学的童年。司马迁成为中国历史学之父，《史记》成为两千年来传统史学的优秀楷模。

司马迁创立的本纪、表、书、世家、列传五体结构，体系完整，规模宏大，气势磅礴，识见超群，被传统史学家奉为作史"极则"。宋代郑樵推崇说："百代而下，史官不能易其法，学者不能舍其书，六经之后，唯有此作。"① 清代史学家赵翼更进一步评论说："司马迁参酌古今，发凡起例，创为全史。……自此例一定，历代作史者遂不能出其范围。"② 郑樵和赵翼的评论正是中国传统史学发展的实录写照。唐代设馆修史，以《史记》开创的纪传体为"正史"，从此纪传史居于独尊地位一千余年。历代史学家踵其遗轨修成蝉联而下的列朝正史从《史记》至《清史稿》积数有二十六种之多，四千零四十二卷，洋洋近五千万言，按各史的朝代序列完整无缺地保存下来，故学术界有中华民族全史之称。记事起黄帝讫大清，中华民族五千年悠久文化发展的规模体制，载述毕于此编，司马迁的首创之功，可与日月并垂悬。

《史记》的影响，远远不限于正史系列。司马迁开创的"通史家风"，为司马光、郑樵所继承，写出了《通鉴》、《通志》。《史记》所创"八书"，《汉书》扩充为"十志"，为正史系列所继承。唐以后别支分出，发展成为各种典制体专史系列，贯通的有《通典》、《通考》等所谓十通系列，断代的有历代《会典》、《会要》系列。此外，经济史、学术史、地方史、少数民族史等专史领域，追本溯源，都由《史记》发其端。

2. 杰出的文学家

作为文学家司马迁开创了散文序事的传记文学，《史记》遗泽后世，成为历代文学大家和千万计的读者学习、借鉴的典范。《史记》对后世传记文学、散文、小说、戏曲都产生了深远的

① 《通志总序》。

② 《廿二史劄记》卷一。

影响。

《史记》对后世文学的影响，最直接的是散文。司马迁的散文成就，不仅代表了汉代文学的高峰，而且在散文发展史上，也起了承先启后的作用。

汉代文学有影响的领域有四个方面：一是汉赋，二是散文，三是乐府民歌，四是文人五言诗。而最为突出的领域和文学大家是以司马相如为代表的汉赋，以及以司马迁为代表的史传散文。人们往往以司马相如与司马迁并称，说“文章西汉两司马”①。文章家就是文学家。汉赋在两汉文坛，尤其在西汉武帝时代占有统治地位，汉武帝以及诸侯梁孝王就是汉赋的爱好者、推广者。正因为如此，汉赋的主流大赋，在内容上一味歌功颂德，点缀升平，它所描写的对象主要是宫室苑囿、京都田猎等一类东西；在形式上一味“铺陈排比”，“写物图貌”，它偏离文学是写人这一中心，缺乏反映广阔的社会生活。司马相如赋就是典型的代表。经过历史的检验，真正代表汉代文学高峰的不是写《子虚赋》、《上林赋》的司马相如，而应是写史传散文成为唐宋八大家旗帜的司马迁。最有说服力的便是《子虚赋》、《上林赋》，依赖于《史记》收载才得以流传。在文学发展史上，文章家司马迁应和大诗人屈原并列在一起。屈原赋代表了先秦文学的最高峰，司马迁史传散文代表了汉代文学的最高峰，两人前后辉映，各自成为一个时代的代表人物。屈原和司马迁两人，不仅身世遭遇有共同之处，而且两人的作品强烈地反映现实生活，鞭挞腐朽和黑暗，同情被压迫人民，同时具有浪漫主义的情怀，歌颂理想，抒写人生。所以鲁迅称《史记》为“无韵之离骚”，是极为中肯的。

唐宋八大家是我国古典散文的杰出代表，他们反对六朝骈文，提倡古文，把《左传》、《史记》当做旗帜。《左传》散文叙事有具体的过程，而且富有文学性，在散文史上是一个发展。但《左传》散文以记事为主，还缺乏人物形象的塑造，它又受到解

① 西汉文章两司马并称，始于班固，《汉书·公孙弘卜式兒宽传·赞》云：“文章则司马迁、相如。”

经编年的限制，还没有充分发挥出散文完整叙事的特点。《史记》散文广泛吸收先秦诸子散文与《左传》、《国语》、《战国策》等叙事散文的特长，创造出《史记》独具的史传文学，把散文的发展推向了一个新的高峰。唐代古文运动的先驱者独孤及说：“荀、孟朴而少文，屈、宋华而无根。有以取正，其贾生、史迁、班孟坚云尔。”[①] 这是说司马迁的文章比荀子、孟子更富有文采，又没有屈原、宋玉“华而无根”的弊病，岂不是说司马迁文章比荀子、孟子、屈原、宋玉还要高一筹吗！从历史叙事的角度看，《史记》完整地叙述历史事件的发展过程，有个性鲜明的人物刻画，又广泛深刻地反映了社会生活，它远远地超越了《左传》。所以唐宋八大家提倡的古文运动，主要的是学习、效法《史记》，追步司马迁，把《史记》文章当做古文典范来借鉴。唐宋八大家之后的明清评点家，尤其是清代桐城派古文家，更是把《史记》奉为古文正宗。这说明自宋代以后，《史记》对散文的发展，仍有巨大的影响。李长之先生有极精到的评述。李氏说：

> 司马迁的风格是丰富的，他的风格配合着内容而有变化……韩愈得了这种风格的一部分，是矫健；欧阳修得了这种风格的一部分，是唱叹。归有光学了他那在琐屑处传神，在平淡处抒情的小巧。方苞学了他纪事文的有层次和干净利落处。一直到林纾，还用了司马迁的风格介绍了西洋资产阶级上升期的一些文学名著。这些人所得或大或小，或深或浅，但司马迁在散文风格方面的影响之大却可见了。[②]

从写人文学角度看，司马迁创造了史学与文学高度统一的传记文学，因此，《史记》不仅影响了后世史传、杂传的写作，也深深地影响后世小说和戏剧的创作。司马迁是人物形象创作

① 《全唐文》卷五一八梁肃《毗陵集后序》。
② 李长之：《中国文学史略稿》第二卷，第22页。

典型化的奠基人。只要提起司马迁，人们的脑际就会浮现出屈原、魏公子、廉颇、蔺相如、项羽、刘邦、张良、韩信、樊哙、李广，以及荆轲、聂政、朱家、郭解等一系列人物的形象。司马迁“以文运事”的写人艺术，直接影响“因文生事”的后世小说，使中国小说具有不同于西方小说的独立特点。中国小说故事性强，开头结尾与情节结构都带有史传的特点，这是受《史记》影响的结果。反过来觉得《史记》若干人物仿佛就是生动的历史小说。

中国古典小说的发展主要有三个时期。一是六朝志怪小说，二是唐五代传奇，三是宋元明清的话本和通俗小说。各个历史时期的小说无不受到《史记》的深刻影响。

《史记》载事有不少志怪与传奇倾向，它直接影响六朝志怪与志人小说。《史记》记载神话传说、灾异祯祥、征梦验卜，此为志怪倾向。《史记》主要描写各种各样的奇人奇事，此为传奇倾向。“怪”和“奇”是中国古典小说的两个基本内容，皆发端于《史记》。六朝小说就分志怪与志人传奇两种类型。“大体说来，司马迁的记鬼神之怪，影响及于六朝志怪小说，其传人事之奇，影响及于志人小说。唐传奇则在此基础上发展起来，兼传奇与志怪而有之，但其主要倾向和基本精神则是‘传奇’”①。

《史记》中刻画人物最成功的那些传记，即最富于故事性和小说意味的篇章，为宋元话本和明清小说提供了近乎小说技巧的笔法。明清小说评点家称作“史公笔法”。中国古典小说的许多技法都是从这里演变发展而来的。这里不作一一述评了。

司马迁在人物传记中好写戏剧情节和戏剧化的场面，气势宏阔，悲壮激烈，如马陵道、火牛阵、渑池会、刺秦王、鸿门宴、破陈馀、平诸吕等故事情节，曲折生动，矛盾集中而尖锐，为后世戏曲创作提供了大量历史题材。司马迁精心刻画的历史风流人物，如伍子胥、苏秦、魏公子、廉颇、蔺相如、田单、屈原、荆轲、聂政、项羽、张良、韩信、李广、司马相如等人，无不被后

① 李少雍：《司马迁传记文学论稿》，重庆出版社 1987 年版，第 119 页。

世戏剧家搬上舞台。从元代开始，《史记》成了历代戏曲取材创作的昆山邓林。在现存的一百三十二种元杂剧中，取材于《史记》的剧目就有十六种。现存的明清杂剧取材于《史记》的有十九种，清传奇二种。京剧及各种地方戏编演《史记》故事的剧目就更多了。据不完全统计，京剧有一百几十个，川剧、滇剧有上百个，秦腔有近八十个，其他晋剧、豫剧、汉剧、河北梆子等等，少则几个、十几个，多则几十个。像《文昭关》、《马陵道》、《完璧归赵》、《萧何月下追韩信》、《鸿门宴》、《霸王别姬》等几十种《史记》戏，都已经作为京剧和各种地方戏中长期保留的传统剧目，一直盛演不衰。

现代及当代作家，取材《史记》创作的新编历史剧仍有轰动效应。著名历史剧作家郭沫若创作的历史剧，大部分取材于《史记》，前后有七种之多。其中《屈原》、《卓文君》、《棠棣之花》、《虎符》、《高渐离》等剧目不仅在国内深入人心，而且走向世界，在世界人民中广为流传。《屈原》曾先后在苏联、波兰、匈牙利、冰岛等国出版。《卓文君》有英文和罗马尼亚译本。《棠棣之花》有俄译本，题名《孪生姊妹》。《虎符》、《高渐离》有日译本。新中国成立以来新编的《史记》剧目，有话剧《胆剑篇》、《秦皇父子》，有歌剧《大风歌》，有秦腔《秦俑魂》、《司马迁》，有豫剧《晁错》，有京剧《司马迁》，有电影《皇亲国戚》，有电视剧《窦太后认弟》、《汉武大帝》，有广播剧《史圣司马迁》，有电教片《司马迁故里行》等。

由上所述，在中国文学发展史上，司马迁是当之无愧承先启后的杰出的文学家。他创作的《史记》传记文学，具有多方面的文学价值，是中国古典文学中无与伦比的精品。

3. 卓越的思想家

作为思想家，司马迁具有崇高的人格和创新的精神。他的崇高人格和创新精神，主要表现在以下三个方面：一是忍辱负重，发愤著书，实现了“成一家之言”的理想；二是勇于探索和创新，创作了划时代的纪传体通史，用以稽其成败兴坏之理，志古自镜；三是严格地忠实于信实可靠的历史，不与圣人同是非。这些精神和品格，都是值得我们继承和发扬的。

司马迁忍辱发愤，实现了“成一家之言”的理想，为人们树立了以立名为核心思想的进步荣辱观和生死观，对后世也产生了深远的影响。北齐颜之推在《颜氏家训·名实》篇中说：“劝其立名，则获其实。且劝一伯夷，而千万人立清风矣；劝一季札，而千万人立仁风矣；劝一柳下惠，而千万人立贞风矣。”这是说，杰出人物的修身立名可以影响一代人的风气。在封建社会，个人的修身立名是一种积极进取的人生观。“青史留名”，不仅是古代一切志士仁人奋斗和追求的目标，而且深入人心，普通老百姓都懂得“青史留名”的深刻意义。南宋民族英雄文天祥在《过零丁洋》诗中曾写下了“人生自古谁无死，留取丹心照汗青”的壮烈诗句，至今仍是激励人们斗志的座右铭，可以说这就是司马迁名重泰山的立名精神。司马迁撰述《史记》获得了空前的成功，也正是立名信念推动的结果。明代柯维骐效法司马迁发愤修史，竟然自处宫刑，其行为固然可笑，但也说明了司马迁忍辱发愤的精神对后世产生的强烈影响。

作为思想家，司马迁的伟大，更体现在他创作实践中的不断创新精神。司马迁非常尊敬他的父亲，也无限推崇孔子，但是他并不墨守父训和死抱经文。他的创新精神突破了父亲的规划和圣人的遗则。可以说，创新既是司马迁品格的集中反映，也是《史记》的最大成功。《史记》之所以是一部划时代的伟大著作，用最简练的语言来概括，就是这部巨著从内容到形式都是划时代的创新。前面第七、八两章和本章，已对《史记》的结构和丰富内容做了系统分析，这里再把司马迁创新的精神加以具体的罗列，至少可以条列以下十个主要的方面：

（1）首创纪传体，形象地照映了封建社会的等级序列；

（2）首创贯通古今的通史，建立了历史发展断限理论的年代学；

（3）首创“太史公曰”的史论形式，提出了系统的史学理论；

（4）首创经济史传，发展了古代朴素的唯物史观，意识到经济发展状况对社会历史起决定的作用；

（5）首创军事史传，系统地总结了古代的战争理论和叙述了战史内容；

（6）首创学术史传，辨章学术源流；

（7）首创民族史传，提出了民族一统的思想；

（8）首创各色人物的类传，全面地反映社会生活；

（9）首创语译古文，使艰深古奥的语言通俗化；

（10）首创历史传记文学，通称史传文学，把历史人物的实录塑造成为典型形象。

其他还可以罗列一些，例如首创礼、乐、历、卜等各种专题的文化史传，扩大了历史记叙的范围；首创《大宛列传》，载述外国史事；等等。

上述创新，总括成一句话，就是司马迁创造了百科全书式的“纪传体通史”。这不仅仅是史学发展史上的一次划时代的创新，而且在文学史和思想史上也都树立了一座里程碑。从司马迁立言角度来看，五体结构的纪传体，乃是“一家之言”的表述形式；而贯通百家学说以建立统一的新思想体系，这就是“一家之言”的内容，其核心思想是稽其成败兴坏之理以志古自镜。因此，司马迁的思想体系不是思辨哲学，而是经世致用的总结历史经验，在述往事、思来者中形成“一家之言”。由于司马迁的“一家之言”融会贯通了百家学说，所以它是对“独尊儒术”思想体系发出的异端。这一异端思想，使司马迁突破了封建主义的正统和愚忠的思想束缚，敢于实录历史，讥刺君王，非议圣人，反对暴政，同情人民的苦难，并在《史记》中突出了重视人民力量的思想，这些就是《史记》的人民性思想成分。司马迁的“一家之言”是我国古代异端史学的优秀传统，是应该肯定的。

司马迁所以能够创新，主要是他立意高远，能够坚持实录的写作精神“究天人之际，通古今之变，成一家之言”，拿出自己独到的见解来回答历史是怎样变化发展的，所以他才能不与圣人同是非，突破了旧的思想传统和官方哲学的框架。这种创新思想，集中地表现在赞扬道家以及为商人、游侠立传这几个方面。班固批评说："是非颇谬于圣人，论大道则先黄老而后六经，序游侠则退处士而进奸雄，述货殖则崇势利而羞贱贫，此其所敝也。"① 班固所批评的所谓太史公三失之"敝"，恰恰是司马迁思想中光彩夺目之"长"。司马迁"论大道则先黄老而后六经"，是肯定文景之治的升平而否定汉武帝的多欲所造成的衰败；述货殖为商人立传，是肯定商人促进生产发展，对社会经济的繁荣所作的贡献；颂游侠，是肯定这一类人能够牺牲自己、救人之急的道德。实际上，司马迁是通过颂黄老、商人、游侠来表达他对开明政治的向往，对人民求利和反强暴的肯定。这些思想正体现了《史记》褒贬人物和历史事件的尺度不是受统治阶级正统思想的约束，而是在一定程度上从被压迫人民的利益来立论，这无疑是那个时代最进步的思想。

司马迁的鲜血和生命化成了《史记》，给华夏子孙留下了宝贵的文化遗产，他将永远值得人们祭奠！

① 《汉书》卷六二《司马迁传·赞》

第十章　名山事业垂千秋

《史记》书成，司马迁如释重负，他充满了自信，可以名垂后世，供千秋万世之人评说。《太史公自序》云："凡百三十篇，五十二万六千五百字，为《太史公书》"，"藏之名山，副在京师，俟后世圣人君子。"司马迁认为《太史公书》可以洗刷他所受的耻辱，能够名重泰山了。《报任安书》云："仆诚已著此书，藏之名山，传之其人通邑大都，则仆偿前辱之责，虽万被戮，岂有悔哉！然此可为智者道，难为俗人言也。"司马迁认为在他身后，只有博学的高雅之士，才能读其书，想见其为人。自然他不可能料到，在两千年后的今天，《史记》早已走出庙堂，成为人民大众共同享有的精神食粮和文化瑰宝。司马迁地下有知，亦当欣然而笑。

本章略述《史记》流传，以告慰史公英灵。

一、《史记》为官书，藏之名山，即储之庙堂

学术界一般认为，《史记》为私修之史，"藏之名山"是恐其

被禁失传，故将正本藏于深山，只将副本留在京师，所以说“副在京师”。此说本之于《汉书·司马迁传》颜师古注。颜氏云：“藏于山者，备亡失也。其副贰本乃留京师也。”颜师古注只是一个错误的猜测。

凡持藏于名山的论者，皆忽略了司马迁以太史令官守著书这一事实，而把《史记》等同于今天的个人私撰，这与当时的实际情况是不相容的。如果说《史记》为官修书，它又有别于唐以后设馆修史之书，不是成于众手，而自始至终出于司马谈、司马迁父子二人之手，自成一家之言。宋司马光修《资治通鉴》，国家设立书局，而是非裁夺之权一出于主编司马光之手，它是官修，还是私修，难以作截然判断。两司马之书，既是官修，又是私撰，折衷而言之，曰官助私修，即从创作角度说，两司马之书都可说是私修，而形式则是官书，尤其是《史记》正是这样的一部书。

官修之书则要上奏朝廷。《史记》书成，也是要上奏朝廷的。《汉兴以来诸侯王年表·序》云：“臣迁谨记高祖以来至太初诸侯，谱其下益损之时，令后世得览。”“臣迁”云云，就是《史记》正本上奏朝廷的铁证。东汉卫宏《汉书旧仪注》有汉武帝削除景纪、武纪之说，亦可说明司马迁所著书要上奏朝廷。否则，汉武帝何得而削之哉！

《史记》书成，既然要上奏朝廷，所以《太史公自序》所言“藏于名山”，实为藏于官家书府之雅称。《史记索隐》云“正本藏之书府，副本留京师也。”并引《穆天子传》郭璞注为证，郭云“古帝王藏书之府”。司马贞的解释是符合实际的。如果正本藏于名山，京师指朝廷，其副贰本留京师，堂堂之尊的皇帝岂肯甘心。所以颜师古注是不能成立的。

官府藏书，不易流布，故司马迁抄留副本于京师家中。司马迁传其婿杨敞，杨敞传其子杨恽，杨恽在宣帝时向外传布。《汉书·司马迁传》载其事云：“迁既死后，其书稍出。宣帝时，迁外孙平通侯杨恽，祖述其书，遂宣布焉。”

《史记》行文内容也留有官书痕迹。如《项羽本纪》，既尊羽为本纪，而记述用汉之纪年。《太史公自序》行文也有“楚人围我荥阳，相守三年”，“楚人迫我京索”，“维我汉继五帝末流，接三代绝业”等话头，以“我”与“楚人”对举，又称“我汉”，这俨然是官修史书的史臣口吻。前引《汉兴以来诸侯王年表·序》中“臣迁谨记”云云，则完全是史臣上奏皇帝的格式。

有人认为，“西汉没有真正的史官”，东汉班固私修国史，被人告发，东汉明帝审读已成之篇，而后才召班固为郎官，“典校秘书”，后又为兰台令史，“著作东观”，“这才是编修后世所谓国史的开始”。论者于是断言，西汉太史令，职掌星历为主，“文史为次，实际上连次要都说不上”，因此，“司马迁不是史官，也不是世袭史官的后嗣”，所以《史记》是私人著作，而非官书①。

上引论点是割断历史的断章取义，只见其表，未究其里。中国史官，有着悠久的历史传统。“唐虞三代，《诗》《书》所及，世有史官，以司典籍”②。夏商周三代，政教合一，史官掌握文化与宗教，是人与神交通的中介人，他们侍从在王的左右，不仅随时记录王和臣下的言行，而且要预见上天吉凶，随时把神的意志传达给王。因此三代史官要精通天文、历法，世代相袭以精业务，天官与史官合二为一。东周以后，国家制度渐密，内史、御史等史官转为政事官，地位不断上升。而职掌文史星历的太史以星历业务为主，地位不断下降。到了秦汉，太史令是九卿之一奉常所属六令之一。但太史令掌天官、司图籍，合二而一的古史官遗意并没有改变，所以卫宏说：“天下计书先上太史公，副上丞相，序事如古春秋。”③“序事如古春秋”，就是整理计书，编次档案，系以年月。只要太史令职守为史官，司马迁不管是否为世袭，只要任其职，即为史官。司马迁父子相续纂其职，目的就是为了修史，《太史公自序》言之确凿，不具引述。如果西汉太史令不是史官，那么司马谈、司马迁梦寐以求的史职岂非悬空？否

① 上引论点，参阅徐朔方《史汉论稿》第74—77页，江苏古籍出版社1984年版。

② 《后汉书》卷四〇《班彪传》。

③ 《史记》卷一三〇《太史公自序·集解》引如淳所述卫宏《汉仪注》。

认太史令为史官，即否认《史记》为官书。而否认《史记》为官书，势将割断《史记》成书的历史条件，也说不清司马氏父子思想发展的脉络和修史动机。因此，《史记》修撰性质的官私之辨，不仅仅是解决“藏之名山”的问题，更要涉及《史记》成书的历史条件，所以是司马迁研究中的一个重大课题，不能不辨。

但是，古代史官，主要职守是司天官，掌图籍，至于记言记事，为的是补阙失，存故事。也就是说，史官典司图籍，职守是整理文献，记载实录，而不是著述历史。司马谈、司马迁效孔子修《春秋》，利用史职的条件著述自成一家之言的历史，乃是发展了史官的职守[①]。秦汉之际为社会制度大演变的时期，史官制度亦在演变。东汉班固之后，典司修撰的史职日渐严密，至唐而成史馆制度，至此，太史令才专司天文而不掌史职。用后世健全的史官制度去范围西汉太史令，这是割断历史。《史记》书成，原题《太史公书》，就是标志其为史职所守。可以这样说，《史记》是中国古代史官，动用国家力量，首开个人述史以成一家之言的先例，从而带动了历史学家的自觉责任，使效法者蔚成私人述史之风。东汉以后国家设馆修史，是中央强化集权政治控制舆论的标志，这是事势发展的必然。

二、《史记》书名与续补窜附

《史记》书名与“太史公”释名紧密相连，随着《史记》的传播与书名变迁，“太史公”之名义愈辩愈复杂，至今仍在争论。今本《史记》是否为《太史公书》之原帙，存有许多疑案和争论。这里略作疏理，以资参考。

---

① 从《汉书·叙传》班固对司马迁的批评亦见端倪。班固说：“汉绍尧运，以建帝业，至于六世，史臣乃追述功德，私作本纪，编于百王之末，厕于秦、项之列。”颜师古注曰：“谓武帝时司马迁作《史记》。”

1.《史记》专名始于东汉桓灵之际，而原题《太史公书》

“史记”原为共名，迁书《史记》中就有九见。如《周本纪》云：“太史伯阳读史记。”《十二诸侯年表·序》云：“孔子西观周室，论史记旧闻。”又云：“鲁君子左丘明，因孔子史记，具论其语，成《左氏春秋》。”《六国年表·序》云：“秦既得意，烧天下《诗》《书》，诸侯史记尤甚，为其有所刺讥也。”又云：“《诗》《书》所以复见者，多藏人家，而史记独藏周室，以故灭。”《天官书》云：“余观史记，考行事。”《陈杞世家》云：“孔子读史记至楚复陈”云云。《孔子世家》云：“乃因鲁史记作《春秋》。”《太史公自序》云：“䌷史记石室金匮之书。”上引各例“史记”皆为共名。《逸周书》、《盐铁论》、《越绝书》、《东观汉记》等书中亦有互称史籍之“史记”。迁书原题为《太史公书》，见于《太史公自序》，其言曰：“凡百三十篇，五十二万六千五百字，为《太史公书》。”确凿有据，无须曲说和申证。故在两汉刘向、刘歆之《七略》和班固《汉书·艺文志》皆著录为《太史公》百三十篇。《太史公》为《太史公书》之简称。在西汉之时，《太史公书》因随人引用，共有五种微别之称。另外三名为：《太史公传》，见《史记·龟策列传》褚补，此为褚少孙专指“列传”，等于说《太史公书》之“列传”；《太史公记》，见《汉书·杨恽传》、应劭《风俗通义》卷一；《太史记》，见《风俗通义》卷二。

《史记》专名，起于何时，不可确考。王国维《太史公行年考》、范文澜《正史考略》均谓《史记》专名始于魏王肃，定名于《隋书·经籍志》。按诸史籍，此论不确。依据文献，东汉末已成通称。蔡邕《独断》、荀悦《汉纪》、应劭《风俗通义》、颖容《春秋例序》、高诱《吕氏春秋训解》、高诱《战国策注》等书均称《太史公书》为《史记》。上述著作家均为汉末人。《三国志·王肃传》载魏明帝曹叡与王肃两人君臣问对，亦称《史记》，这说明《史记》之名，三国时已为官家所承认。

陈直先生所著《太史公书名考》[1]，举证九条论证《史记》专

① 陈文载《文史哲》1956年6月号。

名在东汉桓、灵之际已在民间口授之中广为传布。《隶释》卷二《汉东海庙碑碑阴》云："阙者秦始皇所立名之秦东门阙，事在《史记》。"此指秦始皇在东海上朐界所立石，名秦东门，事见《秦始皇本纪》三十五年。又《金石萃编》卷十二《汉执金吾丞武荣碑》云："阙帻传讲《孝经》、《论语》、《汉书》、《史记》、《左氏》、《国语》，广学甄微，靡不贯综。"这里已将《史记》之名与《汉书》等典籍并称了。此两碑据陈直考证，东海庙碑为桓帝永寿元年（公元155年）立，武荣碑约立于灵帝初年。以这两碑之铁证，可知《史记》专名早在东汉桓、灵之际已广为流布，否则不会刻于石碑。陈文并推论其书名演变过程说："司马迁自定原名为《太史公书》。嗣后西汉诸儒多沿用此名称，故《汉书·艺文志》列《太史公书》于春秋类。一变为《太史公记》，再变为《太史记》，三变为今《史记》。其他有称《太史公传》及《太史公》者，均属在演变中多种的名称。"陈文举证确凿，立论精严，可为定论。

至此，我们仍只知其一，未知其二，即司马迁为何自题其书为《太史公书》？为什么又演变成为《史记》？这涉及"太史公"三字的释义，尚须略作考辨。

太史公释名，自汉代以来，歧说纷纭，归纳起来至少有十种说法。为省篇幅，这里对各家之说不作引证，而以《史记》本证为据，直接揭示司马迁自题其书"太史公"之本义。

"太史公"释名的焦点，可以用一句话来概括，即"太史公"是尊称，还是官名？这两说均起于东汉初，桓谭主尊称说①，卫宏主官名说②。如果太史公是尊称，那么是他人尊称司马迁，还是司马迁尊称其父？《史记》一百三十篇论赞皆称"太史公曰"，若系他人尊称，则为司马迁有意留空，委托他人来尊称，世无此

① 桓谭说见《孝武本纪·索隐》引，其言曰："太史公造书，书成，示东方朔，朔为平定，因署其下。太史公者，皆朔所加之者也。"

② 卫宏说为三国时《汉书》注家如淳引用，《太史公自序·集解》转引如淳曰："《汉仪注》太史公，武帝置，位在丞相上。天下计书先上太史公，副上丞相。序事如古春秋。迁死后，宣帝以其官为令，行太史公文书而已。"《汉仪注》为与桓谭同时稍后的卫宏所作。

理。若系司马迁尊称其父，而“太史公曰”绝大多数为司马迁自称，岂非司马迁自尊？尊称说难以圆通。若太史公是官名，《汉书·百官表》无此官，《汉书》注家晋灼、《史记》注家司马贞皆予以驳斥。但官名说简便，所以信从者多，而歧说也最多。自汉以来，太史公释名的争论，主尊称说者有三种，主官名说者有七种，各执一偏，均难以圆通。现在我们来看《史记》中的本证。

《太史公自序》一篇，凡称“太史公”十四处，却有四种指称。“喜生谈，谈为太史公”、“太史公仕于建元元封之间”、“太史公既掌天官，不治民，有子曰迁”，显系指司马谈。太史公曰：“先人有言”、“太史公曰：余闻董生曰”、“太史公曰：唯唯，否否，不然。余闻之先人曰”、“七年而太史公遭李陵之祸”，显系指司马迁。“天下遗闻古事，靡不毕集太史公”、“太史公仍父子相续纂其职”，此两处“太史公”兼指谈、迁父子所守之官“太史令”。“凡百三十篇，五十二万六千五百字，为《太史公书》”，指《史记》原题之书名。从《太史公自序》中的“太史公”含义来看，显然“太史公”不仅为书名，而且为司马氏父子职守共称之尊名。

“太史公”本身并非官名，它应是司马迁对“太史令”这一官名的尊称，即尊其父，亦是自题。这有两条直接证据。其一，《史记·封禅书》有两处称司马谈为“太史公”，《汉书·郊祀志》均改为“太史令谈”。其二，《太史公自序》称其父仕为“太史公”，而自称继其父职为“太史令”。可见，司马谈、司马迁父子相继为史官皆为“太史令”，而司马迁尊其父职称“太史公”。即“太史公”为“太史令”官名之尊称，在司马迁的用语中是一个合成名词。原来“太史公”之“公”为尊称；“太史公”之“太史”为官称，即“太史令”之省说。《太史公自序》记载司马谈临终遗言，五次自称其职为“太史”，曰：

（1）“余先周室之太史也。”

（2）“汝复为太史，则续吾祖矣。”

（3）“余死，汝必为太史。”

（4）“为太史，无忘吾所欲论著矣。”

(5)“今汉兴，海内一统，明主贤君忠臣死义之士，余为太史而弗论载，废天下之史文，余甚惧焉，汝其念哉！”

“太史”属奉常，其长官为令，副职为丞，《茂陵中书》亦载，“司马谈以太史丞为太史令”。称述职名，不必带“令”。“太史令”秩六百石，方之古官，下大夫之列。但太史职掌天官、图籍，“天下遗文古事靡不毕集太史公”，故卫宏误以为在丞相上。司马谈在弥留之际，反复致意司马迁必为太史，完成已欲论著的未竟之业。司马迁秉受遗命，把自己的事业看成是继父之志，史官之所守，故定书名为“太史公书”，用以祭奠父亲。所以《太史公自序》称官名“谈为太史公”，自述则云“迁为太史令”，这正是司马迁尊称其父为“太史公”之铁证。《史记》一百三十篇之“论”“赞”，皆称“太史公曰”，并不是司马迁自尊，而是尊其所欲论著之书。因书名《太史公书》，则“论”“赞”称“太史公曰”乃是必然之理。桓谭所说东方朔所加，以情理度之，当是依司马迁之意题《史记》之大题，即《太史公书》四字书名。

综上所考，“太史公”不是官名，此称中的“太史”为官名，“公”字为尊称，乃是司马迁尊称其父职。尊称说，官名说各执一端，差之毫厘，谬以千里。明乎此，则千年聚讼可一旦冰释；疑乎此，则纷纭辩难莫衷一是。司马迁尊称父职是用以名其书曰“太史公书”，意谓此书为太史公所书所记。古代史官所记，泛称“史记”，后人持重其书，以“史记”为“太史公书”之专称，也完全符合司马迁题书之本义。这正如孔子修《春秋》，后人尊其书，以百国“春秋”之名专称孔子书。故清梁玉绳《史记志疑》云：“盖取古‘史记’之名以名迁之书，尊之也。”

2.《史记》续补窜附

《史记》在流传中有残缺，有褚少孙补，有后人点窜，有司马迁附记，涉及今本《史记》部分内容的真伪，是研究司马迁思想的一个重大问题，学术界已争论两千年。这里作简明述评以及今本《史记》字数统计，供研读《史记》者参考。

残缺。东汉卫宏第一个提出《史记》有缺，认为汉武帝削去景、武二纪[1]。《汉书·司马迁传》、《后汉书·班彪传》，记载了班氏父子的说法，《史记》百三十篇，“而十篇缺，有录无书”。也就是说，班氏父子只看到了一百二十篇，另外十篇只有目，没有书。但是班氏父子没有列举缺书篇目。三国时张晏补出了所缺十篇目录，为：《景纪》、《武纪》、《礼书》、《乐书》、《兵书》、《汉兴以来将相名臣年表》、《日者列传》、《三王世家》、《龟策列传》、《傅靳列传》。但今本《史记》这十篇有目有书。明显可考者，《武纪》裁自《封禅书》；《礼书》、《乐书》除篇前序文“太史公曰”外，《礼书》系取荀子《礼记·乐记》补；《律书》篇前亦存“太史公曰”序文，后半截分《律书》、《历书》以补《兵书》。此外各篇，皆创作之文，非后世好事者所能补。例如《景纪》，尽管写得平淡，但并非《汉书》之旧，即使疑古过勇者之崔适，也说《景纪》不亡。《日者列传》、《龟策列传》皆简而有法的议论之文，还有《三王世家》，《太史公自序》及“赞”都有明确交代，故这几篇不得云亡。《傅靳列传》是一篇寓有深意的传文，涉及现实隐约而婉，遂至误认为芜陋而妄测为后人所补。至于《汉兴以来将相名臣年表》更是一篇书有倒文的奇特之作，可以说是非司马迁莫属了。

综上，张晏所列十篇亡书目录，实为亡四存六，或云亡一残三存六。为了醒目，表列如下。

（1）景纪——存。

（2）武纪——亡。

（3）礼书——亡。
（4）乐书——亡。
（5）兵书——亡。
} 三篇均书亡序存，亦可云残。

（6）将相表——存。（征和四年以后为后人所续）

（7）三王世家——存。
（8）日者列传——存。
（9）龟策列传——存。
} 三篇之后均有褚少孙续。

① 卫宏说载于所著《汉仪注》，见《太史公自序·集解》引。

(10)傅靳列传——存。

以上残亡总计字数为16 197字，占《史记》原书526 500字的3%。好事者所补武纪、礼、乐、律三书，共4篇，16 878字。

褚少孙补史。褚少孙补《史记》，不是续作武帝身后之事，而是依据迁书成目增记轶事，不另立事目，所以附骥《史记》而行。但褚少孙续史，并不想鱼目混珠，故褚补皆述其续补之意，自称“褚先生曰”以有别于司马迁。

褚少孙于宣帝五凤四年（前54年）十八岁应博士弟子选，甘露元年（前53年）以高第为郎，出入宫殿，有幸得读《太史公书》，他非常喜欢书中列传，于是续补他亲身见闻的故事。所以褚补读来亲切，深得司马迁之遗风。今本《史记》中标有“褚先生曰”的计有十篇。目录如次：(1)《三代世表》；(2)《建元以来侯者年表》；(3)《陈涉世家》；(4)《外戚世家》；(5)《梁孝王世家》；(6)《三王世家》；(7)《田叔列传》；(8)《滑稽列传》；(9)《日者列传》；(10)《龟策列传》。中华书局点校本《史记》低一格以为标帜。无“褚少孙曰”而疑为褚补者两篇：(1)《张丞相列传》；(2)《汉兴以来将相名臣年表》。因《张丞相列传》续补起句大类褚补文风。《汉兴以来将相名臣年表》续补简而有法，非褚少孙莫属。以年代考之，推褚少孙生年为宣帝本始三年（前71年）。《张丞相列传》续史至汉元帝建昭三年（前36年）韦玄成之薨，匡衡继为丞相，褚少孙时年三十六岁。《汉兴以来将相名臣年表》征和四年起为续补，至成帝鸿嘉元年（前20年），褚少孙五十二岁。以行文风格与年岁考之，这两篇亦可能出自褚少孙之手。

上述几篇褚补总字数二万五千零五十五字。

增窜。所谓增窜，即为读史者旁注或抄补资料窜入正文，计有十篇。(1)《秦始皇本纪》，“秦孝公据殽函之固”以下文字，内容为贾谊《过秦论》上、中两篇，以及秦世系，共二千八百七十二字。此为读史者书后备考之文窜入。(2)《乐书》序文中“又尝得神马渥洼水中”以下至丞相公孙弘曰：“黯诽谤圣制，当族”止一节一百五十八字，读史者备注之文窜入。(3)《历书》，司马迁本文只书七十六年岁名，今本岁名下所书年号一百九十六字，乃后人据《正义》之注误入。(4)《天官书》篇末“苍帝行德”一节一百四十八字，与前文不属，后人附记窜入。(5)《孔子世家》“安国生卬，卬生欢”七字，后人附注之文窜入。因司马迁问故于孔安国，至于孙欢，年辈差小，未必相及。(6)《楚元王世家》，“王纯立，地节二年，中人上书告楚王谋反，王自杀，国除，入汉为彭城郡”二十七字，后人附注文窜入。(7)《齐悼惠王世家》末记成阳“荒王四十六年卒”以下三十一字，又菑川顷王“三十六年卒”以下四十字，皆读史者之旁注字窜入。(8)《郦生陆贾列传》，“初，沛公引兵过陈留”至“遂入破秦”六百四十五字，重叙郦生事，与本传赞语矛盾，显系窜入。考《太平御览》卷三百六十六引《楚汉春秋》与此节文字正同，当是后人因其小有异同而附之。(9)《平津侯主父列传》，“太皇太后诏”以下至“累其名臣，亦其次也”八百七十七字，据《集解》引徐广曰：“此诏是平帝元始中王元后诏，后人写此及班固所称，以续卷后”。王元后诏是褒奖公孙弘，班固语即录自《汉书》公孙弘本传的“赞”。此为汉末读史者备注之文窜入。(10)《司马相如列传》篇末，“扬雄以为靡丽之赋，劝百风一，犹驰骋郑卫之声，曲终而奏雅，不已亏乎”共二十八字，为班书以后之人旁注《汉书》本传赞语，而后窜入。

总上十篇。增窜内容皆武帝身后之事，史事分散，没有系统，故可以推断为是读史者所记旁注之文窜入，共四千九百七十九字。

司马迁附记。前第九章已论及。司马迁修订《史记》，太初四年以后记事，主要集中在两件大事上，一为巫蛊案，一为李陵案。这和读史者增窜，漫无边际，大相径庭。太初以后附记，涉及十五个篇目，凡二十二人，时间从天汉元年至后元二年（前100年至前87年），共十四年，总计一千五百四十四字。这就是班固、褚少孙所云“讫于天汉”，“尽于武帝之末”的依据。

史记字数。《太史公自序》总括原书五十二万六千五百字，今本中华书局点校本为五十五万五千六百六十字，多出两万九千一百六十字。据上所考，《史记》在流传中有残缺，有褚少孙补，有后人增窜，还有司马迁在自立断限之后的附记。在今本《史记》中，各项数据如下：

（1）褚少孙等续史十二篇，字数 25 055 字；

（2）读史者增窜十篇，字数 4 979 字；

（3）好事者补亡四篇，字数 16 878 字；

（4）司马迁附记十五篇，字数 1 544 字。

总计续、补、窜、附共四十一篇，去其重为三十七篇，总字数 48 456 字。其中补亡的《律书》2 555 字和附记 1 544 字两项共 3 099字，为《太史公书》原文，减去此数，前三项合计为45 357 字，非司马迁之作。今本《史记》555 660 字，减去续、补、窜 45 357字，保存了原书字数 510 303 字，则《史记》之残缺字数为 526 500 字减去 510 303 字，为 16 197 字，约占原书的 3%。也就是说，《史记》97%的原文流传至今，基本保持了原貌。

三、史记学的形成——汉唐时期

《史记》问世两千多年来，阅读和研究它的人不可胜数，并传播海外。各种校勘、注释、考证、评论的文章和专著大量出现，形成了一项专门学问，即“史记学”。“史记学”之名由宋人王应麟提出。他说：“司马氏《史记》有裴骃、徐广、邹诞生、许子孺、刘伯庄之音解。……《史记》之学，则有王元感、徐坚、李镇、陈伯宣、韩琬、司马贞、刘伯庄、张守节、窦群、裴安时。”① 王应麟称“史记学”为《史记》之学，形成于唐代，这与实际的发展是吻合的。大体说来，汉唐是史记学的形成时期，宋元明清及近代是史记学的发展时期，新中国成立以来的当代是史记学的深入和丰收时期。当代史记研究分大陆与台湾各立专节。先说汉唐时期。

① 《玉海》卷四六《唐十七家正史》。

1.《史记》流传，为杨恽所布

《史记》书成，正本藏于皇室书府，副本抄留家中。书府所藏正本，在高层统治集团中流传。昭帝始元六年（前 81 年）召开盐铁会议，御史大夫桑弘羊与文学论辩就引用司马子长为己证。《盐铁论·毁学篇》云："大夫曰：司马子长言，天下攘攘，皆为利往，赵女不择丑好，郑妪不择近远，商人不丑耻辱，戎士不爱死力，士不在亲，事君不避其难，皆为利禄也。"桑弘羊的引证，正是《史记·货殖列传》有关内容的复述。

《史记》体大思精，因有着鲜明的批判性与人民性，在东汉时期被儒家正统思想家视为"谤书"。西汉末扬雄，东汉班彪、班固父子就对《史记》提出了尖锐的批评。众所周知，东汉光武帝建武四年，博士范升反对立《左传》博士，并涉及《史记》，"升又上《太史公》违戾《五经》，谬孔子言，及《左氏春秋》不可录三十一事"[①]，东汉末司徒王允竟直斥《史记》为"谤书"[②]。王允说："昔武帝不杀司马迁，使作谤书，流于后世。"[③] 因此，《史记》在两汉时上层统治集团中的传布，受到政府严格的控制，《汉书·宣元六王传》载，成帝时，东平王刘宇来朝，上书求《太史公书》，成帝以问大将军王凤。王凤以为《太史公书》有"战国纵横权谲之谋，汉兴之初，谋臣奇策，天官灾异，地形厄塞，皆不宜在诸侯王，不可予"。成帝竟纳其言，遂不与东平王书。东汉卫宏《汉仪注》载，汉武帝削除《景纪》、《武纪》。其中一部分易触犯时忌的内容，在流传本中被摘除，所以使得班固所见官本"十篇缺，有录无书"。《史记》大行以后，有些篇传虽亡而复得，但《今上本纪》等篇仍然缺损。

司马迁抄留的《史记》副本，在宣帝时为其外孙杨恽向外传播。《汉书·司马迁传》载其事云："迁既死后，其书稍出。宣帝时，迁外孙平通侯杨恽，祖述其书，遂宣布焉。"从此开始了

① 《后汉书》卷三六《范升传》。

② 《三国志·董卓传》裴松之注引谢承《后汉书》载王允之言曰："昔武帝不杀司马迁，使作谤书，流于后世。"王允之言又载于范晔《后汉书·蔡邕传》。

③ 《后汉书》卷六〇下《蔡邕传》。

《史记》的研究，如同西汉古文经学一样，在民间士大夫中流传，到了东汉逐渐扩大。由于《史记》本身的巨大成就，杨恽宣布后，受到众多学者的效仿。西汉一代续补《史记》者有十七人。《史通·古今正史》载十五人，其言曰："《史记》所书，年止汉武太初，已后阙而不录。其后刘向、向子歆及诸好事者，若冯商、卫衡、扬雄、史岑、梁审、肆仁、晋冯、段肃（又作殷肃）、金丹、冯衍、韦融、萧奋、刘恂等，相次撰续，迄于哀、平间，犹名《史记》。"此外，有褚少孙补《史记》十篇，直接附骥《史记》流传。《后汉书·班彪传》李贤注，又有阳城衡续《史记》。东汉班彪集大成，作《史记后传》六十五篇，其子班固扩充独立为《汉书》。《汉书》由于受到统治者的宣扬，加之是一部汉代近代史，首尾完俱载述西汉一朝，所以成书不久，就大行于世，被目为五经之亚。《汉书》却是仿《史记》的体例。反过来，它推动了《史记》的流传。东汉后期，《史记》流布渐广。桓帝时，《史记》已成为司马迁书之专名。这时已有两部《史记》音注书问世。有延笃《音义》一卷，无名氏《音隐》五卷①。延笃，东汉顺帝、桓帝时人，传见《后汉书》卷五十四，卒于桓帝末永康元年，即公元 167 年。

2. 汉代学者对《史记》的批评

两汉是史记学的厄困时期。由于汉家定儒学于一尊，而司马迁的异端思想，具有反传统和对现实强烈的批判精神，所以它的传播与研究受到官方的严格控制。西汉时代续补《史记》者十余家，除褚少孙外，均是接续《史记》叙载汉家之事，集大成者就是班固的《汉书》。尽管续补者众，但对史记学的发展没有直接影响。汉儒对《史记》多持批评态度。最早批评《史记》的学者是西汉末年的哲学家和文学家扬雄。《汉书·扬雄传》班固转述雄言曰："太史公记六国，历楚汉，讫麟止，不与圣人同是非，颇谬于经。"扬雄又在《法言·重黎篇》中对照司马迁与孔子思想的不同点，指出："仲尼多爱，爱义也；子长多爱，爱奇也。"这里将司马迁传人之"奇"

① 见《史记索隐后序》。

是和为儒家"义"的对立面而提出的，表现了扬雄的卫道立场。他的"颇谬于经"的指责，实开班彪、班固父子批评《史记》的先河。《汉书·司马迁传》之"赞"曰：

> 论大道则先黄老而后六经，序游侠则退处士而进奸雄，述货殖则崇势利而羞贱贫。

这就是所谓的不合于"义"的"史公三失"。在东汉随着儒学的神秘化，在统治集团中，如前文所述，《史记》受到严厉的非难。

由于《史记》的博大精深，汉代正统儒家学者，并没有对《史记》全盘否定，有褚少孙的倾心研读续作，有刘向的高度赞扬①。刘向极为推崇《史记》，他的《别录》，常以《史记》为评断标准，例如《管子书录》就袭用《史记·管子传》。王充对《史记》有褒有贬，《论衡·书解篇》称赞西汉诸儒陆贾、司马迁、刘向、扬雄等人上继周公、孔子，"文儒之业，卓绝不循"。班氏父子对《史记》是一分为二的，《汉书》效法《史记》的成功，应该说班氏父子是使《史记》流传的一大功臣。但大气候却是对《史记》不利。尤其是班氏父子对"史公三失"的批评，在今天看来确是错误的，然而在汉代，乃至整个封建社会都具有权威性，可以说在史记学发展史上左右舆论两千年。批评《史记》者必引"史公三失"为佐证，金代王若虚甚至发出了"迁之罪不容诛矣"的极端论述②。肯定《史记》者，不破"史公三失"之说，则不中肯綮。以至历代巨子，如魏晋六朝的王肃、张辅、葛洪、裴松之、范晔；唐宋的刘知几、晁无咎、秦观、沈括、倪思、黄震、叶适、郑樵，金人王若虚；明清的邓以赞、董份、陈仁锡、李贽、袁文典、梁玉绳等，无不对班氏父子的批评或马班优劣展开一次又一次的辩论。这种争论至今仍在进行，不过"史公三失"在今天已从唯物史观的角度得到了廓清。它不仅不是司

① 刘向及扬雄、班氏父子对《史记》的评价见《汉书·司马迁传》赞语。

② 《滹南遗老集》卷一九《史记辨惑》。

马迁之“敝”，而且恰恰是司马迁思想中光彩夺目之“长”。参阅本书前述第九章第四节，兹从略。

班氏父子又批评《史记》不尊汉，将汉代帝王“编于百王之末，厕于秦、项之列”[①]。在这种气氛中，《史记》在汉代流布不广，研究不受重视，而效法者《汉书》取得独尊地位。颜师古《汉书叙例》所列的《汉书》注，汉代就有荀悦、服虔、应劭、伏严、刘德、郑氏、李斐、李奇八家；三国时有邓展、文颖、张揖、苏林、张晏、如淳、孟康、项昭、韦昭九家，晋代有晋灼、刘宝、臣瓒、郭璞、蔡谟五家，行世二百余年注家达二十二家之多。《史记》至东汉末仅有延笃《音义》和无名氏《音隐》两家，显得十分冷落。

3. 史记学的奠基与形成

魏晋南北朝是史记学的奠基时期，人们对《史记》与《汉书》的注释与研究，并行发展，至隋唐而集中古研究之大成，形成了专门的史记学与汉书学。这是因为随着汉王朝的瓦解，《汉书》独尊地位受到冲击，《史记》谤书之说得到辩诬。客观环境的变化，扫除了《史记》流传的障碍。而这一时期纪传体史学的大发展，又推动了《史记》的研究。

第一个为《史记》谤书辩诬的是魏王肃。《三国志·王肃传》载，魏明帝曹叡问王肃曰：“司马迁以受刑之故，内怀隐切，著《史记》非贬孝武，令人切齿。”肃对曰：“司马迁记事，不虚美，不隐恶。刘向、扬雄服其善叙事，有良史之才，谓之实录。汉武帝闻其述《史记》，取孝景及己本纪览之，于是大怒，削而投之。于今两纪有录无书。后遭李陵事，遂下迁蚕室。此为隐切在孝武，而不在于史迁也。”其后，裴松之作《三国志注》，也委婉地驳斥了王允的谤书说。裴松之云：“史迁纪传，博有奇功于世，而云王允谓孝武应早杀迁，此非识者之言。但迁为不隐孝武之失，直书其事耳，何谤之有乎？”裴松之为尊者讳，不相信谤书说出自王允之口，但他驳斥谤书说却是旗帜鲜明的。

---

① 《汉书》卷一〇〇《叙传》。

晋人傅玄、张辅论马班优劣，竟直斥班书不如迁书[①]。《汉书》的独尊地位受到冲击，《史记》日渐受到重视。从魏晋至隋唐，以三家注为标志，形成史记学发展的一个高峰。这一时期的注家，见于《隋书》及两《唐书》等三书史志记载的有十五家。列目如下：

《史记音义》12卷，宋徐广撰

《史记集解》80卷，宋裴骃撰

《史记音义》3卷，梁邹诞生撰

《史记注》130卷，唐许子儒撰

《史记音》3卷，唐许子儒撰

《史记音义》20卷，唐刘伯庄撰

《史记注》130卷，唐刘镇撰

《史记义林》20卷，唐李镇撰

《史记地名》20卷，唐刘伯庄撰

《史记注》130卷，唐王元感撰

《史记注》130卷，唐陈伯宣撰

《史记注》130卷，唐徐坚撰

《史记纂训》20卷，唐裴安时撰

《史记索隐》30卷，唐司马贞撰

《史记正义》30卷，唐张守节撰

上列诸家注疏，流传下来的只有三家，即刘宋裴骃《史记集解》、唐司马贞《史记索隐》、张守节《史记正义》，世称三家注。三家注是汉唐时代史记学集大成之作，至今仍有重要的学术地位，是研究《史记》的必读参考书。兹简介如下。

裴骃《史记集解》　裴骃，刘宋河东闻喜人[②]，字龙驹，官至南中郎参军。裴骃乃刘宋著名史家《三国志注》作者裴松之之子，有着深厚的家学渊源。裴骃以徐广的《史记音义》为基础，

① 傅玄、张辅两人的评论，详见本章第七节讨论马班异同时所引，兹从略。

② 河东郡时属北魏。裴骃祖籍河东闻喜县，今属山西省。

博采九经、诸子、诸史和汉晋人的《史记》注说成果作集注，号“集解”。裴注详于先秦而略于汉，因汉史只有服虔、应劭等少数几家《汉书》注可供取用的缘故。裴氏引用前人旧注，一律标名，一丝不苟。裴氏集解，一般是谨守汉儒“注不破经”的旧例，对原文有疑，往往客观引证他说，自己不下按断。但对于文字异同，裴氏又作了考辨者，能下判断的，亦间出己意，并用“骃案”作标识。裴氏校正《史记》文字，写成定本，奠定了今本《史记》行文基础，是一特大贡献。三家注均据裴氏定本。

司马贞《史记索隐》 司马贞，唐开元中为润州别驾，曾为国子博士，官至弘文馆学士。他的《史记索隐》既注《史记》原文，又注裴骃《集解》，并打破汉儒“注不破经，疏不破注”的旧例，辨正原文，攻驳《集解》许多错误。例如《儒林列传》载孔子“干七十余君无所遇”，《索隐》据实注云：“按《家语》等说，云孔子历聘诸国莫能用，谓周、郑、齐、宋、曹、卫、陈、楚、杞、莒、匡等，纵历小国，亦无七十余国也。”对于《集解》的驳正，更是比比皆是。司马贞又于篇末撰《索隐述赞》，四字为句，押以韵脚，复述篇旨内容，表现了他的博学多才。

张守节《史记正义》 张守节亦唐开元间人，稍晚于司马贞，曾当过诸王侍读、宣义郎、守右清道率府长史。张守节积三十余年之精力撰作《史记正义》，体例仿《索隐》，既为《史记》原文作注，亦为《集解》作疏正，并疏正《索隐》。《正义》尤详于历史地理，凡《集解》、《索隐》未注，或错注，或注而不祥的地名，都一一补注或辨正。《正义》疏解《索隐》由于没有明显标志，前人有争论。1962 年，程金造先生在《文史哲》第五期发表《史记“正义”“索隐”关系证》一文，列举十例证明三家注后出的《正义》疏通前出的《索隐》，解决了清代学者钱大昕提出的“二书不相称引”的疑案，对于考证司马迁行年和评价、使用三家注的价值都有重要意义。

综观三家注，内容非常广泛，从文字考校、注音释义，到注释人物、地理、史事、天文历法、山川草木、鸟兽虫鱼、典章制度等等，无不具备。三家注以疏解文字为其重点，不仅训释音义通假，而且分析虚词用法，或点明句读，或揭示司马迁的作文之法，或点评文章等等，从多种角度解析《史记》文字以及句、段，对读者帮助极大。对史事的补遗，三家注亦有特色。如《吕太后本纪》载："四年，封吕媭为临光侯……及诸侯丞相五人。"《集解》引徐广曰："中邑侯朱通，山都侯王恬开，松兹侯徐厉，滕侯吕更始，醴陵侯越。"此条《集解》具体补充了诸侯丞相封爵五侯的史实。又《魏世家》载：惠王"三十一年，秦、赵、齐共伐我。"《索隐》引《竹书纪年》说："二十九年五月，齐田肦伐我东鄙。九月，秦卫鞅伐我西鄙。十月，邯郸伐我北鄙。王攻卫鞅，我师败绩。"这条《索隐》不仅补充了战争发生的时间、地点、敌将之名，而且交代了魏王企图挽回败局主动击秦的努力，以及纪年之异，故司马贞按曰："然言二十九年，不同。"这些内容对后人研究这段历史提供了重要的材料和依据。又如《周本纪》载："昭王南巡狩不返，卒于江上。其卒不赴告，讳之也。"《正义》引《帝王世纪》云："昭王德衰，南征，济于汉，船人恶之，以胶船进王，王御船至中流，胶液船解，王及祭公俱没于水中而崩。其右辛游靡长臂且多力，游振得王，周人讳之。"此条《正义》将昭王失德，汉水之民智杀昭王的传说做了生动的记载。

三家注就其特点来说，各有所长。大致说，《集解》以广征博引，订定文字为胜；《索隐》以探幽发微，说解详密为著；《正义》则详于地理。在订正《史记》舛误方面，尤以《索隐》为长。三书依次相注，关系紧密，最初原各自单行，至北宋始合刻，并分散在《史记》原文之下，为一百三十卷。现存最早的三家注合刻本，是南宋宁宗庆元年间黄善夫本，收入商务印书馆影印的"百衲本"二十四史《史记》中。三家注与《史记》合刻，最便阅读与翻查，深受人们喜爱，所以七百年来，一直出版不绝。

4. 唐代奠定了《史记》在史学史和文学史上的地位

《史记》问世，"自成一家之言"，于是开了私人修史之风，

《汉书》断代运用纪传体的成功，激发了后代史家的效仿。魏晋南北朝时期的分裂，以史为鉴又具有现实意义。因此这一时期史学发达，有一百余家，其中纪传史居于首位。如晋司马彪《续汉书》、陈寿《三国志》、刘宋范晔《后汉书》、齐臧荣绪《晋书》、沈约《宋书》、梁萧子显《南齐书》、北齐魏收《魏书》，都是纪传史名著。有唐建立，最高统治者极为重视修纪传史，颁令为正史，并开设史馆大修前代国史。唐代官修《晋书》、《梁书》、《陈书》、《北齐书》、《周书》、《隋书》、《南史》、《北史》，均一律用纪传史。唐修《隋书》在《经籍志》中列四部书目为经、史、子、集，而史部又以纪传史为第一，自此纪传史成为修史正宗，具有至高无上的地位。以后历代建国，都开局修前朝历史，中国从此有了一部洋洋大观，贯通五千年文明的“二十六史”，《史记》居首，也取得了独尊的地位。《史记》的正史地位是在唐代得以确立的。

唐代科举有“三史”之目，即《史记》、《汉书》、《后汉书》列为科举考试科目，鼓励士人研习“三史”，通过科举选拔治史人才。这对于学习《史记》起了很大的推动作用。由于统治阶级的提倡，唐代精研“三史”成为时尚，因此唐人的“三史”注解都获得了高水平的成就，这绝不是偶然的。

伴随史学的发展，唐代研究历史编纂方法的专门理论著作也应运而生，那就是刘知几的《史通》。刘氏定书名为《史通》，就是受司马迁“通古今”的影响。该书的研究对象把《史记》开创的纪传体作为重点评述的内容。《史通》标目有《六家》、《二体》、《本纪》、《世家》、《列传》、《表历》、《书志》、《论赞》、《序例》、《题目》、《断限》、《编次》等专篇，就是从理论上总结纪传体编纂的得失的。《史通》是我国史学史上第一部历史方法论的理论巨著。尽管刘知几在《史记》《汉书》对照时扬班抑马，但对司马迁和《史记》在史学史上的地位及其价值，在总体上仍是充分肯定的。实际上，刘氏的批评，是从史学批评史的角度对《史记》的地位和贡献作出了理论的总结，这也是唐代奠定《史记》在史学史上地位的标志之一。

唐代散文大家韩愈、柳宗元倡导古文运动，反对六朝骈俪遗风，以《史记》为旗帜，从而奠定了《史记》在文学史上的地位。《史记》在唐代的影响是空前的。

自唐以后，扬班抑马倒向，转而扬马抑班，人们对《史记》的评价越来越高，研究和学习《史记》的人也越来越多。集成前代《史记》研究成果的三家注在唐代完成，《史记》在史学史和文学史上的地位在唐代得以确立，从而《史记》研究成了一门学问，与时推移，得到了健康的发展，取得了丰硕的成果，唐人的贡献具有划时代的意义。

四、史记学的发展——宋元明清及近代

宋元明清及近代，是史记学不断向前发展的重要时期。这个时期的研究成果总量占《史记》问世以来两千年间的十之八九，据不完全统计，论著有二三百部，论文近千篇[①]。这一时期研究有如下一些特点。其一，流传广布。汉唐之际，书籍为简牍与抄本，受到物质条件的极大限制，自宋以后，图书大量刻印，《史记》于是从少数人的案头读物逐渐成为一般人都能看到的常用书。因此，这一时期研究和阅读《史记》的人日益增多，从名师硕儒到莘莘学子，无论学文、学史，没有不读《史记》的。仅只清一代，研究《史记》留下著述文章的就有三百余人。研习者多，自然名家辈出。其二，研究范围广博，方法细密。大凡史记学包涵的主要内容，这一时期都已提出，并有相当的建树。诸如司马迁的时代、生平、思想，《史记》的体例、内容、成书原因、主要成就、价值、影响，以及马班异同、残缺续补、文字真伪、史事牴牾等等，均提出研究，并有所深入。方法有比较，有评

① 详见中国社会科学院历史研究所编《史记研究的资料和论文索引》（科学出版社 1957 年出版），杨燕起、俞樟华《史记研究资料索引和论文专著提要》（兰州大学出版社 1988 年出版）及王重民《清代文集篇目分类索引》等书的著录。

论，有考证，用力勤而细密。比如《史记》文字真伪问题，这一时期的学者就做了许多艰苦细致的考辨校定工作。王若虚、赵翼、钱大昕、梁玉绳、崔适、王念孙、何焯、钱泰吉、张文虎、郭嵩焘等都有专门著作。其三，著述形式多样，内容丰博。如果说汉唐时期《史记》研究的主流是注疏，又由于唐代三家注的杰出成就，宋代以后注疏只是一个侧面和支流，评点、考证、专题研究成为《史记》研究的主流。大体上说，宋明以评点为主流，清代以考据为主流，近代以思想研究为主流，专题研究马班异同成为专门学问。研究成果的表述，形成多样的著作，有眉批、评点、札记、书后、志疑、考异、测义、知意、达旨、探原、发微、订补、琐言、辑评、集说、读法、评注等等，琳琅满目，应有尽有。大量《史记》论文和皇皇巨著的不断涌现，标志着宋元明清及近代是史记学大发展和深入的重要历史时期。下面着重评述这一时期的主流成果，即《史记》评点与《史记》考证。马班异同另立专节评述。

1. 宋人的《史记》评点

宋代以前对《史记》的评论只有零星的议论，没有形成风气。宋代统治者重视史学的修撰，《新唐书》、《新五代史》、《旧五代史》以及《资治通鉴》都在北宋完成。科举考试改诗赋为策论。政治形势影响文化风尚，所以宋代士人钻研史书十分努力，并形成好发议论的习惯，从而开了评论《史记》的风气。宋人刻《史记》和评《史记》成为一代士风。欧阳修、曾巩、王安石、三苏（苏洵、苏轼、苏辙）、二程（程颢、程颐）、罗大经、刘辰翁、黄震、洪迈、郑樵、吕祖谦、晁公武、王应麟、叶适、王若虚，以及秦观、黄庭坚、黄履翁、陈振孙、朱熹、辛弃疾、马存等数十人，都对《史记》作过认真的分析评论，尽管专门著作不多，而散论文章可以说是洋洋大观，数量、质量都可称雄一代。

宋人对《史记》总体的评论，识见高于唐人一筹。首先，对司马迁开创纪传体的认识，以郑樵为代表作了很高的评价。他称《史记》五体，“本纪纪年，世家传代，表以正历，书以类事，传以著人，使百代而下，史官不能易其法，学者不能舍其书。六经之后，惟有此作。”[①] 其次，对于《史记》各体的评论，也都提出了创新的见解。如林駉论“本纪”，认为司马迁是“以事之系于天下则谓之纪”[②]，超出了刘知几“以天子为本纪”的认识。唐人评史，以刘知几《史通》为最高水平，而刘知几对史表认识不深，甚至有废表之论[③]。郑樵的《通志·总序》则说：“《史记》一书，功在十表。”吕祖谦的《大事记解题》卷一详为申说，认为“《史记》十表，意义宏深”，故“学者多不能达”。他阐述十表“宏义”说：“《三代世表》以世系为主，所以观百世之本支也。《十二诸侯年表》以下以地为主，故年经而国纬，所以观天下之大势也。《高祖功臣年表》以下以时为主，故国经而年纬，所以观一时之得失也。《汉兴以来将相名臣年表》以大事为主，所以观君臣之职分也。”吕氏的评论，第一次揭示了《史记》十表的编制方法和功用，开阔了人们的眼界，在当时和后世都有很大的影响。五体结构的互见法，也为宋人苏洵所首发。

《史记》博大精深，宋人的评论也涉猎广泛。评论最突出的问题，有“史公三失”、“马班异同”、《史记》文章风格、《史记》人物等。对“史公三失”，宋人分为两派，苏轼、叶适、王若虚等人赞成班固的观点，秦观、沈括、晁公武、陈仁锡、黄震等多数为司马迁辩护，认为司马迁先黄老，崇游侠，颂货殖是有为而发，班固的批评不足为司马迁之病。两派意见，森严壁垒，势均力敌。尽管辩难纷纭，却只停留在表象的就事论事，很少有人从司马迁“成一家之言”的高度揭示“史公三失”之说为非，所以这个传统课题，宋人并没有取得突破性的成绩。对《史记》文章风格，唐韩愈、柳宗元评价为“雄深雅健”，宋人的评论在此基础上有了进一步的深入和发展。例如散文家马存，他在《赠盖邦式序》中，作了具体的发挥。他认为《史记》的风格特点是：或

① 《通志总序》。

② 《古今源流至论》后集卷九《史学》。

③ 刘知几论史体，见《史通》卷二《本纪》，废表之论见《史通》卷三《表历》。

"奔放而浩漫"，或"停蓄而渊深"，或"妍媚而蔚纡"，或"雄勇猛健"，或"斩绝峻拔"，或"典重温雅"①。苏辙说太史公行文"疏荡有奇气"②。马存与苏辙还探讨了《史记》文章风格形成的原因，是来自于壮游所感受的深广的生活实践。以上论述，超越前人。

2. 明人评点《史记》的杰出成就

元代由于政治的原因，整体社会学术空气不浓，《史记》研究成绩不大。但元代用戏曲形式宣传《史记》，在普及方面取得了空前的成就。据今人傅惜华《元代杂剧全目》所载，元代取材于《史记》的杂剧有一百八十余种，而且大多为演出本。这么多的《史记》戏在全国大小剧场上演，《史记》的人物故事，广为人知。这无疑为明清以来的史记学发展，奠定了深厚的群众基础，因此元代的《史记》戏，亦应值得大书一笔。

明人研究《史记》，承袭宋人的评论余风，发展壮大成为一代主流。明人评点改变了宋人因人因事立题的单篇论文和读书笔记的形式，而以恢弘气度对《史记》全书评点，出现了形式多样的评点专著。最基本的形式是在《史记》原文上用五彩笔作圈点、夹批、眉批、总批。著名的评点专著有杨慎《史记题评》、唐顺之《荆川先生精选批点史记》、茅坤《史记钞》、归有光《归震川评点史记》、钟惺《钟伯敬评史记》等。另一种形式是搜集荟萃历代学者以及时贤的评论精语，一一标注在《史记》有关正文之上，号称"史记评林"。此由凌稚隆的《史记评林》发其端，后继者纷起，有李光缙等人的《史记萃宝评林》、陈仁锡的《史记评林》、葛鼎、金蟠的《史记汇评》、邓以瓒的《史记辑评》、朱子蕃的《百大家评注史记》、陈子龙和徐孚远的《史记测义》等多种辑评专著。辑评形式，灵活自由，文字可长可短，内容丰富多彩，有总体分析，有细事发微，有人物评论，有史实考证，有感则发，无话则省。辑评精语，夹注在作品中，或书写在眉

① 见《史记评林》卷首引。

② 《栾城集》卷二三《上枢密韩太尉书》。

端，时时提起读者的注意，帮助读者思索品味，把自己的欣赏和感受上升到理论的高度。因此辑评很受读者欢迎，流风所及，也成了清代和近代的一种最基本、最普遍的研究方法。晚清以后，形式又有所发展。如清末郭嵩焘的《史记札记》，已不录《史记》全文，而是摘引有关原文，然后发议论。近代李景星的《史记评议》，则完全抛开原文，没有夹批，只有百三十篇的评。今人杨燕起、陈可青、赖长扬又在前人辑评的基础上，荟萃从古至今四百余种著作中的精语，编纂《历代名家评史记》一书，给《史记》研究者提供了历代有关《史记》评论的主要资料。该书分上下两编，上编为全书和《史记》五体的总评，下编为一百三十篇的分论，采录标准以有无学术价值为准。可以说，这是辑评形式的新发展。附论于此，以资参阅。

明人评点《史记》的内容非常丰富，史事、人物、编纂体例、文章风格、艺术手法，无所不及。行文内容不似宋人以议论为主，而是紧贴《史记》原文以分析为主，语言明快，通俗易懂，不发空论，能够引导读者进入欣赏的境界。所以，像茅坤、杨慎、唐顺之、归有光、余有丁等人的见解，就成为品题《史记》的圭臬，深受读者喜爱。明人抉发司马迁的写人艺术，以及《史记》与小说的关系，更有精绝的分析评点，发前人所未发，如本书第七章所引金圣叹对《史记》文学技法的评论，就独树一帜，作出了杰出的贡献。

3. 清人的《史记》考证与研究

清代是旧时代史记学发展的高峰，研究者之多与成绩之丰，都是前所未有的。清人研读《史记》，留下文章著述的作者有三百余人，著名的专著有几十部。如王鸣盛《史记商榷》、钱大昕《史记考异》、赵翼《史记札记》、杭世骏《史记考证》、王元启《史记三书正讹》、邵泰衢《史记疑问》、邱逢年《史记阐要》、梁玉绳《史记志疑》、林伯桐《史记蠡测》、王筠《史记校》、程余庆《史记集说》、张文虎《校勘史记札记》、尚镕《史记辨证》、郭嵩焘《史记札记》、潘永季《读史记札记》、李慈铭《史记札记》、方苞《史记注补正》、牛运震《史记评注》、杨于果《史汉笺论》、杨琪光《史汉求是》和《读史记臆说》、鹿兴世《史记私笺》、储欣《史记选》、王又朴《史记七篇读法》、汪越《读史记十表》、汤谐《史记半解》、邵晋涵《史记辑评》、高塘《史记抄》、吴敏树《史记别钞》、沈家本《史记琐言》、王治皞《史记榷参》、吴见思《史记论文》、吴汝纶《桐城吴先生点勘史记》等等，都是研精覃思的力作。此外，像顾炎武《日知录》、李晚芳《读史管见》、刘熙载《艺概》、曾国藩《求阙斋读书录》、刘大櫆《论文偶记》、林纾《春觉斋论文》等著作中，也对《史记》发表了许多精到的评论。

史记学发展到清代，已经展开了广阔的领域，积累了非常丰富的资料、研究方法和经验教训。又由于政治高压的原因，士人欲避文字狱，治学问者大多埋头于古籍考证。所以清人对《史记》研究的贡献，主要不在于开拓新的领域，而是全面继承、深入和总结前代的研究成果，因而呈现了硕果累累而以考证为主流的新局面。清人评点《史记》亦有突出的成绩。吴见思的《史记论文》、吴汝纶的《点勘史记》都是流传极广的名作。桐城派古文大家，如方苞、刘大櫆、姚鼐、林纾等人对《史记》艺术美的研究与抉发，理论的深入超过了明人的评点。清人的考证亦不乏评论。考中有评，评中兼考，这是清人研究《史记》的一大特点。如汪越的《读史记十表》和徐克范补，就是一部阐发十表义理兼考据的名作，评议与存疑都十分精严。不过，清人研究《史记》的主流是考证，这是本节评述的重点。

《史记》载三千年历史，时间长，人事多，地域阔，司马迁的记述难免有疏漏。《史记》流传，必然发生文字歧异。后人的研究，也有得有失。对这些问题进行一番梳理，考辨是非，是非常必要的。清代乾隆、嘉庆年间，学术界考据成为一代风气，学者以考据方法，对古代文献，进行通盘分析整理，成就斐然，学术史上称为乾嘉考据学。《史记》考证就是在这一风气下发展起来的。

追溯《史记》考证，第一人是三国时的谯周。据《晋书·司马彪传》载："谯周以司马迁《史记》书周秦以上，或采俗语百家之言，不专据正经，周于是作《古史考》二十五篇，皆凭旧典，以纠迁之谬误。”《古史考》今已不存，遗说见于《史记》三家注引录。《史通·正史篇》称该书“今则与《史记》并行于代焉”，说明《古史考》是唐以后失传的。宋人以疑古精神读《史记》，因疑而辨，也做了一些考辨工作，最有代表性的是金人王若虚的《史记辨惑》。作者以疑古精神，对《史记》在采摭、立论、体例、文字、文章、评论诸方面的问题，广为疑惑，发难辩驳。但由于王若虚疑古过勇，放言高论，刻意苛求，言之成理者十之三四，失误偏激者十之六七，失多于得，影响不大。从总体上说，宋人的考辨还停留在质疑发难，提出问题的阶段。到了明代，《史记》考证才有所发展，出现了柯维骐《史记考要》、郝敬《史记愚按》等考证专著，为清人的考证起了铺路奠基的作用。

清人的《史记》考证，通过训诂、笺释、校勘、辨伪等方法和手段，对《史记》作了全面系统的整理研究。清代著名的考据学家，如王鸣盛、钱大昕、赵翼、何焯、王念孙、梁玉绳等人，都在《史记》考证上下过一番功夫。其中以梁玉绳的成绩为最大，他的《史记志疑》可代表清人《史记》研究的水平。这些学者，重视实证，力戒空谈，穷年累月搜集资料，进行归纳、排比，“究其异同，核其始末”，言必有据，据必可信，孤证不立，必以多项证据定是非，因此他们的考据有较高的学术价值，受到世人的推重。

清人考证《史记》的方面很广，大至重大的历史事件，小至一地一名，一字一音都不放过。主要的成绩有以下几个方面。

其一，考订文字。厘正文字，是清人《史记》考证的重心，钱大昕、王念孙、梁玉绳、李慈铭、张文虎等人都作出了重要的贡献。《史记》在流传中，文字有衍、倒、讹、脱、增、改、缺、异，以及错简等。如《廉颇蔺相如列传》：“秦破赵，杀将扈辄于武遂。”钱大昕云：“《赵世家》作‘武城’，武遂在燕赵之交，秦兵未得至其地，恐因上文有武遂、方城之文，误衍‘遂’字耳。”[①] 武城在赵之南境，在今河北磁县西南，武遂在赵之东北邻

① 《二十二史考异》卷五。

近燕，在今河北徐水县西。秦兵未过赵都邯郸，不可能到达武遂，故钱氏据《赵世家》校正，“遂”字涉上文而衍致误。这一字之差，史实就有很大的出入。《史记》文字，在刘宋时裴骃厘正过一次①，成为古代定本。历经一千余年，清人再次作了全面的梳理，为今通行本中华书局点校本奠定了物质基础，这一贡献无论怎么评价都不过分。

其二，考证史实。三国时谯周《古史考》已发其端，但以后一千余年没有得到很好的继承。清人的考证，成绩巨大，有系列的专著。如王鸣盛《史记商榷》、赵翼《史记札记》、王元启《史记月表正伪》、《史记三书正伪》、梁玉绳《史记志疑》等。此外，散见于一些读史札记、笔记及文集散篇的考辨成果亦不少。

其三，考订地名、人名、年月。其四，考证《史记》疑案，如作者生平、书名、断限、缺补等。内容丰富，例证不能一一胪列遍举，兹从略。

以上评介，只是一个概略的轮廓，不免挂一漏万。清人乾嘉学派以考证方法治史是考据学的一个主要方面，《史记》又是一部博大的典籍，所以清人对《史记》考证用力之勤，贡献之大，其前任何一个时期无可比拟。另一方面，我们也应看到，清人的考证也有很大的局限。从方法上主要是以文献证文献，比起近代王国维的二重证据法，就逊色一筹，这是时代的局限。其次，微观的研究用力甚勤，而宏观的把握则不足，导致有的考证似是而实非。例如梁玉绳《史记志疑》考列《伯夷列传》十大矛盾，认为“史所载，俱非也”。殊不知司马迁本来就视伯夷、叔齐同许由、卞随、务光一样，其事迹都在疑似之间，只不过是借题发挥罢了。司马迁不仅是史学家，他还是文学家和思想家，不把握这个宏观，考证难免迂阔之见和皮毛之论。有时钻牛角，为考证而考证。不过瑕不掩瑜，清人《史记》考证的总体成就，在史记学发展史上是值得大书特书的。

---

① 《史记集解序》云：“考较此书，文句不同，有多有少，莫辨其实，而世之惑者，定彼从此，是非相贸，真伪舛杂。”说明《史记》抄本在南北朝的文字舛杂，裴骃在徐广《史记音义》基础上作了厘正，写成定本。

4. 近代研究《史记》的特点

这里所说的近代，是指 1900—1949 年，整五十年，正当 20 世纪的上半世纪。这一时期中国社会发生了翻天覆地的大变化，政治的动荡带来思想的活跃。资产阶级和马克思主义两种思想体系、两种研究方法从西方传入中国，在古老神州大地上激发了“五四”新文化运动。在这一大背景下的《史记》研究，具有继往开来的重要作用，呈现出与以往不同的一些新特点。从总体上说，这一时期的研究，一方面是对封建时代的《史记》研究成果开始了批判总结，另一方面是在继承前人研究成果的基础上有所创新。具体说，是全面继承清人的研究余绪，仍以考证与评议为两大主流，但更具有理论色彩，识见上了一个新台阶。这时期的注家仍然寥落，这方面与日本学术界相比，尚有差距。20 世纪 30 年代日本学术界出版了泷川资言的《史记会注考证》，尽管有许多不足，它毕竟是继《史记》三家注之后近代的一部集成著作，其价值不能低估。这说明近代的《史记》研究是一个过渡时期，它为新中国成立以后史记学的深入发展打下了坚实的基础。

近代半个世纪《史记》研究的总成果相当可观，重要的学术论文有一百余篇，专著几十部。考证方面，崔适《史记探源》、鲁实先《史记会注考证驳议》、朱东润《史记考索》、李奎耀《史记丛考》、余嘉锡《太史公书亡篇考》；评议方面，魏元旷《史记达旨》、杨启高《史记通论》、刘咸炘《太史公书知意》、齐树楷《史记意》、李景星《史记评议》、施章《史记新论》、李长之《司马迁之人格与风格》；《史记》注疏方面，李笠《史记订补》、吴国泰《史记解诂》；《史记》书法方面，靳德峻《史记释例》；太史公行年方面，张鹏一《太史公年谱》、郑鹤声《司马迁年谱》等等，都是各具特色的专著。一大批著名学者如章炳麟、梁启超、罗振玉、王国维、鲁迅、茅盾、刘师培、钱玄同、顾颉刚、罗根泽、闻一多、朱自清、范文澜、吕思勉、翦伯赞、郑振铎等，也在他们的著作或论文中程度不等地评述了《史记》。这一时期创立的史学史、文学史大都给予《史记》以专章、专节的论述，使《史记》在我国史学史和文学史上的崇高地位得到了更牢固的确立。

这一时期《史记》研究的特点，概略地说有以下几个主要方面：

其一，高度评价司马迁和《史记》，认为司马迁为中国史学立界碑成为了共识。梁启超评价司马迁为“史界太祖”[①]，罗元鲲则誉《史记》为“我国二千年来第一绝作”[②]。翦伯赞、顾颉刚做了进一步的论证。翦伯赞说：“中国的历史学之成为一种独立的学问，是从西汉时起，这种学问之开山祖师，是大史学家司马迁。”[③] 顾颉刚说：“窃谓《史记》一书，‘厥协六经异传，整齐百家杂语’，实为吾国史事第一次有系统之整理，司马氏既自道之矣。……是书独其创定义例，兼包巨细，会合天人，贯穿今古，奠史学万祀之基，炜然有其永存之辉光，自古迄今，未有能与之抗衡而行者矣。”[④] 鲁迅凝练为两句定评语：“史家之绝唱，无韵之《离骚》。”[⑤] 史学、文学都说到了，至今常为人们引用。

近人将《史记》评价到前所未有的高度，并不是空言论说，而是从具体分析中得出，比前人更细，更富理论色彩。仅举一例以明之。联络《史记》结构的互见法，宋人苏洵即已发现，但只说到“本传晦之，他传发之”这一特点，而内涵和价值尚未充分论说。近人李笠和靳德峻就做了比较明确的定义。李笠《史记订补》说：“阙于本传而详于他传者，是曰互见。”靳德峻《史记释例》说：“一事所系数人，一人有关数事，若为详载，则繁复不堪，详此略彼，详彼略此，则互文相足尚焉。”并具体分析有“书明互见者”的互见，有“不书明互见而实互见者”的互见，有详于此而略于彼的互见，有两者微殊而互为补足发明的互见。朱自清在《史记菁华录指导大概》一文做了更进一步的阐释。他认为互见法在纪传史中的运用，第一避重复，第二寓褒贬，第三

① 《中国历史研究法》，第 27 页。

② 《史学概要·西汉之史学》。

③ 《中国史纲》第 2 册，第 654 页。

④ 《史记》校点本序。

⑤ 《鲁迅全集》第八卷《汉文学史纲要》。

免触忌讳。每一论点都有生动的例证分析，使读者过目而留下深刻印象，对于辅导阅读《史记》有很大的意义。

其二，加强了对《史记》宏观的综合评议。李景星《史记评议》、李长之《司马迁之人格与风格》是两部代表作。前者是对《史记》分篇的综合评议，后者是对《史记》全书的综合评议。立足点不同，表述方法也有了创新。李景星的《史记评议》，虽然是对《史记》逐篇评说，但立意在综合，所以不在原文上作眉批、夹评、圈点，而是脱离原文，驰骋笔力进行分析论断。内容丰富多彩，大至篇章命题、作文中心、作者用意，小至一词一语、一时一地的校核推敲，以及人物品评、材料运用、马班异同等都带总结的意味。李景星的评议，比起明清人的《史记》篇末总评，在深度和广度上都大大前进了一步。李长之的《司马迁之人格与风格》，是史记学发展史上第一部以章节体全面评介司马迁及《史记》的专著。对司马迁的评述，讨论了他处的时代，追溯了他的家学渊源，勾勒了他的生平、思想；对《史记》的评述，推测了各篇的创作顺序及缺补，内容分析从哲学、史学、美学、文学各个角度全面分析其内涵和价值。李氏对《史记》艺术的分析，独树一帜，获得了许多创见。他用统一律、内外谐和律、对照律、对称律、上升律、奇兵律、减轻律、建筑结构与韵律等美学律则分析《史记》的艺术成就，给人以耳目一新之感。李氏尤其强调《史记》的抒情性，称司马迁是一个不朽的抒情诗人，称《史记》既是史学，又是一部绝好的史诗和个人传记。这些说法，毫无疑问可以讨论，但它鲜明地表现了评论者的个性的一家之言，对读者深入体会司马迁的思想、风格也是有启发的。

其三，系统地介绍《史记》的读法和学法，开始了《史记》的普及。近代学者给予《史记》以崇高的评价，认为它是一部开卷有益的国学精粹，所以从清末至新中国成立前这个时期，《史记》已有相当程度的普及，研习的人越来越多。首先，在二十世纪二十年代有各种普及的《史记》版本和通俗读本不断问世。如商务印书馆影印了殿本和百衲本《史记》、又有国学基本丛书本、万有文库本、中华书局四部备要本、开明书店缩印二十五史本、世界书局影印殿本、上海大光书局铅印本。最值一提的是1936年北平研究院出版的顾颉刚、徐文珊点校的白文本《史记》，第一次对《史记》作标点分段，为新中国中华书局点校本奠定了新式点校基础。通俗读本有胡怀琛《史记选注》、庄适等《史记选》、高步瀛《史记举要》、中华书局排印本《史记精华》等。其次，从20世纪20年代起，许多知名学者如梁启超、朱自清、钱基博等把《史记》搬上了大学讲坛，培养了一批《史记》爱好者。在普及宣传与培养人才方面，用力最勤，贡献最大者，正是新史学理论的奠基人梁启超。

梁启超在他的许多演讲和论著中，大力提倡人们阅读和学习《史记》，推崇司马迁的文章是作文范本。他在南开和清华借大学讲坛开设《中国历史研究法》及《补编》、《要籍解题及其读法》、《中学作文教学法》等课程，都用了很大的篇幅来评介《史记》。对《史记》的读法，明清时代的学者已渗透在评点之中，但他们的议论都比较细碎，不成系统。梁启超的《史记》读法则是一种系统的指导，对一般读者和专门研究者都有指导意义。他在《史记解题及其读法》中，分别讨论常识的读法和专究的读法，以及如何做准备工作，熔铸了作者的治学经验，使读者备感亲切。梁氏在专究的读法中提出了几项具体工作，如辨识后人窜乱，考证先秦史实，为《史记》作新注，编制《史记》古今地名对照手册，补大事年表等，这些恰是尔后《史记》深入研究的紧要课题。梁氏在《中国历史研究法补编》中，对于如何学习司马迁的写人艺术做了具体分析，并认为可为新史学撰写人物提供借鉴。由此可见，梁启超评介《史记》，具有鲜明的现实意义，因此是很有价值的。

至于现当代的《史记》研究，在本丛书“集成”第二卷《史记通论》第一章有述评，兹从略。

五、马班异同成为一门学问

马班异同是一个引人注目的传统课题，又称班马异同，或史汉异同，或马班优劣论。自从《史记》《汉书》两书问世以后，马班齐名，《史记》《汉书》并论，从而马班异同的问题也就被提了出来，至今仍然是一个引人入胜的研究课题。尽管历代关于马班异同的专论著作不多，但研究《史记》的人大都要涉及这一问题，所以散论、笔记以及涉及的论说则不可胜计。宋人倪思、刘辰翁《班马异同评》、明人许相卿《史汉方驾》是两部发轫名作。今人研究，以白寿彝《司马迁与班固》、施丁《马班异同三论》、徐朔方《史记论稿》三部论著最有成绩。

马班异同，首先是从马班优劣的角度提出问题，因而有扬班抑马和扬马抑班的争论，由抑扬争论而发展为异同比较，由比较而成为传统的研究课题。可以说马班异同，是中国学术史上没有使用比较术语的一门传统比较学，总结这门比较学的内容和发展历史，可以加深我们对中国传统史学的认识，是很有意义的。

1. 马班异同产生的原因及内容

为了表述的简明，先概述马班异同的内容，而后产生的原因将自然引出。至于发展历史，另立目评述。

综括古今人讨论马班异同，主要内容有以下四个方面。

（1）文字异同。西汉二百年历史，《史记》《汉书》两书重叠部分整整一百年有余，故《汉书》一百篇，有五十五篇过半数与《史记》内容重叠，计有帝纪五篇，表六篇，志四篇，传四十篇。重叠部分，《汉书》基本承袭《史记》旧文而做了增补、删改、移动等工作，造成文字异同，显而易见。两书对照，分析班固是怎样增省《史记》的，这就产生了文字异同的比较。看起来只是一个互校的问题，形式简单，但它却是论马班优劣、是非、得失的基础，所以宋明人《班马异同》与《史汉方驾》主要就是考察文字异同。从总体上看，《汉书》文字多于《史记》，班固增补了若干诏令、奏议、政论等文章及人物事迹。赵翼《廿二史劄记》中有"《汉书》多载有用之文"、"《汉书》增事迹"等条目，评述班固的增补，于史有益，值得肯定。历代以来对此多有抑扬评说。平心而论，班固的增补，从治史角度可以有是非得失之分，但不可据繁简论优劣。清人朱仕琇就指出，若“断以史法”，则“固非揉于私意以为之，而异同之势，俱处不得不然”[1]。意思是说，班固断代为史，文字有增省，不是私意所为，而是情与势不能不如此。近人刘咸炘说得更直率。他说：“昔人多谓班载文过多为好文章；又或谓马不载逊于班，皆谬也。吾谓读太史公书，须先将‘黄帝以来，迄于麟止’八个字熟记，诸论班马异同者，皆未熟记耳。”[2] 这是说《史记》为通史，目的在于通古今之变，载文不宜多，以免冲淡历史发展过程的叙事；班固《汉书》为断代史，述一代始末，多增补一些材料是必然之势。

班固移动《史记》内容大多改得不好，使人物减色。如《史记·吕太后本纪》具记事本末体特色，从史的方面完整记叙了吕太后临朝诸吕擅权始末；从文的方面生动塑造了一个刚戾残狠的女政治家形象。《汉书·高后纪》就索淡寡味。班固把《吕太后本纪》所载的吕太后戕杀赵王如意，残害戚夫人，以及王诸吕等事移入《外戚传》；吕太后欲鸩齐王刘肥，害死两赵王刘友、刘恢，以及大臣诛诸吕，迎立文帝等事移入《高五王传》；又把陈平、周勃等大臣有关谋除诸吕事移入《张陈周王传》，这样一来史事零散，人物形象模糊，于史于文两失之。又如班固将《史记》中《魏其武安侯列传》的灌夫，《淮阴侯列传》的蒯通分出移于他传，都是败笔，颇受后人讥议，不一一评说。但我们也应看到，有些移动是符合断代史法的，则不宜以优劣论。例如《史记》将项羽、高祖并立本纪，蝉联对照，史事条贯与人物刻画都极为精彩。班固改项羽为传，并将楚汉相争的一些重大事件和鸿门宴、彭城之战、陈平间楚、彭越韩信会兵垓下等，移入《汉书》卷首《高帝纪》，丰富了开国帝王的形象，并为全书提振。虽然损害了项羽的形象，但作为断代史不能不如此，这是失小而得大。所以赵翼在《廿二史劄记》的《汉书移置史记文》条目中予以肯定，表现赵翼不同凡响的史识。

① 《梅崖居士文集·班马异同辨》。

② 《太史公知书意》卷六。

（2）体例异同。《史记》《汉书》以人物为中心述史，皆为纪传体，这是同；《史记》贯通，《汉书》包举一代，这是异，评议马班，尊通史而抑断代者，扬马抑班；尊断代而抑通史者，扬班抑马。前者代表人物为南宋郑樵，后者代表人物为唐代刘知几。

刘知几在《史通》中论《史记》《汉书》得失，立言甚多，主观上反对扬此抑彼，而实际评述是扬班抑马。他在《六家》篇中说："朴散淳销，时称世异，《尚书》等四家，其体久废，所可祖述者，唯《左氏》及《汉书》二家而已。"又在《二体》篇中说："然则班荀二体，角力争先，欲废其一，固亦难矣。后来作者，不出二途。"《史记》为通史，《汉书》断代，在六家中并论，这是可以的。但作为编纂体例，纪传创立者为司马迁而非班固，刘氏把《汉书》抬为纪传之祖，如果不是扬班抑马，则是识见有误，二者必居其一。刘知几在分论五体时，处处以《汉书》体例为标准，反过来范围司马迁，批评《史记》为例不纯。所以，在学术史上，刘知几是扬班抑马的代表，郑樵则针锋相对以为说。他在《通志总序》中说："自《春秋》之后，惟《史记》擅制作之规模，不幸班固非其人，遂失会通之旨，司马迁之门户自此衰矣。"又说："班固者，浮华之士也，全无学术，专事剽窃"，"迁之于固，如龙之与猪，奈何诸史弃迁而用固，刘知几之徒尊班而抑马。"郑樵肯定通史的会通精神，为纪传体创立者司马迁翻案，都无可非议。但他过分斥班，感情偏激，比刘知几走得还远，就不可取了。

纪传体，司马迁首创，班固因循，当然不能同日而语。但班固改纪传通史为断代史，也称得上是伟大的创造。如今人施丁在《马班异同三论》[①] 一文中说："《史》开创于前，乃空前杰作，是古代史学的高峰；《汉》继于后，有所发展，对后世'正史'影响最大。"这个评价是公允的。首先，《汉书》断代的成功，提高了《史记》的学术地位。其次，《汉书》十志扩大了《史记》八书的内容，载史更为完备。再次后世实践证明，纪传体更适宜于

① 收入《司马迁研究新论》，河南人民出版社 1982 年版。

写断代史，而不适于写通史。仿司马迁作通史者有梁吴钧《通史》六百卷，魏元晖《科录》二百七十卷，以及郑樵《通志》中的纪传部分，都可说是一种失败。而效班固断代为史，均能成功。原因是纪传五体分别贯通，就会把同一时代的人和事分割悬隔。所以司马光用编年体通史又获得了成功，创新了司马迁的会通精神。由此看来，通史和断代史，两种形式可以互为补充，并驾齐驱，谁也顶替不了谁。因此，《史记》《汉书》体例的异同，只可对照，不应扬此抑彼。清人章学诚发表了十分通达的评论。他说："史氏继《春秋》而有作，莫如马班；马则近于圆而神，班则近于方以智也。"章氏认为马班之书都是无愧于比肩《春秋》的良史，两书各具特色，"皆为纪传之祖"[①]，既肯定通史，又肯定断代史。

（3）风格异同。前人评论马班文章，认为两人都是大家，而风格迥异。刘宋范晔说"迁文直而事核，固文瞻而事详"[②]；南宋朱熹说"太史公书疏爽，班固书密塞"[③]；明凌约言说"子长之文豪，如老将用兵，纵骋不可羁，而自中于律；孟坚之文整，方之武事，其游奇布列不爽尺寸，而部勒雍容可观，殆有儒将之风焉"，称赞马、班与左丘明、庄周诸大家之文"机轴变幻不同，然要皆文章之绝技也"[④]。

宋明评点家，经过深入研究，更多的人认为班固虽为大家，但比司马迁要逊色一筹。宋黄履翁说：司马迁之文"措辞深，寄兴远，抑扬去取，自成一家，如天马骏足，步骤不凡，不肯少就于笼络。彼孟坚摹规效矩，甘寄篱下，安敢望子长之风"[⑤]？明茅坤的评论最为深刻而中肯。首先，他称马、班皆"天授"之才，各领风骚，认为"《史记》以风神胜，而《汉书》以矩矱胜。惟其以风神胜，故其飘逸疏宕如餐霞，如啮雪，往往自眉睫之所

① 《文史通义·书教下》。
② 《后汉书》卷四〇《班固传》。
③ 《朱子语类》卷一三四。
④ 《史记评林》引。
⑤ 《古今源流至论·别集》卷五。

及，而指次心思之所不及，令人读之，解颐不已；惟其以矩矱胜，故其规划布置，如绳引，如斧钊，亦往往于其复乱庞杂之间，而有以极其首尾节奏之密，令人读之，鲜不濯筋而洞髓者”[①]。这是对两人“文章绝技”不同风格的生动描绘，都是千年绝调，难分高下。其次，若定将马班分一个高下，茅坤认为班固难以比肩司马迁。他说，《史记》“指次古今，出风入骚，譬之韩、白提兵而战河山之间，当其壁垒、部曲、旌旗、钲鼓。左提右挈，中权后劲，起伏翱翔，倏忽变化，若一夫舞剑于曲旃之上，而无不如意者，西京以来，千古绝调也。即如班掾《汉书》，严密过之，而所当疏宕遒逸，令人读之，杳然神游于云幢羽衣之间，所可望而不可挹者，予窃班掾犹不能登其堂而洞其窍也，而况其下者乎”[②]？

对马班文章风格高下，说得浅显易懂的，莫如《汉书评林》所引程伊川之言。他说：

> 子长著作，微情妙旨，寄之文字蹊径之外，孟坚之文，情旨尽露文字蹊径之中。读子长文，必越浮言者始得其志，超文字者乃解其宗，班氏文章亦称博雅，但一览无余，情词俱尽，此班马之分也。

马班文章风格，我们还可以作出具体的比较。微观的文字异同，亦可见出文章风格。班固好用古文奇字，司马迁好用俚语俗谚，将古文转译成汉代通语。班固改动《史记》字句，尽量删减虚字、语气词，使《汉书》文章有“典诰之风”。《史记》行文变化入神，《汉书》行文平铺直叙。司马迁好用重复语，用以增强文势和韵味，班固务求简严，一味删削。司马迁写人物对话，声口毕肖，个性鲜明，班固往往删节或简化为书面语。司马迁讥诮汉代帝王及汉儒，讲求讽刺艺术，班固为尊者讳，常常删去讽刺语言和细节描写。如《高帝纪》移植鸿门宴，基本是司马迁原文，但删

① 《汉书评林序》。
② 《史记钞·序》。

去了其中几处显现人物风采的对话，又为刘邦讳删去鸿门宴上坐次，因为这个坐次有尊卑之分。像这样的例子很多，班固只是改动了字句，不仅降低了原作的思想性，而且使人物风神举止大为减色。茅坤说班固学习司马迁不能登堂入室，并未夸张。

施丁在《马班异同三论》中将《史记》《汉书》的历史文学作了宏观比较。认为“两者都注意写历史人物、战争、人情世故和历史环境，都有杰出的成就”，“相对说来，《史记》文笔豪放、自然，用字大方、活泼，文章富于变化，不拘一格，所以信笔写来，绘形绘色，非常生动，较为准确；《汉》文笔规整、朴质，用字节约、简雅，文章工致而少变化，讲究形式，所以写人稍欠生动，写事有点古板”。又说：“司马迁是用画家的彩笔写历史，在描绘历史人物、战争和事理的特点和灵魂，通过一些具体的典型说明历史，因而在司马迁笔下，历史的长河在流动，史篇是活生生的历史；班固是用工细的墨笔写历史，用心计算历史的一般情况，通过一些具体内容说明历史，因而在班固笔下，历史的账单较为清楚，然少彩色，有格式化的倾向。”施丁的最后结论是：“就历史散文来说，《汉》比《史》稍逊一筹。”这个评价，是符合实际的。

（4）思想异同。司马迁和班固都是汉朝史官，《史记》和《汉书》都以尊汉为主旨，宣扬汉家一统的威德，他们都是封建历史学家，这是相同点。有人说司马迁是“人民歌手”，这是不对的。但司马迁有异端思想，敢于突破愚忠思想的束缚，同情人民的苦难，鞭挞暴君污吏的丑恶，使《史记》融入了人民性的成分，班固则是较为保守的正统史学家，思想境界和史识不能与司马迁相提并论。西晋唯物主义哲学家、文学家傅玄论马班优劣就提出了这个问题。他说：

> 吾观班固《汉书》，论国体，则饰主阙而抑忠臣；救世教，则贵取容而贱直节；述时务，则谨辞章而略事实，非良史也。①

① 《傅子·补遗上》，见严可均辑《全晋文》。

班固提出“史公三失”的批评，已公开宣言他与司马迁具有不同的思想境界。不过在整个封建社会，评论马班的思想异同，也局限在“史公三失”的圈子内，由于历史的局限，旧时代的学者谁也没有把这个问题说清楚。

比较马班思想异同，这是一个极富理论色彩的课题，所以真正的研究是新中国成立以来的当代，白寿彝和施丁两家的评论，最深入的地方正是评论马班的思想异同。我们留待后面再作评述。

从上述马班异同的四个方面，就可以清楚地看出，由于《史记》《汉书》两书有过半篇幅的重叠，同以西汉王朝的历史为重心，两人都是大手笔，各自取得了辉煌的成就而并举，这些是产生马班异同的客观条件。两人由于思想意趣、文化渊源、历史背景种种不同，写出不同风格的作品，这是产生马班异同的主观条件。

我们再仔细分析和综合，马班异同的内容又可分为有形和无形两个方面。有形的异同就是将《史记》《汉书》两书从内容到形式所作的比较，具体说是文字异同和体例异同。无形的异同指马班二人的思想意趣和文章风格。有形异同的比较，较为粗浅，似有终结，无形异同的比较，步步深入，永无了期。有形异同是无形异同的物质基础，无形异同是有形异同的升华，要通过一代又一代研究者的发掘才能探究底蕴。宋明人着重有形异同的研究，清代以来步步深入无形异同的研究，这是学术发展的必然，因此不能以后人识见之精去讥笑前人识见之薄，这是我们今天评述马班异同应有的态度。

2. 马班异同的发展历史

大抵唐以前，论者主流是扬班抑马，宋明人评价马班抑扬相当；清人虽扬马抑班但俱称《史记》《汉书》为良史。今人评论，全面比较马班异同，总结二人史学的得失，显然比前人的论述更深刻，更具科学精神。分论于次。

（1）汉唐时期。班氏父子提出“史公三失”和批评司马迁编汉本纪于百王之末，就隐然含有《汉书》优于《史记》的意味。

两汉时期统治者推尊《汉书》，冷落《史记》，这是一个政治问题。班氏父子的自诩与西汉时期的政治背景，事实上提出了马班优劣的问题，而且《汉书》被目为五经之亚，取得了国史独尊的地位。从学术上论马班优劣，最早的文献记载是王充的《论衡》。该书《超奇篇》云，“班叔皮续《太史公书》百篇以上，记事详悉，义浅理备，观读之者以为甲，而太史公乙”。班叔皮，是班彪之字，王充以他代表班氏父子。“记事详悉，义浅理备”，这两句话是王充比较《史记》《汉书》两书后对《汉书》提出的评价内容，也就是《汉书》优于《史记》的论据。王充记载“观读之者”甲班乙马，说明当时风尚如此。

晋人已有扬马抑班之论。首发者为傅玄，已见前引。随后张辅将马班作比较评论，其言曰：

> 世人论司马迁、班固才之优劣，多以固为胜，余以为失。迁之著述，辞约而事举，叙三千年事，唯五十万言，班固叙二百年事，乃八十万言，烦省不同，不如迁一也。良史述事，善足以奖劝，恶足以监诫，人道之常。中流小事，亦无取焉，而班皆书之，不如二也。毁贬晁错，伤忠臣之道，不如三也。迁既造创，固又因循，难易益不同矣。又迁为苏秦、张仪、范雎、蔡泽作传，逞辞流离，亦足以明其大才。故述辩士则辞藻华靡，叙实录则隐核名检，此所以迁称良史也。[①]

张辅的优劣比较，实开宋人论班马异同之先河，方法无疑是正确的。张辅提出了四个方面的比较，即烦省、取材、史识、文采，这些内容也是不错的。但张辅没有作具体分析，着重点是文字烦省，流于形式比较，难以折服人心。因为文字多不一定就繁，就不善，文字省就一定是简，必然是佳。例如贾谊传，《史记》简《汉书》繁，从史的角度《汉书》收载贾谊治安策于传

① 《晋书》卷六〇《张辅传》。

中，洋洋数千言却是很有价值的文献。又如《汉书》的王莽传，作为汉史殿篇，写西汉衰败，王莽篡权，详瞻有法，尽管有四万余字，可以说是二十四史中的第一大传，也是一篇佳传，不亚于史公之笔。另外，三千年与二百年，更是一种浮泛的比较，故刘知几驳云，“迁叙三千年事”，“唯汉兴七十余载而已”，“班氏《汉书》全取《史记》，仍去其《日者》、《仓公》等传，以为其事烦芜，不足编次故也”。刘知几甚至断言：“若使马迁易地而处，撰成《汉书》，将恐多言费辞，有逾班氏，安得以此而定其优劣邪！”①

刘知几反对以形式主义的繁省定优劣，这个意见是对的，但他从扬班抑马立场为说，反过来说史迁为文繁于班氏这就过了头。宋人王若虚承其余绪，走向极端，认为张辅立论大谬，论繁简“迁记事疏略而剩语甚多，固记事详备而删削精当。然则迁似简而实繁，固似繁而实简”②。这是意气用事，持理偏激，没有学术价值。

唐人《史记》三家注作者，司马贞对马班抑扬相当，张守节扬马抑班。

汉唐时期，也有持论公允的史家。如晋人袁宏在《后汉纪序》中说：“夫史传之兴，所以通古今而笃名教也。……史迁剖判六家，建立十书，非徒记事而已，信足扶明义教，网罗治体，然未尽之。班固源流周瞻，近乎通人之作，然因籍史迁，无所甄明。”袁宏肯定司马迁“通古今”“网罗治体”，但详瞻未尽；班固“源流周瞻，近乎通人”，但“因籍史迁”，各有得失，难分伯仲。我们说袁宏评论公允，因为他是一种平心的分析，其说对后世有很大的影响。持论精神差不多与清人暗合，只是详瞻不及罢了。

（2）宋明时期。马班异同，是宋明人研究《史记》的一个重要方面，它最大的成就是奠基了马班比较学，把晋人张辅的优劣论发展成为系统的异同比较，出现了《班马异同》与《史汉方

---

① 《史通》卷一六《杂说上》。

② 《滹南遗老集》卷一五《史记辨惑》。

驾》学术专著。这两部专著是着重比较《史记》《汉书》的文字异同。此外，宋人苏洵、郑樵、王若虚、吕祖谦、朱熹、陈傅良、叶适、洪迈、魏了翁、黄履翁、杨万里，元人王鏊、茅坤、胡应麟、焦闳、黄淳耀、凌约言等人，从各个角度比较马班异同。大抵宋人着重书法、体例，明人着重文章风格。宋明人的评论，扬此抑彼，依然存在，如吕祖谦扬马抑班，朱熹扬班抑马。宋人更有偏激意见，王若虚极端扬班抑马，郑樵极端地扬马抑班，已如前引。但从总体上说，宋明人已将马班并提，杨万里与凌约言两人之言可为代表。杨万里以唐代诗人李杜比马班，他说："太白诗，仙翁剑客之语，杜陵诗，雅士骚人之词；比之文，太白则《史记》，少陵则《汉书》也。"[①] 凌约言以汉代齐名之将李广、程不识比马班。他说，"子长之才，豪而不羁，李广之射骑也；孟坚之才，瞻而有体，程不识之部伍也"[②]。这种类比虽然不大确切，但肯定马班是齐名大才的意味却是明显的。

宋明人论马班的最高成就，应推《班马异同》与《史汉方驾》。

《班马异同》三十五卷，宋人倪思撰，刘辰翁所增评语与之合刻，则称《班马异同评》。本书比较《史记》《汉书》两书对应的篇目，考其字句异同，以观二书得失。本书的表述方法是一个创造。全书以《史记》原文为主干，用大字书写，《汉书》增加的文字用细笔小写，凡是被《汉书》删去的文字，就在其旁画一墨线标识，凡是《汉书》移动《史记》文字的地方，即注明《汉书》"上连某文，下连某文"。如某文被《汉书》移入其他纪传，即注明"《汉书》见某传"。倪思、刘辰翁的评语，一一列于眉端，十分醒目。《史记》《汉书》的同异，一目了然，为研究品评提供了方便，其评语也引人深思。《马班异同评》从表述形式到评语内容，仍有甲马乙班的意味，但其说是建立在文字比较和审慎分析的基础上，是非的评判，比较端正，绝不信口雌黄和意气用事。如汉高祖本纪，《汉书》比《史记》多载若干诏令，于史有补，评语发问明其义，云："《汉书》精神全在收拾诸诏，不知

---

①② 《汉书评林》引。

子长何故放佚？又不知班氏何从得之？”《史记》赞语从历史的发展角度，肯定“汉兴，承敝易变，使人不倦，得天统矣”，重心是说汉兴符合人心的变化，天命论色彩浅淡。如清牛运震评论说：“赞语在更制宜民上立论，以见高祖能变秦苛法，得天之统，所以能绍三代也，真知大体得要领者。”此说就强调司马迁赞语重在人心而不是天命。[①]《汉书》赞语，强调“汉承尧运”“协于火德”而“得天统矣”，天命论的意味显然浓重，班固史识不及司马迁。故评语云：“班氏述刘氏承尧，愈疏，以下取周书语、刘向颂，徒成曲说。以此得天统，与儿童无异。”语气虽然有些轻蔑，道理却是不错。

《班马异同》局限于《史记》《汉书》对应篇目的文字比较，宏观把握不足，仍然是一种比较粗浅的比较，而且所考亦不周全，如《史记》之《孝文》、《孝景》二纪，《天官》、《封禅》、《河渠》、《平准》四书，《贾谊》、《黥布》、《韩王信》、《东越》、《西南夷》、《儒林》、《大宛》等十五传及《太史公自序》，均与《汉书》有异同而失考。虽然如此，但《史记》《汉书》异同，文字比较是基础工作，倪思发其端，独立成专著，刘辰翁评，共创了马班异同比较学，为《史记》研究开拓了一个新领域，把马班优劣论大大向前推进了一步，故其价值不容低估。

《史汉方驾》，明人许相卿著，主要贡献是改进《班马异同》的体例。是书将《史记》《汉书》相同的文字直书行中，不同者分行夹注；凡《史记》有而《汉书》无者，列于右；凡《汉书》有而《史记》无者，列于左。条理更为清晰，形成《史记》《汉书》并列，故题为《史汉方驾》。评语不再书于眉端，而移附于正文之旁，如同批点，表现了明人习气。

（3）清人评论马班异同。清人研究马班异同的专书有杨于果《史汉笺论》、杨琪光《史汉求是》。发表专题评论的有蒋中和、徐乾学、沈德潜、浦起龙、朱仕琇、邱逢年、熊士鹏、汪之昌等人。间接论及的有钱谦益、顾炎武、全祖望、牛运震、王鸣盛、

① 《史记评注》卷二。

赵翼、章学诚、陆继辂、王筠、沈家本等人。许多都是一代通人，又在复兴汉学的背景下评论马班异同，因而学术性强，取得的成就为最大。

首先，对前人的评论得失作了批判继承。如徐乾学肯定宋明人的成绩。他说："宋倪思为《班马异同》一书，标其字句而胪列焉，刘辰翁加以论断；至有明许相卿，本其意作《史汉方驾》，为之衡量而调剂其言，皆有条理，粲然备矣。"① 同时又指出宋明人的局限。如钱谦益批评《班马异同》"寻扯字句，此儿童学究之见耳"②。沈德潜、浦起龙、邱逢年等人对刘知几的右班和郑樵斥班的过刻都提出了批评。沈德潜说："愚平心以求之，有马之胜于班者，有班与马各成其是者，有班之胜于马者。"③ 清人鉴于以往抑彼扬此之失，以平心求实的精神审视马班，起点就高于前人。

其次，清人承认马优于班，而马班俱为良史。浦起龙说："从来称良史者莫如马，其次莫如班。"④ 朱仕琇说："二氏皆博道古今而善缀文，其断人事藏否，喜称孔孟，故其书，世称良史。"⑤ 沈德潜 、王鸣盛等人都并称马班为良史。徐乾学又进一步对良史做出定义式的评述，不在繁省而在体例、义蕴、事核、辞达及采择等方面。他说："史之为书，体闳而义密，事核而辞达，采之博而择之精，如是之谓良史，不系乎文与质，繁与简也。" 并认为马班二氏均是"作史之模范"⑥ 。

再次，提出了比较马班异同的标准。钱谦益从史法、方法的角度，认为"读班、马之书，辩论其同，当知其大段落、大关键，来龙何处，结局何处"，"又当知太史公所以上下五千年纵横独绝者在何处，班孟坚所以整齐《史记》之文而瞠乎其后不可几及者又在何处"⑦。既从文章的表达结构，又从史识思想去辨识马班之书，显然超越宋明人的形式比较和认识境界。其后蒋中和的

①⑥ 《憺园文集》卷一五《班马异同辨》。

②⑦ 《牧斋有学集》卷三八《再答苍略书》。

③ 《归愚文续》卷三《史汉异同得失辨》。

④ 《酿蜜集》卷二《班马异同》。

⑤ 《梅崖居士文集·班马异同辨》。

评论，又有深入。他说，“理有是非，论有异同。是焉，或同或异皆可也；非焉，或同或异皆不可也。奈何论马班徒论异同哉？虽然异同中亦未尝无是非焉”①。这是说，论异同要合是非、优劣、得失综合考察，不仅论异同，更要论是非。再后，熊士鹏的评论，又前进了一步。他比较《史记》《汉书》，作了具体分析，认为马书隐而彰，班书详而核，马书直而宽，班书赡可为戒。抓住两书的精神和传世价值，“则此外异同得失之迹，虽不论焉可矣”②。熊氏之意，旨在揭明异同比较的意义，是领会马班之书的价值，不能陷入为比较而比较的死胡同。这见解是十分深刻的。

清人评论马班异同，既有宏观的概括，又有微观的分析，在论其是非、优劣、得失之时，都有理有据，结论从分析中出，切中肯要。对马班的认识，可以用邱逢年与章学诚两人的话作总结。邱逢年说，“故夫甲班乙马，与夫甲马乙班之已甚，皆非平心之论也。然则二史无所为优劣乎？又非是。分而观之，各有得失互见，合而观之，量其得失之多少，吾知其得之多者必在班”③。章学诚概括马书特点“圆而神”，班书特点“方以智”，已见前引。千年以来马班异同的是非得失争论尽括于此六字之中，语言之精，摹写之妙，识见之高，皆出前人之右。

（4）今人评论马班异同。近人梁启超、刘咸炘、吕思勉、朱自清、郑鹤声等人，评论马班异同，亦有发明，但没有重大突破，姑置不论。研究马班异同作出系统的理论概括，取得较大突破者，应推今人白寿彝与施丁两人的长篇论文。白文《司马迁与班固》比较马班史识，认为两者不能并举，很有见地。本书第一章已有评述，这里从略。下面重点谈施丁的《马班异同三论》。

施丁的《马班异同三论》，前已有引述。该文长达十二万言，可视为一部专论。施文从历史编纂、史学思想、历史文学三个方面比较马班异同，既作宏观比较，又作细微分析，充分会综前人论述成果，又冷静提出新的思维，是迄今为止马班异同研究最系

---

① 《眉三子半农斋集》卷二《马班异同论》。

② 《鹄山小隐文集》卷二《班马异同论》。

③ 《史记阐要·班马优劣》。

统最全面最有分量的一部力作。历史编纂，按纪、表、书志、世家、列传分体比较；史学思想，按历史思想、政治思想、经济思想、社会思想、学术思想五个方面作详细比较；历史文学，分为写人物、写战争、写人情世故、写历史环境四个方面作比较。大问题下又分细目。施文的结论，认为马班之同，“在写史的体例、记述的内容和手法等方面有很多相似处，都在史学上做出了杰出的贡献”；认为马班之异，“在历史编纂方面，马《史》通古今之变，是纪传体通史，有创新也有缺陷，可谓‘体圆用神’，班《汉》记一代兴亡，是纪传体断代史，体制完整有方，可谓‘体方用智’，在史学思想方面，马《史》具有朴素唯物主义，反对专制主义、向往百家争鸣的倾向，‘成一家之言’，有异端思想，班《汉》突出唯心主义，卫护专制主义，支持独尊儒术，尽心于‘圣人之教’，是正宗思想，在历史文学方面，马《史》绘形绘色，生动传神，较为准确，班《汉》朴质规整，字简句省，较为刻板”。所以“笼统而言，马班都有长短，都有民主性精华及封建性糟粕；如果对比言之，马的民主性精华突出一些，班的封建性糟粕明显一些”。

施文还认为马班之异，着重在思想分野，“就思想而言，不能不说马高班低”，并从历史背景、家学渊源、两人生活经历与政治态度分析了两者之异，理据充分，具有深刻的见解。

此外，徐朔方的《史汉论稿》也别开生面，是今人的一部论马班异同的专书。该书分为上下两编。上编着重比较《史记》《汉书》两书异同的史料价值，结合具体的人或事发表评论。下编着重文字异同比较。徐氏对班书评价甚高。他的结论是，“作为文学，《汉书》比《史记》逊色；作为史学，《汉书》对《史记》有所发展”[①]。这个总体结论是恰如其分的。

马班异同从厚此薄彼的评论发端，到全面比较《史记》《汉书》两书的文字、体例、风格、思想，以及史法、文法等丰富内容，成了一门传统的比较学，在中国学术史上几乎是独一无二

① 《史汉论稿》，江苏古籍出版社1984年版。

的。诗人李杜、散文韩柳这类并提的事例很多，但未形成全面的比较学。由此可见，马班并提的意义和影响。从清人以来，论者在主观上尽量避免厚此薄彼，而最后结论仍是马优于班，这是全面比较所得出的公允结论，不当以厚此薄彼论，故理据充分，大大推动了马班异同比较学的深入发展，从而使《史记》研究的这一课题成了专门学问。

司马迁创作系年（附司马谈）

《史记》成书，为司马谈发凡起例，司马迁发愤续成，是父子两代人的心血结晶，前后历四十余年。由于司马谈述史之始即有司马迁助修，而后又由司马迁一手完成，因此，研究《史记》思想体系只能用司马迁一人作代表。《史记》中留有司马谈作史痕迹，但作为整体的《史记》不容分割。所以本文系年以司马迁为中心勾勒《史记》成书过程，照映全书，标题为《司马迁创作系年》而附著司马谈系年。司马迁生卒年按本书考证，生年系为景帝中五年，卒年系为昭帝始元元年，示意司马迁与汉武帝相终始。司马谈有卒年而无生年，假定长于司马迁二十岁，推计生年则在汉文帝前元十五年，即公元前 165 年。假定司马谈的生年，一是便于行文，二是表现一定的历史内容，即假定的推理原由。

王重九先生在《从王国维、郭沫若共认的“先汉纪录”考定司马迁父子的生年》一文中[①]，将《索隐》说“年二十八”系于建元三年以推计司马谈生年，得出司马谈生于汉文帝前元十五年，即公元前 165 年的结论；而以《正义》说“案迁年四十二

① 王文刊于《陕西师大学报》1985 年第 3 期。

岁”推计司马迁生年为景帝中元五年，即公元前 145 年。王重九据此断言司马谈长于司马迁二十岁。

王重九的考证还缺少史实佐证，他对于《索隐》说“年二十八”这条材料的运用也须商榷，他的考证自然不能定案，只能是一种假说。顾颉刚在《司马谈作史》一文中假定司马谈长于司马迁三十五岁，两种假说比较，王重九的假说要合理一些。第一，司马谈出仕京师，留下独生子司马迁于故里，以情理度之，更切合于青年之所为，血气正盛，以事业为家，至于中年则要多一些家庭的考虑了。第二，司马谈卒时慨叹命运不好，透露出未尽天年的感慨，所以司马谈的终年不会过高。具体说，在古代“人生七十古来稀”的情况下，司马谈长于迁二十岁，卒年时寿已五十六岁，与其命运之叹较为符合。第三，汉代举贤良，选秀才，虽有老年，而多为青年后进。例如贾谊年十八在廷尉吴公举荐下，文帝召以为博士。贾谊之出仕，当是参与了文帝初即位于前元二年的举贤良对策；司马谈的出仕，亦当是参与汉武帝初即位于建元元年举贤良对策。汉武帝更是一个奖拔后进的人，他当时只有十六岁。依上述种种情况推计，假定司马谈长于司马迁二十岁，他在建元元年举贤良时已二十六岁，是接近事实的。当然，这仅仅是一种假说，姑以系年，不作定论。本文系司马谈之年从司马迁生年始。

司马谈作史，准备在建元、元光间，正式述史在元狩元年。司马迁基本完成《史记》在太始四年，修订直至终年。从元狩元年至太始四年，即公元前 122 年至前 93 年，整三十年。单说司马迁，他从元朔三年“网罗天下放失旧闻”起至司马迁卒于昭帝之初始元元年，即公元前 128 年至前 86 年，则历时四十三年。司马迁发愤撰史阶段应为元封三年为太史令至太始四年基本完稿，即公元前 108 年至前 93 年，为十六年。系年以创作为经，行年为纬，分为四个阶段：（一）家世、童年；（二）修史助手；（三）发愤著书；（四）晚年修订。略述于次。

一、家世、童年
（前 145—前 127 年，前后 19 年）

前145（汉景帝中元五年丙申）　迁生一岁　父谈二十一岁

汉初政治无为，崇黄老刑名之学，文帝、景帝时尤甚，百家之学与儒学并立。景帝始尊儒学。

司马迁生。生地西汉左冯翊夏阳县高门里，在今陕西韩城西南十八里之嵬东乡高门村。汉夏阳县至隋更名韩城。1985 年韩城改县置市。

司马迁之字，曰子长。

前 140（武帝建元元年辛丑）　迁六岁　父谈二十六岁

武帝即位伊始举贤良，罢黜百家；董仲舒为举首，对天人三策，建言独尊儒术。

司马迁居家入小学。古时八岁入小学，聪颖秀慧者六岁即可入学。

父谈举贤良对策，出仕为太史丞。

前 139（武帝建元二年壬寅）　迁七岁　父谈二十七岁

汉武帝初置茂陵邑。

司马迁居家入小学。

父谈仕为太史丞。建元二年汉武帝在槐里茂乡建造寿陵称茂陵，始置茂陵邑。勘定陵址，预卜吉凶等事宜，为“太史”职分之事。司马谈以太史丞参与建陵，故属籍茂陵显武里，并可知其出仕必在这之前一年建元元年举贤良而仕职也。

前 136（武帝建元五年乙巳）　迁十岁　父谈三十岁　置五经博士

司马迁居家入小学。《太史公自序》：“年十岁，则诵古文。”

父谈仕为太史令。司马谈建陵有功，由太史丞升任太史令，在建元三年到建元六年之间。

前 134（武帝元光元年丁未）　迁十二岁　父谈三十二岁

冬十一月，初令郡国举孝廉各一人。

司马迁居家耕读。《太史公自序》："耕牧河山之阳。"司马迁十九岁入京师之前，一直居家耕读，但主要时间是诵读古文，而耕牧只是一种修身养性的锻炼。

父谈仕为太史令。《太史公自序》："太史公学天官于唐都，受《易》于杨何，习道论于黄子。"司马谈居官而勤学不倦，立志重振史官家学，成为一个渊博的学者，是一位自奋立名的历史学家。

前 127（武帝元朔二年甲寅）　迁十九岁　父谈三十九岁

是年春正月，汉伐匈奴，收河南地，置朔方、五原郡。

孔安国为博士。

夏，汉武帝徙郡国豪杰及訾三百万以上于茂陵。司马迁一家也徙移茂陵，属籍显武里。关东大侠轵人郭解亦被徙茂陵，次年被族灭，其人状貌风采，为青年司马迁所目睹。

二、修史助手

（前 126—前 109 年，前后 18 年）

司马迁作史，分为三个阶段。从元朔三年到元封二年为助手阶段。此阶段，司马谈发凡起例，司马迁赞助其业。在父谈指导下，司马迁二十壮游，学公羊于董仲舒，受古文于孔安国，习家学于司马谈，成长为一个渊博的学者、娴熟的历史学家，青出于蓝而胜于蓝，打下了继承父志的坚实基础。

前126（武帝元朔三年乙卯）　迁二十岁　父谈四十岁

公孙弘为御史大夫，张汤为廷尉。武帝诏，令博士弟子治《尚书》、《春秋》者补廷尉史。

司马迁二十壮游，"网罗天下放失旧闻"。

父谈仕为太史公。

前 124（武帝元朔五年丁巳）　迁二十二岁　父谈四十二岁

公孙弘为丞相，请为博士置弟子员五十人。武帝卖爵及禁锢免减罪，置武功爵以赏战士。

司马迁壮游归来。

前 122（武帝元狩元年己未） 迁二十四岁 父谈四十四岁

武帝行幸雍，祠五畤。获白麟。

司马谈《论六家要指》，发凡起例修《太史公书》（即《史记》），断限上起陶唐，下迄武帝获麟，即元狩元年。

司马迁襄助修史。

前 121（武帝元狩二年庚申） 迁二十五岁 父谈四十五岁

霍去病为骠骑将军，击匈奴，受降匈奴浑邪王，开通河西。

丞相公孙弘卒。

司马迁受公羊学于董仲舒。董仲舒为西汉公羊学一代宗师，于元狩二年致仕，居家茂陵，著《公羊治狱》十六篇。御史大夫张汤治狱及朝廷大议，数往问董仲舒。董仲舒约卒于元狩六年。司马迁壮游归来受学于董仲舒，即在董仲舒居家茂陵之时，当司马迁二十五岁到二十九岁之间。

父谈著述《太史公书》，司马迁襄助其业。

前 119（武帝元狩四年壬戌） 迁二十七岁 父谈四十七岁

卫青、霍去病大破匈奴于漠北，奠定了汉胜匈败之局。汉赏赐将士五十万金，转漕徙民之费以亿计，不可胜数，县官大空。初算缗钱，盐铁专卖，造白金皮币。

父谈著述《太史公书》，司马迁襄助其业。

前 118（武帝元狩五年癸亥） 迁二十八岁 父谈四十八岁

初置谏大夫。

司马迁从孔安国问故。《汉书·儒林传》载《古文尚书》云："（孔）安国为谏大夫，授都尉朝，而司马迁亦从安国问故。"按，孔安国元朔二年为博士，元狩六年出为临淮郡太守，司马迁从孔安国问故当在元朔末壮游归来至元狩六年之间，当司马迁二十三岁到二十九岁之间。

司马迁始仕为郎。

前 115（武帝元鼎二年丙寅）　迁三十一岁　父谈五十一岁

御史大夫张汤死，而民不思。张骞再使西域还，拜为大行，费值数千巨万。桑弘羊为大农中丞，置平准均输，吏得入谷补官，郎至六百石。

父谈著述《太史公书》，司马迁襄助其业。

前 114（武帝元鼎三年丁卯）　迁三十二岁　父谈五十二岁

令民告缗者，以其半与之。

父谈著述《太史公书》，司马迁襄助其业。

前 113（武帝元鼎四年戊辰）　迁三十三岁　父谈五十三岁

父谈为太史令兼大行礼官，与祠官宽舒议祀后土。

前 112（武帝元鼎五年己巳）　迁三十四岁　父谈五十四岁

列侯坐酎金失侯者一百零六人。

父谈为太史令兼大行礼官，与祠官宽舒议泰畤典礼。

武帝行幸雍，祠五畤，遂逾陇，登空峒，郎中司马迁及其父太史令司马谈均扈从。

前 111（武帝元鼎六年庚午）　迁三十五岁　父谈五十五岁

武帝与公卿、诸生议封禅。

春正月，司马迁升任郎中将，奉使西征巴蜀以南，在西南夷地区设郡置吏。

前 110（武帝元封元年辛未）　迁三十六岁　父谈五十六岁。

武帝封禅泰山。是岁用帛百余万匹，钱金以巨万计，皆取足大农。县官有盐钱缗钱之故，用益饶矣。

父谈病死于周南（洛阳）。

司马迁受父遗命于河洛。又从巡武帝封禅。按，汉武帝四月上泰山封禅，司马迁要赶赴行在回报奉使政务，告成功于上帝，故其见父于河洛在二三月间。

前 109（武帝元封二年壬申）　迁三十七岁

司马迁从巡武帝至瓠子，负薪塞河。

三、发愤著书

（前 108—前 93 年，前后 16 年）

从元封三年司马迁继为太史令，到太始四年司马迁作《报任安书》，其间十六年，是为发愤著书阶段。即司马迁经营十六年，《太史公书》基本完稿。

前108（武帝元封三年癸酉） 迁三十八岁

始仕为太史令，䌷史记石室金匮之书，潜心著述《太史公书》。

前 107（武帝元封四年甲戌） 迁三十九岁

迁扈从武帝，北过涿鹿。潜心述史。

前 106（武帝元封五年乙亥） 迁四十岁

迁扈从武帝，南至九江。潜心述史。

前 104（武帝太初元年丁丑） 迁四十二岁

迁与壶遂、邓平、落下闳等造汉太初历，以正月为岁首。色尚黄，数用五，定官名，协音律。

司马迁答壶遂问，讨论作史义例，修正延伸《太史公书》断限，上起黄帝，下至太初元年。《太史公自序》云："于是论次其文。"司马迁正式定稿《太史公书》。

前 101（武帝太初四年庚辰） 迁四十五岁

贰师将军李广利破大宛还，得善马数十匹，中马三千余匹。汉兵死十余万人，丧马三万匹，伐宛四年，天下骚动，大汉呈现衰败之迹。

司马迁再次修正《太史公书》断限，下限至太初四年，以见盛观衰。

前 99（武帝天汉二年壬午） 迁四十七岁

十一月，李陵败降匈奴，司马迁为之辩护，功可抵过。潜心述史。

前 98（武帝天汉三年癸未） 迁四十八岁

是年冬李陵家被族灭。司马迁受株连，以“诬罔罪”遭受宫刑。

前 97（武帝天汉四年甲申） 迁四十九岁

司马迁出狱为中书令，世俗目为“尊宠任职”，而司马迁视为奇耻大辱，隐忍苟活发愤著书。

前 93（武帝太始四年戊子） 迁五十三岁

复书任安（即《报任安书》），叙说不幸遭遇和深虑的思想，通报《史记》基本完稿，定名《太史公书》。是书“究天人之际，通古今之变，成一家之言”，可藏之名山，传于后世。

四、晚年修订

（前 92—前 86 年，约 7 年）

武帝征和以后到昭帝之初七年为司马迁修史的第三阶段，最后编成《史记》定本，正本藏官府，副本留京师家中。司马迁晚年仍在修订《史记》。

前91（武帝征和二年庚寅） 迁五十五岁

巫蛊狱起，太子刘据举兵斩江充；武帝令丞相刘屈氂讨叛，太子兵败自杀。

司马迁晚年修订《太史公书》直至昭帝之初。主要内容为：调整篇目与编订次序；抒愤寄托，鸣写不平；附记太初以后大事；补载或修订太初以前史事。

前 90（武帝征和三年辛卯） 迁五十六岁

田千秋上书讼太子冤，武帝平反太子，怨北军使者护军任安受太子节而不助太子。六月腰斩丞相刘屈氂与任安。

贰师将军李广利出朔方，以兵降匈奴。《史记·匈奴列传》

及《汉兴以来将相名臣年表》均载此事。此为司马迁晚年修订《史记》之一证。

前 87（武帝后元二年甲午） 迁五十九岁

武帝崩。昭帝即位，大将军霍光辅政。

司马迁记事止于武帝之末。褚少孙曰："太史公记事尽于孝武之事"（《建元以来侯者年表褚补》）。考《史记》记事，断限太初，人物立传，记叙史事，皆止于太初四年。太初以后，司马迁只是附记巫蛊案、李陵案两件大事以及武帝封禅巡游，咸表终始，涉及 16 个篇目，22 人，总计 1544 字，与立传人物及载大事尽于太初并不矛盾。

前 86（昭帝始元元年乙未） 迁六十岁

司马迁卒。王国维《太史公行年考》云："史公卒年，绝不可考。然视为与武帝相终始，当无大误也。"按，昭帝始元六年（前 81 年）盐铁会议，御史大夫桑弘羊在辩难中引用《史记·货殖列传》称"司马子言"，这是对已故学问家的尊称。此姑系司马迁卒于昭帝始元元年，表示司马迁之卒与汉武帝相终始，这是没有疑义的。

司马迁死后，其书《太史公书》副本在宣帝时为外孙杨恽所布，到了东汉桓灵之时演变成了《史记》之名，流传于今，日益受到人们的重视。两千年来阅读和研究《史记》的人不可胜计。司马迁将他的鲜血和生命化成了《史记》，给炎黄子孙留下了宝贵的遗产，他将永远值得人们祭奠！

主要参考书目

前人及近人论著

史记三家注　（宋）裴骃集解、（唐）司马贞索隐、张守节正义

史记会注考证　〔日〕泷川资言

史记会注考证校补　〔日〕水泽利忠

史通　（唐）刘知几

黄氏日钞　（宋）黄震

班马异同评　（宋）倪思撰　刘辰翁评

史记辨惑　（金）王若虚

史记评林　（明）凌稚隆辑校本

史记论文　（清）吴见思

史记评议　（清）李景星

读史记十表　（清）汪越撰　徐克范补

史记评注　（清）牛运震

史记商榷　（清）王鸣盛

史记札记　（清）赵翼

史记考异　（清）钱大昕

史记志疑　（清）梁玉绳

史记札记　（清）郭嵩焘
史记札记　（清）李慈铭
史记探源　（清）崔适
文史通义　（清）章学诚
韩城县志五种　明万历本、清康熙本、乾隆本、嘉庆本，民国十三年重修本
史记订补　李笠
史记旧注评议　王骏图、王骏观
史记会注考证驳议　鲁实先
太史公书知意　刘咸炘
史记考索　朱东润
太史公书亡篇考　余嘉锡
要籍解题及其读法　梁启超
史记释例　靳德俊
史汉研究　郑鹤声
太史公行年考　王国维
太史公年谱　张鹏一
司马迁年谱　郑鹤声
司马迁之人格与风格　李长之

时贤论著

司马迁　季镇淮　上海人民出版社 1955 年版
司马迁　郭维森　江苏人民出版社 1982 年版
司马迁和史记　胡佩韦　上海古籍出版社 1979 年版
司马迁年谱新编　吉春　三秦出版社 1989 年版
司马迁评传　肖黎　吉林文史出版社 1986 年版
司马迁评传　黄新亚　光明日报出版社 1991 年版
史记书录　贺次君　中华书局 1958 年版
司马迁所见书考　金德建　上海人民出版社 1963 年版
史记新证　陈直　天津人民出版社 1979 年版
史汉论稿　徐朔方　江苏古籍出版社 1984 年版

史记今注　马持盈　台湾商务印书馆 1979 年版
历代名家评史记　杨燕起等选辑　北京师范大学出版社 1986 年版
史记论赞辑释　张大可　陕西人民出版社 1986 年版
史记全本新注　张大可　三秦出版社 1990 年版
司马迁与史记　《文史哲》杂志社编　中华书局 1957 年版
史记新论　白寿彝　求实出版社 1981 年版
司马迁研究新论　施丁等　河南人民出版社 1982 年版
司马迁与史记论集　《历史研究》编辑部编　陕西人民出版社 1982 年版
史记研究　张大可　甘肃人民出版社 1985 年版
史记管窥　程金造　陕西人民出版社 1985 年版
司马迁、史记与档案　周经　档案出版社 1986 年版
司马迁和史记　刘乃和主编　北京出版社 1987 年版
司马迁史学及其批评　周一平　华东师范大学出版社 1989 年版
司马迁研究　韩城司马迁学会编　三秦出版社 1990 年版
史记研究史略　张新科、俞樟华合著　三秦出版社 1990 年版
史记通论　韩兆琦等　北京师范大学出版社 1990 年版
司马迁研究　陆永品　江苏人民出版社 1983 年版
史记人物传记论稿　郭双成　中州古籍出版社 1985 年版
史记评议赏析　韩兆琦　内蒙古人民出版社 1985 年版
史记论稿　吴汝煜　江苏教育出版社 1986 年版
史记艺术美研究　宋嗣廉　东北师范大学出版社 1986 年版
史记传记文学论稿　李少雍　重庆出版社 1987 年版
司马迁论稿　聂石樵　北京师范大学出版社 1987 年版
史记文学成就论稿　可永雪　内蒙古人民出版社 1991 年版
史记与日本文化　覃启勋　武汉大学出版社 1989 年版

附录：书评四篇

一、《史记》研究的最新成果

——读张大可先生《司马迁评传》[①]

张大可先生的《司马迁评传》，全书十章，三十七万字，由南京大学出版社出版。该书从思想发展的高度评述司马迁家世、师承、生平及其思想的形成、发展、升华轨迹，叙事与考证兼备，继承与创新同功，纵横交合，相互为用，评述了司马迁的一生，可以说是集司马迁及其《史记》研究的大成之作。综观全书有以下四个显著的特点。

一、在动态中研究。首先，作者在马克思主义唯物史观的指导下，将司马迁放到当时的历史环境中进行科学的考察，辩证的分析和公允的评价。首先，司马迁的一生与汉武帝相始终。公元前 140 年，汉武帝即位时，汉初经过七十年的与民休息，达到了空前繁荣的阶段。汉武帝在西汉政治舞台上开疆拓土、强化中央集权，独尊儒术，封禅泰山等导演出一出又一出威武雄壮的戏剧，司马迁在元鼎五年之前入仕为郎中，由于超群绝逸的才干，深得汉武帝的信任，常为侍从，巡行郡县，祭祀五帝，东巡封禅，使青年司马迁激动非凡，君臣相知，如鱼水相得。形成司马迁和《史记》歌颂汉家一统的思想基础。特别是元鼎六年春，奉使西征巴蜀以南，南略邛笮、昆明，设郡置吏，施展才华。接着于元封元年向汉武帝还报，顺道在洛阳探望病中的父亲，接受继续撰写《太史公书》的宏愿，因王命在身，又东行从武帝封禅泰山，充分展示了壮年时期的司马迁事业成就，春风得意，感戴明

① 本文作者来可泓，上海大学文学院教授，中国历史文献研究会常务理事。

君之情，也为司马迁创立民族史传，形成民族统一思想，具有重要意义。司马迁前后扈从汉武帝三十六年，担任郎中、郎中将、太史令、中书令等官职，长期蒙受恩遇，跻身于封建王朝的神经中枢，目睹汉室的繁荣景象和皇家的豪华气魄，了解国家大量机密，甚至触及汉武帝隐私和心理活动，他都得以参与，更为撰述《史记》奠定了深厚的物质基础和思想基础。而促使司马迁思想升华的转折点，则是天汉三年不幸遭李陵之祸而受腐刑。司马迁为了完成名山之业，忍辱负重，发愤著书。“意有所郁结，不得通其道，故述往事，思来者”。将全部精力倾注在一百三十篇《史记》之中。对汉武帝从君臣相知而走向君臣相怨，以冷静的思虑重新观察汉武帝的巡行和帝王封禅，把歌颂的笔触转向冷嘲热讽与讥刺，见盛知衰，在更深的层次上洞察汉朝历史发展的底蕴。司马迁的思想升华到一个崭新的高度，凝结在伟大的《史记》之中。司马迁的一生与汉武帝相始终，但历史往往不以人们主观意志为转移，汉武帝统治时期，从太初四年贰师将军李广利伐大宛还，天下骚动，从顶峰上跌落下来，由盛转衰，而与汉武帝相始终的司马迁思想，却以遭受李陵之祸而升华上去，奠定其“史界太祖”的历史地位和成为集史学家、文学家、思想家于一身的世界文化巨人。正因为作者把司马迁放到当时历史背景中去考察，在动态中研究，从而清晰地勾画出司马迁思想发展的脉络，展示其个性特征和伟大成就。

其次，作者把司马迁撰写《史记》，也放在动态中研究。作者紧紧抓住司马迁“究天人之际，通古今之变，成一家之言”的写作纲领，把《史记》的成书与司马迁相始终。从继承父志到修订计划；从借鉴春秋范例到创制五体义例；从网罗天下放失旧闻到原始察终，见盛观衰；从讴歌到冷嘲热讽，无一不在汉代客观形势变化和司马迁主观思想变化中进行，体现了司马迁进步的天人观、政治观、经济观、历史观、战争观、民族观、道德观、人才观等，使人们深刻地体察《史记》中蕴含的生生不息的思想活力。

二、在继承的基础上创新。作者非常尊重先哲时贤研究成果，经过自己的消化，审慎地断以已意，得出新见。如对司马迁的卒年，因缺乏直接史料，比生年更加难以考定，学术界有七种说法。作者比较了王国维用《史记》记事下限来估计的方法和郭沫若以《报任安书》的写作之年来推定的方法之后，认为王国维按语“史公卒年，绝不可考。然视为与武帝相始终，当无大误也”的说法符合逻辑程序，是能够成立的，但认为王国维的论据不足，还要进一步完善，然后举出六条证据，推定司马迁当卒于昭帝始元六年之前，结论昭然可信。如关于《史记》的断限，《太史公自序》有两次记载。其一为“于是卒述陶唐以来，至于麟止，自黄帝始。”其二为：“余述历黄帝以来至太初而讫，百三十篇。”由于这两段自相矛盾，上限和下限各有两个断限，因此司马贞与欧阳修对《史记》起于黄帝提出了补遗与批评。欧阳修则批评司马迁越出孔子《尚书》断自唐虞以上而上述黄帝以来是“不量力而务胜，宜其失之多矣”。所以学术界对此聚讼纷纭，作者认为《太史公自序》为何有两个断限的矛盾记载，是因为司马迁父子两人不同的修书计划所致。这一点为顾颉刚先生所发现，使人顿悟，解除迷惑。然后作者以《史记》本证为据，审慎研究，认为司马迁对下限有二次修正，“至太初而讫”乃是一个时代的断限，并非绝对年代，太初元年修正，延伸下限至太初元年，随着事势的发展而后延伸至太初四年。若取绝对年代，当从年表，以太初四年为正。解决了下限有“麟止说”、“太初说”、“天汉说”、“武帝之末说”的纷纭，令人心服，此外，对《太史公自序》中“耕牧河山之阳”一句所涉其家庭，《论六家要旨》的内容，司马迁的战争观等问题，都有自己独到的见解。从问题的提出，到步步深入的分析，展示自己的新见，这种例子在《司马迁评传》中比比皆是。因此，从这一意义上说，张大可先生的《司马迁评传》是一部集古今司马迁与《史记》讲究的大成之作。

三、有传有评，评传结合，侧重于评。由于司马迁传记的原始资料极端缺乏，连生卒年都无法考定，平生行状充满疑案，因而作者进行有传有评。评传结合采用三种写法。1. 先列传主史事，然后加以分析评论。如司马迁师事孔安国事，作者先列《汉书·儒林传》所载“安国为谏大夫，授都尉朝，而司马迁亦从安国问故”原文，然后从古文内容入手，分析司马迁向孔安国问故内容，最后得出结论：司马迁向孔安国问故是学习古文经学的古训，以及别择古文资料的古文学，掌握考信历史的方法，孔安国是司马迁最有益的一位历史文献学导师。如司马迁遭李陵之祸，是如何被定罪的史事中，先列司马迁《报任安书》中“明主不深晓，以为仆沮贰师，而为李陵游说，遂下于理”的原文和《汉书·李陵传》“上以迁诬罔，欲沮贰师，为陵游说，下迁于腐”的原文，然后加以评述，得出司马迁之被定罪，不是“坐举李陵”，而是“沮贰师，为陵游说”，被阿顺上意深文周纳的酷吏们定为“诬罔”罪而受腐刑，是一场冤案的结论。2. 提出传主史事，然后加以周密考证。如关于司马迁的故里问题，作者从“迁生龙门”的叙传中，通过对韩城地理形势，高门司马昌、无泽、喜三世墓，司马谈墓，芝川司马迁祠墓的考察，得出司马迁生于西汉左冯翊夏阳县高门村（今陕西韩城西南十八里之嵬东乡高门村）的结论。对《史记》是官修还是私修和“藏之名山”问题，学术界一般认为是私修之史，所谓“藏之名山，”是恐其被禁失传，故将正本藏于深山，只将别本留在京师，此说盖导源于《汉书·司马迁传》颜师古注。颜氏云：“藏于山者，备亡失也，其副贰本乃留京师也。”作者经过考证，认为颜师古注是一个错误的猜测。作者据《太史公自序·索隐》引郭璞说，认为“藏之名山，即储之庙堂”，也就是“藏之名山，实为藏之官家书府之雅称”。至于《史记》是否私修问题，作者指出司马迁以太史令官守著书，而且书成后上奏朝廷，因而《史记》为官书，这类传评结合的考证，俯拾皆是，不少新见就是从这里出来的。3. 评论《史记》时往往根据问题，进行评述。如叙述《史记》由五体构成时，先指出前人探讨《史记》五体重在溯源而疏于从笔法义例上研究司马迁的创造和弊端。接着就本纪、十表、八书、世家、列传从义例出发进行评说。得出《史记》五体均为司马迁所创造的结论，但行文至此，并未结束，作者从五体常例的评析，转到五体变例的评析，以本纪、世家为例，指出五体破例义例及其类型，从变例中充分体现了司马迁史学思想的进步性及其高超奇越的精神风貌。

四、语言流畅，文笔生动，可读性强。《司马迁评传》中虽有不少考评之文，但读来琅琅上口，并无枯燥、艰涩现象，充分体现了作者驾驭语言文字的能力。

此外本书在《名山事业垂千秋》一章中，系统地介绍了古今中外研究史记学的成就，以及附录《司马迁创作系年》（附司马谈）都有重大的参考价值。

总之，张大可先生《司马迁评传》一书，在总结前人研究的基础上，对司马迁及其《史记》作了全面而系统的研究，深入而细致的考订，公允而中肯的评价，不少问题，发前人之未发，用力甚勤，厥功至伟，是一部具有较高学术水平的著作。

（原载《人文杂志》1996 年第 5 期。上海《社会科学报》1995 年 9 月 7 日第 4 版摘载）

二、中国古代思想家“碑林”中的一座丰碑

——读张大可的《司马迁评传》[①]

大可先生的《司马迁评传》是匡老发起、组织并担任主编的“中国思想家评传丛书”之一。《丛书》为我们建造了从孔夫子到孙中山这两千余年间中国思想家宏大的碑林。长期从事司马迁与《史记》研究、成就斐然的大可先生撰写的《司马迁评传》，可以

① 本文作者宋嗣廉，吉林省北华大学教授，曾任北华大学前身吉林师院院长，中国史记研究会顾问。

说是这碑林中的一座丰碑。匡亚明先生在《丛书》序言中申明了他的入选标准，这就是下面的一段话：

> 《丛书》所以用“中国思想家评传”命名，主要是考虑到中国传统思想文化中的核心是生生不息的内在思想活力，而历史事实也反复证明，凡是在各个不同时代不同领域和学科中取得成就者，大多是那些在当时历史条件下自觉或不自觉地认识和掌握了该领域事物发展规律的具有敏锐思想的人，他们取得成就的大小，取决于思想上认识和反映这些规律的程度如何。

用这个标准衡量，司马迁完全有资格入选；张大可先生的《司马迁评传》也就是从这个角度来评价司马迁一生的。

建国四十多年来，已有三部司马迁的传记出版。季镇淮的《司马迁》（1955 年）出版最早，影响最大；肖黎的《司马迁评传》（1986 年）作为“评传”具有开创意义，为从“司马迁思想研究方面入手”为司马迁立传积累了经验；黄新亚的《司马迁评传》（1991 年）则是在“文化热”的背景下，作为“汉代中国文化的代表人物”为其立传的。而作为“中国思想家评传丛书”之一的张大可的《司马迁评传》（1994 年）则着重从中国思想文化发展的视角，突出了司马迁的个性，评价司马迁的一生。他认为：

> 作为思想家，司马迁具有崇高的人格和创新精神。他的崇高人格和创新精神，主要表现在以下三个方面：一是忍辱负重，发愤著书，实现了“成一家之言”的理想；二是勇于探索和创新，创作了划时代的纪传体通史，用以稽其成败兴坏之理，志古自镜；三是严格地忠实于信实可靠的历史，不与圣人同是非。[①]

① 《司马迁评传》，南京大学出版社 1994 年版，第 396 页。

《评传》是一部近四十万字的全面评价司马迁和《史记》的评传，共由十章组成。其中第五章“发愤著书”直接阐发了作为思想家的司马迁是怎样“忍辱负重，发愤著书，实现了‘成一家之言’的理想”的；第六、七、八章即“体大思精的历史著作”、“《史记》的文学成就”、“司马迁的思想”，则分别从三个侧面直接评价了作为思想家的司马迁，是怎样“勇于探索和创新，创作了划时代的纪传体通史，用以稽其成败兴坏之理，志古自镜”，以及是怎样“严格地忠实于信实可靠的历史，不与圣人同是非”的。这是《评传》的核心部分。在这部分中，《评传》精辟地论述了司马迁是怎样在生死问题上，把“慕义而死，保持名节”与“忍辱负重，自奋立名”二者统一起来的。也就是：“当一个人功名已就，或者可以立功名时，就要毫不犹豫地去死节；当一个人才能未尽，功名未立，死节不过如九牛一毛，不能产生社会影响时，他就应该隐忍发愤，建立功名。司马迁正是在这一基准点上找到了死节与立名的统一。”① 第一、二、三、四章即“故里、家世及少年时代”、“出仕与扈从”、“家学渊源与师承”、“司马迁之父司马谈”，则是环绕《评传》的核心部分，并从属于《史记》成书的过程的。《评传》没有把“时代背景”分离出来单辟一章来写，而在第九章“大一统时代的骄子”中，把时代背景与对《史记》的成书总结合起来，叙述于评传之末。在该章第四节“司马迁在中国文化思想史上的地位和影响”中，对司马迁的创新精神作了这样的总结概括：“（1）首创纪传体，形象地照映了封建社会的等级序列；（2）首创贯通古今的通史，建立了历史发展断限理论的年代学；（3）首创‘太史公曰’的史论形式，提出了系统的史学理论；（4）首创经济史传，发展了古代朴素的唯物史观，意识到经济发展状况对社会历史起决定的作用；（5）首创军事史传，系统地总结了古代的战争理论和叙述了战史的内容；（6）首创学术史传，辨章学术源流；（7）首创民族史传，提出了民族一统的思想；（8）首创各色人物类传，全面地反映社会生

① 《司马迁评传》，南京大学出版社 1994 年版，第 156—157 页。

活；（9）首创语译古文，使艰深古奥的语言通俗化；（10）首创历史文学，把历史人物的实录塑造成为典型形象。”[①] 以回应全书。《评传》最后一章（第十章）“名山事业垂千秋”则具体地叙述了司马迁和《史记》对中国文化思想的深远影响。《评传》就是这样把评价司马迁在中国文化思想史上的贡献和评价《史记》的学术价值、影响有机结合在一起，以《史记》成书为经，以司马迁行状为纬，两者交合安排全书的，使我们从《评传》中看到了“成一家之言”的《史记》，就是司马迁用毕生的心血和生命化成的。

大可先生是司马迁的崇拜者，是深得《史记》精髓的学者。故而在为司马迁作评传的过程中，较好地体现司马迁“成一家之言”的精神，自觉不自觉地活用了太史公的某些“笔法”，下文略及一二。

司马迁是一位伟大的历史学家、杰出的文学家、卓越的思想家，是中国文化思想史上的巨子。他用毕生心血和宝贵生命凝聚而成的《史记》，是具有划时代意义的中国古代文化思想的百科全书。面对司马迁和《史记》，无论是倾倒者还是诋毁者，都无可回避地要去研究，去评价。如果从公元前 81 年（西汉昭帝六年）桑弘羊在盐铁会议上第一次引用《史记》原文算起，中外研究司马迁及其《史记》的历史已有二千多年了。《司马迁评传》的作者如何运用这批浩繁的前人研究成果，既海纳百家又不囿于成见，而出一家之新，确是一个重大的课题。大可先生游刃有余地做到了这一点。比如关于司马迁少年时代“耕牧河山之阳”的问题，学者或认定司马迁“幼年时，曾在家种田放牛”；或说司马迁“小时侯，家庭还是务农为业，他也帮助家人养养牛放放羊，做些辅助劳动”。而大可先生则追溯到时代背景上来说明。他认为“司马迁少年时代的耕牧，既非生活所迫，亦非为家庭农业助手”，是其父司马谈“深谋远虑，识高一筹”的安排，即“司马迁为独生子，司马谈不把他带在身边去染习仕途经济的学

① 《司马迁评传》，南京大学出版社 1994 年版，第 397—398 页。

问，而割爱留他在乡间耕读，让童年、少年时代的司马迁接受独立生活的锻炼”，作为“修身养性的一课”①。显然这是从文化思想视角来分析问题，可以作为“一家之言”的。关于《史记·封禅书》从清代梁玉绳的《史记志疑》开始，就认为其大旨在于讥刺秦始皇、汉武帝而已。对此，《评传》详加辨正，其结论是：《封禅书》叙事揭露帝王迷信鬼神，故语带讥刺，而其大旨并不是讥刺，而是实录历史和大一统的颂歌；这是因为象征天下一统的封禅，不只是宗教典礼而且也是政治上的庆成功，给已取得的成绩打上一个句号，并给未来的发展创造激情②。对《封禅书》作这样的评价，确实较为全面，其辨正也令人信服。再如关于司马迁的家学渊源，《太史公自序》所说“司马氏世典周史”为其史学家学渊源早已为历代学者所论及。20 世纪 80 年代初程金造先生在《司马迁的兵学》一文中又提出“司马迁是将门子弟”，“司马迁的兵学，远有家学渊源”说③。在秦汉时代，家学往往是造就人才的一个极为重要的条件。对此，《评传》也予以充分重视。在“家学渊源与师承”一章中单辟一节，用近 3 000 多字的篇幅，考辨、论证了“秦铁官司马昌和汉市长司马无泽”。意在说明：“秦铁官司马昌为司马迁高祖，汉市长司马无泽为司马迁曾祖。昌与无泽父子两代，在秦汉之际，分别为新旧王朝的经济官，这就是经济思想形成的家学渊源，司马迁总结治生之术，首创经济史传，良有以也。”④ 从而完成了司马迁的闪耀着朴素唯物史观的商品经济学，远有家学渊源之说。就“家学渊源”而言，对司马迁影响最直接、最深刻的还是其父司马谈。正如大可先生所说，“司马谈是一个天才的历史学家和天文学家，他对《史记》的发凡起例，尤其是对司马迁的精心培养，奠定了他在中国文化史上伟大历史人物的地位。研究司马迁不及司马谈，就是无本之

① 《司马迁评传》，南京大学出版社 1994 年版，第 33 页。

② 参见《司马迁评传》，南京大学出版社 1994 年版，第 107—108 页《制定封禅仪》一节。

③ 《史记管窥》陕西人民出版社 1981 年版。

④ 《司马迁评传》，南京大学出版社 1994 年版，第 69 页。

木和无源之水，必不得要领；因此，司马谈的成就，就是‘司马迁评传’的一个不可或缺的一部分。”① 基于这种认识，《评传》将“司马迁之父司马谈”单列专章；并用“出仕与师承”、“重振天官学”、“论六家要指”、“制定封禅仪”、“发凡起例《太史公书》”及“遗命司马迁”等六节22 000多字的篇幅，详加论述。

《司马迁评传》是一部近四十万字的宏篇巨制，是一部全面评价司马迁和《史记》的评传。全书共十章五十四节。如何结构布局、做到舒展自如、回环照应，而又避免奇轻奇重、前后重复，大可先生于《评传》中创造性地运用了《史记》的“互见法”在《史记》中“本传晦之，而他传发之”的“互见”，有书明不书明两种，《评传》也是这样。比如在“出仕与扈从”的第三节“奉使西征巴蜀以南”中评价了司马迁奉使的时间、职衔与任务后，做了这样的交待：“奉使西征及生活体验，无疑是激发司马迁首创民族史传最重要的原因。至于司马迁在民族史传中表现的民族一统思想，本书将在第八章评述。”② 第八章“司马迁的思想”中则用“民族观”为节目，全面评述了司马迁首创民族史传、司马迁民族一统思想的基本内容、司马迁民族一统思想形成的历史条件③。从而与“出仕与扈从”中的“奉使西征巴蜀以南”相呼应，避免了前后重复。就是关于对司马迁创造的“互见法”的评述，《评传》作者也采用“互见”的方法加以处理。如“体大思精的历史著作”一章，在评述博大的五体结构如何“联络”时，论及了“互见法”的功用。同时书明：“至于怎样运用互见法集中史事塑造人物形象，留在本书第七章第三节详论。”④ 当我们再于238页至244页读完《史记》是怎样“运用互见法塑造历史人物的典型形象”一段文字后，对《史记》的互见法的功用就有了完整全面的认识了。以上是两则前文书明而“晦之”，于后文“发之”的例子；也有于前文已“发之”，后文书明“从略”以“晦之”的。如“体大思精的历史著作”一章评述《史记》取

①②③④ 分别参见《司马迁评传》，南京大学出版社1994年版，第90页、第54页、第332—338页、第179页。

舍材料的标准"考信于六艺，折中于夫子"一条时，书明道："本书第三章'私淑至圣先师孔子'一节有详论，兹从略。"① 再如"司马迁的思想"一章"战争观"一节，论及形成司马迁战争观的历史条件时指出，其一就是司马氏家学有着深厚的兵学渊源，给予司马迁以重大影响。作者于此书明道："这已在本书第三章论及，兹从略"②。大可先生在他的另一部专著《史记研究》中曾说道："司马迁书明互见的仅示例，其不书明互见而实为互见的更多。其义亦深而微，且其用更显著。"《司马迁评传》也是如此，即那种"不书明互见而实为互见的更多"，这里就不一一列举了。

我和大可先生是以文相会的老朋友。他的大作《史记研究》、《史记论赞辑释》、《史记全本新注》我都一一认真拜读过，得益匪浅。《司马迁评传》可以说是此前论著的集成与升华，从一个新的视角在中国思想家宏大的碑林中为司马迁立下一座丰碑。确实可喜可贺！

（原载《渭南师院学报》1996 年第 1 期）

三、如何写好历史名人评传

——《司马迁评传》评介③

张大可教授的著作《司马迁评传》，作为《中国思想家评传丛书》之一，由南京大学出版社在 1994 年 6 月出版。拜读之后，

①② 分别参见《司马迁评传》，南京大学出版社 1994 年版，第 199—200 页、第 331 页。

③ 本文作者赵吉惠，陕西师范大学历史学教授，中国历史文献研究会副会长。现已作古，雄文犹在，斯人已逝，谨以资纪念。

很受启发，主要是本书有个性有见地，有新义有开创，有总结有建设，这可谓三大优点或特点。本文拟结合这些优点谈两个当前史学界比较关注的问题：一是如何为历史名人写评传；一是如何建设新“史记学”的问题。

一、如何为历史名人写评传

评传是写历史人物的重要体裁，近十多年来又一次掀起了撰写评传的热潮。仅《司马迁评传》就有肖黎著本（1986 年）、黄新亚著本（1991 年）、张大可著本（1994 年），三书各有千秋，各有特色，把司马迁研究提高到了一个新水平。所谓“评传”，顾名思义，应该有“评”有“传”。所谓“评”，就应该有褒有贬；所谓“传”，则应该文史交融。司马迁写“列传”堪称这方面的典型。一部好的受读者欢迎的“评传”，应该既有深沉的历史思考，有导向的价值评价，又能以生动的语言、文学的手法描写人物、叙述历史，如像司马迁写《刺客列传》、《游侠列传》、《李斯列传》、《淮阴侯列传》、《老庄申韩列传》那样。

肖著本、黄著本、张著本在评传结合、文史交融方面，都做出了自己的努力，超越了过去的水平。张本的显著特色是：(1) 突出了“评传”的学术性，正如作者在后记中所说，对重大的学术疑案“不作回避”，努力做出回答或提出假说。例如关于司马迁的出生地，作者就列举出有争议的五说，而力证“司马迁生地故里应为祖茔所在地华池、高门”。又如关于司马迁卒年问题，书中也列举了有分歧的七说，逐一加以剖析后，表明不赞同郭沫若说而支持王国维关于“司马迁与武帝相终始”而死于武帝之后的观点。《评传》对许多学术争议问题，都表明了自己的看法，这既体现了作者的学术功底，又体现了“评传”的真正内涵。(2) 突出地深挖了传主的内心世界是究其“神”，以神为主形神兼备。《评传》自第五章至第八章以极大地努力深挖司马迁内心世界的神韵，无疑是成功的，不但表现了传主的人格、品德、思想、气质，也给读者的内心世界以强烈的震撼和深刻的启迪。例如作者在以深切同情的立场评述司马迁“受李陵祸”之后，大声疾呼：“司马迁受祸合于法不合于情，是一场冤案”，这是何等的贴切、有正义感，而且又有历史眼光啊！这里的“法”是封建专制主义的法，“情”才是人世间的情理呀！第五章第六节在评议传主发愤著书时，突出了司马迁以惊人的坚韧毅力撰写《史记》是为了“揭露和抨击统治者的荒淫和横暴，同情社会的下层人民，歌颂敢于反抗、敢于斗争的历史人物，把个人的不平和愤懑宣泄在对历史人物的褒贬上，述往事，思来者，升华了《史记》的主题”。这是我们看到的司马迁的铁骨精神，这是司马迁所表现的民族精神，这也是此书最令读者拍案叫绝的画龙点睛之笔。(3) 突出了写“评传”文史兼融的手法。《评传》第六章写司马迁的史学成就，第七章写司马迁的文学成就，我以为第七章比第六章写得更好，原因是第七章语言生动活泼，有更浓厚的文学口味。作者认为“《史记》是史学、文学、哲学三位一体的著作”“司马迁集史学家、文学家、思想家于一身”是非常确切的。鲁迅评价《史记》为“史家之绝唱，无韵之《离骚》”已成为历史之定论。《评传》一方面用重彩之笔升华了司马迁笔下悲剧人物的内心世界，帮助读者理解这些人物的性格与情志；另一方面在分析了许多典型的悲剧人物之后，强调指出司马迁写悲剧的主旋律不是强调命运的作用，而是揭露社会矛盾，用各种悲剧类型来展示多方面的人生信念和追求。有孔子知其不可而为之的精神；有吴起、商鞅、晁错为变革社会而被推上历史祭坛的牺牲精神；有范雎、孙膑、越王勾践为报仇雪恨而忍辱发愤的精神；有项羽、伍子胥、李广傲对死亡而不可战胜的精神；有刺客、游侠抗暴的反中庸精神等等。这些悲剧人物的人生信念，生活目的的各不相同，有高下之分，但他们不认命，不逆来顺受，敢于直面人生而奋起抗争的精神是一致的。这样的评议极为深刻，点出了中华文化的内在民族气质。

二、如何建设“新史记学”

张著本《评传》的主要特点是总结性与开创性。近 20 年作者把全部精力都投入了《史记》的研究，1985 年出版了《史记研究》，1986 年出版了《史记论赞辑释》，1990 年出版了《史记全本新注》。这些论著研究了司马迁与《史记》的诸多重大学术问题，从史料到理论为撰写《评传》奠定了坚实的学术基础。所以我们现在看到的这部《评传》立意较高，把司马迁放到中国文化、中国史学的大背景中进行评述，总结与反思了司马迁与《史记》研究的很多重大学术问题，第十章总结与展望了“史记学”的发展问题。“史记学”古已有之，但是自觉、明确地建设“史记学”恐怕是新史学研究的新课题。为了说明“史记学”的发展演变，姑且把近代以前的“史记学”称为“传统史记学”，把现代“史记学”叫做“新史记学”。《评传》第十章对“传统史记学”做了系统的反省与总结，是难能可贵的，然而更为难能可贵的是向史学界提出了建设“新史记学”的思路。作者指出，综合考察当代的《史记》研究，为探索司马迁思想为主要内容，以历史研究取代考据研究为主要的方法，开始把《史记》从“史料学”研究水平提高到“史记学”的研究高度上来，走上了科学化的正确轨道。这是建设“新史记学”的可取思路，也是建设“新史记学”的方法论基础。作者明确地指出了当前《史记》研究存在的三大问题：理论与史料的基础仍然薄弱；缺乏争鸣气氛；许多论文仍是传统论题，不少文章的论点多有相通，缺乏新的开拓。这是有责任感的历史学家向学术界发出的强烈呼唤，更是为建设“新史记学”而提出的时代挑战。

传统的“史记学”，重点在于文字的训释、史料的考辨、版本的校勘等方面。“新史记学”既要吸收“传统史记学”的优秀成果，更应突出与超越“传统史记学”，进行开拓与创新。作者虽然提出了“史记学”的新文化问题，但是没有展开论述“科学化”的内容。我认为简单地说，“新史记学”的科学化有两个基本标志，一个是研究手段与方法的科学化；一个是形成科学的“史记学”的理论框架或叙述体系。如今还没有贡献出有分量的“新史记学”专著，这应是建设作为一个独立学科的“新史记学”的历史性重任，也是“新史记学”走上科学化道路的重要路标。

总之，张大可著《司马迁评传》是一部有开拓、有建设、有创见、有分量的学术专著，它既是作为思想家、史学家、文学家的历史评传，又是一部“新史记学”的研究论著；它既能给读者提供有关司马迁个人经历的历史知识，又能为学术界提出如何建设“新史记学”的若干可取看法和某些基础建筑材料。

当然，见仁见智，《评传》中的某些评议还是有值得进一步商榷的地方。例如第八章第二节在评断司马迁的学术思想归属时，作者说：“他既不是儒家，又不是道家，而是升华历史经验自成一家。”这个论断与前面的一段文字似乎不甚圆通。前面说：“司马迁的政治思想，基本倾向是倡导儒家的‘仁政’为本，辅以道家的‘无为’为表的统一体，同时对于阴阳、名、法、墨各家也兼收其长，扬弃其短。”我看这段文字正符合司马谈《论六家要指》是对黄老道家特点的概括。我认为司马迁的学术思想既包括儒家思想，又包括道家黄老之学。这也是很复杂的一个学术问题，特提出来与作者商榷。

（1996 年 7 月 20 日于西安。原载南京大学思想家研究中心内刊《思想动态》第 78 期，发表于《中国书讯》1997 年第 1 期）

四、究天人之际，通古今之变，成一家之言

——读张大可《司马迁评传》[①]

司马迁（约公元前 145—约前 86），字子长，西汉左冯翊夏阳

① 本文作者蒋广学，南京大学中国思想家研究中心教授《司马迁评传》组稿人与审稿人。蒋文原注如下：“本书原拟附《司马谈评传》，作者在写作过程中，立司马谈专章，重点阐发其“六家要旨”的思想，故书名中删除附传。周勋初教授任本书分管副主编，蒋广学审稿，匡老终审并签发稿件。”

县高门里（今陕西韩城西南嵬东乡高门村）人。《史记·太史公自序》和《报任安书》曾自叙生平，班固据以写成《司马迁传》，但生卒年阙如，招引方家纷至，至今莫一，然没有否认其活动年代与汉武帝相始终者。本文标注生卒年由本书作者所推算。由于所撰《史记》五体之例，通观古今，学者多尊其为“史祖”。司马氏历代为史官，迁父谈学天官于唐都，受《易》于杨何，习道论于黄子，贯六家，掌天官，志承孔子，始著《太史公书》。迁童时曾居乡间农舍，十岁（本文所标年龄皆为约数）能诵古文，二十岁则南游江淮，北涉汶泗，赏楚吴山河之壮美，观齐鲁夫子之遗风。游历数年，归来出仕郎中，后扈从武帝三十六年，从巡二十六次，知其秘事，为撰《今上本纪》和《封禅书》奠定了基础。其间，受学于董仲舒，问故于孔安国，私淑孔子，大赞其“自天子王侯，中国言六艺者，折中于夫子”。又奉使西征巴蜀以南，在西南夷设郡置吏。而岁岁无间断者，乃襄助其父著《太史公书》。谈业未竟，于武帝元封元年（前 110），病故于洛阳，终前执其子手曰：自孔子没四百年无定史，而今汉兴，海内一统，“予为太史而不论载，废天下之史文，予甚惧焉，汝其念哉”！是年，迁三十六岁，承父书发愤著书。公元前 104 年，与壶遂、邓平、落下闳等造太初历，定正月为岁首。色尚黄，数用五，定官名，协音律。天汉二年（前 99）李陵败降匈奴，迁为之辩护，下年，李陵家被族灭，迁以“诬罔罪”遭宫刑。又下年，迁出狱为中书令，世俗目为“尊宠任职”，而迁自视为奇耻大辱，隐忍苟活为一书。太始四年（前 93）全书基本告成，写《报任安书》，言《易》、《春秋》乃至《吕览》、《孤愤》皆遭难者的舒愤之作，而仆作太史公书，“亦欲以究天人之际，通古今之变，成一家之言。草创未就，适会此祸，惜其不成，是以就极刑而无温色。仆诚已著此书，藏之名山（本书注：实指帝王藏书之府），传之其人通邑大都，则仆偿前辱之责，虽万被戮，岂有悔哉”！此后不闻其音，至宣帝时，迁外孙平通侯杨恽祖述其书，遂宣布焉。

司马迁为名家，研究者众。本书作者张大可（1940－　）教授是我国研究《史记》学的知名专家，自学生时代就酷爱《史记》，数十年来，成果颇多。特别是《史记全本新注》四册（三秦出版社），明确将司马迁的思想属性作了三层划分：《史记》上计轩辕，下至于汉武，“为十表，本纪十二，书八章，世家三十，列传七十”，创制恢宏，其作者固然是史学家；然以一家之言，断天人之际，述古今之变，“不待论断而于序事之中即见其指”，表现出思想家的理性特质；况其书为发愤书，意旨自激，借古之事，述我心志，乃“史家之绝唱，无韵之《离骚》”，映照出文学家之情性。而本书进一步肯定了司马迁是集史学家、文学家和思想家于一身的文化巨人，在充分总结前人及作者本人以往研究成果的基础上，从中国思想文化发展史的角度，深入分析了《史记》赖以产生的历史、社会、家世、师承及个人经历等主观条件；具体评述了司马迁在其“究天人之际，通古今之变，成一家之言”的治学纲领下所形成的哲学、史学和文学成就，进而分析了在这些成就中所体现的哲、政、经、史、战争及人才诸方面的思想，结合《史记》的传播史阐明了司马迁思想及史学成就的不朽价值。

司马迁作为我国史学之“高祖”，其《史记》的价值绝不仅仅在于网绝旧闻、编纂故事，而主要在于究天人之际，通古今之变，成一家之言，即追究推动历史事件演变的动力及其发展规律，抒发他个人的政治、经济、社会见解与人生态度。（p. 277）①由于董仲舒天人感应学说的笼罩，司马迁不可能从根本上摆脱天命论的束缚，他在许多地方都以天命的观点解释历史的变故。如《律书·序》说：“昔黄帝有涿鹿之战，以定火灾；颛顼有共工之陈，以平水害；成汤有南巢之伐，以殄夏乱。递兴递废，胜者用事，所受命于天也。”《秦楚之际月表·序》讲刘邦得天命说：“此乃传之所谓大圣乎？岂非天哉，岂非天哉！非大圣孰能当此受命而帝者乎？”等等。大可教授评论说：“当司马迁还不能用唯物论的阶级斗争和生产关系来解释历史变局的时候，他只能委之于天命。”（p. 279）但这只是问题的一面，通观《史记》司马迁

① 行文中所注页码为《司马迁评传》，南京大学出版社 1994 年版。

否定天命的思想则更加触目。如《项羽本纪》与《高祖本纪》，在前篇中他直接嘲笑项羽至死不悟，怪罪“天亡我”的荒谬；而后一篇，他则进一步通过刘邦之口直接说出了天意不能支配人谋：“夫运筹策帷帐之中，决胜于千里之外，吾不如子房。镇国家，抚百姓，给馈饷，不绝粮道，吾不如萧何。连百万之军，战必胜，改必取，吾不如韩信。此三者，皆人杰也，吾能用之，此吾所以取天下也。项羽有一范增而不能用，此其所以为我擒也。”大可教授评论曰：“这里最清楚明白他说明了刘邦得天下是他善于用人的结果。天意不能支配历史的变迁，同样不能支配个人的祸福。”（p. 283）而最为深刻者，他竟然能用乃父《论六家要旨》的话把自然现象与阴阳五行的迷信说法区别开来：“夫阴阳四时、八位、十二度，二十四节各有教令，顺之者昌，逆之者不死则亡，未必然也，故曰‘使人拘而多畏’。夫春生夏长，秋收冬藏，此天道之大经也，弗顺则无以为天下纲纪，故曰‘四时之大顺，不可失也。’”（p. 281—282）有了对天的自然属性及运行规则的认识，他自然对有神秘意志的天命说产生一定程度的怀疑，因而，在《天官书》中，他能明确地告诉人们：“国君强大，有德者昌；弱小，饰诈者亡。”一方面，他没有从根本否定天人感应：“太上修德，其次修政，其次修救，其次修禳，正下无之。”“修救”是指在上天示警后，国君改过从善，用以消除灾变。“修禳”是举行祭祀仪式，祈求上天保佑，收回警告。另一方面，从顺序上看，他“把人事放在第一位，把天事放在第二位。‘正下无之’，指那些无视天道人事的暴虐之君，把德、政、救、禳全部置诸脑后，肆情胡为，无可救药，必遭灭亡。”显然，这种历史二元论，讲“天命”只是表面文章，强调人为才是重点。而当他在具体地论述历史变迁和评价人物的时候，是看不到天命论的影子的。（p. 284）

这位历史学家既然在追问历史发展的动因时持有偏重于“人为”因素的“二元论”，所以他对社会问题的一系列观点，均带有既重人力但又不根本否定天意的特色。经济观、战争观、道德观、人才观直接与社会发展动因论相联系。大可教授分析道：在经济观上，他第一个提出人欲动力说：“故待农而食之，虞而出之，工而成之，商而通之。此宁有政教发征期会哉？人各任其能，竭其力，以得所欲。故物贱之征贵，贵之征贱，各劝其业，乐其事，若水之趋下，日夜无休时，不召而自来，不求而民出之。岂非道之所符，而自然之验邪？”因而，在因之、利导之、教诲之、整齐之、与之争多种政策中，他坚决反对桑弘羊与民争利的最下策而主张自由经济。（p. 302）司马迁非常重视研究战争问题，《史记》记载战争的有82篇，他的基本观点是：“兵者，圣人所以讨强暴，平乱世，夷险阻，救危殆。”因而主张正义之战而反对非正义之战。（p. 324）在道德观中，他明确提出“礼生于有而废于无”的观点，非常欣赏管仲的“仓禀实而知礼节，衣食足而知荣辱”的说法，但又反对追名逐利，认为“千金之家比一都之君，巨万者乃与王者同乐”买官素封，揭示出“统治阶级的道德只不过是所占财富势利的附属物而已”。（p. 345）在考察“古今之变”时，他第一个创造了以人为中心的纪传史，因而也是第一个有系统理论的人才学论者，其所贵者，是将古训所说“太上立德、其次立功，其次立言”的顺序作了一点调整：“太上立德，其次立言，其次立功”，故而在《报任安书》中说“古者富贵而名摩灭，不可胜记，唯俶傥非常之人称焉”。大可教授评之曰：“司马迁把立言者排在第二位，但他对立言者的赞颂却是最高的。”（p. 355）司马迁的这些观点既与他的历史动力论相联系，也与他的政治理想相照应。在政治观念上，他一反对暴政，不仅仅对秦皇之暴给予严肃的批判，同时对当今皇帝的多欲兴事也提出批评，因而主张无为而治；二反对分离割据，歌颂“汉兴，海内为一，开关梁，弛山泽之禁，是以富商大贾周流天下，交易之物莫不通，得其所欲”的局面。（p. 293）三是认为华夷同祖，均是黄帝与炎帝的后裔：匈奴是夏桀之后，勾吴与中国之虞为兄弟，越王勾践是禹之后，楚是颛顼之后，其苗裔为滇王。这是“民族统一的理论”，其终极目标就是“大一统”的政治局面。（p. 292）

大可教授认为，《史记》作为一种纪传“史体”亦有其不朽的价值。为此，他做了三方面的分析。其一，天人合一的撰述结构。就其本纪、书、表、世家、列传的五体结构言，《本纪》十二象岁之周；八《书》有八篇，法天时之八节；十《表》放刚柔十日；三十《世家》比月有三旬；七十《列传》取县车之幕齿；百三十篇象闰而成岁。“《史记》篇数与岁时历法相配乃是反映所宣扬的一种天道观。”（p. 171—172）其二，作为一种笔法，他遵从了孔子“吾欲载之空言，不若见之于行事之深切著明也”之教，重实录，不虚美、不隐恶，善善恶恶，秉笔直书，这为后人研究三代至西汉太初之前的华夏历史提供了重要的根据。其三，《史记》“以文运事”，具有很高的文学性：文章简洁，辞采华美；形散而神聚的艺术风格；结构跌宕，波澜曲折；特别是对于那些“时运不济”、“功臣遭忌”、“贤才遭妒”、“献身于义”、“人性异化”、“理性被感情或个性所淹没而成悲剧”的各类悲剧人物，司马迁给予深沉的关怀，或以激昂、或以哀伤之笔，剖析这些典型人物的思想意义。《史记》文学的最高成就，就是“在实录史事”的基础上，刻画了典型形象的传记文学”。（p. 211）

神会庐主曰：中学语文书，有《鸿门宴》一篇，写的就是我沛县乡祖刘邦同项羽斗智比勇之故事，始知司马迁可称“故事大王”。后来学问渐多、史识日厚，知我童子之见可笑至极。然真正理解司马迁，自读张君书始。我在《论我国古代历史学研究的两种传统》中，曾发议论：“对于一个人来说，人类社会是一个没有尽头的过程；然而它对于我们今天所了解宇宙演化过程来说，那又短暂可怜。历史学家应以宇宙一员之资格来评说人类的历史，以人类自己的故事来教育自己和启发后代，让瞬间即逝的生命展示出灿烂的光彩，以便使人类社会在宇宙演化中留下一道耀眼的光环。呜呼！仅仅由考据派所建造的巍峨大厦还是不够的。必须有义理派的空谷之绝唱，才能给让人们的心灵跳跃起来，追随明天而创造新的业绩。”而我写这段话时，想到了张君书，想到了“发愤以为作”的司马迁。